KB184693

이승과 저승을 소통하는

한글 제문

이복규 · 정재윤

책:봄

일러두기

1. 이미지가 있는 한글제문 가운데에서 40편을 골라 연도순으로 실었음.
2. 이미지, 판독문, 현대어역을 차례로 실었음.
3. 판독문은, 원문 표기와 똑같게 입력하되, 따옴표, 쉼표, 마침표를 넣었음.
4. 판독하기 어려운 글자는 □ 표시를 하였음.
5. 현대역은 의역을 기반으로 하였음. 지나치게 긴 문장은 적절히 끊었고, 난해 어구는 생략하였으며, 판독문과는 달리 어절 단위로 올렸음.
6. 제목은 내용을 고려해 엮은이가 달았음.
7. 작품의 뒤에 간략한 감상 및 해설을 붙였음.
8. 가로와 세로의 크기가 없는 자료는 엮은이에게 이미지만 있거나 공책에 필사한 경우임.
9. 작품별 첫 부분의 전체 이미지 오른쪽 위 QR 코드를 찍으면, 출판사 블로그에 연결되어 원문을 내려받을 수 있음.

머리말

한글 제문은 한글로 쓴 제문입니다. 고인을 애도하는 마음을 우리말로 적어 낭독한 한글 제문은 한문 제문과 비교해 특별한 의미를 지닙니다. 단순히 한문을 한글로 바꾸었다는, 표기 수단의 변화만이 아니라, 한문을 아는 상층 남성들만의 제문을, 한글을 아는 사람들의 문학으로 바꿔 놓았습니다.

한글 제문은 지역 문학이라는 특징도 지닙니다. 주로 안동을 중심으로 경북지역에서 향유하였습니다. 판소리가 호남 지역을 대표하는 문학이라면, 경북을 대표하는 문학은 한글 제문이라 할 수 있습니다.

한문 제문을 읽을 때와는 달리, 한글 제문을 읽으면 그 자리에 함께 있던 사람들이 눈물바다를 이루었다고 합니다. 한문 제문과는 달리 한글 제문은 우리말 어순이라서, 듣는 이들에게 직접 전달되었기 때문에 공감력을 발휘한 것이지요. 한문 제문도 영전에서 낭송했다지만, 함께 우는 일은 없었답니다.

한글 제문을 원문 이미지와 함께, 연구자와 일반 독자가 읽을 수 있도록 정리해서 낸 책은 이 책이 처음입니다. 홍윤표·박재연 선생님은 평생 수집한 한글 제문을 모두 제공해 주셨고, 아침톡 인연인 황혜영·황명희 여사께서도 집안에 전해 오던 한글 제문을 흔쾌히 넘겨주셨습니다. 이분들 덕분에, 대학 재직 때부터 마음에 두었던 이 일이 급물살을 타서 정년퇴직한 지 5년 만에 출간합니다. 이 책의 필요성에 공감하며 제목까지 지어주신 조동일 은사님의 관심도 큰 힘이었습니다.

영남 방언을 비롯하여, 한문과 한자, 여성 풍속, 전통 예법 등에 대한 지식을 요구하는 작업이라 만만치 않았습니다. 이번에도 내 이름에 들어 있는 '복(福)'자가 마력을 발휘해 여러 선생님의 도움으로 해결했습니다. 판독에 도움을 주신 이상규·임치균·장향규 선생님, 자료를 이용하게 해 주신 도재욱 선생님, 고맙습니다. 한글 제문의 이미지 활용을 허락해 주신 임기중 선생님, 국립광주박물관 김주홍 학예사님께도 머리 숙여 감사합니다. 원고 완결 후 사진 처리의 난제 앞에서 아득했으나, 학부 제자 정재윤 박사가 해결하고 마무리 작업까지 해 주었으니 더욱 감사한 일입니다.

미진한 부분이 있지만, 이 책을 디딤돌 삼아 더 나은 연구가 이루어졌으면 좋겠습니다. 편지가 이승에 있는 사람끼리의 소통의 도구였다면, 제문은 이승에 남은 사람과 저승으로 떠난 영혼이 소통하는 수단이었습니다. 우리 한글 제문의 정신과 전통이, 소통 부재인 오늘날에도 이어졌으면 하는 바람으로 이 책을 냅니다. 사제 공저로 출판해 더욱 기쁩니다.

2024년 새봄을 맞으며

정동 중림문화센터에서

이복규

차례

차례

1. 누이 영전에[1]

1746년, 국립광주박물관 소장, 세로 33㎝, 가로 98.5㎝

1 정승혜, “유학 기태동이 죽은 누이를 위해 쓴 한글제문에 대하여”, 국어사연구 17(국어사학회, 2017), 375~402쪽 참고.

유셰ᄎᆞ

태동은

망쳐 유인 ᄒᆡᆼ쥬 긔시 ᄃᆡ 영연의 쳔ᄒᆞ여 [illegible] 고[illegible]

ᄒᆞᆫ 사ᄅᆞ믈 미ᄋᆞᆺ지 ᄀᆞᆺ히 너 이 몸을 사ᄒᆞ여 [illegible]

지라 ᄇᆞ시 [illegible] ᄒᆡᆼ혼 [illegible]

히 여ᄒᆞᆫ ᄃᆞᆺ지 사ᄅᆞᆷ이 어셔 하 ᄂᆞᆫ이 어서 우리 ᄂᆡ 서ᄅᆞᆯ ᄇᆞᆯ비 아시

이 [illegible] 의 셰ᄅᆞᆫ 차 ᄒᆞᆫ 형 희 뎡 유 ᄯᅩ 한 고 신 신 무로 라 ᄉᆞ 라 ᄌᆞᆼ

ᄒᆞᄂᆞᆫ 나 ᄅᆞᆯ 우ᄅᆞᆷ 재 누의어ᄂᆞᆯ ᄂᆡ ᄃᆞᄅᆞ 어 우ᄅᆞᄂᆞᆫ 나 ᄅᆞᆯ 장 ᄉᆞ ᄒᆞᆯ 재

누의어ᄂᆞᆯ ᄂᆡ ᄃᆞᄅᆞ며 쟝ᄉᆞ ᄒᆞ니 ᄎᆡᆨ 나 구로 되고 ᄉᆡᆼ ᄉᆞ 힐 면 이

ᄅᆞ라 ᄂᆡ 유한이 ᄆᆡ오 이 ᄋᆞᆺ서 우ᄅᆞᄂᆞᆫ 새 ᄆᆡ로 스 ᄃᆞᆯ 고 위 [illegible]

ᄒᆞ니 혀ᄋᆞ 셰ᄂᆞᆫ 지쳥이라 ᄒᆞ니 ᄇᆞ 도 유 ᄋᆞ ᄎᆡᆨ 존 망 의 셔 ᄅᆞᆷ

이 곳 ᄀᆞ 마다 ᄂᆡ 저 나 ᄂᆞᆯ 유 ᄆᆡᆼ 의 셔 ᄂᆞᆫ ᄆᆞᆷ 이 일 ᄋᆞᆯ 새 라 너 ᄂᆞᆫ [illegible]

라 ᄯᆞᆯ 이 ᄇᆞᆯ ᄀᆞᆫ [illegible] 셔 ᄉᆡᆼ ᄀᆡᆨ ᄒᆞᆫ ᄒᆞᆯ 보 ᄃᆞᆫ 이 [illegible] 그 ᄉᆡᆨ ᄒᆞᆫ ᄒᆞᆯ 곳 아 [illegible]

ᄒᆞ여 ᄃᆞ ᄉᆡᆼᄀᆡᆨ ᄒᆞᆫ ᄂᆞᆯ ᄆᆡᆸ 외 셔 ᄅᆞ 져 ᄒᆞᆫ ᄉᆡᆼ ᄀᆡᆨ ᄒᆞᆫ [illegible] 파 라 가 셰 [illegible]

ᄒᆞ오 ᄒᆡᆼ ᄒᆞᆫ 다 가 그 [illegible] 셰 ᄀᆡᆨ [illegible]

서ᄋᆡᆨ ᄒᆞᆯ 비 ᄃᆞᆫ ᄂᆞᆫ [illegible] 셔 [illegible] 셜 ᄀᆡᆨ ᄒᆞ야 ᄉᆡᆼ ᄀᆡᆨ 지

유셰ᄎᆞ 병□□□□ 태동은 망ᄆᆡ 유인 힝쥬 긔시 녕연의 젼ᄒᆞ여 우러 ᄀᆞ로ᄃᆡ,

오호 통지라 ᄒᆞᆫ 잔으로 울미, 엇지 가히 내 ᄋᆡ통을 샤ᄒᆞ며, 두어 줄 글이 엇지 다 ᄆᆡ시의 덕ᄒᆡᆼ을 기록ᄒᆞ리오.

오호 통지라. ᄆᆡ시의 나히 애오로지 삼십이 셰라. 하ᄂᆞᆯ이 엇지 우리 ᄆᆡ시를 밧비 아서, 이 동긔의 쇠로ᄒᆞᆫ 쟈로, 형ᄒᆡ 더욱 ᄆᆞᄅᆞ고 심신으로 다 ᄉᆞ라지게 ᄒᆞᄂᆞ뇨. 나ᄅᆞᆯ 울 쟤 누의어ᄂᆞᆯ 내 도로혀 울고, 나ᄅᆞᆯ 쟝ᄉᆞ할 쟤 누의어ᄂᆞᆯ 내 도로혀 쟝ᄉᆞᄒᆞ니, 쳔니 그르되고 인ᄉᆞ의 변이로다. 내 슈단[2]이 명이 이심으로써, 비록 스스로 위로ᄒᆞ고져 ᄒᆞ나, 형졔ᄂᆞᆫ 지졍이라 다이 부모의 유쳬즉, 존망의 셔룸이 곳곳마다 니러나고, 유명의 뉘늣김이 일을 ᄯᆞ라 니ᄅᆞᄂᆞᆫ 지라.

ᄃᆞᆯ이 ᄇᆞᆰ근즉 ᄉᆡᆼ각ᄒᆞ고, ᄇᆞ람이 ᄆᆞᆰ근즉 ᄉᆡᆼ각ᄒᆞ고, 곳이 발ᄒᆞ여도 ᄉᆡᆼ각ᄒᆞ고, 닙피 ᄯᅥ러져도 ᄉᆡᆼ각ᄒᆞ고, 자다가 ᄭᆡ여도 ᄉᆡᆼ각ᄒᆞ고, ᄒᆡᆼᄒᆞ다가 그쳐도 ᄉᆡᆼ각ᄒᆞ고, 근심되여도 ᄉᆡᆼ각ᄒᆞ고, 즐거워도 ᄉᆡᆼ각ᄒᆞ고, ᄇᆡ 불너도 ᄉᆡᆼ각ᄒᆞ고, ᄃᆞ싀여도[3] ᄉᆡᆼ각ᄒᆞ야, ᄉᆡᆼ각지

아, 병인년(1746년) 5월 24일, 죽은 누이 행주 기씨 영전에 오빠 태동이 고한다.

아, 애통하다, 술 한 잔을 올리며 운다고, 어찌 내 애통함이 다 쏟아내지며, 두어 줄 글이 어찌 다 누이의 덕행을 기록할 수 있겠는가?

아, 애통하다. 우리 누이의 나이 겨우 서른 둘인데, 하늘은 어찌 우리 누이를 바삐 앗아가셔서, 이 노쇠한 오빠의 육체를 마르게 하고 심신을 다 스러지게 하신단 말인가?

나를 위해 울어줄 사람이 누이거늘 내가 도리어 울고, 나를 장사지낼 사람이 누이거늘 내가 도리어 장사지내니, 천리가 잘못되고 인사의 변고다. 장수하거나 단명한 것이 명 때문에 그런 것이려니 하고, 내가 스스로 위로하기는 한다만, 형제는 지친으로서, 모두 부모님이 물려주신 몸이건만, 나는 살아 있고 너는 죽은 서러움이, 함께 갔던 곳마다에서 일어나고, 나는 이승에 너는 저승에 있는 서러움이, 함께했던 일을 따라 일어나는구나.

달이 밝으면 너를 생각하고, 바람이 맑아도 생각하며, 꽃이 피어도 생각하고, 잎이 떨어져도 생각한다. 자다가 깨어도 생각하고, 길 가다 멈춰도 생각하며, 근심되어도 생각하고, 즐거워도 생각하며, 배불러도 생각하고, 따스해도 생각한다. 생각하지

2 수단(壽短) : 장수하고 단명함.

3 ᄃᆞ싀여도 : 따뜻해도.

이나ᄂᆞᆫ 이엄으로 싱각지 아닐ᄯᅢ 업ᄉᆞ나 비록 서ᄉᆡᆼ치 미흡ᄒᆞ로 져
ᄒᆞ나 가히 엇지 못ᄒᆞᆯ 이ᄒᆞ다 ᄒᆞᆫ 날이 넘으ᄯᅢ 히며 나이 ᄃᆞᆫ이 더브러
ᄒᆞᆫ 사ᄅᆞᆷ지도 길으로 ᄡᅡ다 히너ᄂᆞᆫ 고ᄒᆞ야 ᄂᆞᆷ 길ᄒᆞ니 이화 ᄃᆡ ᄃᆡᄒᆞ여 ᄒᆞ야 치
로 길ᄒᆞ다 ᄂᆞᆫ ᄒᆞᄂᆞᆫ ᄃᆡ와 ᄂᆞᆫ 히셔 ᄒᆞᆫ 아니 ᄒᆞᄂᆞᆫ ᄃᆞ ᄯᅢ 계치 못ᄒᆞ니
ᄲᅢ예 쳔치 유셰ᄒᆞ오 ᄇᆞᆫ셔 이셔 ᄒᆞ며 ᄒᆞ니 유의 ᄉᆞ ᄉᆡᆼ ᄒᆞ오 ᄒᆞᆯ
셔이 ᄒᆞᆷ ᄒᆞ야 일이 ᄉᆞ친 ᄒᆞᄂᆞᆫ 졍을 ᄒᆞ오며 이러 ᄒᆞᆫ 족 비록 이 ᄂᆞᆫ
히오ᄂᆞᆯ 이ᄋᆞᆸ고 와 뎐위치 못ᄒᆞᄋᆞᆸ고 괴로ᄋᆞᆷ이 ᄒᆞᆫ도 반ᄒᆞ셔 ᄆᆞᄋᆞᆷ ᄒᆞ여
당ᄒᆞ여 ᄆᆞᄋᆞᆷ도 ᄲᅦ쳐 운비시ᄂᆞᆫ 보오면 ᄒᆞᆫ이 엇시 족ᄒᆞᆯ 한라
ᄒᆞᆯ 녀ᄅᆞᆷ이 와 도 반ᄒᆞ시 유ᄒᆞ온 시ᄃᆡᆼ의 이부모ᄅᆞᆯ 가당ᄒᆞ야 ᄇᆞᆯ이
ᄉᆞ줄 날이 ᄲᅧ 부ᄃᆡ 도록 거의 도지 아니ᄒᆞ오 오황ᄒᆞ온 ᄃᆡ 이 안ᄉᆞᆯ
의나 더나고 어어에 ᄇᆞᆯᄒᆞᆯ이 지ᄉᆡᆼ이야 남이 아니라 가ᄃᆡᆼ이 븐
시 ᄉᆞᆷᄒᆡ 이세 ᄉᆡᆼ라 ᄒᆞ나 ᄉᆞᆯ이에 밧 보시ᄂᆞᆫ지 ᄉᆡᆼ각 ᄒᆞᆫ
ᄒᆡᆼᄒᆞ야 ᄒᆞᆷᄉᆡᆼ 나ᄯᅢ 나 ᄆᆞᆷ ᄲᅢ 나 ᄉᆡᆼ 시 니 것이 니 ᄯᅢ ᄇᆞᆫ
그ᄯᅢ 아니라 또 ᄉᆡᆼ ᄒᆞᆯ다 ᄒᆞᆫᄯᅢ 어ᄃᆡ ᄇᆞᆫᄒᆞ시나 온ᄒᆞᆯ에 마나 져
구지ᄂᆞᆫ ᄆᆞᄋᆞᆯ 져 유도 능히 이회ᄒᆞᆯ이 ᄒᆞᆯ되 이나의 지ᄉᆞᄒᆞ오 져죄

아닐 날이 업고, ᄉᆡᆼ각지 아닐 ᄣᅢ 업ᄉᆞ니, 비록 ᄉᆡᆼ각지 말고져 ᄒᆞ나 가희 엇지 못ᄒᆞ리로다. 하놀이 놉고 ᄯᅡ히 머나, 이 ᄒᆞᆫ이 더부러 ᄒᆞᆫ가지로 길고, 바다히 너로고 하슈 깁프니, 이 회푀 더부러 ᄒᆞᆫ가지로 깁도다.

오호 통ᄌᆡ라 오히려 ᄎᆞᆷ아 니ᄅᆞ랴. 졔계[4]치 못ᄒᆞᆫ ᄣᅢ예 천ᄌᆡ유졍[5]ᄒᆞ고 본셩이 석연[6]ᄒᆞ니, 규의 슉셩ᄒᆞ고 효서이범ᄒᆞ야, 일이 ᄉᆞ친ᄒᆞᆯ 졀ᄎᆞ의 ᄆᆡ임 이신즉, 비록이 능히 못ᄒᆞᆯ 잇붐[7]과 견ᄃᆡ지 못ᄒᆞᆯ 괴로옴이라도, 반ᄃᆞ시 몸으로써 당ᄒᆞ여, 죠곰도 예려운 비시 업고, 부모 병환이 겨신즉 늉한과 혹열이라도 반ᄃᆞ시 쥭음과 시탕의 잇붐을 ᄌᆞ당ᄒᆞ야, 밤이 ᄉᆞᄆᆞᆺ고 날이 져무도록 게어르지 아니ᄒᆞ고, 우황ᄒᆞᆫ ᄆᆞ음이 안ᄉᆡᆨ의 나터나고, 언어에 발홈 이 지셩이 아님이 아니라. ᄌᆞ당이 본시 슉병이 계신지라 오직 술을 이에 맛보시ᄂᆞᆫ지라. 능히 ᄉᆞᄉᆞ로 판양ᄒᆞ야 ᄒᆞᆼ샹 니워 나ᄋᆞ고, 병니의 ᄉᆡᆼ각ᄒᆞ시ᄂᆞᆫ 것 이시면, 비록 그 ᄣᅢ 아니라도 졍셩을 다ᄒᆞ야 어더, 반ᄃᆞ시 나온 후에 마니 젹구지물[8]을 젹슈로 능히 이러홈이, 효되 임의 지극ᄒᆞ고 ᄌᆡ죄 ᄯᅩ

않는 날이 없고, 생각하지 않을 때가 없으니, 비록 생각하지 않으려 해도 어찌할 수가 없구나. 하늘이 높고 땅이 멀지만, 이 한도 더불어 똑같이 길고, 바다가 넓고 강이 깊으나 이 회포도 더불어 똑같이 깊구나.

아, 슬프다. 차마 말로 다할 수 있겠느냐? 너는 혼인하지 않았을 때부터 타고난 자태가 부드럽고 정숙했다. 본성이 성실하니, 규방에서의 거동이 성숙하고, 효성스러운 생각이 비범하였다. 어버이 섬기는 일에 절도가 있어서, 비록 능히 못할 만큼 힘들고 피곤하며, 견디지 못할 만큼 괴로운 일을 당해도, 조금도 어려운 빛이 없었다. 부모님이 병환에 계시면, 심한 추위와 더위 속에서도, 반드시 죽을 마시게 하고 약을 드시게 하는 수고를 스스로 감당하였다. 밤이 새고 나서 날이 저물 때까지 게을리하지 않고, 두려워하는 마음이 안색에 나타나고, 말을 할 때도 지성스러웠다.

어머님께 본래 오래된 병이 있어서, 오직 술을 맛보시기만 하시자, 스스로 술을 빚어 항상 나서서 바쳤다. 어머님이 병중에 생각하시는 것이 있으면, 비록 그 즉시는 아니라도 정성을 다해 반드시 얻어서, 어머니 입에 맞는 음식을 혼자 능히 마련해 드렸으니, 효도가 지극하고 재주도

4 졔계(載笄) : 비녀를 꽂음. 곧 성인이 되어 혼인함.
5 천ᄌᆡ유졍(天姿柔靜) : 하늘이 내려준 고결하고 깨끗한 지조.
6 석연(塞淵)ᄒᆞ니 : 성실하니.
7 잇붐 : 수고로움.
8 젹구지물(適口之物) : 입에 맞는 음식물.

ᄒᆞᆫ 뫼에 ᄒᆞᆫ 지라 그 하ᄂᆞᆯ이 번 바탕이 아니면 능히 이ᄉᆞ드라 혀
졔의게 우리 일의 도탑고 친ᄒᆞᆫ 이의게 돈독이 ᄯᅩ 극진ᄒᆞᆫ ᄒᆞᆨ
여ᄉᆞ녀 ᄀᆞᆯ은 회ᄒᆞ야 나ᄂᆞᆫ 흥이 이ᄋᆞᆫ지어 의리를 분명ᄒᆞᆫ 뒤
시비를 ᄭᆡ닷기 도무지 독ᄀᆡ 이의예 극진히 ᄌᆡ앙 ᄇᆞ라 내 이ᄂᆞᆫ 쥭게 너로쇠 인도
유품을 ᄆᆡ시 ᄒᆞᄂᆞᆯ노 ᄌᆞᆼ셩ᄒᆞᄂᆞ네 슈ᄀᆡ 녀에 견조매 가희써 아ᄂᆞᆫ 향
ᄒᆞᆯ지라 맛그고 죽게 ᄒᆡ 빈을 바시ᄂᆞᆯ매 능히 보ᄂᆞᆫ 셜시 ᄃᆞᆫ 바로
써
구ᄃᆡ의게 옮기되 ᄆᆞ음가짐ᄒᆡ를 셩셩으로써 법을 ᄉᆡᆼᄀᆞᆨ
다ᄉᆞ리기를 유슌으로써 공경을 삼어 ᄉᆞ 셩치 ᄯᅢ과 봉션
치리 이를 ᄯᅡ라 마ᄉᆡᆼᄒᆞ나 존쟝이 ᄒᆞᆫ 사 ᄆᆡ양 이로 ᄀᆞᆺᄂᆞᆫ ᄆᆡ
반ᄃᆞ시 ᄆᆞᄅᆞ쥐 ᄂᆡ현복여 ᄂᆡ현복여 ᄒᆞᆷ샤 못 ᄏᆞᆫ 쳐은 ᄇᆡ로에
보려 마ᄀᆡ지 마ᄂᆞᆫ 어버슌ᄂᆡ 사ᄅᆞᆷ의 ᄯᅢ 누리 ᄯᅢ 능히 구ᄒᆞ
즐기시ᄂᆞᆫ ᄆᆞᄋᆞᆷ은 어ᄂᆞ 쥭 복인의 ᄉᆞ업이 다 ᄒᆞᆫ지라 이쥭히 평
셩ᄒᆞᆼ의 의ᄒᆞᆯ 단안이라 지어 아레 어거ᄒᆞᄂᆞᆫ 법도ᄂᆞᆫ 위 병행
년내 되져ᄒᆞᄂᆞᆫ 도리 ᄒᆞᆫ이 ᄒᆞᆫ 극진ᄒᆞᆫ 이라 ᄭᅥᆺ가이 비복의 뉴와
멀니 려희 ᄉᆞ이예 현복이 으로써 이로 ᄀᆞᆺ 지 아니리 업서운 방
ᄒᆞᆫ 노ᄅᆞᆯ에 니르러 파 ᄀᆞᆫ차 치웁ᄒᆞ야 ᄆᆞᄅᆞ쥐 이 사ᄅᆞᆷ이 문득

한 긔이ᄒᆞᆫ지라.

그 하늘이 낸 바탕이 아니면 능히 이 ᄀᆞ트랴. 형졔의게 우ᄋᆡ 임의 도탑고, 친텩의게 돈묵이 ᄯᅩ 극진ᄒᆞᆫ즉, 여ᄉᆞ녀홍은 회회ᄒᆞ야 넉넉ᄒᆞᆷ이 잇고, 지어의리를 분변ᄒᆞ고 시비를 ᄯᆞ리기도, 문득이 의연히 ᄒᆞᆫ 쟝부라. 내 일즉 니르ᄃᆡ 인효유풍을 ᄆᆡ시 ᄒᆞ올노 죵싱[9]ᄒᆞ니, 녜 슉녀에 견조매 가히 써 안항[10]ᄒᆞᆯ지라. 밋 그 고족에 빈을 밧들매 능히 부모 셤기던 바로써 구고의게 옮기ᄃᆡ, ᄆᆞ음가지기를 졍셩으로써 법을 삼고, 몸 다스리기를 유슌으로써 그본을 삼어, ᄉᆞ싱지절과 봉셔지되 일을 ᄯᆞ라 마ᄯᅡᆼᄒᆞ니, 존쟝[11]이 죵ᄋᆡᄒᆞ샤 ᄆᆡ양 일크르매, 반ᄃᆞ시 ᄀᆞ로ᄃᆡ, 내 현부여 내 현부여 ᄒᆞ샤, 무릇 크고 져근 일에 ᄇᆞ려 마기지 아님이 업스니, 사ᄅᆞᆷ의 며ᄂᆞ리 되어 능히 구고의 즐기시ᄂᆞᆫ ᄆᆞ음은 어든즉, 부인의 ᄉᆞ업이 다ᄒᆞᆫ지라.

이 죡히 평싱 힝긔의 ᄒᆞᆫ 단안이라. 지어 아레 어거ᄒᆞᄂᆞᆫ 법도 은이병힝, 닌니 ᄃᆡ졉ᄒᆞᄂᆞᆫ 도리도 인휘 극진ᄒᆞᆫ지라. 갓가이 비복의 뉴와 멀니 려리 ᄉᆞ이예 현부인으로써 일ᄏᆞᆺ지 아니리 업서, 운망ᄒᆞᄂᆞᆫ 날에 니르러, 다 ᄌᆞ차 체읍ᄒᆞ야 ᄀᆞ로ᄃᆡ, 이 사ᄅᆞᆷ이 문득

기이하였다. 하늘이 낸 바탕이 있지 않다면, 능히 이같을 수 있겠는가?

형제에 대한 우애가 이미 도탑고, 친척에게 화목하기를 극진히 하였다. 자질구레한 일들과 길쌈하는 데서는 넓고 넉넉한 마음이었고, 심지어 의리를 분별하고 시비를 따지는 데서도 의연한 한 장부같았다. 내 일찍 말했다. "어질고 효성하는 풍속을 누이 홀로 모아서 타고났으니, 옛 모범 숙녀들에 견주면 가히 그 형제라 할 만하다."라고. 또 지체 높은 집안에 며느리로 들어가 받들 때, 부모님 섬기던 대로 시부모께 옮겨서 했다. 마음가짐에서 정성으로 법을 삼고, 몸 다스리기에서 유순함으로 근본을 삼아, 산 부모 섬기는 도리와, 죽은 조상 받드는 도리가, 일에 따라 가장 마땅하게 하였다. 그러자 시부모께서 사랑하셔서 언제나 칭찬하시기를 항상 이렇게 말씀하셨다. "우리 어진 며느리, 우리 어진 며느리." 이러시면서 무릇 크고 작은 일을 위임하지 않는 일이 없었다. 사람의 며느리가 되어 능히 그 시부모님이 기쁘게 여기는 마음을 얻는다면, 부인의 일을 완수한 것이라 할 것인데, 우리 누이가 그랬다. 이상은 누이가 평소에 처신한 일의 한 부분이다. 아래 사람을 다룰 때도, 은혜와 위엄을 병행하였으며, 이웃을 대접할 때도 후덕한 인자함이 극진하였다. 가까운 남녀 종들과 먼 마을 사람들 모두, 우리 누이를 어진 부인이라고 일컫지 않는 사람이 없었다. 사망한 날에, 다 탄식하여 울면서 이렇게 말하였다. "이 사람이 왜 갑자기

9 죵싱(鍾生) : 탄생.

10 안항(雁行) : 기러기의 행렬이란 뜻. 즉 남의 형제를 높여 이르는 말.

11 존쟝(尊章) : 시부모.

이에 너ᄅᆞᆯ 나ᄒᆞ니 이ᄯᅢ 일 인ᄃᆞ야 아ᄂᆡ예 엇지 셔 이ᄅᆞᆯ 니뢰리
오ᄂᆞᆯ 오ᄂᆞᆯ 동지라 며시ᄒᆞᆫ 쑥이 가매 훈향이 어젼 며ᄂᆞ리 ᄃᆞ물이
ᄒᆞ시던 욕낭이 어ᄂᆞ라 온 ᄲᅧᆯ을 일흔 ᄃᆞᆺ 혬이 ᄭᅳ어진 누의 ᄋᆞᄅᆞᆯ
이ᄒᆞ니 인니 참혹ᄒᆞᆫ 모양이 이에 지나 허여ᄉᆞᆯ 허물며 두 ᄯᆞᆯ이 애
호소ᄒᆞ지 못ᄒᆞ고 ᄂᆞᆷ 플어여 희고 흰 아ᄃᆞᆯ은 쇠ᄇᆞᆯ이 ᄆᆞᆫ ᄃᆞ지 못ᄒᆞᆫ 너 난
ᄂᆞᆫ 형상을 보매 내 ᄆᆞᄋᆞᆷ이 ᄭᅥ어지고 ᄒᆞᄂᆞᆫ 수리ᄅᆞᆯ 도ᄅᆞ매 내 애
무어지니 죽ᄂᆞᆫ 재 어지 눈을 그ᄆᆞᆷ에 산 재 엇지 가ᄉᆞᆷ의 싸히지 아
니ᄒᆞ리오 ᄋᆞᆷ시ᄂᆞᆫ 수지 못ᄒᆞᆫ 돌 ᄲᅵ늉히 ᄒᆞᄂᆞᆫ ᄒᆞ매 ᄇᆞᆸ이 비 ᄇᆞ루지 못ᄒᆞᆫ
줄 뉘 아시리 념녀ᄒᆞᆫ 뒤 오ᄂᆞᆯ 동지라 ᄯᅢ시 쳔하에 도라가매 ᄇᆞᆨᄂᆞᆫ
시 아양을 승아ᄒᆞᆯ 지라 효유에서 조ᄒᆞᆫ 동평에 서로 ᄯᅩ ᄅᆞᆫ 쥬
술 하지 ᄆᆞᆯ이 유명 라다 ᄃᆞᄂᆞᆷ이 업술지라 평일 슌효지심이 일노
써 우ᄅᆞᆯ 어음을 ᄉᆞᄂᆞ 우려니 ᄒᆞᆯ 그ᄅᆞᆯ 기업세 셩애ᄒᆞ니 유셰ᄒᆞ지 시ᄂᆞ ᄆᆞᆫ
발ᄒᆞᄂᆞᆫ시 쟝ᄎᆞᆺ 쳑ᄒᆞ야 ᄆᆞᄃᆞ뒤 윤노의 ᄆᆞᆺ지 못ᄒᆞᆫ 가 엇지 내오ᄅᆞᆫ 녕
졍ᄒᆞᆫ 몸을 누고 네야 희 강보의 녕을 보ᄂᆞᆫ ᄃᆞᆺ 슈야의 혼을
지어 도라 ᄒᆞ신 죽 ᄯᅩ ᄋᆞᆯᄋᆞᆫ 엇지셔 그 ᄌᆞ최 ᄆᆞᄅᆞᆯ 위ᄅᆞᆫ ᄒᆞᆫ 고 ᄒᆞᄇᆞᆯ ᄋᆞᆫ을 ᄯᅥ
답ᄒᆞᆫ 쉬 오ᄂᆞᆯ 보ᄂᆞᆫ 참의라 너ᄂᆞᆫ 매 ᄯᅳᆺ 미쳐 ᄆᆡᆨ히 ᄂᆞᄒᆞ다 녜내 오매 ᄀᆡᆨ

이에 니르냐 ᄒᆞ니, 이 평일 인덕이 아니면 엇지 써 이르 니리리오.

오호 통ᄌᆡ라. ᄆᆡ시 ᄒᆞᆫ 몸이 가매, 존쟝이 어진 며ᄂᆞ리를 이ᄒᆞ시고, 옥낭이 어름다온 ᄇᆡ필을 일코, 로형이 그 어진 누이를 이ᄒᆞ니, 인니참독홈이 이에 지나리 업고, 허믈며 두 ᄯᆞᆯ이 애호로 지 무릅풀 여희고, ᄒᆞᆫ 아ᄃᆞᆯ은 ᄉᆡᆼ발이 ᄆᆞᄅᆞ지 못ᄒᆞ니, 난난ᄒᆞᆫ[12] 형상을 보매 내 ᄆᆞ음이 것거지고, 고고ᄒᆞᄂᆞᆫ 소릐를 드르매 내 애 무여지니, 죽ᄂᆞᆫ 재 엇지 눈을 ᄀᆞ므며, 산 재 엇지 가ᄉᆞᆷ의 싸히지 아니리오. 오시 ᄃᆞ스지 못ᄒᆞᆫ둘 뉘 능히 근심ᄒᆞ며, 밥이 ᄇᆡ부루지 못ᄒᆞᆫ들 뉘 다시 념녀ᄒᆞ리오.

오호 통ᄌᆡ라. ᄆᆡ시 쳔하에 도라가매 반ᄃᆞ시 야양[13]을 승안ᄒᆞᆯ지라. 쇼쥬에 시측ᄒᆞ고, 동졍에 서루 ᄯᆞ론즉, 슬하지락이 유명과 다름이 업슬지라. 평일 슌효지심이 일노써 즐거움을 삼으려니와, 그을기[14] 업져[15] ᄉᆡᆼ각ᄒᆞ니 유질지심으로 반ᄃᆞ시 쟝ᄎᆞᆺ ᄎᆡᆨᄒᆞ야 ᄀᆞ로ᄃᆡ 운, 노의 밋지 못ᄒᆞ야 엇지 내 오로운 녕졍 ᄒᆞᆫ 몸을 노코, 네 아희 강보의 명을 ᄇᆞ리고 믄득 슈아의 ᄒᆡᆼ을 지어ᄂᆞᆫ다 ᄒᆞ신즉, ᄯᅩᄒᆞᆫ 엇지 써 그 회포를 위로ᄒᆞ고 말ᄉᆞᆷ을 ᄃᆡ답ᄒᆞ리오.

오호 참의라. 니ᄅᆞ매 목 ᄆᆡ쳐 막키ᄂᆞᆫ도다. 녜 내 오매 곽

이 지경에 이르렀단 말인가?" 평소의 인덕이 아니면 어찌 이렇게 말할 수 있었겠느냐?

아, 슬프다. 누이 한 몸이 떠나가자, 시부모가 어진 며느리를 여의고, 남편이 아름다운 배필을 잃고, 오빠가 그 어진 누이를 이별하였다. 인생살이에서 참담하기가 이보다 더한 게 없고, 하물며 두 딸이 겨우 무릎을 떠날 만큼 자랐고, 한 아들은 미처 머리털도 마르지 못하였으니, 그 애처로운 형상을 보노라니 내 마음이 꺾어지고, 우는 소리를 들으니 내 창자가 미어진다. 하물며 죽는 우리 누이가 어찌 눈을 감으며 산 자가 어찌 가슴에 쌓이지 않겠느냐? 아이들의 옷이 따뜻하지 못한들 누가 근심해 주겠으며, 밥이 배부르지 못한들 누가 다시 염려해 주겠느냐?

아, 슬프다. 누이가 황천으로 돌아가면 반드시 부모님을 뵙겠지. 밤낮 곁에서 모시고, 움직이나 멈추나 함께 따르겠지. 부모님을 모신 즐거움이 이곳이나 그곳이나 아무런 차이가 없겠지. 평소의 그 효심으로 즐거움을 삼고 있으려니와, 가만히 생각하니, 부모님께서, 오직 자식이 병 날까 걱정하는 그 마음으로, 반드시 이렇게 나무라며 말씀하실 것만 같다, "늙지도 않은 몸으로, 어찌 외롭고 의지할 데 없는 네 오빠를 두고, 또 네 강보의 젖먹이 아이를 버려두고 문득 먼 밤길을 떠나왔단 말이냐?" 이러실 테니, 어찌 그 마음을 위로할 말씀으로 대답할 것이냐?

아, 애처롭다. 목이 메어 막히는구나. 예전에는 내가 오면, 네가 주는

12 난난(欒欒)ᄒᆞᆫ : 애처로운.

13 야양(爺孃) : 부모.

14 그을기 : 가만히.

15 업져 : 엎드려.

강화덕 반이 내 누속을 혜치더니 이제 은혜 ᄒᆞ만라 허면이
내 심산을 티오나 말볼지어다 이 세상의 다시 두번 볼 날이
엽오니라 황양이 봉착이 다시 모ᄅᆞᆯ 괴악이로다 온호 황천아
어지 ᄀᆞ혹흠이 이시리오 일월이 ᄎᆞᆫ 환 ᄀᆞ상이 역 남ᄂᆞᆫ니 이 말을
지나면 ᄌᆡ면을 장ᄎᆞ 쳘ᄒᆞᆯ지라 ᄯᅳᆺ 시릐ᄂᆞᆫ 방울도 보지 못ᄒᆞᆫ
되라 이 ᄯᅩ 남 열을 ᄒᆞᆫ을 비시 ᄒᆞ 노하 아시 못ᄒᆞᆫ나 온조ᄒᆞᆫ
처ᄅᆞᆯ 뷔의 고와 ᄀᆡᆨ ᄒᆞᆷ을 보라 노리

ᄀᆡᆼ[16]과 ᄆᆡᆨ반[17]이 내 우수를 헤치더니, 이제 오매 소만[18]과 허연[19]이내 심간을 ᄐᆡ오니, 말올지어다[20]. 이 셰샹의 다시 두 번 볼 날이 업고, 머다 황양이 오직 이 다시 모ᄒᆞᆯ[21] 긔약이로다. 오호 황텬아, 엇지 그 극ᄒᆞᆷ이 이시리오. 일월이 쇼환 긔상이 격님ᄒᆞ니, 이 밤을 지나면 궤연을 장ᄎᆞᆺ 쳘ᄒᆞᆯ지라. 쏘 시러곰 방불[22]도 보지 못ᄒᆞ리라. 이 ᄆᆞᄋᆞᆷ 결울ᄒᆞᆷ을 ᄆᆡ시 그 아ᄂᆞ냐 아지 못ᄒᆞᄂᆞ냐. 오호 통ᄌᆡ라. 거의 그와 격ᄒᆞᆷ을 ᄇᆞ라노라.

콩국과 보리밥이 내 근심을 달래주더니만, 지금 오니 심드렁하니 텅 빈 자리가 내 심장과 간장을 태우는구나. 모두 끝이로구나. 이 세상에 두 번 다시 볼 날이 없고, 먼 저승만이 오직 다시 우리를 모을 기약이로구나.

아, 황천이여, 끝이 없는 황천이여. 해와 달의 빛나는 기상이 저승에서 굽어다보고 있으니, 이 밤이 지나면 빈소를 거둘 테니, 다시는 비슷한 것도 보지 못하겠지. 이 마음의 울적함을 누이는 아느냐 알지 못하느냐?

아, 슬프다. 오직 여기 임하기를 바란다.

16 각ᄀᆡᆼ(藿羹) : 콩국.
17 ᄆᆡᆨ반(麥飯) : 보리밥.
18 소만 : 심드렁함.
19 허연(虛筵) : 텅 빈 자리.
20 말올지어다 : 그만이로다.
21 모ᄒᆞᆯ : 만날.
22 방불(彷佛): 흐릿하거나 어렴풋함.

감상 및 해설

기록상 첫 한글 제문으로서, 광주광역시 유형문화재 제25호이다. 기태동(1697~1770)이 1746년에, 죽은 누이의 탈상 날, 고인을 애도한 제문이니, 신라시대의 향가 <제망매가>와 소재 면에서 상통한다. 현재까지 발견된 제문 가운데 호남 지역의 제문으로는 유일하다. 한글 제문이 호남에서 처음으로 발생하여 이것이 영남으로 퍼졌는지, 영남은 영남대로 자연발생적으로 한글 제문이 나왔는지 아직 수수께끼다.

> 우리 누이의 나이 겨우 서른 둘인데, 하늘은 어찌 우리 누이를 바삐 앗아가셔서, 이 노쇠한 오빠의 육체를 마르게 하고 심신을 다 스러지게 하신단 말인가? 나를 위해 울어줄 사람이 누이거늘 내가 도리어 울고, 나를 장사지낼 사람이 누이거늘 내가 도리어 장사지내니, 천리가 잘못되고 인사의 변고다.

태어날 때는 순서대로 오지만, 갈 때는 순서가 없다는 말처럼, 누이동생을 먼저 보낸 아픔을 이렇게 표현하고 있다. 이어서 "생각하지 않는 날이 없고, 생각하지 않을 때가 없으니, 비록 생각하지 않으려 해도 어찌할 수가 없구나."라고 하여, 잊지 못해 그리워하는 정을 나타내고 있어, 오누이의 애틋한 정은 조선시대나 지금이나 마찬가지임을 보여준다.

맨 마지막에 "상향" 즉 '차려 놓은 제물을 흠향하라'는 제문 특유의 종결사가 이 제문에는 빠져 있어 특이하다. 이미 앞에서 한 잔 술을 올린다고도 했고, 애도하고 추모하는 말은 다 했으니, 이런 의례적인 말은 생략해도 무방하다고 판단해 그런 듯하다. "상향" 대신 "아, 슬프다. 오직 여기 임하기를 바란다." 이 말로 마무리하고 있다.

2. 삼종 시누이 영전에

1877년, 홍윤표 교수 소장

졔문

유셰뎡튝구이월초오일거묘 죵미망인광산김시ᄂᆞᆫ삼가변
쥬과포ᄅᆞ가로샤 삼죵시미 황부뎡졔에고ᄒᆞ나니슬프다 유인
유인의나히졔요빈혀꼿기디나샤ᄃᆡ고우이의의 동졍을보니고로
시광달ᄒᆞ고셩품이죠미ᄒᆞ며ᄒᆞ합ᄒᆞ고화ᄆᆞᆫᄒᆞ여부인으로일큿
더못ᄒᆞ여븅노ᄒᆞᆫ남ᄌᆞ십ᄇᆡᆨ비ᄂᆞᆫ신시ᄅᆞ노비수티못ᄒᆞ믈니라심ᄅᆞᆼ의
ᄒᆞ더다ᄅᆞᆫ날부귀ᄒᆞ고다ᄉᆞᄒᆞ며ᄆᆞ셩이래라ᄒᆞ고무구ᄒᆞᆫ복녹을ᄂᆞ
릴가ᄒᆞ엿더니세상일이반상 기ᄅᆞᆯ잡ᄒᆞ여셔완ᄒᆞᆫ디십년의봉셩
디통을맛나고슬하의졔요일ᄌᆞ두어나가원댱이혼단ᄒᆞ기에니
ᄅᆞᆫ고삼죵이의탁이업고형용과그림ᄌᆞ서로됴상ᄒᆞ여과슈와텬원의이
에도라와의디ᄒᆞ엿더니거의십년이ᄅᆞᆯ읏세간부인의됴흔ᄑᆞᆯᄌᆞ라지목
ᄒᆞᄂᆞᆫ거ᄉᆞᄂᆞᆫᄒᆞ나토드러이ᄅᆞ거시업고만년의여가어서도라가디못ᄒᆞ믄
구졀노친공양을젼혀위ᄒᆞᆫ일이나대개마디못ᄒᆞ미라진실노졍ᄉᆞᆯᄂᆞᆫ셩
각ᄒᆞ면슬프고가련ᄒᆞᆫ거ᄉᆞᆯ신되ᄂᆞᆫ몸이업서 유인의몸을몬져아사

제문

유셰 뎡튝[23]이월 초오일 긔묘 □죵 미망인 광산 김시는 삼가 병쥬과포를 가초아 삼죵 싀미 횡두 녕궤예 고ᄒᆞᄂᆞ니 슬프다. 유인이 엇디 이에 니ᄅᆞ뇨. 내구가 □□□□□ 임의 삼십에 나이라. 그ᄃᆡ 유인의 나히 계요 빈혀 솟기 디나시ᄃᆡ 그윽이 위의와 동졍을 보니 그ᄅᆞ시 굉달ᄒᆞ고 셩품이 쵸미ᄒᆞ며, □할ᄒᆞ고 화려ᄒᆞ여 부인으로 일ᄏᆞᆺ디 못ᄒᆞ여, 용녹ᄒᆞᆫ 남ᄌᆞ 빅비는 진실로 비수티 못ᄒᆞᆯ디라.

심듕의 원ᄒᆞᄃᆡ 다ᄅᆞᆫ 날 부귀ᄒᆞ고 다ᄌᆞᄒᆞ여 □싱이 쾌락ᄒᆞ고 무궁ᄒᆞᆫ 복녹을 누릴가 ᄒᆞ엿더니, 셰샹일이 반샹□기ᄅᆞᆯ 잘ᄒᆞ여, 셩혼ᄒᆞᆫ ᄃᆡ 십 년의 붕셩디통을 만나고, 슬하의 계요 일ᄌᆞ□ 두엇다가 원댱이 촌단ᄒᆞ기예 니ᄅᆞ고, 삼죵이 의탁이 업고 형용과 림지 서로 죠샹ᄒᆞ여, 긔슈와 텬원의 이에 도라와 의디ᄒᆞ연 ᄃᆡ 거의 십년이 □을 잇 셰간 부인의 죠흔 팔ᄌᆞ라 지목ᄒᆞᄂᆞᆫ 거손 ᄒᆞ나토 드러 일ᄏᆞᄅᆞᆯ 거시 업고, 만년의 여긔 어셔 도라가디 못ᄒᆞ믄 구질 노친 공양을 젼혀 위ᄒᆞᆫ 일이나니, 대개 마디 못ᄒᆞ미라.

진실노 졍ᄉᆞᄅᆞᆯ ᄉᆡᆼ각ᄒᆞ면 슬프고 가련ᄒᆞ거놀 신되□룸이 업서 유인의 몸을 몬져 아사

제문

유세차 정축년 2월 5일, 삼종 미망인 광산 김씨는 삼가 떡, 술, 과일, 포 등을 갖추어 삼종 시누이 영전에 고합니다.

슬픕니다. 그대가 어찌 이렇게 되었단 말인가? 혼인할 때, 시누이 남편의 나이는 30세요, 그대는 겨우 비녀 꽂을(혼인할) 나이를 지났었지요. 하지만 가만히 그 위의와 동정을 보니, 그릇이 넓고 성품이 탁월하여 부인이라 일컬을 수가 없었어요. 어지간한 남자보다 백 배는 더 나았지요.

마음속에 원하기를, 훗날에 부귀하고 아들 많이 낳아, 여생이 쾌락한 가운데 무궁한 복록을 누리기를 바랐더니, 세상 일이 어긋나기를 잘하여, 혼인한 지 10년에 남편을 여의고, 슬하에 겨우 아들 하나만 두었지요. 애간장이 끊어질 듯하고, 어디 의탁할 데 없어, 이곳에 돌아와 의지한 지 거의 10년이었습니다. 세상에서 말하는 이른바 부인의 좋은 팔자라고 할 만한 것은 하나도 없었고, 만년에 이곳에서 빨리 돌아가지 못한 까닭은, 전적으로 구순의 노친을 봉양하기 위한 것이었으니, 마지 못해 그런 것이었습니다.

진실로 이 정황을 생각하면 슬프고 가련합니다. 천도가 무심하게도, 그대의 몸을 먼저 빼앗아,

23 뎡튝 : 1877년. 이하 모든 제문의 서기 연도는 표기법을 고려해 추정한 것임.

우ᄒᆞ로 고ᄒᆞᆼ ᄒᆞᆨ발의 슬프믈 끼ᄎᆞ고 아래로 구쳔지하의 유한이 되게 ᄒᆞ니
유인의 평일 셩효로이ᄅᆞᆯ 어ᄉᆞ디 잔더ᄂᆞᆫ고 ᄒᆞ믈며 ᄒᆞᆫ 병이 침면ᄒᆞ매 삼년을
상쳑을 ᄯᅥ나디 못ᄒᆞ고 리증과 괴쉬 쳡ᄇᆡ셩ᄒᆞ고 황ᄎᆞᆯᄒᆞ여 사ᄅᆞᆷ의 ᄯᅥ나 못
ᄒᆞᆯ 디경을 가초 디내니 어ᄃᆞᆯ 시나 견이 언마ᄂᆞᆫ 죵시 궁독ᄒᆞᆫ 사ᄅᆞᆷ의 계앙
화ᄅᆞᆯ 이ᄀᆞ치 ᄂᆞ리오신고 슬프고 슬프다 노라 셩가 건ᄃᆡ나와 유인이 년ᄀᆡ
서로 ᄀᆞᆺ고 리미 ᄀᆞ장 간가와 ᄎᆔ음브터 나죵ᄀᆞ디 졍분을 이ᄅᆞᆫ ᄒᆞ온 일흠미 업고
십수년ᄂᆡ로 나도 ᄯᅩ ᄒᆞᆫ 뎐디거록 ᄎᆞᆷᄒᆞ고 신명 긔무인ᄇᆡ 되야 ᄒᆞᆫ 아이
몸의 ᄊᆞ이여 셰샹의 ᄯᅳᆺ이 업선 ᄃᆞ 님의 오라ᄃᆞᆺ 모양 유인의 웃ᄂᆞᆫ 얼굴
노서로 의로ᄒᆞ고 죠ᄒᆞᆫ 소ᄅᆡ로 주믈 ᄒᆡ 브어ᄉᆞ이에 희미도 ᄒᆞ고 됴하도 ᄒᆞ니
나의 과궁ᄒᆞᆷ은 팔ᄌᆞ와 수젹ᄒᆞᆫ 심ᄉᆞᄅᆞᆯ 도 유인으로 ᄒᆞ여 눈셥을 ᄯᅥ 모얼굴
믈기ᄅᆞᆯ ᄌᆞ로 ᄒᆞ고 승두와 ᄯᅥᆷ쟝의 미셰 ᄒᆞᆫ 거ᄉᆞᆯ 나ᄅᆞᆯ ᄒᆞ여 서로 가ᄅᆞ치고 서로 시

우흐로 고당 학발의 슬프믈 ᄭᅵ치고 아ᄅᆡ로 구쳔지하의 오한이 되게 ᄒᆞ니, 유인의 평일 셩효로 이ᄅᆞᆯ 엇디 견ᄃᆡᄂᆞᆫ고. ᄒᆞ믈며 ᄒᆞᆫ 병이 침면ᄒᆞ매, 삼년을 상셕을 ᄯᅥ나디 못ᄒᆞ고 긔증과 괴쉬 쳡싱ᄒᆞ고 층츌ᄒᆞ여 사ᄅᆞᆷ의 견ᄃᆡ디 못ᄒᆞᆯ 디경을 가초 디내니, 어디ᄅᆞ시니련이언마ᄂᆞᆫ 죵시 궁독ᄒᆞᆫ 사ᄅᆞᆷ의게 앙화ᄅᆞᆯ 이ᄀᆞᆺ치 ᄂᆞ리오신고. 슬프고 슬프오나 도라 ᄉᆡᆼ각건ᄃᆡ 나와 유인이 년긔 서로 ᄀᆞᆺ고 긔미 ᄀᆞ장 갓가와 처음브터 나춍ᄀᆞ디 졍분을 일흐미 업고, 십수 년ᄂᆡ로 나도 ᄯᅩ한 텬디긔 득죄ᄒᆞ고 신명긔 무인 배 되야 흔악이 몸의 싸이여, 셰상의 ᄯᅳᆺ이 업선 디 임의 오라ᄃᆡ, ᄆᆞ양 유인의 웃ᄂᆞᆫ 얼굴노 서로 위로ᄒᆞ고 됴흔 소ᄅᆡ로 주믈 힘입어 ᄉᆞ이에 희ᄆᆡ도 ᄒᆞ고 됴학도 ᄒᆞ니, 나의 긔궁ᄒᆞᆫ 팔ᄌᆞ와 수젹ᄒᆞᆫ 심회□ 유인으로 ᄒᆞ여 눈섭을 펴고 얼굴 풀기랄 ᄌᆞ로 ᄒᆞ고 승두와 념장의 미셰ᄒᆞᆫ 거시 니ᄅᆞ히 서로가 ᄃᆡᄒᆞ고 서로 시

위로는 고당의 학발 시부모님께 슬픔을 끼치고, 아래로는 구천 아래 있는 남편에게 한이 되게 하였으니, 그대의 평일 효심으로 어떻게 이것을 견딘단 말인가?

하물며 병이 침투하자, 3년간 어른의 병석을 떠나지 못한 채, 사람이 견디지 못할 어려움을 겪어 냈는데도 불구하고, 마침내 이 곤궁한 사람한테 이런 앙화를 내리셨던 말인가?

슬프고 슬픕니다만, 돌이켜 생각해 보건대, 나와 그대의 나이가 서로 같고, 성격도 가장 가까워서, 처음부터 나중까지 정분을 잃는 일이 없었지요. 십수 년 동안 나도 천지에 죄를 짓고, 신명께 미움을 받아, 여러 악이 몸에 쌓여서, 세상에 뜻이 없어진 지 벌써 오래였으나, 그대가 늘 웃는 얼굴로 위로해 주고, 좋은 말 해 주는 데 힘을 얻어서, 놀이도 하고 농담도 나눴어요.

내 기박한 팔자와 울적한 마음이, 그대 때문에 눈썹을 펴고 얼굴빛 풀기를 자주 하고, 화장을 비롯하여 아주 자잘한 것까지 서로 함께하며 도와주어

여ᄒᆞᆫ 여석ᄉᆞᆺ간의 도안기다 아니ᄆᆡ 또ᄒᆞᆫ 면ᄉᆞ 세월이 된 줄을 알ᄂᆞ 오ᄇᆞ야ᄒᆞᆯ로

집을 연ᄒᆞ고 사립을 동ᄒᆞ여 ᄂᆞ존다 쟝의 신ᄉᆡᆨ을 원ᄒᆞᆫ ᄂᆞ이 즐갈가 ᄒᆞ엿ᄉᆞ더

마음 용이 ᄒᆞᆫ 번 감초이매 만서 다부 ᄂᆞᆫ니라 흰 당막과 블근 명졍이로

면이 고산으로 도라가니 이제 조차 가 형이 업ᄂᆞᆫ니라 면 나ᄇᆞ라 보매 슬

ᄯᅳ미 가ᄉᆞᆷ의 그ᄃᆞᆨᄒᆞ여 비박ᄒᆞᆫ 뎐이 베프고 더ᄉᆞ 거ᄉᆞᆫ 말ᄉᆞᆷ을 ᄭᅳ고 거ᄒᆞᆫ 뎡ᄃᆞᆨ의

온륙ᄒᆞᆫ 거ᄉᆞᆯ 며고져 ᄒᆞ던 슬ᄑᆞ미라 ᄒᆞ여 말노 다 못ᄒᆞ오나 신명이며

다 아니ᄒᆞᆫ 거든 졍으로 부은 산을 흠향ᄒᆞ기 ᄇᆞ라ᄂᆞ이다 상향

여ᄒᆞ여 식사간의도 앗기디 아니미 ᄯᅩᄒᆞᆫ 몃 셰월이 된 줄을 알니오.

ᄇᆞ야흐로 집을 년ᄒᆞ고 사립문을 통ᄒᆞ여 느즌 디경의 신셕을 원원히 즐길가 ᄒᆞ엿더니, 음용이 ᄒᆞᆫ번 감초이매 만ᄉᆡ 다 부□□ᄂᆞᆫ디라. 흰 댱막과 불근 명졍이 표연히 고산으로 도라가니, 이제조차 기리 구형이 업ᄂᆞᆫ디라.

먼니 ᄇᆞ라보매 슬프미 가ᄉᆞᆷ의 ᄀᆞ득ᄒᆞ며 비박ᄒᆞᆫ 뎐을 베프고 덧것ᄎᆞᆫ 말ᄉᆞᆷ을 녁거 흉듕의 온튝ᄒᆞᆫ 거ᄉᆞᆯ 펴고져 ᄒᆞᄃᆡ, 슬프미 과ᄒᆞ여 말노 다 못ᄒᆞ오니, 신녕이 머디 아니ᄒᆞ거든 졍으로 부은 잔을 흠향ᄒᆞ믈 ᄇᆞ라ᄂᆞ이다. 샹향.

식사하다가도 시간을 아끼지 아니한 지 또한 몇몇 세월이 되는지 알 수 있으리요?

바야흐로 집을 나란히 하고, 사립문을 통하여, 말년의 아침 저녁을 끊임없이 즐길까 하였더니만, 음성과 용모가 한번 감춰지매, 만사가 다 부질없게 되었습니다. 흰 장막과 붉은 명정이 바람에 나부끼며 외로운 산으로 돌아가니, 이제부터는 길이 옛 모습을 볼 수 없네요.

멀리 바라보매, 슬픔이 가슴에 가득합니다. 변변치 않은 제물을 차려 놓고, 거친 말씀을 엮어서, 가슴에 쌓인 사연을 펼치고자 합니다. 슬픔이 지나쳐 말로는 다 못하겠으니, 신령이 멀리 계시지 않으시거든, 이 부은 잔을, 정으로 흠향하시기 바랍니다. 부디 이 제물을 받으세요.

감상 및 해설

시누이와 올케는 서로가 서로를 대하는 것이 무척 어렵다는 게 일반적이다. 그러나 이 경우를 보면 꼭 그런 것만은 아니다.

이 자료에서 눈여겨보고 싶은 것은 격자법과 대두법이다. 높은 분을 가리키는 글자가 나올 경우, 앞 글자와 뒷 글자의 사이를 띄어 놓은 방식이 격자법(隔字法)이다. 그 분을 나타내는 글자를 본문보다 한 칸 높은 위치에 오도록 하는 것이 대두법(擡頭法)이다.

사진 첫 장의 2행 중간, "가초아"와 "삼죵시미"의 사이가 떨어져 있는 것이 바로 격자법이다. 고인인 삼종시매에 경의를 표현하기 위해 그렇게 한 것이다. 4행 "유인의나히"를 보면, "유"자가 본문보다 한 글자 위로 솟아 있는데, 이것이 바로 대두법이다. 고문헌에서는 흔히 볼 수 있는 현상이다. 다른 제문에서도 확인할 수 있을 것이다.

> 나와 그대의 나이가 서로 같고, 성격도 가장 가까워서, 처음부터 나중까지 정분을 잃는 일이 없었지요. (중략) 그대가 늘 웃는 얼굴로 위로해 주고, 좋은 말 해주는 데 힘을 얻어서, 놀이도 하고 농담도 나눴어요. 내 기박한 팔자와 울적한 마음이, 그대 때문에 눈썹을 펴고 얼굴빛 풀기를 자주 하고, 화장을 비롯하여 아주 자잘한 것까지 서로 함께하며 도와주어, 식사하다가도 시간을 아끼지 아니한 지 또한 몇몇 세월이 되는지 알 수 있으리요?

이런 대목을 보면, 시누이와 올케 사이의 진한 우정을 느낄 수 있어 흐뭇하다. 인생길이 고달파도 이런 동행(同行)이 있으면 걸어갈 만하리라.

3. 어머니 영전에

1894년, 박재연 교수 소장, 세로 37㎝, 가로 52㎝

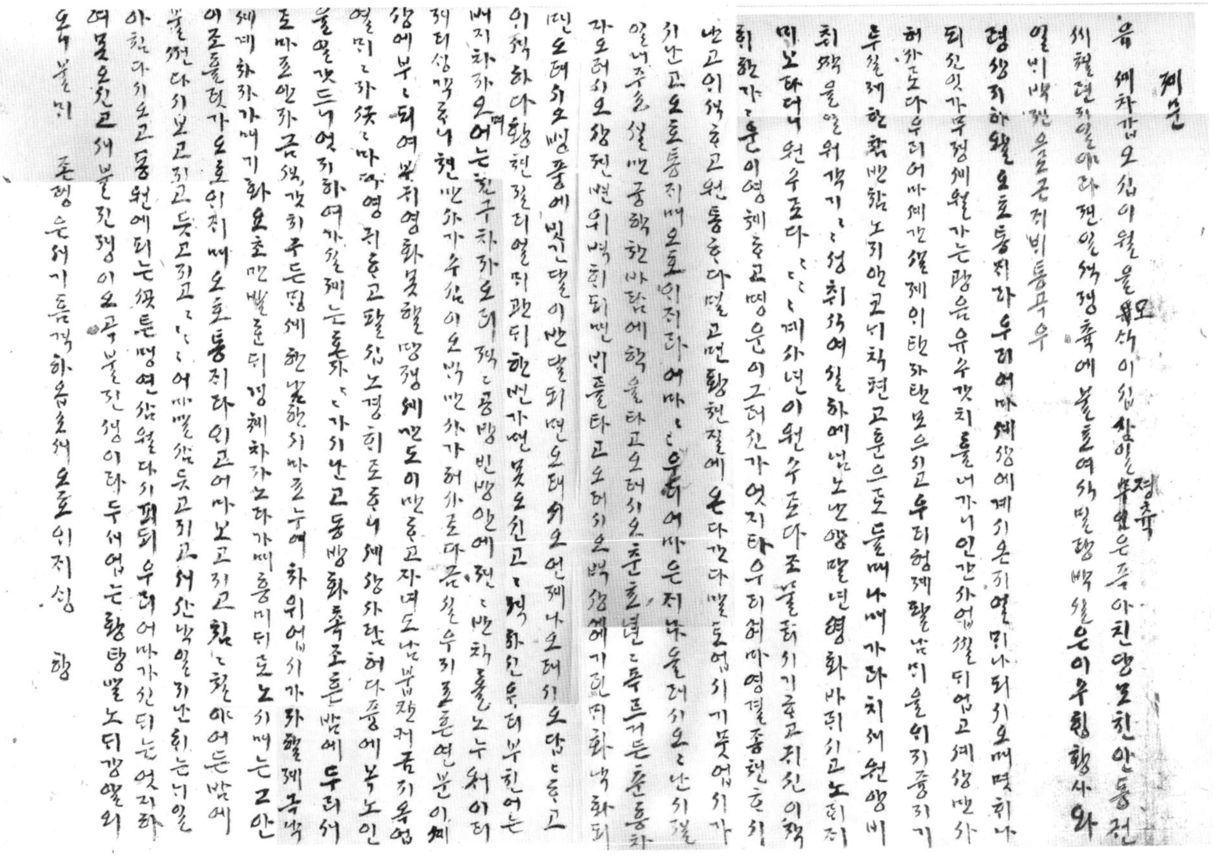

제문

유 세차갑오 십이월을모삭이십삼일 정축 은 즉 아 친당모친안동권
씨 쳘편지일애라 쳔일석정축에 불효여식밀평박실은 이우황황사와
일빈배 백관을 곤져 비통곡우
평생지하왈 오호통지하 우리어마 세상에 계시온지 열미나 되시오매 몃휘나
되신잇가 무정세월 가는 광음 유수갓치 흘너가니 인간사업 쓸데업고 세상만사
허사로다 우리어마 세간살제 이탄자탄 모으시고 우리형제 활납미을 귀중히기
우실제 한참반참 노지안고 니착편고훈으로 들때나매가타치세 원앙비
취작을 엄위각지각지 영취하여 슬하에 넘노난양 말년영화 바래시고 노뢰지
미노타더니 원수로다 원수로다 계사년이 원수로다 조물희이기줌고 귀신이작

제문

유셰차 갑오[24] 십이월 을묘삭 이십삼일 졍츅은 즉 아 친당 모친 안동 권씨 철련지일야[25]라. 젼일 석 졍츅에 불효 여식 밀량 박실은 이 수힝황사와 일ᄇᆡ 박젼으로 근ᄌᆡᄇᆡ 통곡 우령상지하왈,

오호 통ᄌᆡ라 우리 어마 셰상에 계시온 지 얼ᄆᆡ나 되시오며, 몃 ᄒᆡ나 되신잇가. 무졍 셰월 가는 광음 유수갓치 흘너가니, 인간 사업 씰ᄃᆡ업고 셰상 만사 허사로다.

우리 어마 셰간살 졔 ᄋᆡ탄자탄 모으시고, 우리 형졔 팔남ᄆᆡ을 ᄋᆡ지즁지 기루실 졔, 한참 반참 노지 안코, ᄂᆡ칙편 고훈으로 들며 나며 가라치셔, 원앙 비취 짝을 일워 각기각기 셩취식여, 실하에 넘노난 양 말년 영화 바ᄅᆡ시고, 노ᄅᆡ ᄌᆡ미 모타더니,

원수로다 원수로다 계사년이 원수로다. 조물리 시기ᄒᆞ고 귀신이 작

제문

아, 갑오년(1894년) 12월 23일은 곧 우리 어머니 안동 권씨의 궤연을 거두는 날입니다. 그 전날 저녁에 불효 여식 밀양 박실은 이 몇 줄의 거친 글과 한 잔의 박주로 삼가 재배하며 영전에서 통곡합니다.

아. 애통합니다. 우리 어머니가 세상에 계신 지 얼마나 되셨으며, 몇 해나 되셨단 말입니까? 무정한 세월과 광음이 유수같이 흘러가니, 인간 사업 쓸데없고, 세상 만사가 허사입니다.

우리 어머니, 이 세상에서 사실 때, 애면글면 모으시며, 우리 형제 8남매를 애지중지 기르실 때, 한참 반 참도 놓지 않고, 《내칙편》의 교훈으로 들며 나며 가르치셨지요. 원앙과 비취 같은 짝을 맞추어 제각기 혼인시켰으니, 자손들이 슬하에서 노는 모습이며 말년의 영화를 바라셨으나 그러지도 못했습니다.

원수입니다, 원수입니다. 계사년이 원수입니다. 조물주가 시기하고 귀신이

24 갑오 : 1894년.

25 철연지일(撤筵之日) : 영을 모신 궤연을 철거하는 날.

회환가ㄷ운이영혜ᄒᆞ고땡운이그ᄃᆡ신가엇지타우ᄃᆡ쉐ᄯᅡ영결죵쳔ᄒᆞ싀
난고인생ᄒᆞ고원통ᄒᆞ다별고면황쳔질에온다간다말도엽시기뭇엽시가
시난고도도동지내오도인적다어ᄯᅡㄷㄷ우리어ᄯᅡ은저나올ᄃᆡ시오ㄷ난시길
일내주소실ᄯᅢ궁학찬바람에학울타고오ᄃᆡ시오춘초년ㄷ푸르거든춘홍차
자오ᄃᆡ시오상젼ᄲᅧᆫ우벽ᄒᆞᆫ되ᄯᅢᆫ비줄타고오ᄃᆡ시오ᄇᆡᆨ상세에기린ᄯᅵ화낙화되
ᄯᅵᆫ오ᄃᆡ시오ᄲᅵᆼ풍에빗긴달이ᄇᆞᆫ달되면오ᄃᆡ시오언제나오ᄃᆡ시오답ㄷᄒᆞ고
위젹하다황쳔길디얼ᄯᅵ관ᄃᆡ한번가면못오신고ㄷ젹화인유ᄃᆡ부친어는
ᄲᅢ지하자오며어는친구차자오리젹ㄷ공방빈방안에젼ㄷᄇᆞᆫ착홀노누워이ᄃᆡ
졔ᄃᆡ상ᄆᆡᆨ주나쳔ᄆᆡᆫ사가수심이오ᄇᆡᆨᄆᆡᆫ사가허사로다곤실우지조흔연분이쎄
상에부ㄷ되여ᄭᅩᆺ치영화봇햘ᄯᅢᆼ쟁세ᄆᆡᆫ도이만ᄒᆞ고자녀도남붑잔케곰지옵엽

ᄒᆡ한가. 가운이 영체ᄒᆞ고 명운이 그러신가. 엇지타 우리 어마 영결 종천ᄒᆞ시난고. ᄋᆡ셕ᄒᆞ고 원통ᄒᆞ다. 멀고 먼 황천 질에 온다간다 말도 업시 기뭇업시 가시난고.

오호 통ᄌᆡ며 오호 ᄋᆡ지라. 어마 어마 우리 어마 은ᄌᆡ나 올려시오. 오난 시졀 일너주소. 설만궁학 찬바람에 학을 타고 오려시오. 춘쵸년년 푸르거든 춘흥 차자 오려시오. 상젼 변위 벽ᄒᆡ 되면 ᄇᆡ를 타고 오려시오. 벽상에 기린 ᄆᆡ화 낙화 되면 오려시오. 병풍에 빗긴 달이 반달 되면 오려시오. 언제나 오려시오. 답답ᄒᆞ고 ᄋᆡ셕하다.

황천 질리 얼ᄆᆡ관ᄃᆡ 한 번 가면 못 오신고. 고젹하신 우리 부친 어는 배지 차자오며 어는 친구 차자오리. 젹젹 공방 빈 방안에 젼젼반칙 홀노 누워 이리져리 ᄉᆡᆼ각ᄒᆞ니 쳔만사가 수심이오 ᄇᆡᆨ만사가 허사로다.

금실 우지 죠흔 연분 이 셰상에 부부 되어 부귀영화 못할망졍 셰간도 이만ᄒᆞ고 자녀도 남붑잔커 금지옥엽

장난을 쳤나요? 가운이 기울고 운명이 그래서 그런 건가요? 어쩌다가 우리 어머니, 영영히 이별해 떠나셨단 말인가요? 애석하고 원통합니다. 멀고 먼 황천 길에 온다 간다는 말도 없이, 기약 없이 가신단 말인가요?

아, 애통하며, 아, 슬픕니다. 어머니, 어머니 우리 어머니, 언제나 오시렵니까? 오시는 시절을 일러 주세요. 눈이 가득 쌓인 골짜기의 찬바람에 학을 타고 오시려나요? 해마다 봄풀이 푸르러 흥이 일어나면 오시려나요? 뽕밭이 푸른 바다가 되면 배를 타고 오시려오? 벽에다 기른 매화꽃이 떨어지면 오시려오? 병풍 속에 비스듬히 떠 있는 달이 반달로 되면 오시려는지요? 언제나 오시나요? 답답하고 애석합니다.

황천 길이 얼마나 멀기에 한 번 가면 못 오시나요? 고독하신 우리 아버지, 어느 벗이 찾아오며, 어느 친구가 찾아올까요? 적적한 빈 방안에 이리 뒤척 저리 뒤척 홀로 누워 이리저리 생각하니, 천만사가 수심이고 백만사가 허사입니다.

금실이 좋아 벗처럼 지내던 두 분의 연분, 이 세상에서 부부 되어 부귀영화는 못 누릴 망정 세간살이도 이만하고 자녀도 남부럽잖게 금지옥엽

열미ㄷ라 솟ㄷ 따ᄯᅡ 영귀ᄒᆞ고 팔십 노경 희조ᄒᆞ니 세상사람 허다중에 복노인
을 얼갓드니 엇지하여 가실제는 ᄒᆞᆫ자ㄷㄷ 가시난고 동방화촉 조흔밤에 두리서
조마조마ᄒᆞ자 금실 갓치 우든 명세 ᄒᆞᆫ날ᄒᆞᆫ시 따라가자 ᄒᆞ위어(ㅂ)시 가자 할제 곡낙
세계 하자가매 기화요초 만발ᄒᆞᆫ디 명췌 차자노라가매 ᄒᆞ미되ᄒᆞ노시매는 그안
이 조흔딧가 오호 이제 매 오호 통재 다이고 어마 보고지고 ᄒᆞᆫᄒᆞᆯ 어든 밤에
불쌍ᄒᆞᆫ 다시 보고지고 듯고지고 ㄷㄷㄷ 어마 말ᄉᆞᆷ 듯고지고 서산낙일 지난 뒤는 니 얼
아 ᄒᆞᆫ다시 오고 동원에 피는 꽃은 명년 삼월 다시 피되 우리 어마 가신 뒤는 엇지하
여 못 오신고 새 불진 쟁이요 곡불진 생이라 두새 업는 황당 말노 되 강 열외
ᄒᆞᆫ 불미 존평 운서 가 ᄒᆞᆷ쟉 하옵소서 오호 이지 상향

열ᄆᆡ ᄆᆡ자 ᄭᅳᆺᄭᅳᆺ마다 영귀ᄒᆞ고 팔십 노경 ᄒᆡ로ᄒᆞ니 셰상 사람 허다 즁에 복노인을 일갓드니 엇지하여 가실 졔는 혼자 혼자 가시난고.

동방화촉 조흔 밤에 두리 서로 마죠안자 금셕갓치 구든 밍셰 한 날 한 시 마죠 누어 차위 업시 가자 할 졔 극낙세계 차자가며 기화요초 만발ᄒᆞᆫ ᄃᆡ 경쳬 차자 노라가며 흥미ᄃᆡ로 노시며는 그 안이 조흘릿가.

오호 ᄋᆡ지며 오호 통ᄌᆡ라. ᄋᆡ고 어머 보고 지고. 침침 칠야 어든 밤에 불쩐 다시 보고 지고, 듯고 지고 듯고 지고. 어마 말삼 듯고 지고. 서산낙일 지난 ᄒᆡ는 ᄂᆡ일 아침 다시 오고, 동원에 피는 ᄭᅩᆺ튼 명연 삼월 다시 피되, 우리 어마 가신 ᄃᆡ는 엇지하여 못오신고.

셔불진졍이오 곡불진셩이라. 두서 업는 황탕 말노 ᄃᆡ강 알외오니 불ᄆᆡ 존령은 서기 흠격[26]하옵쇼셔. 오호 ᄋᆡ지 ᄉᆡᆼ항.

열매 맺어 끝끝마다 잘되었습니다. 80 노경에 이르도록 해로하셨으니, 세상 사람들 허다한 중에 복노인 부부라 일컫더니만, 어찌하여 가실 때는 혼자 혼자 가셨습니까?

첫날밤 그 좋은 밤에, 둘이 서로 마주앉아 쇠와 돌같이 굳은 맹세를 하셨지요. 한 날 한 시에 마주 누워, 차이 없이 가자 하셨지요. 극락세계 찾아가며 고운 풀에 아름다운 꽃이 만발한 경치를 찾아 놀아가며 흥미대로 노시면 그 아니 좋겠습니까?

아, 애통하고 애통합니다. 애고 우리 어머니 보고 싶어라. 칠흑같이 어두운 밤에, 부처님 전에서 다시 보고 싶고, 듣고 싶고 듣고 싶으니, 우리 엄마의 음성 듣고 싶어라. 서산에 지는 해는 내일 아침에 다시 오고, 동쪽 벌판에 피는 꽃은 내년 3월에 다시 피되, 우리 엄마 가신 데는 어찌하여 못 오시는가?

글로는 내 뜻을 다 표현할 수 없고, 곡으로도 내 정성을 다 나타낼 수 없어라. 두서 없이 거친 말로 대강 아뢰오니, 어둡지 않은 영령께서는 부디 받으십시오. 아, 애통합니다. 흠향하십시오.

24 흠격(歆格) : 하늘과 땅의 신령이 감응함.

감상 및 해설

딸이 어머니 영전에서 바친 제문으로, "모친 안동 권씨"한테 "불효 여식 밀량 박실"이 드린 글이다. '밀량 박실'은 '밀양 박실'을 영남식 발음대로 적은 것이다.

이때 '밀양 박실'이 의미하는 바는, 이 딸이 결혼해서 살고 있는 시댁의 성씨를 말한다. 혼인 전에는 아버지의 성씨로 불리지만, 혼인한 이후에는 시댁의 성씨를 앞에 붙여서 불렀다. 우리 어머니의 경우 인동 장씨로서 경북 칠곡군 인동면 신동(현 구미시) 출신인데, 우리 집(전북 익산)에 시집오신 뒤로는, 어머니를 가리켜 외가에서 '이실'이라고 불렀던 것을 기억한다. 이는 서양 여성들이 결혼하면 남편의 성을 따르는 것과 비슷하다 하겠는데, 차이가 있다. 서양에서는 호적상의 성도 바꾸는데, 우리는 호적은 바꾸지 않지만 남편의 성을 반영한다는 점에 있어서는 다르다.

4. 아버지 영전에

1897년, 홍윤표 교수 소장

유셰ᄎᆞ 졍유 십이월 졍유삭 십육일 임ᄌᆞ는 직내 아

현고학ᄉᆡᆼ부군 조상지알야라 전일 셔ᄀᆞ 시쥐ᄯᅢ 불초ᄂᆡ아 만동손실 는삼가이 한잔술파한

줄걸노저비통곡ᄒᆞ고 부친영혼젼ᄯᅢ 올이가로대 오호통재며 오호비재라 아ᄲᅢ님오 하로이

털가난 셔월 누구가 막아 주며 한회두회 셔월ᄊᆞ다 늘는사람 누구가 항거할가 ᄶᆞ이 잘청춘

조흔시대 ᄯᆞᆯ로 강산명승 ᄎᆞᄌᆞ 귀경ᄒᆞᆫ분 못ᄒᆡ 본 두문불출이 산중에 상시하 솔몸이매

예나주로 갓매기와 밤으로 신삼기 일셩 상활지낼실새 실하ᄭᆡ 잘 남매를 알히 두고 ᄒᆡ나

낙사랑ᄒᆞ지며 사랑ᄒᆞ사 하나갓치 기울실새 매한태 안이치며 구증한분 안이시고 일년 삼백육

십일을 ᄒᆞ로갓치 보내시며 고이고이 ᄒᆞ신 말삼 남형제 대ᄒᆞ야 형우제공 이러시고 너형제

제문

유ᄉᆡᄎᆞ 정유 십이월 정유ᄉᆞᆨ 십육일 임ᄌᆞ는 직 내 아 현고학ᄉᆡᆼ부군 중상지일야라. 전일석 신ᄒᆡ에 불초 녀식 안동 손실은 삼가 이 한 잔 술과 한 줄 걸노 지ᄇᆡ 통곡ᄒᆞ고, 부친 영혼 젼에 올이 가로대,

오호 통ᄌᆡ며 오호 비ᄌᆡ라. 아버님요. 하로 이털 가ᄂᆞᆫ ᄉᆡ월 누구가 막아주며, 한 ᄒᆡ 두 ᄒᆡ ᄉᆡ월 ᄯᅡ라 늘는 사람 누구가 항거할갸.

이팔 청춘 조흔 시ᄃᆡ 팔도강산 명ᄉᆡᆼ ᄎᆞᄌᆞ 긔경 ᄒᆞᆫ 분 못ᄒᆡ 보고, 두문불출 이 산중에 상시하솔 몸이 매여, 나주로 깃매기와 밤으로 신삼기, 일ᄉᆡᆼ ᄉᆡᆼ활 지낼실 ᄯᆡ, 실하에 팔남매를 앒ᄒᆡ 두고 히히낙낙 사랑ᄒᆞ시며, 사랑ᄒᆞ사 하나갓치 기울실 ᄯᆡ, 매 한 대 안이 치며, 구중 한 분 안이시고,

일년 삼백 육십일을 ᄒᆞ로갗히 보ᄂᆡ시며, 고이고이 ᄒᆞ신 말삼, 남형지 대ᄒᆞ야 형우ᄌᆡ공 이러시고, 녀형ᄌᆡ

제문

아, 정유년(1897) 12월 16일은 우리 아버지 중상일입니다. 그 전날 저녁, 못난 이 딸 안동 손실은 삼가 이 한 잔의 술과 한 줄의 글로 재배하고 통곡하며, 아버지 영전에 올립니다.

아, 애통합니다. 아, 슬픕니다. 아버지, 하루 이틀 흘러가는 시간을 그 누가 막아주며, 한 해 두 해 세월 따라 늙어가는 사람을 그 누가 항거할까요?

이팔 청춘 좋은 시대에, 팔도강산 명승지를 찾아 구경 한 번 못해 보고, 두문불출 이 산중에서 웃어른을 모시고 아랫사람들을 거느리는 데 몸이 매여 계셨지요. 낮이면 김매기, 밤으로는 신 삼기로, 한평생 생활하며 지낼실 때, 슬하에 8남매를 앞에 두셨지요. 희희락락 사랑하고 사랑하셔서 하나같이 기르실 때, 매 한 대 안 때리며, 꾸중 한 번 안 하셨어요.

1년 360일을 하루같이 보내시며, 고이고이 하신 말씀은 이것이었지요. 남자 형제한테는 우애하라 하시고,

대ᄒᆞ야 칠거지운[illegible] 시〻로 가라치며 명심불망하라 ᄒᆞ신 말삼 여자아희 드른 ᄃᆞᆺ 갓사오나 무젼

한ᄃᆞᆺ 셰월이라 남녀간 이십지년에 고문거벌 택치하야 남취녀가 ᄎᆞ조로 셩년시키든니 조물이

불조함인가 귀신이 시기함인가 ᄒᆞ사다만 어인일고 오호통지라 아버님 요년수 불가육순여.

셔에 우연득병ᄒᆞ야 신음〻〻 지내실대 ᄒᆞ심이 지극ᄒᆞᆫ 백남 ᄋᆞ동 분서치문 약구약 ᄒᆞ대 백약이

무효ᄒᆞ셔 셩심셩역 본이 업고 백남의 불ᄎᆞ로 시명당ᄒᆞᆫ 공노 업시 어언간 기나긴 삼년이라 셰월을

보낼 실새 ᄲᅮᆯ호ᄒᆞᆫ 가운이 천리번반에 사오년을 군중에 복무ᄒᆞ올 적에 소녀의 가졍을 건심젹

경ᄒᆞ야 백남을 보내 돌봐주매 중남도 와서 돌보아주여시대 그래도 불족한 생각으로 사오개월 식

한시 익기ᄒᆞ실 적에 고상심으작ᄒᆞ오리가 아버님 병중에 기실시에 소녀ᄂᆞᆫ 한달[illegible]

대ᄒᆞ야 칠거지훈을 시시로 가라치며, 명심 불망하라 하신 말삼, 어ᄌᆡ 아릐 드른 긋갓사오나, 무정한 긋 ᄉᆡ월이라.

남녀간 이십지년에 고문거벌 택치하야 남취녀가 ᄎᆞᄌᆡ로 성년시키든니, 조물이 불조함인갸, 귀신이 시기함인갸, 호사다마 어인 일고?

오호 통ᄌᆡ라. 아버님요. 년수불가 육순여 ᄉᆡ에 우연 득병ᄒᆞ야 신음신음 지내실 대, 호심이 지극ᄒᆞᆫ 백남은 동분서치 문약 구약ᄒᆞ대 백약이 무호로셔,

성심 성역 본이 업고, 백남의 월치도 시병 탕약 공노 업시, 어연간 기나긴 삼년이라.

ᄉᆡ월을 보낼실 ᄣᅢ, 불호 녀식은 가군이 쳔리 번방에 사오 년을 군중에 복무ᄒᆞ올 적에 소녀의 가졍을 건심걱졍ᄒᆞ야 백남을 보내 돌보아 주며, 중남도 와셔 돌보아 주여시대, 그래도 불족한 ᄉᆡᆼ각으로 사오 개월식

여자 형제한테는 칠거지악의 교훈을 시시때때로 가르치시며, 명심하고 잊지 말라 하셨지요. 그 말씀, 어제 그저께 들은 것만 같사오나, 무정한 세월이 많이 흘렀습니다.

우리 남매들 20세 무렵에, 명문 집안들을 가려서 장가 보내고 시집 보내어, 차례로 혼인시켰지요. 그런데 조물주가 돕지 않으신 것인가요, 귀신이 시기해서 그런가요? 호사다마라더니 이 어인 일입니까?

아, 애통합니다 아버님. 연세 겨우 육순 때에 우연히 병을 얻어 신음 신음 지내시게 되었지요. 효성이 지극한 우리 큰오빠는 사방 다니면서 약을 구했으나, 백약이 무효했지요. 성심을 다하고 힘 다한 보람이 없고, 간병하며 탕약 올린 공도 없이, 어느새 기나긴 3년입니다.

세월을 보내실 때, 이 불효 여식은 남편이 천 리 변방에서 4~5년간 군대 복무 중에 있었지요. 저희 가정을 걱정하셔서 큰오빠를 보내 돌보아 주게 하셨으며, 작은오빠도 와서 돌보아 주었지요. 그러고도 부족하다고 여기셔서 4~5개월씩

…주ᄋᆞ시다 그래도 불측한 생각으로 사오개월 삭

한시 익기 ᄒᆞᆯ 적에 고상 삼으작 ᄒᆞ오ᄃᆡ 아버님 병중에 기실 시에 소녀 손소 탕약 ᄒᆞᆫ일 못 올이오고

희선진 유구으로 구미 한번 ᄇᆞᆯ도 옵고 신시만 기칠 적에 ᄃᆡᆫ야 아자야 ᄇᆞ인야 아귀야 아 거련 금일에 진

싱을 효직ᄒᆞ시고 옥경 선대을 향ᄒᆞ신니 실푸고 살푸다 ᄌᆞᆯ남매 ᄒᆞ련고 지통곡 한들 일ᄎᆞᆫ 변쓰나

신후 다 싱오 신현ᄌᆡᆨ 업사온니 애ᄀ 통재라 아버님 오평싱애 필흥을 못ᄒᆞᆸ고 육순 유주에 일기를

맛치신ᄀ 둘남동싱은 대성통곡 우든 소리 비음주수도 실푸한대 사람으로 어이 보리오 가오 호통재며

오호 애재라 염구를 수습할지 소렴을 수습ᄒᆞᆸ고 삼일에 대렴을 수습ᄒᆞ야 칭가 유무로 초종범백

양례를 지낼 시 발인축 독소리 일월이 무광이오 북소리 둥둥에 흥소리 거곡조에 대결 갓튼 저집으

로 빈절갓치 비어두고 창송은 울울ᄒᆞ고 북풍은 소일ᄒᆞ…

한씨 익기 ᄒᆞ실 적에, 그 상심 오작ᄒᆞ오릿가?

아버님 병중에 기실 시에, 소녀 손소 탕약 ᄒᆞᆫ 텹 못 올이오고, 히선 진육으로 구미 한번 몬 도옵고, 신시만 기칠 적에 텬야아 지야아 인야아 귀야아, 거년 금일애 진시을 ᄒᆞ직ᄒᆞ시고, 옥경 선대을 향ᄒᆞ신니 실푸고 실푸다. 팔남매 호텬고지 통곡한들 일ᄎᆞ 한변 쓰나신 후 다시 오신 헌젹 업사온니, 애애 통지라. 아버님요.

평싱애 필혼을 못ᄒᆞ옵고 육순 유구에 일기를 맛치신니, 미성년 둘 남동싱은 대성통곡 우름소리 비금주수도 실푸한대, 사람으로 어이 보오리가.

오호 통지며 오호 애지라. 염구를 수습할 지 소렴을 수습ᄒᆞ옵고, 삼일애 대렴을 수습ᄒᆞ야, 칭가유무로 초종범백 양례를 지낼시, 발인 축독 소리 일월이 무광이요 북소리 둥둥, 애홍 소리 거곡조에 대결갓튼 저 집으

함께 있게 하셨을 적에, 그 상심이 오죽하셨겠습니까?

아버님 병중에 계실 때, 제가 손수 탕약 한 첩도 못 올리고, 해물과 고기 음식으로 구미에 맞는 음식 한번 못해 드렸습니다. 그저 신세만 끼치고 있었더니, 하늘 때문인가요, 땅 때문인가요, 사람 때문인가요, 귀신 때문인가요, 작년 오늘에 이 세상을 하직하시고, 저 하늘나라로 향하셨으니, 슬프고 슬프다. 우리 8남매가 하늘을 향해 울부짖고 땅을 구르며 통곡한들, 한 번 떠나신 후 다시 오신 흔적 없으니, 아, 애통합니다. 아버님.

평생 살아 계신 동안, 자식들이 결혼하는 것 다 못 보신 채, 69세에 돌아가셨으니, 미성년인 남동생 둘이 대성 통곡하는 울음 소리는, 날짐승과 길짐승들도 슬퍼할 만하니, 사람으로서 차마 어찌 보겠습니까?

아, 애통하며, 아 슬픕니다. 염구 즉 염습할 때 사용하는 여러 가지 기구를 수습할 때, 소렴(운명한 다음 날, 시신에 수의를 갈아입히고 이불로 쌈)을 수습하고, 3일에 대렴(소렴을 한 다음 날, 입관을 위해 소렴한 시신을 베로 감싸서 매듭을 지음)을 수습하여, 모든 장례 예식을 모셨지요. 발인하면서 축문 읽는 소리에 해와 달이 빛을 잃고, 북소리는 둥둥, 슬피 우는 기러기 소리 들렸지요.

대궐같은 저 집을

… 저집의

로빈절갖히비어두고창송은울울ㅎ고북풍은소실한청산으로어이갈고하난소리뎐지가감ㅎ
하야불분지척이라정신차려살펴보니아버님영가간곳업고청산류수벅나속에석남연기남
아쏘다오호통재라초우지우삼우를맛친후소녀집을찻즈올셔고례생을셔나구천마는들
선니동리사람문위인소저기어기주ㅎ나가군은천리박개셔이른줄모려리다홀ㅎ이집물도드
르간니수개절비인집이라주인을반기난듯방문열고드르순니찬바람이살을색가며인사ㅎ내
어린아희염히세고설ㅎ훈비방안에혼ㅊ안즈가경형견살피보니아버님성각가ㅊ성각주야눈
물로일을삼고시월로벗을삼다가 [illegible]

로 빈절갖이 비어두고 창송은 울울ᄒᆞ고 북풍은 소실한 청산으로 어이 갈고, 하ᄂᆞᆫ 소리 텬지가 캄캄하야 불분지척이라. 정신차려 살피본니 아버님 영가간 곳 업고 청산류수 벅나 속에 석남 연기 남아쏘다.

오호 통ᄌᆡ라. 초우 ᄌᆡ우 삼우를 맛친 후 소녀 집을 ᄎᆞᄌᆞ올 ᄉᆡ, 고례 ᄯᅡᆼ을 ᄯᅥ나 구천 마을 드르선니, 동리 사람 문위 인ᄉᆞ 저기 어기 ᄌᆞᄌᆞᄒᆞ나, 가군은 천리 박개셔 이른 줄 모러리라.

훌훌이 집으로 드르간니 수 개월 비인 집이라. 주인을 반기난 듯 방문 열고 드르슨니 찬바람이 살을 싹가며 인사ᄒᆞ내. 어린 아ᄒᆡ 엽ᄒᆡ ᄭᅵ고 설설ᄒᆞᆫ 반 방안에 혼ᄎᆞ 안ᄌᆞ 가졍 형편 살비본니, 아버님 ᄉᆡᆼ각 주야 눈

빈 절같이 비워둔 채, 푸른 솔만 빽빽, 북풍 소슬하게 불어오는 청산으로 어이 갈꼬?' 하는 상여소리에, 천지가 캄캄하여 지척을 분간할 수가 없었습니다. 정신차려 살펴보니, 아버님의 영혼은 간 곳이 없고, 청산 유수 칡덩굴 속에 아지랑이만 남아 있습니다.

아, 애통합니다. 초우, 재우, 삼우제를 마친 후에, 집을 찾아갈 때, 고례 땅을 떠나서 구천 마을에 들어서면, 동네 사람들의 위문 인사가 여기저기 자자하겠지요. 하지만, 아버님은 천리 밖에 계셔서, 제가 밖에 와 있는 줄 모르시겠지요.

홀홀히 집으로 들어가니 수 개월 비워 놓은 집이라. 주인을 반기는 듯하고, 방문 열고 들어서니, 찬바람이 살을 깎는 듯하며 인사하네요. 어린아이를 옆에 끼고 차가운 빈 방안에 혼자 앉아 가정 형편을 살피니, 아버님 생각에 밤낮

물로일을삼고싀월로벗을삼아ᄒᆞ로ᄒᆞᆫ달보내ᄂᆞᆫ니편지의언ᄃᆞᆨ인가아버님싱젼에소녀가군
물주소로겨경ᄒᆞ시든니상지젼에셜운ᄒᆞ와신명이도으심이가금년춘간에군복을이별ᄒᆞ고고
향을도라온니한젼ᄂᆞᆫ방가우나아버님을싱각ᄒᆞᆫ니서른아음도욱셜다오ᄒᆞ〻애지〻다
싀월은석화류수라오ᄂᆞᆯ진늑이직거련부녀상대ᄒᆞ온진늑이라천리타향군중에잇돈가군을
작반ᄒᆞ야아버님을보오러불언천리와ᄊᆞᆫ만은아버님께가신길은다시봄이업슴니가연혼젼께
부처통곡한들오고가멀모르온니아버님은아심니가모르심니가히〻한촉불아래올ᄂᆞᆫ술잔

물로 일을 삼고, ᄉᆡ월로 벗을 삼아 ᄒᆞ로 ᄒᆞᆫ 달 보내든니, 텬지의 언득인갸?

아버님 ᄉᆡᆼ젼에 소녀 가군을 주소로 걱졍ᄒᆞ시든니, 상ᄌᆡ 젼에 설은ᄒᆞ와 신명이 도으심이갸? 금년 춘간에 군복을 이별ᄒᆞ고 고향으로 도라온니 한 편은 방가우나 아버님을 ᄉᆡᆼ각ᄒᆞᆫ니 서른 마음 드욱 설다.

오호 오호 ᄋᆡ지 ᄋᆡ지라. ᄉᆡ월은 석화 류수라. 오날 진윽이 직 거년 부녀 상대ᄒᆞ온 진윽이라. 천리 타향 군중에 잇든 가군를 작반ᄒᆞ야 아버님을 보오러 불언 천리 왓근만은 아버님에 가신 길은 다시 옴이 업습니갸.

영혼 젼에 부쳐 통곡한들 오고가멀 모르온니 아버님은 아심니갸. 모르심니갸. 히히한 촉불 아래 올닌 술잔

눈물로 일을 삼고, 세월로 벗을 삼아 하루 한 달을 보내더니, 이 무슨 일인가요?

아버님 생전에, 제가 밤낮 남편을 걱정했더니, 아버지께서 옥황상제 전에 사정하여 신명이 도우신 것일까요? 금년 봄에 남편이 군복을 이별하고 제대해 고향으로 돌아오니, 한편으로는 반가우나, 아버님을 생각하니 서러운 마음이 더욱 서럽습니다.

아, 애통합니다. 애통합니다. 세월은 번갯불 같고 흐르는 물만 같습니다. 오늘 저녁이 곧 작년 우리 부녀가 만났던 저녁입니다. 천리 타향 군중에 있던 남편과 함께 아버님 뵈러 불원 천리 왔건만, 아버님의 가신 길은 다시 올 수가 없습니까?

영혼 앞에 부쳐 통곡한들 오고 가는 줄 모르시니, 아버님은 아십니까? 모르십니까? 희미한 촛불 아래 올린 술잔은

젹〻호고 촉불 눈물만 ᄯᅳ르지며 검막알히 한출서른 정곡시〻이고 하오나 아버님 엄성은 오
요하고 바람소리 샘비온니 살ᄯᅳ고 살ᄯᅳ도다 아버님은 왓슴니가 못왓슴니가 청풍명월 벗나
속에 길을 일으 못오신가 옥경선대 선녀중에 놀기좋와 못오신가 서왕모 요지연에 복숭자시
다가 오발진우니 젓신가 상산에 사호만나 바다두다가는 젓서 못오신가 염나국이 너대 군대갈
이 멀어 못오십에가 유명이 다르오나 헌젹조차 업ᄉ온니 오면 오신줄 알며 가면 가신줄 어이 아리
백마산 상둥는 달이 둥〻 고개 늠어 간니 동산에 두견조는 나의 희포 돋으라고 불여기를 설희하며
서촌에 계명성은 나의 통곡 ᄀᆞᆫ치라고 오경을 기별[illegible]ᄒᆞ니 오호통지라 아버님요 우리 잘남매지

젹젹ᄒᆞ고, 촉불 눈물만 쓰르지며 검막 앒ᄒᆡ 한 줄 서른 정공 ᄉᆡᄉᆡ이 고하오나, 아버님 엄성은 요요하고 바람소리뿐이온니, 실프고 실푸쏘다.

아버님은 왓습니갸? 못 왓슴니갸? 청풍 멍월 벅나 속에 길을 일으 못 오신갸? 옥경 선대 선녀 중에 놀기 조와 못 오신갸. 서왕모 요지연에 복숭 자시다가 오날 진윽 이젓신갸.

상산에 사호 만나 바닥 두다가 느젓서 못 오신갸. 염나국이 어대근대 길이 멀어 못 오심이갸. 유명이 다르오나 헌젹조ᄎᆞ 업ᄉᆞ온니 오면 오신 줄 알며 가면 가신 줄 어이 아리.

백마산상 돗는 달이 둥둥 고개 늠어 간니, 동산에 두건조는 나의 ᄒᆡ포 도으라고 불여기를 설피하며 서촌에 계멍성은 나의 통곡 근치라고 오경을 기별ᄒᆞ니.

오호 통ᄌᆡ라. 아버님요. 우리 팔남매 지

적적하고, 촛불 눈물만 떨어집니다. 휘장 앞에 한 줄 서러운 마음을 세세히 고하오나, 아버님의 음성은 고요하고 바람소리뿐이니, 슬프고 슬픕니다.

아버님은 오셨습니까? 못 오셨습니까? 청풍 명월과 칡덩굴 속에 길을 잃어 못 오시나요? 하늘나라의 선녀 속에서 놀기가 좋아서 못 오시나요? 서왕모의 요지연에서 복숭아 잡수시다가 오늘 저녁을 잊으셨나요?

상산의 사호 즉 산속에 사는 은자들을 만나서 바둑 두다가 늦어서 못 오시나요? 염라국이 어디기에 길이 멀어사 못 오시나요? 이승과 저승이 다르다고는 해도 흔적조차 없사오니, 오면 오신 줄 알며, 가면 가신 줄 어이 알겠습니까?

백마산 위에 돋는 달이, 둥둥 고개를 넘어가니, 동산의 두견새는 내 회포를 도우라고 슬프게 불여귀 불여귀 소리를 냅니다. 서촌의 계명성은 내 통곡을 그치라고 시간을 알려줍니다.

아, 애통합니다. 아버님. 우리 8남매의

[illegible]

ᄌᆞ지손 전〻 무궁ᄒᆞ올 듯ᄒᆞ니 옥경선대 선녀ᄌᆞᆼ매 진셔사ᄅᆞᆯ 이젼ᄉᆞ고 만〻셔〻 무궁〻〻

ᄒᆞ옵소셔 오호〻 통쳐〻〻 상

향

ᄌᆞ지손 전전 무궁ᄒᆞ올튼니, 옥경선대 선녀 중에 진ᄉᆡ사를 이저시고, 만만ᄉᆡᄉᆡ 무궁무궁ᄒᆞ옵소셔.
오호 통ᄌᆡ 오호 통ᄌᆡ 상향.

자손과 지손이 무궁할 테니, 하늘나라 선녀 가운데에서 이승의 일은 잊으시고, 천년 만년 무궁무궁하옵소서.
아 애통합니다. 아 애통합니다. 흠향하십시오.

감상 및 해설

아버지 영전에서 딸이 올린 제문이다. 남편이 군에 입대하여 혼자 어렵게 사는 딸을 위해 오빠들을 보내어 일을 돕게 한 아버지의 은혜를 회상하는 대목이 특히 뭉클하다. 여성 혼자서는 감당하기 어려웠던 전통시대의 생활을 떠올리게 하고, 아버지의 정을 느끼게 한다.

> 가군이 쳔리 번방에 사오 년을 군중에 복무ᄒᆞ올 적에 소녀의 가졍을 건심걱졍ᄒᆞ야 백남을 보내 돌보아 주며, 중남도 와셔 돌보아 주여시대, 그래도 불족한 ᄉᆡᆼ각으로 사오 개월식 한씨 익기 ᄒᆞ실 젹에, 그 상심 오작ᄒᆞ오릿가?

그러했건만, 보은하지 못했다고 자책한다. 그 아버님이 병중에 있을 때, 제대로 병간호 한번 못한 데 대해 애통해하는 사연이 절절하다.

> 소녀 손소 탕약 ᄒᆞᆫ **텹** 못 올이오고, ᄒᆡ선 진육으로 구미 한번 몬 도옵고, 신ᄉᆡ만 기칠 적에 텬야아 지야아 인야아 귀야아, 거년 금일애 진ᄉᆡ을 ᄒᆞ직 ᄒᆞ시고, 옥경 선대을 향ᄒᆞ신니 실푸고 실푸다.

5. 아내 영전에

1900년, 임기중 편, 《역대가사문학전집》 45책, 2153번)

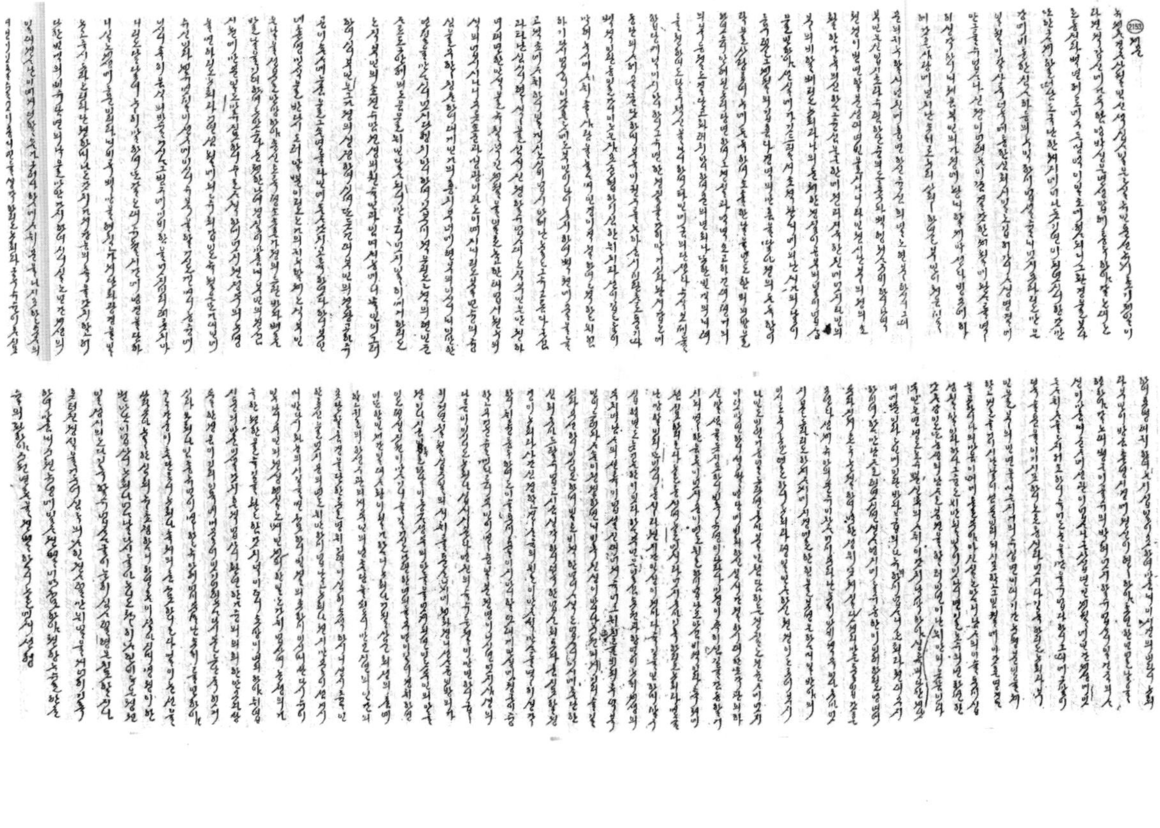

뉴셰졋결혼사월 밧서 색실빛은 실뉴민후 선슈씌 츄기 첫일비
라 저서 가실에 거속핸 영박실은 년생맙해 동두하야 잘논대노
로 동진와 백년해로에 가두달 먹이일 초에 첫되니 그 환경을 볼수
도 한군께 할때는 도국난한 해지에 나듯기 번이 되서서 한주만
강에 비좋한 실수하등의 뉴박한이 업셀줄 니머지 우라로만은
빌월이 잘사욱던 국에 동한실회시 밀노길허 가을수 섬명절에
만글을 뉴업수나 진젱이 업해논이 갈절 잘한씨 월에 발수글 열
히생각하니 너 처음 복민의 가정에 발너할제야 절다 빙주에 하
레 갖훈 사랑에 넘치난 숙희로 누리 살기 한년을 복읽어 첫읽피수

제문

뉴세ᄎᆞ 경ᄌᆞ 사월 임신삭 십ᄉᆞ일은 고실 뉴인 풍산 뉴씨 초기 졔일이라. 젼셕 갑신에 가부 함양 박싱은 영상 압헤 통곡하야 갈오대,

오호 통ᄌᆡ라. 백연 헤로에 구든 밍약이 일죠에 허ᄉᆞ되니, 그 환경으로 보나 또한 그 ᄉᆞ세 하로 떠남도 극난한 쳐지에, 어나듯 기연이 되엿시니, 한갓 만강에 비통한 심ᄉᆞ 하등의 우익하미 업살 쥴 ᄂᆡ 엇지 모라리오만은, 일월이 갈사록 더욱 에통한 심회, 시일노 깁허가니, ᄉᆞ싱 영결에 안 그를 슈 업ᄉᆞ나, 진졍이 어래온이,

꿈결갓한 세월에 왕ᄉᆞ를 역역히 싱각하니, ᄂᆡ 쳐음 부인의 가졍에 왕내할 제, 악장과 빙모에 하헤갓흔 샤랑에 넘치난 쇼릐로,

"우리 사회 우리 사회." 하엿고, 부인이 쳐음 필

제문

아, 경자년(1900년) 4월 14일은 아내 풍산 류씨 1주기 제삿날입니다. 전날 저녁에, 남편인 함양 박생은 영상 앞에서 통곡하여 고합니다.

아, 애통합니다. 백년 해로의 굳은 약속이 하루아침에 허사가 되고 말았습니다. 우리 환경에 비추어, 당신이 이 세상을 떠나면 안 되는 아주 어려운 처지에, 어느덧 1주년이 되었네요. 한갓 만강의 비통한 심사를 가진들, 하등의 유익이 없는 줄, 내가 어찌 모르겠습니까만, 세월이 갈수록 더욱 애통한 심회, 나날이 깊어가기만 합니다. 영원한 이별에 안 그럴 수 없어, 진심으로 아뢰옵니다.

꿈결같은 세월에 지난 일을 역력히 생각하니, 내가 처음 부인의 가정에 왕래할 때였지요. 장인 어른과 장모님이 하해같이 사랑 넘치는 음성으로,

"우리 사위, 우리 사위." 하셨지요. 부인이 처음

운의 지수할 서싱된데 훈련 한실 국선의 녈노 헌복하시니 그때
북민은 신입지초라 수괴한 술의 도홍국와 삐격 휘ㅅ 괴한 나녀
현씽이 빋던 할 불성며 녀빈 을지나 나타 민쳔시난 북의 쩡의 쵸
휠 한가죽의 신 한ㄱ 글신은 ㄱ 한데 천과 지족한 찬데어지타 민의
북의 비할 삐런노 슬희라 나의 동희한 쎵질이 공북의 빌셔녀 숨
블빋하야 셔실데 가긴 림셔 쵸석화녀데의 난져긔의 날이
늑우 랍을고 쎄월의 길 훈다 경녀의 싼 훈을 딸인 쳔의 乞독한이
수난데 비할 슈업스녀 뎐북민의 갓ㅅ의 훼리한의 비저나의 깨닥의
활당치 만난바 늑수 떠게 그즌 쎵비마 절 한고 지성 미박 초하야 즐
글 셜 긴 녀 히영노 한녀 시 수 존 북의 도리 국 진 홍 며 존 계 를 화

문의 귀우할ᄉᆡ, 양친에 흡연하신 즁심 희열노 현부부하시니, 그때 부인은 신입쵸라 슈랜하난 즁의도 효우와 백헹 쳐ᄉᆞ 구비하니, 나 역 쳔셩이 범연할 분 상대여빈으로 지나니, 타인 쳠시난 부부의 졍의 쇼활한가 혹 의심하ᄂᆞ, 그 즁심 은근한 에졍과 지극한 친에 엇지 타인의 부부의 비할 베리요.

오회라. 나의 둔체한 셩질이 공부의 일이 업ᄉᆞᆷ으로 인하야, 상실에 가 깃드릴ᄉᆡ, 죠셕 왕ᄂᆡ 에의난 ᄌᆡ가의 날이 드무럿고, 그 세월의 깁흠과 경역의 만흠을 딸아, 졍의 돈독함이 쥬낭에 비할 슈 없ᄉᆞ며,

또 부인의 가ᄉᆞ의 쳐리함의 이셔, 나의 마암의 합당치 안인 바 드무니, 대게 그 자셩이 아결하고, 지상이 박소하야, 구고를 셤김미 히열노 하여시니, ᄌᆞ부의 도리 극진ᄒᆞ며, ᄌᆞ메를 화

우리 가문에 들어올 때, 양친께서 흡족하신 마음으로 기쁨을 모든 사람 앞에 드러내셨지요. 그때 부인께서는 신혼 초라 낯선 중에도, 효도와 우애의 백 가지 처사에 대해 온전히 다 갖추고 있었지요. 나 역시 천성이 데면데면하여, 당신 대하기를 손님 대하듯 하며 지내다보니, 남들이 보기에는 부부의 정이 깊지 못한가 의심하기도 하였어요. 하지만 그 중심에는 은근한 애정과 지극한 친밀함이 있었으니, 어찌 다른 부부와 비교할 수 있었겠습니까?

아, 내 둔감한 성질이 공부에는 뜻이 없어, 웃방에만 깃들어 있었지요. 그때 당신은 아침저녁으로 왕래하며 예의를 갖추어, 빠뜨리는 날이 드물었지요. 그 여러 세월 동안 경력이 많아짐에 따라, 우리 부부의 정도 더욱 돈독해져서, 음악 소리를 잘 알아들었던 중국 남조 때 사람 주랑에 비할 수 없을 만큼, 나도 당신을 잘 이해했지요.

부인이 가사를 처리할 때, 내 마음에 합당치 않은 적이 드물었으니, 당신의 타고난 성품이 우아하고 정결하였으며, 소박한 바탕이라 가능했지요. 시부모님 섬기기를 기쁨으로 하여, 며느리의 도리를 극진히 하였으며, 자매를

락을 사랑ᄒᆞ며 누미 도독ᄒᆞ셔 소졸ᄒᆞᆫ 낫츨 보ᄂᆞᆫ 듯ᄒᆞᆫ 뫼의 방울
ᄒᆞ며 소ᄉᆞ 막혜 된 ᄃᆞ라 당년 ᄒᆞ셔 그 청질과 ᄆᆡᆨ녁 ᄎᆞ고ᄒᆞ건대 정거의
의 실록 등졀도 졀당ᄒᆞ고 화래 ᄌᆞ리 말나 ᄒᆞ셔 모의 년 뫼나 당ᄒᆞᆫ 빈 ᄀᆡᆨ의 니대
를 칭ᄒᆞ며도 탈ᄉᆞ 젹신을 ᄲᆞ혀 ᄒᆞ셔 타빈 미궁의 단졀ᄒᆞ다 ᄂᆞ식 보젼을
ᄒᆞᆸ다 게너미 지 말나 ᄒᆞ니 그ᄂᆞ년 ᄒᆞᆫ 정질을 ᄭᆡ히 맑거시라 왕져 창조ᄂᆞ미
동난의 소ᄒᆡ을 ᄀᆞᆫ당ᄒᆞ셔 북듀미 권주를 논ᄒᆞ조시 지란조로 동기다
ᄲᅴ셕 미란 동민을 자니 도은 자조 줄협ᄒᆞ시 실ᄒᆞᆫ 뉘치라 설이 길ᄂᆞ로이
막혀 ᄂᆞ시매 소최 ᄎᆞᆯ 사람을 ᄂᆞᆯ니ᄭᅴ 인경이 젹졀ᄒᆞ여 젹ᄒᆞᆫ 뒤ᄒᆡᆼ
하기 다시 업ᄉᆞ니 자ᄆᆞᆫ ᄃᆡ도 북밋이 나이 ᄎᆞ지 ᄒᆞ여 ᄲᅵᆨ 쳔미 ᄆᆞᆺ블 ᄃᆞᆯ
고썩 조미 즈최 ᄒᆞ니 빗ᄎᆞᆯ 재시ᄂᆞ 실뫼 업시 막혀난 ᄂᆞᆯ은 그ᄂᆞ고 ᄅᆞᆫ다 ᄀᆞᆺ삽

락으로 사랑ᄒᆞ여, 우에 돈독하며 쇼쵿한 날을 인도함의 의방으로 하엿스니, 안헤된 도리 당연ᄒᆞ며,

그 셩질과 악약 쇼고하건대, 평가 의복 등졀도 결단코 화래치 아니하며, 문의연회나 또한 빈겍의 ᄂᆡ레를 쳥하여도, 탈구착신을 아니하며, 타인에 금의단장과 슈식 보페를 합당케 넉이지 아니하니, 그 슈연한 셩질을 가히 알 거시라.

왕ᄌᆡ 갑오에 동난의 ᄉᆞ헤 물 끌 닷하미 부득이 권구를 논하 좀시 피란ᄎᆞ로 풍기 따 벡셕이란 동이로 가니, 이곳은 쟈못 궁협하기 심한 위치라. 산이 깁고 골이 막혀 늌시에 ᄌᆞ취 종죵 샤람을 놀ᄂᆞ며, 인경이 격졀하여, 고젹하고 위험하기 다시 업ᄉᆞ니, 이갓흔 곳에도 부인이 과이 ᄎᆞ지하여 백쳔에 물을 들고, 셕죠에 ᄌᆞ취하니, 일게 시노 시비 업시 아헤난 울고, 그 슈고롬과 근심

화락한 가운데 사랑하였어요. 형제간의 우애도 돈독하게 하였고, 못난 나를 옳은 길로 인도하였으니, 아내된 도리를 합당하게 했습니다.

당신의 성품과 절약했던 일을 생각해 봅니다. 의복도 결코 화려하지 않았으며, 잔치나 손님으로 초청받아도, 새것으로 갈아서 착용하지 않았으며, 남들의 비단옷 차림과 보배 장신구를 합당하게 여기지 않았으니, 그 꾸밈이 없고 순박한 성질을 알 만했습니다.

지난 갑오년 동학난으로 사방이 물 끓듯 하자, 부득이 식구를 나누어 잠시 피난차 풍기 땅 백석이란 동네로 갔었지요. 이곳은 상당히 깊은 골짝기에 있던 곳이었지요. 산이 깊고 골이 막혀, 짐승의 자취가 종종 사람을 놀라게 하며, 인적이 끊어져, 고적하고 위험하기 이를 데 없었습니다. 이같은 곳에도 부인이 차지하여, 흰 천에 물을 들이며, 석조에 밥을 했으니, 모시는 노비 하나도 없이 아이는 우는 등, 그 수고로움과 근심

과타난십시혀 석을 십서 신정할수업는대 는직석민은 난친하
여 테면한 악석을 늑 칠석간 엄청을 밑로 추고한 대업시 원수뵈
석의 넘어지나니 우른 조근과 실광이라 도이어 지서리로 불면 숙의 숙
십을 무한 정출한대지면 거의 홍치부너이 현부의 이서너 미안한
연실을 받는 십너어지다 청지 말어 한어 깃부이 적울로는 적의 혀먼즐
주로도 굳한쇠의 도움을 뒤먼 달는되너 받으러 어지 일히께거 할리로
는직복민의 초천수만 천생의 휘늑민과 빔이처 농이너 늑민의 그러
한서 복민은 그거 정의 실정한서 실서 단도 은검다 복민의 쟁왕궁한수
곤이 손손에는 울을 그손여 울타민에 손손갓지 고흑한다 한서 복연
네초생민석을 받다시 도리 알뱃이라로는 거의 긔누할쇠는 직석민

과 타난 심시니, 현현색색으로 심ᄉᆡ 진정할 슈 업ᄉᆞ대, 오직 부인은 안젼하여 태연한 안ᄉᆡᆨ으로 늌칠삭 긴 세월을 일호 노고한 태 업시, 원우의 ᄉᆡᆨ의 업시 지나니, 무릇 쇼군과 밍광이라도 이에 지ᄂᆡ리오.

불언 즁의 즁심으로 무한 무한 칭ᄎᆞᆫ하여, 대게 인가의 흥치, 부녀에 현부의 이시니, ᄂᆡ 이만한 양필을 만ᄂᆞ시니, 엇지 다헹지 아니하며, 깃부미 젹으리오. 고셕의 현인 군ᄌᆞ도 그 안헤의 도움으로 위인 달ᄉᆞ 되니 만흐니, 엇지 일일히 메거하리오.

오직 부인의 죠션 슈암 션싱의 권슉인과 임여ᄌᆡ 옹에 니 슉인이 그러하여시니, 부인은 그 가졍의 싱장하여시며, 또 듯건대 부인의 션왕고 하쥬공이 숀ᄌᆞ에 느즘으로 그 숀여를 타인에 숀ᄌᆞ갓치 교휵하엿다 하니, 부인에 춍명 민식으로 반다시 도러 알 뿐이리오.

오가의 귀우할제, 오직 부인

가운데 힘을 썼지요.

그때그때마다 달라지는 심사를 진정할 수 없었을 테지만, 오직 부인은 안전한 듯, 태연한 안색으로 6~7개월 긴 세월 동안, 조금도 힘든 내색 없이, 원망하거나 걱정하는 빛도 없이 지났어요. 무릇 소군과 맹광이라는 중국의 현모양처도 이보다 더 나을 수 있겠어요?

말하지는 않았지만, 속으로 무한 무한히 칭찬했어요. 한 집안의 흥왕이 부녀가 어진지 아닌지에 달려 있다고 하는데, 내가 당신같은 배필을 만났으니, 어찌 다행이 아니겠으며, 적은 기쁨이겠습니까? 옛적의 현인 군자도 그 아내의 도움으로 위인과 달인이 된 분이 많았으니, 어찌 일일이 들 수 있겠습니까?

오직 부인의 선조인 수암 선생님의 권 숙인과 임여재 옹의 이 숙인 두 분이 바로 그랬습니다. 부인은 그 가정에서 나서 자랐으며, 또 듣자니, 부인의 할아버니 하주 공께서 손자가 늦어지자, 그 손녀인 당신을 손자같이 교육하였다죠? 부인의 총명함과 민첩함으로 반드시 도만 알 뿐이었겠습니까?

우리 집안에 들어올 때, 오직 부인은

눈날을 졍복을 마샹하야 흉션도록 쟝소졸은 가졍의 훈련 밧와 뼤졸
발날을 기대하셔 동안순다 동정한 낙에 성질이 까졸너 부면의 쳘싈
시촌에 까온 쫄빛도 까물슈 질오하셔 누조 쳑하셔 너지 쳔졍쑤의 녹셩
늘 연하리로 놓회라 가연 셩 쉴에 뇌는 슈회잡 빋는 늙 쉴을 는 다 거대 번에
슈션 빛와 셜슈 버질의 이 셩줏에 비셔 슈복을 할 가신 건 뻐서 눈술에
비셔 흑히 븐 석의 박술 거시는 그 빌주에 끼비 한을 버지시러 래로지 나
나리로 달 달녀 누히 깔하여 또 찰는대 슈골 저간에 명졈을 당하
나실노 세샹에 늘은 빋러라 너비록 쁴 깡을 헤치노가셔 당화 광경을 빌
놓고 누시 동라 노러라 난 쳥하시 나는 갓지거셔 쟝능의 쥭을 갓치 할고저
다한 번 젹의 뾔주 닥 연의 낙을 까안 갓지하여 시셔 실노 넌 잔 세샹의

은 날을 장부로 앙망하야, 죵신토록 평쇼 죠흔 가졍의 드란 바와 베훈 바로, 날을 기대하며 도앗스나, 둔체한 나에 셩질이 마ᄎᆞᆷᄂᆡ 부인의 셩심지원에 만분 일도 마츄지 못하니, 스스로 ᄌᆞ칙하메, 엇지 쳔정부의 누명을 면하리오.

오회라. "거연 삼월에 외고쥬 회갑이오, 뉵월은 또 가대인에 슈신이라. 세쥬 몃 필이 상ᄌᆞ에 이시니, 슈복을 할 거시오, 겐며니 농즁에 이시니, 죡히 음식의 밧꿀 거시ᄂᆞ, 그 범구에 미비함을 엇지 미리 례릇치 아니리오?" 날달여 누누히 말하며, 또 갈오대, "슈월지간에 양경을 당하니, 실노 세상이 드문 이리라. ᄂᆡ 비록 ᄇᆡᆨ망을 헤치고 가셔, 단화 광경을 일우고 즉시 도라오리라." 난쳥하미 나도 갓치 가셔, 강능의 츅을 갓치 하고, 허다한 빈겍의 베쥬 담연의 낙으로 마암가지 하여시니, 실노 인간 세상의

나를 장부로 추앙해 주며, 종신토록, 평소 좋은 가정에서 듣고 배운 대로 나를 기대하며 도왔지요. 하지만, 아둔한 내 성질 때문에, 마침내 부인의 성심껏 지원해 주는 것의 만분의 일에도 미치지 못했지요. 스스로 자책합니다. 어찌 당신의 배필이라는 이름을 더럽힌 죄를 면할 수 있겠습니까?

아, 당신이 이렇게 말했었지요.

"3월이면 장모님(우리 어머니) 회갑, 6월은 아버지 생신입니다. 명주 몇 필이 상자 속에 있으니, 그것이면 선물을 드릴 수 있을 것입니다, 모시와 무명이 농 속에 있으니, 충분히 음식과 바꿀 수 있어요. 그 법도에 비추어 미비한 것을 어찌 미리 대비하지 않을 수 있겠습니까?"

나더러 누누히 말했지요.

"몇 달 사이에 두 경사를 맞으니, 실로 세상에 드문 일입니다. 내가 비록 만사를 제치고 가서, 말씀도 나누고 즉시 돌아오겠습니다."

이렇게 간청해서, 나도 같이 가서, 강녕하시라는 축복을 함께하고, 허다한 손님의 음주와 끽연의 기쁨을 마음껏 하였지요. 실로 인간 세상에서

일ᄃᆡ엿ᄉᆞ나 미에셔 더ᄒᆞᆫ 슈가 굴ᄒᆞ야 ᄒᆞᆫ에 ᄌᆞ취를 나지 못ᄒᆞᆫ ᄎᆞᄎᆞ의
녀편네 잇ᄯᆡ를 슈홀 니ᄌᆞᆺ지 옹니면들 ᄉᆡᆼ각ᄒᆞ실 노회라 굴욕ᄒᆞᆫ이 ᄌᆞ심
ᄒᆞ여 효ᄒᆡᆼ ᄒᆡ직ᄒᆞ여 ᄂᆞᆫ지 십 일이 ᄂᆞᆺᄒᆞ여 잇ᄉᆞᆸ네 미 ᄉᆞ경의 일라 노회
라 복발이 ᄇᆞᆫ드 흉셩지경에 쳔샹이 혀ᄒᆞ야 흉변ᄒᆞᆫ 모ᄅᆞᆯ 날 호
ᄒᆞᆫ ᄒᆞᄋᆞᆸ시 ᄌᆞ 노ᄅᆡ 빅곤이 굴슈의 ᄇᆞᆯ셔 ᄆᆞᆺ지 ᄒᆞᆯ슈 업ᄉᆞ니 밋 건국의 ᄉᆞ
션이 잇ᄉᆞᆸ니 준ᄌᆞ에 성관이 업ᄉᆞ나 ᄂᆞᆫ 사십 년간 ᄊᆞ흔에 빈간 ᄊᆞ셩에 잇
듯ᄌᆞ희 ᄌᆞ를 도지 ᄒᆡ로 ᄒᆞ니 슈에도 눈을 ᄀᆞᆷ을 수 업다 ᄒᆞ고 ᄯᆡ에 곡ᄒᆞᆸ이
녁슉ᄒᆞᆯ 도ᄅᆞᆯ 이기지 못ᄒᆞ니 ᄌᆞ로 통졀ᄒᆞ믈 ᄭᆡ닷지 다 긔록ᄒᆞ리ᄂᆞᆫ 노회라 복
민을 복의 빈년을 ᄃᆡᄂᆞᆫ지 거의 슈십 년 비ᄃᆡ기간 노쇠ᄇᆞᆫ ᄃᆡᄂᆞᆫ ᄌᆡ
ᄒᆞᆫ 노ᄅᆞᆯ 거의 지나ᄂᆞᆯ이 셩ᄉᆞ 일ᄒᆞ되 지못ᄒᆞ고 빈궐에 이 ᄌᆞᆺ혼 ᄯᅳᆺ졀

일대 셩ᄉᆞ난 이에셔 더할숀가? 그러나 학ᄌᆞ에 ᄌᆞ취 문을 나지 못하고, 죠ᄌᆞ의 여렴에 밋촐 쥴 엇지 몽ᄆᆡ엔들 싱각하리오?

오회라. 그후 슈슌이 ᄎᆞ지 못하여 포병 태귀하여 온 지 십일이 못하여, 마ᄎᆞᆷᄂᆡ 이 지경의 이라니, 오회라. 부인이 방금 춍명지경에 졍신이 형형ᄒᆞ야, 쵸연한 언어로 날을 향ᄒᆞ야 갈오대, "병근이 골슈의 박혀 엇지 할 슈업ᄉᆞ니, 일건국의 사싱이 마ᄎᆞᆷᄂᆡ 군ᄌᆞ에 상관이 업ᄉᆞ나, 근 사십 연 긴 세월에 인간 세상에 잇든 ᄌᆞ취 ᄌᆞ즐 고지 허쇼하니, 쥭어도 눈을 깜을 슈업다." 하니, 그때에 그 말이 더욱 슬품을 이기지 못하니, 오호 통ᄌᆡ라. 엇지 다 기록하리오.

오회라. 부인으로 부부의 인연을 ᄆᆡ즌 거의 슈십 연이대, 기간 누병분이를 제하고, 셔로 즐거이 지난 날이, 삼분 이리 되지 못하고, 그 임졀에 이갓흔 영결

성대한 잔치가 있다지만, 이보다 더할 수 있겠습니까? 그러나 학의 자태같은 자취가 문을 나서지 못할 줄 어찌 꿈엔들 생각했겠습니까?

아, 그후 얼마 되지 않아, 병이 들어 돌아와, 온 지 열흘도 지나지 않아, 마침내 이 지경에 이르렀습니다. 아, 부인이 방금 초롱초롱할 때, 정신이 또렷하여, 슬픈 어조로 나더러 이렇게 말했지요.

"병이 골수에 뿌리 깊이 박혀 어찌할 수 없으니, 내가 죽고 사는 것이 당신에게 상관이 없으나, 거의 40여 년 긴 세월 동안 인간 세상에 있던 자취를 찾을 길이 없으니, 죽어도 눈을 감을 수가 없소."

그때, 그 말이 더욱 슬픔을 이기지 못하니, 아, 애통합니다. 어찌 이 슬픔을 다 기록할 수 있겠습니까?

아, 부인과 더불어 부부의 인연을 맺은 지 거의 수십 년인데, 그 기간에 병들고 분주한 시간을 빼고, 서로 즐겁게 지낸 날은 3분의 1일 되지 못하오. 그런 상황에서 이같은 영결을

불공하나의 방울이 떠러 울를 쪼아 마진 실는 맛나니 남주의 미술 무겨 심
셩칠 살이라 하나 그즁도 뇌만 될 빗이 잇나니 변길 초슈의 업 향션 한
갓조 장밀도 농생의 남줄 봉젼을 향허 미션이 난 우 안의 운둔 미라
쑥 만 운연 생도 초슈 뿐 신속의 스취 이 갓쳐 낙쑥하야 셩육의 단산 세상
너의 뿔 일과 눈의 미란 바와 간음의 단속 한시 업스니 오회라 쳘대 우지
하시여 한 깐 남줄 쳐연 신션 션스 행지미 홀유 흥한 미 빔에 한리 녕 넉에
쑥과 진쳐 흐느 눈쳘 할여 변한 정뉘 갓쳐 길다 셔리 말은 도중일 갓훈
조연타 션계 슈 안의 쑥주 비 참스며 이 쑥타난 순리 만세 쑥무 빗는 초시 이
지 불 슌 리로 하셔 스씨 미 지 졍 미를 한 힘 불 봉 션운 하시며 일 받아 의
미시도 종흔 예를 하시 오회라 평일 보스 한 션 쳔셩 이도 흥이 부시

을 고하니, 나의 마음 이때에 통호부야야.

진실노 아나니, 남ᄌ의 슬푸미 십상칠팔이라 하나, 그즁 도위 안될 일이 잇나니, 연기로 요슈의 면하면, 한갓 존강이오, 또 농장의 남ᄌ로 봉젼을 할 터이면, 이난 위안의 읏뜸이라.

부인은 연녕도 요슈뿐, 신후의 ᄌ취 이갓치 낙막하야, 싱휵의 다만 세낫여에뿐이라. 고인에 이란바 완급의 과뉴의하미 업ᄉ니, 오회라 천대 무지하미여, 하ᄂ만 남ᄌ로 태엿시면 싱ᄉ 양지에 골슈 통한이 이러하리오?

양여에 부라지져 호곡 운졀하여 약한 정위 끗쳐질 닷 셔리마즌 풀입갓흔 모양과 삼세 뉴아의 분쥬이 차ᄌ 어미 부라난 쇼릐, 아비 셕목이나, ᄎ마 엇지 보고 드라리오?

하게 ᄌ씨에 지셩 에호한 임으로 보명은 하ᄂ, 미일 반야의 이시토록 호모 에호하니, 오회라. 명일 인ᄌ하신 쳔셩이, 도로에 부지

고하자니, 내 마음 이때 애통하지 않겠습니까?

진실로 남자의 슬픔 가운데 십중팔구에 드는 것들이 있다고 합니다. 그 가운데 있어서는 안될 일이 있으니, 요절하는 일입니다. 아들이 태어나 제사를 물려줄 수 있다면, 이것은 가장 큰 위안이지요.

부인께서는 연령을 보아도 요절하였으며, 사후의 자취도 이처럼 쓸쓸하니, 다만 딸아이 셋만 남겼습니다. 아, 천도가 무지합니다. 하나만이라도 아들로 태어났으면, 골수에 맺힌 통한이 이러하겠습니까?

두 딸이 부르짖다 기절하니, 약한 애간장이 끊어질 듯, 서리 맞은 풀잎같은 모양입니다. 세 살 먹은 딸아이가 분주히 어미를 찾으며 부르는 소리, 이 아비가 아무리 목석같다고 하지만, 차마 어찌 보고 들을 수 있단 말입니까?

하계의 누님께서 지극정성으로 돌봐 주셔서 잘 지내고 있으나, 매일 밤까지 보살펴주고 있으니, 아, 해처럼 인자한 천성의 당신,

라민도미언거동몃도과셜흉ᄒᆞ불인젹덕ᄒᆞᆫᄂᆞᆫ셔질ᄂᆞᆫ쳔눈ᄌᆞ미보지
미더맊연ᄒᆞ여셕쌍명당미빌외ᄒᆞ신실서간졀ᄒᆞ시며ᄒᆞᆫ조각관의라
선밭샹물도지모ᄒᆞ여빌콕국셩이담라나미쳥이축히실길흉졀동ᄒᆞᆯ거
시뫼셩ᄒᆞᆫ윤혼미보지융미면도뷘을ᄒᆞ미업나눈앙술비씩니와축쳐미
쳔진모ᄒᆞᆯ러흔다흘동진셔흘미셔라보지흉사긔흑ᄒᆞᆯ리온흘뫼라업술
난망ᄒᆞᆯ비뫼도미셔등진라쳔셰간미셩미쳐사다흑길흉빈ᄒᆞᆫ며잘ᄀᆞ
실쳥면도늣겁훈ᄒᆞᆫ미보다ᄒᆞᆫ쑥년은밀슬호흔과향뫼미ᄂᆞ흰셰셩의
쑥지너남ᄌᆞ의션흑미업설진며너셔흑너그뮈칠은쏟빌뫼후뫼불
밀미둘뫼와ᄌᆞ숨미쳥쳥ᄒᆞ연너빌흑친셩미밧나흑흔뫼세길리흘길
진라ᄋᆞ셜ᄒᆞᆯ미신도ᄒᆞ셔빌흔비쳑ᄒᆞᆫ모너ᄉᆞ셕도뫼흑미시미촌단ᄒᆞᆫ

타인도 이런 거동얼 드라면, ᄎᆞ마 볼인 첨담하든 셩질노, 쳔뉸ᄌᆞ에 엇지 이덧 막연하니, 빅발 양당에 비회하신 심ᄉᆡ 간졀하시대, 한 쬬각 관의하신 말삼을 듯지 못하니, 비록 뉴명이 다라나, 미졍이 족히 신기를 감동할 거시되, 명명한 음혼이 엇지 몽이에도 위로하미 업나요? 아심비석이라. 쵹쳐에 첨지 못하리로다.

오호 통ᄌᆡ며 오호 에ᄌᆡ라. 엇지 ᄎᆞ마 기록하리요? 오회라. 면골난망할 이리 또 이시니, 통ᄌᆡ 통ᄌᆡ라. 쳔지간 인싱이 져마다 쥭기를 임하미, 팔구십 행연도 늣거온 한이 잇다 하고, 부인은 일심 쇼원과 항언이

오ᄅᆡ 세상의 부치여, 남ᄌᆞ의 신휵이 업살진대, 어셔 쥭어 그 위치를 비워 후덕 복인이 드러와 ᄌᆞ손이 창셩하면, ᄂᆡ 비록 친싱이 아니나, 구원의셔 기리 즐길지라. 무생 하니 이시리오

하며, 일호 비쳑한 언어 ᄉᆞ식도 업ᄉᆞ니, 기시에 쵼단한

모르는 남들도 이런 일을 들으면, 차마 참담해할 것인데, 하물며 천륜으로 맺어진 자식들을 보고 이다지 침묵합니까? 백발 양친의 비통하신 심사가 간절하시는데도, 한마디 위로의 말씀도 들려주지 않으시다니요? 비록 이승과 저승이 다르다고는 하지만, 미미한 정성이 신령을 감동할 것이거늘, 어찌 꿈속에서도 위로하는 일이 없단 말인가요? 내 마음은 비통하고 애석합니다. 닿는 곳마다 차마 바라볼 수가 없습니다.

아, 애통하고 애통합니다. 어찌 차마 기록할 수 있겠습니까? 아, 결코 잊을 수 없는 일이 또 있으니, 애통하고 애통합니다. 천지간의 인생이 저마다 죽음에 임하면, 80~90 나이를 누렸어도 아쉬운 한이 있다 하는데, 부인은 오직 한마음으로 소원하며 늘 하던 말이 있었지요.

"내가 오래 세상에 있으면서 아들을 두지 못했는데, 어서 죽어서 그 자리를 비워, 후덕한 복인이 대신 들어와 자손이 번창하면, 비록 내 친자식이 아니지만, 저 저승에서 길이 즐길 것이니, 무슨 한이 있겠는가?"

이렇게 말하면서, 추호도 슬픈 말이나 얼굴빛이 없었으니, 그때

라 민도 빌어 거동 엇드려 셩ᄉᆞ 불인 쳠단ᄒᆞᆫ 천진ᄂᆞᆫ 천늗 ᄌᆞ미 보지
미어 딱연ᄒᆞ야 셕쌀 냉당메 빌뢰ᄒᆞ신 실사 잔졀ᄒᆞ시매 한결ᄀᆞᆺ 관의하
선팔 셩물 굿지 모ᄒᆞ야 빌록 ᄂᆞ셩이 다뢰ᄒᆞ야 밋쳥이 추히 신길ᄀᆞᆺ 감동ᄒᆞᆯ거
시되 영ᄒᆞᆫ 늠혼이 보지 옹이 면도 위을ᄒᆞ시 업나는 앙을 비쌕 보라 츅쇄며
쳔질로 ᄒᆞ뢰ᄒᆞᆫ다 늘흔 젼여 늘은 미셔라 보지 츄ᄉᆞ 기록ᄒᆞ오되 ᄂᆞ뢰라 ᄲᆞᆯ술
난망ᄒᆞᆯ 빌뢰 또 미셔ᄂᆞ 등쟉라 쳔지간 민셩이 쳐가 다축 길ᄀᆞᆺ 보ᄒᆞ셔 깔구
싱 형면도 ᄂᆞᄀᆞᆺᄒᆞᆫ이 잇라 ᄒᆞᆫ 쑥번ᄂᆞᆫ 밀을 실ᄉᆞ 온과 항면이 ᄂᆞ뢰 쎄생의
쑥지여 남ᄌᆞ의 생흙미 업셜 진래미쳐 흑미고 위칠ᄀᆞᆺ 빌뢰후 띠북
미ᄂᆞᆫ뢰와 ᄌᆞ숀미 쳥쳥ᄒᆞ션니 빌흑 친셩이 밧ᄂᆞ추 온뫼계 기뢰 술길
싱라 우션ᄒᆞᄂᆞ 미신ᄂᆞᆫ ᄒᆞ여 빌흔 비칙ᄒᆞᆫ 모ᄂᆞ ᄉᆞ셕ᄃᆞ 므ᄋᆞᄂᆞ 미시메 축단ᄒᆞᆫ

심회, ᄎᆞ마 드랄 슈 업고, 지금 싱각하니, 더욱 한업술 회포와 ᄎᆞᆷ지 못할 졍경이오.

오회라 사간 심졍하고, 경경 존등의 위로이 안ᄌᆞ 빅만ᄉᆞ를 역역히 싱각하니, 취흉 통곡하여도, 이 슬푸미 풀리지 아니할 덧, 대게 인싱에 졍근히 즁하고, 무거운 쥴 께다르니, 부인이 명명즁, 일분 졍영이 니시면, 엇지 싱의 다름이 이시리오?

오회라. 십싀지봉과 양친의 슉슈 등졀이 망연하니, 급급히 거연 칠월 십구일의 ᄌᆡ취를 풍ᄉᆞᆫ니씨에 체화졍 니 상ᄉᆞ공이 방의 가졍이나, 지금 일후로 하날이 동ᄌᆞ 장부의 아들을 엇게 되면, 이 곳 부인의 아들이오. 평싱 지원이 마ᄌᆞ기니 즐길 거시오. 가련한 여의들 무양이 길너, 셩취하면 이 또한 세간 일대 ᄌᆞ황이 될가 하ᄂᆞ니,

오회라 거월 사문 회장에 ᄎᆞᆷ예하고, 귀로의 하생 구관의셔 부인의 영존당을 뵈오니, 만모지연의 인간의

내 애끓는 심회, 차마 들을 수 없었고, 지금 생각하니, 더욱 한없는 회포와 참지 못할 정경이었어요.

아, 글로 심정을 표현하고, 깜박이는 등불 아래 외로이 앉아 백만사를 역력히 생각합니다. 가슴을 뜯으며 통곡하여도, 이 슬픔이 풀리지 아니할 듯합니다. 인생에서 정분이 소중하고 무거운 줄 깨달으니, 부인이 저곳에서, 조금이라도 정령이 있다면, 어찌 생시와 차이가 있을 수 있겠습니까?

아, 10세 걸친 조상 모시기와 양친께 음식 봉양할 일이 아득하여, 급히 지난 7월 19일에 재취를 얻었습니다. 풍산 이씨의 체화정 이 상사공 이방의 가정입니다. 지금 이후로 하늘이 동자 즉 사내 대장부 아들을 얻게 되면, 이는 곧 부인의 아들입니다. 평생의 소원이 풀렸으니 즐기세요. 가련한 여아들을 탈없이 길러 혼인하면, 이 역시 세상을 위한 이바지가 되겠지요.

아, 지난 달, 우리 가문 모임에 참여하고, 귀로에 하생의 구관에서 부인의 부모님을 뵈었어요. 인생 만년에 인간으로서

못다할 졍을 다한 줄을 녕원 길혀이 심히 슈셕하시나 셩시초중만
한종신을 보시옹의 얼을 뵈나 하시 업나 노놀뵈나 쳔지 망극이 셤져시
며 반다시 뵈옵의 시길을 쎤 종묘하시 빙켤의 조하시미 시니 쏜다시 뉴이
밋나 수년의 쳔신혜실는 쎄 반혜 한 일은 가히 업사와 뇨쳔의 거
슉한 뇨한을 슈길을 뵈온 한것치 녀이로소 샹이 녀와 하야 최업
시종의 말슴이 셩것지 후젹 업사와 화연한 거슴의 의회한 만우와 상
슉한 셩은이 길의 일월에 새로아 이밋기의뢰로 다시 쓸는 줄어시거
신라 놀회노 일흘 슉모이 셔한 슉안히 며이 쓸낫는 슉히 근을 민하야
쳐슈 작즁이 흉달홈수 놀회는 흉쳐의 흉 죠한니로다 별이 놀 션을
샹와 쓰는 놀을 한 신회 슈초졍하시니 하연홈이 셜은 지니 셩졍이 한

못 당할 ᄎᆞᆷ경을 당한 후로, 영위 기력이 심히 쇼삭하시니, 싱시 츌인한 효심으로 엇지 몽의에 도 위안하미 업난고?

오회라. 쳔지 만물이 삼겨시ᄆᆡ 반다시 화옹의 시기를 면치 못하니, 빙셜의 죠하미 이시ᄆᆡ, 반다시 슈이 이우나니, 부인의 쳔싱 혜질노써 인세의 한 일도 가취 업사며, 농장의 가득한 원한을 죽기를 환고함갓치 넉이더니, 쇼망이 여이하야 취엽지풍의 아ᄎᆞᆷ이살갓치 흔젹 업사니, 환고함갓치 환연한 가즁의 의희한 안모와 방불한 셩음이, 기리 이목에 머물어 잇기 어려우ᄂᆞ, 다시 보고 드난 ᄌᆞᆨ 헛거리라.

오회라. 임죵 뉴언이 면면하고, 뉴아헤 어미 부ᄅᆞ난 쇼릐를 인ᄒᆞ야 구곡 간ᄌᆞᆼ이 쵼단ᄒᆞ니, 오회라. 쵹쳐의 ᄎᆞᆷ지 못하리로다. 멀이 운상을 바라보아 울울한 심회 뉴뉴 쵸창하ᄂᆞ니, 하 영혼이 살아지ᄆᆡ, 명졍이 한

감당하기 어려운 일을 당하신 후로, 두 분의 기력이 심히 줄어들으셨더군요. 생시에 남달랐던 그대의 효심으로, 어찌 이런 부모님께 꿈에라도 위안하는 일이 없단 말인가요?

아, 천지 만물이 생겼으면, 반드시 화옹(조화옹)의 시기를 면치 못하는 법입니다. 얼음과 눈이 좋다지만, 반드시 쉽게 사라지고 맙니다. 부인의 타고난 지혜와 소실로 인간 세상에서 한 일도 자취가 없습니다. 아들 못 낳은 데 대한 가득한 원한, 죽어서라도 이룰 일로 여기시더니, 그 소망, 나뭇잎에 부는 바람 앞의 아침 이슬처럼 흔적 없습니다. 집안에서 당신의 얼굴과 들리던 음성, 여전히 보이고 들리는 듯, 오래오래 내 이목에 여전히 머물러 있어, 잊기 어려운데, 나갔다가 들어와 본즉, 모두 헛것이었네요.

아, 당신이 임종할 때, 유언이 면면하였고, 어린아이들이 어미 부르는 소리 때문에 구곡간장이 다 끊어졌지요. 아, 닿는 곳마다 참을 수 없습니다. 멀리 구름 위를 바라보아 울적한 심회가 슬프고 슬픕니다. 영혼이 사라지고 나서, 한번

뵈ᄋᆞᆸᄂᆞ니 업ᄉᆞ와 ᄂᆞᆯ 뫼ᄋᆞ며 날 다시 ᄃᆞᆯ아 ᄂᆞᆫ 츈히 나한니 ᄃᆞᆫ 쳥현

빌 졍지의도 다 길흉 ᄒᆞᆯ 수 업ᄉᆞᆫ ᄃᆞᆯ이 ᄂᆞᆫ회 심ᄉᆞ 졀 뎐은 칠 ᄒᆞᆯ 진ᄃᆞᆫ

흐더 현 졍식 믈거ᄉᆞ어 심ᄃᆞ의 ᄒᆞᆫ 젼ᄉᆞ 졀 ᄇᆡ 믄 ᄆᆞᆯ셔 너히 기흉

ᄒᆞ여 ᄆᆞᆯᄉᆞᆷ ᄂᆡ 주전 ᄒᆞᆫ면 미 빌ᄉᆞ 젼ᄲᅧᆯ 니며 ᄎᆞᆷ오 ᄒᆞ야 쳔ᄒᆞᆼ ᄂᆞᄒᆞᆯ ᄒᆞᆫᄉᆞᆯ

ᄒᆞᆯ의 죄ᄒᆞ야 주전 년ᄂᆞᆫ 블 졍ᄲᅧᆯ ᄒᆞᆫᄉᆞ니 ᄒᆞᆯ 미셔 셔쳥

번 아람이 업사니, 오회라. 어ᄂᆞ날 다시 돌아오리오?

첩첩히 ᄊᆞ힌 비곡은 쳥쳔일장지의 도다 기록할 슈 업ᄉᆞᄂᆞ 글이는 히 심ᄉᆞ럴 형은치 못할지나, 흣터진 졍빅을 거두어 심곡의 ᄊᆞ힌 졍ᄉᆞ럴 만위 일을 셔 어히 기록하여 마츰ᄂᆡ 구쳔 뉴양에 일ᄌᆞ 젼별이 업지 못ᄒᆞ야, 쳥항 누슈로 한 ᄌᆞᆫ 슐의 화하야 구원 영혼을 젼별하ᄂᆞ니,

오호 에지 상향.

알아보는 일이 없으니, 아, 어느 날 다시 돌아오시겠습니까?

첩첩이 쌓인 슬픈 사연은 푸른 하늘을 종이로 삼아도 다 기록할 수 없습니다. 글로는 내 심사를 형언치 못하겠지만, 흩어진 정신을 가다듬어, 가슴에 쌓인 사연을 만분의 일이나마 써서 기록하여, 마침내 구천에 있는 당신에게, 한 글자로나마 전별의 인사를 하지 않을 수 없습니다. 눈물을 흘리며, 한 잔 술로 저승에 있는 당신의 영혼을 전별합니다.

아, 애통합니다. 흠향하셔요.

감상 및 해설

딸 셋을 낳고 요절한 부인의 영전에 올린 제문이다. 살아생전 부인의 행실을 칭찬하던 남편은, 부득이 새장가를 들었노라 알리고 있다.

> 아, 10세 걸친 조상 모시기와 양친께 음식 봉양할 일이 아득하여, 급히 지난 7월 19일에 재취를 얻었습니다. 풍산 이씨의 체화정 이 상사공 이방의 가정입니다. 지금 이후로 하늘이 동자 즉 사내 대장부 아들을 얻게 되면, 이는 곧 부인의 아들입니다. 평생의 소원이 풀렸으니 즐기세요. 가련한 여아들을 탈없이 길러 혼인하면, 이 역시 세상을 위한 이바지가 되겠지요.

조상 모시기 즉 봉제사(奉祭祀)와 양친 봉양을 위해 급히 재혼했다고 하였다. 전통 가정에서 이 두 가지 일이 여성에게 의존되어 있었다는 사실을 알 수 있다. 손님을 대접하는 '접빈객(接賓客)'을 위해서도 불가피했을 것이다.

이같은 변명에다 덧붙인 말이 흥미롭다. 새 부인에게서 아들이 태어난다면 "이는 곧 부인의 아들입니다. 평생의 소원이 풀렸으니 즐기세요."라는 대목이 그것이다. 재취해 들어온 여성이 낳은 아들을 전처의 소생이라 여겼으니, 지금과는 다른 의식이다. 아들 낳는 것을 인생의 목적처럼 생각했던 시절의 분위기를 느끼게 한다.

6. 누님 영전에

1901년, 임기중 편, 《역대가사문학전집》 45책, 2154번

2154 뎨운

녀ᄯᅦ초신ᄎᆞᄉᆞ월ᄲᅧ신셕실ᄉᆞ밀은ᄂᆞᄂᆞᆯ리젹ᄂᆞᆫ도ᄅᆞᆫ션녀지흔

셩지잇이라젼셕ᄋᆞ신의ᄉᆞ졍ᄂᆞ두업ᄉᆞᆯ추ᄒᆞᆫ글노ᄢᅦ둥두ᄒᆞᄋᆞᆫ병졈

올슐짓고져ᄒᆞᄉᆞ니ᄂᆞᆯ리라밀ᄲᅥ비ᄉᆞᆨᄒᆞᆫ미여ᄂᆞ뮈업안ᄉᆡᆨ올ᄀᆞᆺ볼

언출ᄉᆞ조ᄅᆞᆫ지면ᄃᆞ셜연이라그쳐ᄋᆞᆫ미ᄂᆞᆫ롤ᄒᆞᆫ고ᄆᆞᆯᄒᆞᄋᆞᆫ팔ᄃᆞᆫ

제문

뉴세ᄎᆞ 신축[27] ᄉᆞ월 병신삭 십ᄉᆞ일은 곳 우리 져져 뉴인 풍산 뉴씨 죵상 지일이라. 젼셕 무신의 ᄉᆞ제난 두어 쥴 쵸쵸한 글노써 통곡하야 영결을 슬피 고져 하ᄂᆞ니, 오회라 일월에 쇽함미여. 누의님 안식을 못 보고 언쇼를 못 드란 지 어ᄂᆞ닷 삼연이라.

그 쳐음에난 훌훌하고 만만하야 하르도

제문

아, 신축년(1901년) 4월 14일은 곧 우리 누님 풍산 류씨 종상일입니다. 그 전날 저녁에 동생은 두어 줄 거친 글로 통곡하여 영결을 슬피 고하고자 합니다. 아, 세월의 빠름이여! 누님의 얼굴을 못 보고, 말소리를 못 들은 지 어느덧 3년입니다.

그 처음에는 홀홀하고 만만하여

27 신축 : 1901년.

수의 업시 소원 대자 하여 다여 충성 소길을 실고 망이 절두를 이여
짓는 거의 일을 지경의 빌리 나 ᄋᆞᆫ의 빌든 바 생시 인간 위한고 질실하사
죽은 께. 천하의 이 진실노 책살 인가 낫이 깔 사축 젠 깨러 진난 거시
소연 빌라 미옥 생한 소원을 빙청 복두고 한는 번는 박옥은 선면이
벌려 실사 산다시 보형의 소취 거 빗난 로 하여 명로 이 굴에 되지 하여
빗난 줄을 생각하셔 빌옥 속생이 달나 혼 길아 맛지 쳔을 섬시다다
라린 일헌 영생이 나의 흠숭의 길압히 박혀 잇어 이제 빌옥의 빌한
광년 하고 확년 하야 화자를 하여 곰을 절히 괴신 빌란 변종이 되여
생을 하여 곤변 깡을 보년 행할 궁업께 되여 흥진라 소원여 생
십칠년 인세의 빈둔 소취 만성 청리의 뜻 동발다 곤활 중천의

누의님 업시 못 견댈가 하엿더니, 초상 쇼기럴 지ᄂᆞ고 마음이 졈졈 풀이여 지금은 거의 이즐 지경의 이라니, 고인의 이른바 싱시에 반가워하고 친밀하나 쥭으메 져바리미 진실노 참말인가.

날이 갈샤록 졈졈 머러지난 거시 ᄌᆞ연이라. 이 무상한 ᄉᆞ제난 ᄌᆞ로 빙쳥의 우든 못하ᄂᆞ, 여니ᄂᆞ 아즉은 삼연이 머러시니, 반다시 의형의 ᄌᆞ취가 잇난 듯하며, 영혼이 그즁에 의지하여 잇난 쥴 싱각하미 비록 뉴명이 다르나, 혼기야 엇지 셔로 싱시나 다라리오.

이런 인상이 나의 흉즁의 깁히 깁히 박혓더니, 이제 이후의 이러난 광연하고 확연하야 화쟈로 하여곰 슌젼히 괴신이란 명층이 되여 싱ᄌᆞ로 하여곰 빈 마음도 영영 향할 고지 업시 되니, 통ᄌᆡ라.

ᄌᆞ씨여 삼십칠연 인세의 잇든 ᄌᆞ취 만경창파의 뜬 포말과 공활 즁쳔의

하루도 누님 없이 못 견딜까 하였더니, 초상과 1주기를 지나니, 마음이 점점 풀려, 지금은 거의 잊을 지경에 이르니, 고인이 이른바 '생시에는 반가워하고 친밀하나, 죽으매 저버린다.'라고 하는 말이 진실로 참말인가요?

날이 갈수록 점점 멀어지는 것이 자연입니다. 이 무상한 동생은 자주 빈청에서 울지는 못하나, 아직은 3년이 멀었으니, 반드시 누님 생전의 자취가 있는 듯하며, 영혼이 그중에 의지하여 있는 줄 생각합니다. 비록 이승과 저승이 서로 다르나, 영혼이야 어찌 서로 생시와 다르겠습니까?

이런 인상이 나의 흉중에 깊이 깊이 박혔더니, 이제 이후의 일은 빛나는 것처럼 확연하여, 고인으로 하여금 순전히 귀신이라는 명칭으로 불러, 살아 있는 사람들로 하여금 빈 마음도 영영 향할 곳이 없게 되니, 애통합니다.

누님, 37년간 인세에 있던 자취, 만경창파의 뜬 물방울과 공활한 중천에

두셤 놀 갓지 업셔 시기 ᄒᆞᆫ 젹이 업셔지니 그녕 헝만 ᄒᆞᆯ ᄂᆡ재 잡을로
이 졀난 빈ᄎᆞᆨ 밋지 말ᄂᆞ나 ᄒᆞᄂᆞᆫ 졍신의 곳지 ᄋᆞᆫᄂᆞ니 업지 ᄒᆞᆯ 동젼라 형
젼의 졍이 난슈 졸다 걸고 슈고 복 옥을 며나 살님 쳐 ᄋᆞᆫ하셔 상셩 ᄉᆞ젹
울며 나뇌 ᄒᆞᆫ지 ᄋᆞᆫ니리 ᄆᆞᆫ은 ᄂᆞᆯ리 난 ᄐᆞᆫ인의 ᄭᅴᆯᄒᆞᆯ 슈도 업ᄉᆞ니 ᄂᆞᆯ힌 ᄂᆞᆯᄂᆞ
연 친셩 졸 ᄒᆞᆸᄂᆞ다 간 명며와 ᄆᆞᆫ드러 빗나의 ᄋᆞᆯ셩 ᄒᆞᆫ 단 실이 ᄲᆞᆯ 홍ᄌᆞ의
봐 병 쳐ᄒᆞ여 ᄒᆞᆫ우 의ᄅᆞᆯ ᄂᆡ셔 구 셩ᄉᆞᆸ ᄒᆞ야 의양 ᄒᆞᆫ ᄋᆞᆯ낙의 셕 ᄒᆞᆯᄯᆡ 갓치
ᄭᅵ고 쳐셩 ᄒᆞᆫ ᄯᅳᆺ 갓지 ᄆᆞᆯᄅᆞᆯ ᄒᆞᆯ샹의 지 ᄒᆞ고 사랑 ᄒᆞ고 난 즉 ᄒᆞᆫ 왕의 ᄐᆞᆫ인의 낙
라 비 ᄒᆞᆯ 수 업셔 ᄒᆞᆯ 간 나 ᄯᅢ의 빗 셰인 미 ᄉᆞ구 과상 ᄒᆞᆯ 미지란 울 젹
졍 사 ᄒᆞᆫ연 밋ᄋᆞ 은 더ᄒᆞ 밋ᄂᆞᆫ 다 ᄆᆞᆯ ᄒᆞᆯ 수 업셔 ᄯᅩ 밋 변셩 작 ᄒᆞᄂᆞ 곡 ᄋᆞᆨ ᄒᆞᆫ
빈사ᄂᆞ 업을 길 ᄭᅦ ᄆᆞᆯ ᄒᆞᆯ이 ᄂᆞᆯ리 ᄎᆡ의 며 ᄒᆞᆫ의 신뢰근 ᄒᆞᆫ 란ᄎᆡ ᄒᆞᄂᆞᆫ 거시오

뜬 편운갓치 업셔지기 흔젹이 업셔지니, 그 영형인들 어대 가 ᄎᆞ즈리오.

이제난 비록 잇지 아니ᄒᆞ다 하나, 그 즁 신의 고지 업ᄉᆞ니, 엇지할고? 통ᄌᆡ 통ᄌᆡ라. 형제의 졍이난 슈족과 갓고, 슈고 복녹을 어나 사람 원치 아니하며, 사생우쳑을 어나 뉘 통한치 아니리만은, 우리난 타인의 비할 슈도 업ᄉᆞ니,

오회라 우리 양친 싱휵하심 바다 만양여와 만득 일남의 무상한 단신 이별 뉸ᄌᆞ의와 양져져 무상한 우의로써 근근 셩입하야 의양함을 남의 빅즁씨갓치 밋고 평싱 한갈갓치 셔로 쥰망 의지하고 사랑하고 단츄한 졍의 타인의 남ᄆᆡ와 비할 슈 업ᄉᆞ며,

즁간 난세의 일세인이 분쥬 황망 즁에 피란으로 격장 샤오 연 이력은 더욱 이로 다 말할 슈 업ᄉᆞ나, 또 일변싱각하니 무익한 비샤고어로 길게 말하야 우리 져져의 심회를 요란케 하난 거시 엇

뜬 조각구름같이 없어져, 흔적조차 없어지니, 그 남은 모습인들 어디 가서 찾으리까?

이제는 비록 잊지 아니한다 하나, 그 중 신의 고지가 없으니, 어찌할꼬? 애통하고 애통합니다. 형제의 정의는 수족과 같고, 장수하고 높이 되며 복록 누리기를 어떤 사람이 원치 아니하며, 죽거나 근심하는 것을 어느 누가 통한치 않으리요만, 우리는 남에게 비교할 수도 없지요.

아, 우리 양친 부모님의 생육하심을 받아, 늦게 얻어 기른 딸인 누님과 늦게 얻은 아들인 제가 있었지요. 이제 무상하게도 저 혼자만 남는 이별입니다. 우리 둘이 더없는 우의로 서로 추앙함을 남의 남매처럼 믿고 평생 한결같이 서로 모범으로 삼아 의지하고 사랑하며, 그 정이 남의 남매와 비교할 수 없었습니다.

중간의 난세에 세상 사람들이 분주하고 황망한 중에 피란하느라 겪은 4~5년간의 이력은, 더욱 이루 다 말할 수 없습니다. 또 한편 생각하니 무익한 슬픈 옛 말로 길게 말하여, 우리 남매의 마음을 요란케 하는 것을,

지어 졍미ᄒᆞ오신 ᄂᆞ회ᄂᆞᆫ 할도 못ᄒᆞ션 쳑비ᄒᆞᆫ 비지 잇ᄉᆞ셔 ᄒᆞᆫ 당ᄒᆞ온 셜
ᄒᆞ시믈 ᄒᆞ셔 ᄂᆞᆯ ᄒᆞᆫ 회로 쳘을 아 졍키 어렵더니 빈ᄉᆞ 흐신 ᄂᆞᆫ 분간
이 니샤ᄂᆞᆫ 졍신을 난 ᄀᆞᆯ히 졍ᄒᆞᆸ ᄒᆞ여 시셔 만의 난 식 면이 아ᄌᆞ히 미셔
희 미 ᄂᆡ 광 셩 중ᄒᆞ 아 ᄂᆞ 흉ᄒᆞᆫ 명 친을 희렬ᄒᆞ시고 망리로 ᄃᆞᆼ기 간ᄒᆞ온 즁에
ᄒᆞ 길리 ᄆᆞ되ᄒᆞ야 거은 ᄆᆡ리 식 ᄇᆞᆯ ᄒᆞᆫ 옥술 ᄃᆞ이 ᄆᆡᆺᄒᆞ면 더 ᄉᆡᆼ일 ᄒᆞᆫ
슈다 ᄒᆞᆫ샤 다 슈ᄃᆞ로 ᄃᆞᆯ마 ᄌᆞᆫ 젼시 ᄆᆞᆺ 용되여 시니 ᄃᆞᆼ져라 ᄂᆞ리 ᄌᆞ시여
미 ᄉᆡᆼᄅᆞᆯ ᄒᆞᆯ 되ᄒᆞᆯ 면 친의 식 ᄇᆞᆯ쟝 만의 ᄂᆞᆫᄆᆞᆯ이 ᄌᆞᆫ시 ᄯᆡᄒᆞᆯ 슈 이 업고
기력이 낫ᄂᆞᆫ 쇠진ᄒᆞᆺ 미 젼의 비ᄒᆞᆯ 슈 업ᄉᆞ니 ᄆᆞᆺ지 ᄒᆞ여 만 졍ᄒᆞᆯ ᄉᆡᆼ
셩시난 홉 못지 ᄒᆞ션 ᄉᆞᆼ의 근심을 ᄌᆞᆫ 날가 ᄒᆞ야 ᄇᆞᆯ ᄃᆞᆼ ᄇᆞᆯ 졍을 ᄌᆞ
흉ᄒᆞᆫ 모하 더시 즁ᄂᆞᆫ 못지 ᄒᆞ여 ᄌᆞ이 업ᄉᆞᆯ ᄯᆡ ᄃᆞᆼ을 명 친 기력을 너지 업시

지 더 졍이라 하리오.

오회라 하르도 못 보면 쳑비한 비치 이ᄉᆞ며, 한 달을 셔로 듯지 못하면 울울한 회포 셔로 안졍키 어렵더니, 비록 늑신으로난 분간이 니시나 그 졍신으로난 기미 정합하여시며, 마암의난 백연이 압헤 이셔,

원원이 ᄂᆡ왕 상종하야 우흐로 양친을 히열하시고, 아ᄅᆡ로 동기간 만흔 ᄌᆞ미로 기리 이뢰하야, 검은 머리 ᄇᆡᆨ발토록 슬푸미 업ᄌᆞ 하엿더니, 세상일 헛부다.

만샤 다 슈토로 돌아가고, 편시 일몽 되여시니, 통ᄌᆡ라. 우리 ᄌᆞ씨여, 이 세상을 떠ᄂᆞᆫ 뒤로, 양친의 ᄇᆡᆨ발 창안의 눈물이 줌시 떠날 ᄉᆞ이 업고, 기력이 날노 쇠진하ᄉᆞ 이젼의 비할 슈 업ᄉᆞ니, 엇지하여 안졍할고?

ᄌᆞ씨 싱시난 혹 엇지하면 부모의 근심을 ᄌᆞ아닐가 하야, 일동일졍을 ᄌᆞ유로 못하더니, 지금은 엇지하여 가이업ᄉᆞᆫ 에통으로 양친 기력을 여지업시

어찌 더 정이라 하겠습니까?

아, 하루도 못 보면 슬픈 빛이 있으며, 한 달을 서로 듣지 못하면 울울한 회포, 서로 안정하기 어려웠지요. 비록 육신으로는 분간이 있으나, 그 정신으로는 기미가 합하였으며, 마음으로는 100년이 앞에 있습니다.

본디부터 내왕하며 상종하여, 위로는 양친을 기뻐하시고, 아래로는 동기간 많은 재미로 길이 의뢰하여, 검은 머리가 백발이 되도록 슬픔이 없자 하였더니, 세상일 헛됩니다.

만사가 다 수포로 돌아가고, 문득 한바탕 꿈이 되고 말았으니, 아 애통합니다. 우리 누님, 이 세상을 떠난 뒤로, 백발 양친의 창백한 얼굴에 눈물이 잠시도 떠날 새가 없고, 기력이 날로 쇠진하사 이전과 비교할 수가 없으니, 어찌하여 안정시켜 드릴꼬?

누님 생시에는 혹 어찌하면 부모님의 근심을 자아낼까 하여, 한번 움직이고 한번 멈추기를 자유롭게 못하더니, 지금은 어찌하여 가이없는 애통으로 양친의 기력을 여지없이

혼셩화기게 하시난고로 되라 미ᄆᆞᆺ진 일ᄇᆞᆫ고지 ᄒᆞᆫ의 일 쏠 졍녕이 나시연
ᄆᆞᆺ지ᄂᆞᆫ 을 잡으셔 까닭을 노르리ᄂᆞᆫ 술독라 미머인 일 민고 민간의 술독시
만천ᄒᆞ난ᄂᆞᆫ 날훗 나의 술독시 ᄋᆞᆯ의 지를 갓치 ᄒᆞᆯ수 늬 잇난가 누 믜인일 셩
일년의 ᄒᆞᆫ 되난 일은 졍쏙의 말을 ᄒᆞ나 셩육지 못ᄒᆞ야ᄂᆞᆫ 셩미 굴이가
누ᄒᆞ여 실여 궁장은 실ᄒᆞᆯ 때난 촌년 ᄒᆞᆫ 만 식을 낳을 때 ᄒᆞᆯ 다른 쳥 신
ᄒᆞᆫ 살ᄂᆞᆫ을 ᄉᆡᆼᄒᆞ여도 모르ᄂᆞ 베 책비ᄒᆞ야 너 옥최 변천의 미처 쏭셩 말을 이 업
술진 때 일 누춘 쌩이 머저 숙여 당은 쪽 머 말이 흉하다 낙수 ᄒᆞ여 촌졍의
만ᄀᆞᆫ 출불 짯주지셔 나의 원한이 쾨ᄒᆞ여 축 변ᄂᆞᆫ ᄒᆞᆫ이 업ᄉᆞ리라 ᄒᆞᆫ이나
쌀이 ᄆᆞᆺ지울 졍이 야히 시 말이 리ᄂᆞᆫ 거편 쳔졍 녀와 셜써 유치 충잔 녕녀
봐 셜말이 구 칠 ᄒᆞᆫ 젼졍 출신 ᄆᆞᆺ지 다 쌀 ᄒᆞ리 만은ᄂᆞᆫ 직고 쟁소 ᄒᆞ흉궁

숀상화기케 하시난고.

오회라 이 엇진 일고. 지하의 일분 졍영이 니시면, 엇지 눈을 감으며, 마암을 노르리오? 슬프다 이 어인 일인고. 인간의 슬푸미 만타 하나, 오날날 나의 슬푸미 잇게를 갓치 할 ᄌᆞ 뉘 잇난가.

누의님 일싱 일염의 한 되난 일은, 장부의 아들 하나 싱휵지 못ᄒᆞ야, 오장에 근심이 가득하여시며, 그 마음 심할 대난 초연한 안ᄉᆡᆨ으로 날을 대하ᄉᆞ, 다른 졍심한 사람을 대하여도, 언어에 쳑비하야, ᄂᆡ 오릐 인세의 이셔 쇼ᄉᆡᆼ 아들이 업슬진대, 일누 ᄌᆞᆫ명이 어셔 쥭어 다음 복덕인이 들어와 다남ᄌᆞ하여 죤장의 만모고망을 맛츠시며, 나의 원한이 쾨하여 쥭어도 한이 업샤리라 한이니, 말이 엇지 흉정이 막히지 아니리오.

가련 젼정 여와 삼세 뉴치 즁간 양여와 삼아에 고고혈혈 졍□ ᄎᆞ마 엇지 다 말하리만은, 오직 그 평쇼 흉즁

손상하게 하시는가요?

아, 이 어쩐 일인가요? 이 지하 세상에 조금의 정이라도 있다면, 어찌 눈을 감으며, 마음을 놓으리오? 슬프다 이 어인 일인가요? 인간의 슬픔이 많다 하나, 오늘 내 슬픔과 어깨를 같이 할 사람이 누가 있을까요?

누님, 일생 동안 한 마음으로 한 되는 일은, 장부 아들 하나 생육하지 못하신 일이지요. 오장에 근심이 가득하였으며, 그 마음이 심할 때는, 슬픈 안색으로 나를 대하여, 다른 사람을 대하여도, 언어가 슬퍼져서, "내가 오래 인간세상에 있어서, 내 소생의 아들 없을진대, 한 가닥의 이 목숨이 어서 죽어서, 다음을 이을 복덕인이 들어와 다남자하여, 어르신의 소망을 추어 드리며, 나의 원한이 커서 죽어도 한이 없으리라." 하였으니, 그 말에 어찌 가슴이 막히지 않겠습니까?

가련한 딸과 3세 젖먹이와 중간의 양녀, 이 세 아이의 외로운 모습, 어찌 차마 다 말하겠습니까만, 오직 그 평소 흉중의

의길ᄒᆞᆫ 맛진ᄒᆞ미 달ᄂᆞᆫ 셩ᄌᆞ미 숨대 넘사 ᄭᆡ라 그러 정경을 셩각ᄒᆞᆫ
미 굴졀ᄒᆞ미 말ᄒᆞ고 심ᄉᆡ 측ᄒᆞᆫ 미 업지 건ᄃᆡᆯ 베 업소ᄂᆞ 외라 기러조ᄒᆞ
의 자형미 병을 현거에 저군ᄒᆞᆫ 미 심ᄉᆞ의 밀통ᄒᆞᆫ 정ᄃᆞᆨ과 숙신미 ᄃᆡᆨ형
미 쵹히 병즁고 쏭ᄒᆞᆫ 소ᄅᆞᆯ 주진ᄒᆞ셔 ᄀᆡᄃᆡᄀᆞ 절ᄒᆞᆫ 션망에 즁망ᄒᆞᆫ ᄆᆞᆯ한
쵸ᄎᆞ지의 외ᄒᆞᆯ 곳을 멋너 그ᄌᆞ기 ᄆᆡᄃᆞ 한고 ᄒᆞ기ᄆᆡ 조장 있ᄂᆞ 여거ᄂᆞ 졀ᄀᆞ 즁
마란 미미거든 쳔셔 신명 부ᄒᆞᆯ 쳔셩 공ᄒᆞ아 소형을 ᄒᆞ마ᄂᆞᆫ 곤농정ᄆᆡ
정상을 쇽히 쇽ᄒᆡᄒᆞ미 수ᄇᆞᆫᄃᆞᆫ 소외 당연ᄒᆞ셔 별승ᄇᆞᆫ 이니 실진
대경 심친원ᄂᆞᆫ 말주ᄅᆞᆯ 결ᄂᆞᆫ 혼식미 되실 집ᄃᆞ 노외라 ᄒᆡᄂᆞᆫ 션시난
녕즁 즙ᄒᆞ셔 ᄒᆡ식의 원미 나실거 넘며 되어 소혐과 대ᄒᆞᆫ 션셜ᄂᆞ
탈ᄒᆞ셔 ᄀᆞ년 즁졔의 심미 쓴ᄒᆞ 쟉을 ᄒᆞ셔 ᄃᆡᆨ 초ᄎᆞ 논ᄒᆞ아 전셰의 ᄇᆡ

의 깁히 깁히 밋친 한이 다른 싱각이 본대 업샤미라. 그때 졍경을 싱각한 이, 골졀이 아프고, 심신이 촌촌한이, 이 엇지 견댈 베리오?

오회라 기혜츄의 자형이 명문 현가에 ᄌᆡ근한이, 신부의 인효한 셩덕과 슉신에 덕헹이 죡히 양구고 봉군ᄌᆞ를 극진하며 가련 고고혈한 삼아에 ᄌᆞᆫ잉함을 한갈갓치 의뢰할 곳을 어더, 듯기에 든든하고, 보기에 존강이나, 여니나 명명즁 아람이 잇거든, 쳔지신명게 발원 셩공하야, ᄌᆞ형으로 하야곰 농장에 경샤를 쇽히 보기 하미 누의님 도리 당연하며, 명명 즁 아람이 니실진대, 평싱지원을 마ᄌᆞ 즐거운 혼빅이 되실지라.

오회라 쳐음 상지난 너모 쥼급하니 체빅의 환이 니실가 염여되여 ᄌᆞ형과 대하면 셔로 우탄하더니, 금연 즁츈의 이봉하감을 하니, 택죡 가온하야 젼생의 비

깊이 깊이 맺힌 한이 많아, 다른 생각은 본디 없었지요. 그때의 정경을 생각하니, 뼈마디가 아프고, 심신이 갈기갈기 찢어지는 것 같으니, 이 어찌 견딜 수 있겠습니까?

아, 기해년 가을에 자형님이 명문 현가에 새장가를 들었습니다. 신부의 인효한 성덕과 몸에 익은 덕행이, 충분히 시부모님 봉양과 남편 섬기기를 극진히 하며, 가련하고 외로운 세 아이가 한결같이 의지할 곳을 얻어, 듣기에 든든하고, 보기에도 좋습니다. 그러나 그윽한 가운데에서 앎이 있거든, 천지신명께 성공하기를 발원하여, 자형님으로 하여금 아들 낳는 경사를 속히 보게 하는 것이, 누님의 도리로 당연합니다. 그윽한 가운데 앎이 있을진대, 평생의 소원을 이루어서 즐거운 혼백이 되실 것입니다.

아, 처음 장지는 너무 급하게 잡았으니, 시신에 해로울까 염려되어, 자형님과 만나면 서로 우려하며 탄식했지요. 금년 봄에 이장하였으니, 전에

할수 업ᄉᆞ나 마지 못지라 다만 천년 수충이 될 만ᄒᆞᆫ 가ᄭᅮᆷ 베로 ᄒᆞᆫ번가
무잔 빛도 미업ᄉᆞ니 ᄒᆡ라ᄂᆞᆫ 화ᄒᆞᆫ 흥오화 도ᄋᆡ 영수ᄒᆞᆫ 수집ᄒᆞ누
슈ᄎᆞ 싱의 되ᄂᆞᆫ 때 ᄃᆞ시 쓰리ᄅᆞᆯ 쳥부ᄒᆞᆫ 회도 ᄆᆡ만의 빛도 모ᄒᆞ고 독미ᄒᆞᆯ
줄 ᄆᆞᄅᆞᆯ ᄒᆞᆫ 줄 ᄂᆞᆯ 도만 ᄒᆞᆼ 수 슈의 ᄂᆡᆼ 졀 ᄆᆞᄅᆞᆯ고 ᄒᆞᄂᆞ니 ᄂᆞᆫ 영 갑 키 ᄂᆞ셔 ᄂᆞᄅᆞᆯ
홍져 성헌

할 슈 업샤나, 아지 못게라. 과연 쳔연 뉴궁이 될 만한가, 꿈에도 한번 가부간 일언이 업ᄉᆞ니, 오회라 온화한 용모와 언어 명슈한 ᄌᆞ질을 우쥬 ᄎᆞ싱의 어ᄂᆞ 때 다시 보리오.

첩첩한 회포의 만의 일도 못하고 두어 말 글을 한 ᄌᆞᆫ 슐로 만항 누슈의 영결을 고하나니, 뉴뉴 명감하쇼셔. 오호 통ᄌᆡ 상향.

비할 수 없이 좋으나, 잘 모르겠습니다. 과연 천년의 보금자리가 될 만한지, 꿈에도 한번 가부간 일언반구도 없군요.

아, 온화한 용모와 명백한 언어의 자질을, 이승의 우주에서 어느 때 다시 보겠습니까?

첩첩이 쌓인 회포의 만분의 일도 표현 못하고, 두어 마디 말과 글을, 한 잔 술과 만 줄기의 눈물로 영결을 고합니다. 그윽히 밝히 보소서. 아, 애통합니다. 부디 드십시오.

감상 및 해설

명명즁 아람이 잇거든, 쳔지신명게 발원 셩공하야, ᄌᆞ형으로 하야곰 농장에 경샤를 쇽히 보기 하미, 누의님 도리 당연하며, 명명 즁 아람이 니실진대, 평싱지원을 마ᄌᆞ 즐거운 혼빅이 되실지라.

제문의 끝부분에서, 누나의 영혼에게 부탁하는 사연이다. 영혼이지만 이곳의 사정에 대해서 알고 있다면, 천지신명께 발원하여, 남아 있는 자형으로 하여금 아들을 낳는 경사를 누리게 해 달라고 한다. 아마도 자신의 누나가 아들을 못 낳고 죽어, 그 자형이 재혼해서라도 후사를 잇게 해 달라는 요청이겠다.

죽은 것도 원통한데 이런 부탁을 한다는 게 지금으로서는 납득하기 어려울 수도 있다. 하지만 여성이 혼인하여 아들을 낳는 것을 제일로 여겼던 전통 관념으로는 당연한 일이겠다. 죽었지만 천지신명께 빌어서라도 그 소임을 다하라는 것이니, 인생의 목적이 무엇일까 생각하게 한다..

7. 아버지 영전에

1911년, 도재욱 님 소장, 세로 33㎝, 가로 130㎝

졔문

유셰차신희시월초사일졍미삭김술연헌의학사싱명셩
양시소상기일야의불효여식차여도실른두어줄결과
일쳔슬기눈물노지의통곡우열지하올오호비지며통직、
라세상천지간의누라오가부주업사면여식이업사리요마난우
리부주밈가셰난녀、자운션의살잉젹수군신의가사리삼순구
식지의시도양의분이효로노기신초부잉기효셩이지격하여낭、
어기소더실분드고나실터업난저의상형지을낭여간지의
업시의졍도낭다라실분자졍도의나시와금복가치뇌여의구형연
반별조현달셥서시운의출가씨거시고저의연이당혼뒤어돔서낭
북복덕가의일덩낭자구할나고택서、하앞든이터구생도시운
호의연주인벽세시고조화、훈실분드고나삽시유마가치비겨
불민한가지의을것업고퇴의한이식을준구시양의분시상의덕분
신섭덕자풍시로친여갓치의지、과의하신즁더고나도군의
지신득턱을로저의일신호화의석이고금의목서의질의업고대
여ᄉᆞ분출나뒤낭의공부여실음으로작하고저의격정은업고하건마

제문

유세차 신ᄒᆡ 시월 초사일 정미삭 경술언 헌고학싱부군 밀성 양시[28]소상지일야ᄋᆡ 불효 여식 차여 도실[29]은 두어 줄 걸과 일천 쑬기 눈물노 ᄌᆡ비통곡우 영연지하왈, 오호 ᄋᆡᄌᆡ며 통ᄌᆡ통ᄌᆡ라.

세상천지간ᄋᆡ 누라 오가 부주 업사먼 여식이 업사리요마난, 우리 부주임기서난 넉넉자은 선뷔 살임 적수단신 빈가사리 삼순구식 지ᄂᆡ시도, 양위분이 홀노 기신 조부임기 효성이 지격하여 남어기 솟써실 분, 드고고나 실ᄃᆡ업난 저ᄋᆡ 삼형지을 남여간 질ᄇᆡ업시 ᄋᆡ정도 남다라실 분자정도 빌나시와, 금옥갓치 기르ᄂᆡ여 빅형언 반벌 조헌 달성 서시 문ᄋᆡ 출가씨거시고, 저ᄋᆡ 연이 당혼된어 동서남북 복덕가ᄋᆡ 일덩 낭자 구할낫고 턱서턱서하압든이, ᄃᆡ구 짱 도시 문호 빅연 쥬인 밋기시고, 조화조화ᄒᆞ실 분 드고나, 삼시 유아갓치 미거불민 한 가지 ᄇᆡ운 것 업고, 퇴미한 여식을 존구시 양위분 시상ᄋᆡ 더무신 성덕 자품시로 친여갓치 ᄋᆡ지ᄋᆡ지 괴ᄋᆡ하신 즁, 더고나 도 군ᄋᆡ지신 득턱으로 저ᄋᆡ 일신 호화반석이고, 금ᄋᆡ옥식ᄋᆡ 진비 업고, 어엿분 순라 다남ᄆᆡ 공부 열심으로 잘하고, 저ᄋᆡ 걱정은 업고 하건마난,

제문

아, 신해년(1911년) 10월 4일은 우리 아버지 밀성 양씨 소상일입니다. 그 전날 밤에, 불효녀인 차녀 도실은 두어 줄 글과 일천 줄기 눈물로, 영전에서 재배하고 통곡하며 아룁니다. 아, 애통하며 애통하고 애통하며 애통합니다. 세상 천지간에 그 누구라고 아버지가 없으며 딸이 없을까마는, 우리 아버지께서는 달랐습니다. 넉넉잖은 조부님의 살림을 물려받아, 빈 손과 빈 몸으로 가난한 집에서 살기, 한 달에 아홉 끼니 먹을 만큼 가난하게 지내도, 두 분께서는, 홀로 계신 조부님께 효성이 지극하여, 남들한테 치켜세워졌습니다. 더구나 쓸데없는 저희 딸 삼형제를 아들 딸 차별 없이 대해 주셨으니 애정도 남다르셨습니다. 사랑도 특별하셔서, 금옥같이 길러내어 큰언니는 문벌 좋은 달성 서씨 문중에 출가시키고, 제가 혼인할 나이가 되자 동서남북 복덕가에 반드시 혼기가 찬 남성을 구하려고 사윗감을 고르셨고 대구 땅 도씨 문중을 백년가약의 주인으로 삼아 맡기시고 좋아라 하셨지요. 더구나 3세 아기같이 미욱하며, 배운 것 없고, 아둔한 저를 시부모님 두 분께서, 세상에 드무신 성품으로 친딸같이 사랑하시고 귀여워하셨지요. 더구나 남편 덕분으로 제 일신은 호화롭고 반석 위에 있는 듯하고, 금의옥식에 진배 없었습니다. 어여쁜 슬하의 여러 남매가 공부를 열심히 잘하면서, 제 걱정은 없건만은,

28 양희묵(楊熙默).: 경남 창녕군 유어면 진창리에 세거 중임.

29 양갑득(楊甲得, 1924~2016): . 경남 창녕에서 서재로 출가.

날부터부ᄌᆞ가셔 동셔남븍원근간 업이와보 칭도ᄒᆞ고져ᄒᆞ올신 더업산
생셰ᄯᅡ 외고 번ᄒᆞᆫ말 우리분여셔 츙이다 일 외슈어ᄂᆡ사요이다
조이요남의 무양 충실기ᄉᆞ부나 셩실 건인거ᄉᆞ마ᄂᆞᆫ 못ᄒᆞ나 쳐일
남의장셩ᄒᆞ며 ᄯᅥ 볼거시나 우션안고상 이나 쟝ᄂᆡ는우리ᄒᆞᆯ거시 나아시
하겨ᄭᆞᆺᄒᆞᆫ쳐ᄋᆞᆫ 원통 우리부ᄌᆞ마ᄉᆞ부광ᄒᆞ실 줄ᄇᆞ라고 ᄒᆞᆫ후ᄒᆞᆼ
뵈쳐옥뵈고셔 ᄒᆞ신다 젼븍과ᄉᆞ고교 ᄎᆞ우타고요가되 득힝ᄒᆞᆫ 이완
나나 ᄒᆞ시며 반게시고 기유ᄒᆞ로 납자 고ᄒᆡ곡ᄒᆞ나 ᄒᆞ이병ᄌᆞᆷ ᄒᆞ신ᄲᅡᆯ 사ᄒᆡ
와 괜찬타ᄒᆞ시든이곳ᄃᆡ그시가영 결시되올 슈뇌야일이 요호자 ᄒᆞ부지ᄒᆞᆫ
박야오구ᄅᆞᆯ 뵈호셩이지겨ᄭᆡ로야 ᄒᆞ호 천ᄒᆡ비돈거시야 좃허 사믿날 표ᄋᆡ
이되고져복가다ᄉᆞ 치시로어서 ᄯᅥ여뵈고 이이거시ᄉᆞᆷ인가 셩신가자
뵈이녕결시
야봉야ᄭᆡ닷재못봉 호ᄒᆞᆫ에여식 임종영결시 ᄉᆞᆷ산못ᄒᆞᆫ여 ᄒᆞᆫᄒᆡ사
전ᄉᆞᆯ일슈 업사오니 다ᄀᆞᆫᄎᆞ타고 노가되 득힝ᄒᆞ여 금칭울 ᄀᆞᄃᆞ어고ᄂᆡ
모리부다 지져롱곡ᄒᆞᆫ둔 삼ᄒᆞᆫ칠나 빅허ᄉᆞ 더지고 더ᄋᆡ치 마나마신이

우리 부주기서 동서남북 원건 간의 아모 아모 칭도하고 적덕업ᄉ하신데, 믹산 성실 짜의 골병 골병 던 말 우리 분여 서즁의 다 알윌 수 업사오이다.

준이 오남미 무양충실 깃부나, 성실 걸인 것 말 못하나, 저이 오남미 장성ᄒ머 씨 볼 거시나, 우선언 고상 고상이나, 장닉는 푸리할 거시나, 인시 하직한 청츈 원통 원통. 우리 부주 만수무광하실 줄 바릭고 환후 중의 저을 보고저 하신다 전부 밧고 급ᄎ을 타고 오가의 득힝한이, "완나 완나?" 하시며 반기시고 기유 하로밤 자고 딕곳 갈나 하이, 빙즁 하신 말삼, "닉 괜찬타." 하시든이, 긋딕 그 시가 영결시 될 줄 뇌 알리요?

호자 호부 지군 닉외 호성이 지격기로, 빅약으 구로키로, 약효 천득 미든 거시 아조 허사, 민날 포안이 되고, 전부가 닷치기로 어서 찌여 보이 영결시라. 의고 의고 이거시 숨인가 싱신가? 자아몽야 ᄭ닷지 못 불호한 이 여식 임즁 영결시 종신 못한 여한 미사 전 풀일 수 업사오이다. 급ᄎ 타고 오가의 득힝하여 금침을 그두어고 아모리 부라지저 통곡한들 삼혼칠빅 헛터지고 덩치 마나 마신이

우리 친정아버지께서 동서남북 원근간에서 아무개 아무개 하면서 칭찬들 하고 덕스러운 일을 쌓으셨는데, 맥산의 성씨의 땅에서 골병들게 고생한 이야기, 우리 부녀가 글로는 다 아뢸 수 없습니다.

준이 5남매는 탈없이 제대로 성장하는 것을 보니 기쁩니다. 성실이네 걸린 것이 아직 말 못하나, 저희 5남매가 장성하는 때를 볼 것입니다. 우선은 고생 고생이나, 장래는 풀릴 것입니다만, 세상을 하직한 제부의 청춘이 원통하고 원통합니다. 우리 아버지, 만수무강하실 줄 바랐더니, 환후 중에 저를 보고자 하신다는 전보를 받고 급행열차를 타고 우리 집에 도착하였지요. "왔나? 왔나?" 하시며 반기시고, 겨우 하룻밤 자고, 대곳 가려고 하니, 병중에 하신 말씀, "내는 괜찮다." 하시더니, 그 때 이후 영영 뵙지 못하게 될 줄 누가 알았겠습니까?

남동생 부부의 효성이 지극하기로, 백약으로 간호하였지만 약효만 믿은 것이 허사였습니다. 만날 포한이 되었더니, 전보가 들어와 어서 살펴보니 돌아가셨다는 사연이었습니다. 아아 이것이 꿈인가요 생시인가요? 정신이 흐릿한 상태로 미쳐 깨닫지 못한 불효녀, 임종 영결 때, 종신 못한 여한은 죽기 전에는 풀릴 수 없습니다. 급행열차 타고 우리집에 도착하여, 이불을 걷고 아무리 부르짖어 통곡한들, 혼백이 흩어지셨으니

텨닥어이시니요아모리연시노푸신들이다지허ㅅ부실가빅형연
죵신하여신애혼여로다후득하신이동슉뷰잉뿐금기슈
리ㅈ을우니부쥬엄을싱시뇌호ㅅ호부니동뢰도긴들이우뷔
드하티뵤천호ㅅ효부지준니뇌본녀뇌동ㅅ리죵각흘을
이드교진셥냥비할봐ㅣ부루번새연지보하난웅긴기뇌여시울ㅅ호오미귀
비오고망교셩실과우니헝지은여져시뫁뇌와도이동슉부잉언
심츙시뇌뇌와신여드옥은희갑은빅골다진퇴편들은희울
갑ㅅ니보부죠이상도사희라도헝지갓치싱각ㅎ시고져뇌상헝지
도조금도부주나쿠를슈업교오가쳐니을전후슈뷰잉이다하신
이칠순진연시향송ㅣ이동슉부여져고장한도득시상의시
드무신다가운인가신운인가만금펼조단불나외갓치지져바릴일셰졀
티동한흡지평싱청츈도불상할실인시시의ㅅ난청츈운불나한이요
강이부느여

대답이 이시리요? 아모리 연시 노푸신들 이다지 헛부실가? 빅헝언 종신하여신이 혼여로다. 후득하신 이동 숙부임 만금 기주 괴ᄌᆞ을 우리 부쥬임을 싱시ᄋᆡ 호ᄌᆞ 호부 ᄂᆡ동 ᄐᆡ도 긴들이 우ᄋᆡ 드하리요?

출천 호ᄌᆞ 호부 지군 ᄂᆡ외 몬ᄂᆡ ᄋᆡ통 소리 종각을 울이오고, 진옥이 드고 삼남ᄆᆡ "할바! 할바!" 부라먼서, "언지 오노?" 하난 ᄆᆞᆯ, 윤기ᄋᆡ 여싀운 닷ᄒᆞ오이다. 맘고 성실과 우리 헝지은 영걸시 몬 뵈와도, 이동 숙부임언 임중시ᄋᆡ 뵈와신이, 드옥 은히 감은 빅골리 진퇴 된들 은히을 갑사리요?

부주임도 사회라도 헝지갓치 싱각ᄒᆞ시고, 저ᄋᆡ 삼헝지도 조금도 부주나 다를 수 업고, 오가 처리을 전후 숙부임이 다하신이, 칠순 진연ᄋᆡ 황송 황송. 이동 숙부 어질고 장한 도득, 시상ᄋᆡ 드무신ᄃᆡ, 가운인가 신운인가 만금 필ᄌᆞ 단불 나븨갓치 저바린 일 쎨통 절통 통한 통한. 지 평싱 청춘도 불상할 ᄲᅮᆫ 인시(할 일) 잇난 청춘을 볼나 한이 오

대답이 있겠습니까? 아무리 연세가 높으신들 이다지도 허무할까? 큰언니는 종신하였으니 효녀입니다. 후덕하신 이동 숙부님, 만금같은 아들 기주로 하여금 우리 아버지한테 생시에 효자 효부 노릇하게 했으니, 이 우애 더할 수 있겠습니까?

하늘이 낸 효자 효부인 동생 부부 내외가 못내 애통해하는 소리, 종각을 울리니 고맙고, 진옥이 득오 3남매 "할아버지! 할아버지!" 부르면서, "언제 오노?" 하는 말, 귀에 쟁쟁 되울려 오는 듯합니다. 성실이와 우리 형제는 영결 때에 못 뵈었어도, 이동 숙부님은 임종시에 뵈었으니, 더욱 그 은혜, 백골이 흙으로 돌아간다고 해도 그 은혜를 갚을 수 있겠습니까?

아버지는 사위라도 형제같이 생각하시고, 저희 3형제도 숙부님을 조금도 아버지와 다르지 않게 생각하며 우리집 처리를 모두 숙부님이 다하셨으니, 칠순 잔치에 황송 황송하였습니다. 이동 숙부님의 어질고 장한 도덕, 세상에 드무신데, 가문의 운세인지, 신께서 정한 운세인지, 막내아들 만금이가 불나방같이 목숨을 저버린 일, 끔찍한 아픔과 한스러움입니다. 제 평생의 청춘도 불쌍할 뿐만 아니라, 할 일 있는 청춘을 보려고 하니,

30 필ᄌᆞ(畢子) : 막내아들

깅이되트더진말어ᄉᆞ지다하고요오호되지면통지다우리부주
싱시유려이분이나기시거던친외손만댱하여주시옵기딩망부
주향상진복허ᄋᆞ지옵나ᄉᆞ와 ; 하시든이질부금연ᄉᆞᆸ월초시싱남ᄒᆞᆫ
싱남ᄒᆞᆫ여어려ᄋᆞᆸ준눌지시아지ᄋᆞ기ᄉᆞᆸ고유관 ; 부주임기시시면
어마나ᄭᅴᆺ거하실고아오조록하시드리려도기주ᄋᆞᆸ ; 시여
다라학실하기ᄒᆞ여주시고만겁진복사남ᄇᆞ자려ᄇᆞ어ᄇᆞ시잘자라
공부열심오로하고밍복은만이점지하여빅티천손만ᄃᆡ
유전ᄒᆞ기ᄒᆞ여주시면부주임어지신덕구덕인줄이오리ᄃᆞ 치ᄋᆞ파시위
리힘을유수라 초종성빈과시속전 도로자ᄋᆞ이을빙산ᄐᆡ헐
리지되인장하시압고여난닷준연이당하오미불호한여시익이
오나한잔술일뵈주로부주임영탁지전이올이오이다유명이현숙
ᄒᆞ시거던성시갓치받기시고늦기시압소서이성연이되면저성어ᄉᆞ
되건되가신날린이ᄉᆞ전마난오실날리업사온고ᄉᆞᆺ도저ᄉᆞ와하망연

장이 되트러진 말 엇지 다하리요?

ᄋᆡᄌᆡ면 통ᄌᆡ라. 우리 부주 ᄉᆡᆼ시 유럼 일분이나 기시거던, 친외손 만당하여 주시읍기 ᄃᆡ망 부주 항상 진옥 형지을 낫빠 낫빠 하시든이, 질부 금연 ᄉᆞᆷ월 초ᄋᆡ ᄉᆡᆼ남ᄒᆞ ᄉᆡᆼ남ᄒᆞ여 어린 놈 준물지ᄉᆡ 앙징 깃부고, 유관 유관 부쥬임 기시시면, 얼마나 깃거하실고?

아모조록 하시드ᄅᆡᄅᆡ도 기주 ᄊᆡᄊᆡ 식업 다라 학실하기 ᄒᆞ여 주시고, 만검 진옥 사남ᄆᆡ 자렵 업시 잘 자라, 공부 열심으로 하고, ᄆᆡᆼ복을 만이 점지하여 ᄇᆡᆨᄃᆡ 천손 만ᄃᆡ 유전ᄒᆞ기 ᄒᆞ여 주시면, 부주임 어지신 덕ᄐᆡᆨ인 줄 아오리다.

창파 시월리 ᄒᆡᆼ운유수라 초종성빈과 시속 전도로 장이을 ᄆᆡᆼ산ᄐᆡ헐ᄅᆡ 지피 안장하시압고, 어난닷 준연이 당하오이, 불호한 여식이오나 한 잔 술 일ᄇᆡ주로 부주임 영탁지전ᄋᆡ 올이오이다.

유멍이 헌수하시거던 ᄉᆡᆼ시갓치 반기시고 늣기시압소서. 이성언 어ᄃᆡ면 저성언 어ᄃᆡ건ᄃᆡ, 가신 날런 잇건마난 오실 날리 업사온고? ᄭᅩᆺᄯᅩ 젓다가 먕연

오장이 뒤틀리는 말, 어찌 다하겠습니까?

아, 애통하며 애통합니다. 우리 아버지 생시의 마음이 조금이라도 있으시거든, 친외손이 가득하게 해 주십시오. 아버지께서 항상 진옥이 형제를 보고, "나빠, 나빠." 하시더니, 조카며느리가 금년 삼월 초에 드디어 아들을 낳았습니다. 어린 놈이 물건 가지고 노는 나이가 되어 앙증맞아 기쁘고, 흐뭇 흐뭇합니다. 아버지 살아 계시면, 얼마나 기뻐하실까요?

아무쪼록 언제라도, 조카인 기주가 확실하게 먹고 살게 하여 주세요. 만금, 진옥 4남매, 잔병 없이 잘 자라, 공부 열심히 하고, 오래 사는 복을 많이 주셔서 끊임없이 후사가 이어지게 하여 주시면, 아버지의 어진 덕택인 줄 알겠습니다.

파도처럼 굴곡 있는 세월은 구름과 시냇물처럼 흐릅니다. 첫 장례와 가장 큰 장례를 풍속대로 모시고, 맹산의 태혈에 깊이 안장하고 나서, 어느덧 1주년이 되었습니다. 불효한 딸이지만, 한 잔 술로 아버지 영전에 올립니다. 이승과 저승이 다르지만, 살아있을 때처럼 같이 반기시고 느껴 주세요. 이승은 어디이고, 저승은 어디이기에, 가신 날은 있건만 오실 날은 없는가요? 꽃도 졌다가 다음 해

삼월ᄒᆞ시의고 강남 갓ᄉᆞ든 연지 뵈도 이ᄉᆞ 진일을 차자 오고 서산 뵈지
언 회은 ᄉᆞ시난 날ᄎᆞ시ᄃᆞ고 왕손방초은 희마장ᄒᆞ려건마난 역여갓
탄광염라뵈ᄒᆞ가ᄉᆞ탄 인심이 조로 갓치 씨러지면 다시 환생 못ᄒᆞ
신고 한심ᄒᆞ다 우리 부주 천상 옥조 헌고ᄃᆡ 뫼이 좌정ᄒᆞ시여 무어
시고 소여ᄉᆞᄒᆞ시고 시월을 보니실고 ᄎᆞ언 선경뫼 존전서 안ᄒᆞ신 후 고조
경 조조부임다 뵈옵신 후 양외분ᄃᆡ 자ᄒᆞ시여 싱시 가ᄉᆞ치 받기시고 ᄂᆞᆺ
기시고 ᄂᆞ기신 이ᄉᆞ가 원통코 워낭한 지부엉도다 갓치 날시와 싱시ᄇᆡ낫
비보고 못 이ᄉᆞ든 용서간 후 시은 청천이 벽회되고 일월리상
천토록 받기서고 ᄂᆞᆺ기신 이ᄉᆞ가 비정ᄒᆞ신 우리 부주 ᄊᆞᆯ세 업
난 저의 ᄃᆞᆯ 패의ㅣ ᄒᆞ신 존안을 언자다시 뵈올고 우리 분여 심
즁 뫼서 다고 밋ᄉᆞ친 ᄋᆡᆫ정을 다ᄒᆞ조 언통ᄒᆡ수 업ᄉᆞ셜 갈고 오로 봉
부서로 부시ᄋᆞᆯᄭᅡ 알뢸 수 업사와 더 강ᄒᆞ나이다 망ㅣ 한 쵸
불우뤼시ㅣ 수찰ᄒᆞ시고 저ㄴ 이 가ᄉᆞ 임ᄒᆞ아ᄂᆞ 소서 유영이
현수ᄒᆞ시어 우리 상 ᄒᆡᆷ지와 믹사고 우잉과 다와시여 혀ᄋᆞ ᄅᆞᆼ한
빙청ᄃᆡ 아오니 뵈 홍한 들 만고 혀ᄉᆞ 부고 가석ㅣ 아려시 가보려신
마오호 뵈지며 석지ㅣ라 상 함

삼월 다시 피고, 강남 갓든 연ᄌᆡ비도 잇집을 차자오고, 서산ᄋᆡ 지언 ᄒᆡ은 ᄉᆡ난 날 다시 쓰고, 왕손 방초은 ᄒᆡ마장 푸러건마난, 역여갓탄 광엄과 비호 갓찬 인ᄉᆡᆼ이 조로갓치 씨러지면 다시 환ᄉᆡᆼ 못하신고?

한심하다 우리 부주 천상옥 조헌 고ᄃᆡ 핀이 좌정하시여 무어시로 소열ᄒᆞ시고, 시월을 보ᄂᆡ신고? 구언 선경ᄋᆡ 존전 성안ᄒᆞ신 후, 고조 징조 조부임 다 뵈옵신 후, 양외 분 ᄃᆡ자ᄒᆞ시여 ᄉᆡᆼ시갓치 반기시고 늣기시고 느기신인가? 원통코 워낭한 지부임도 다 갓치 보시와, ᄉᆡᆼ시ᄋᆡ 낫비 보고 못 잇쓴 옹서간 후시은 청천이 벅ᄒᆡ 되고 일월리 상천토록 반기시고 늣기신잇가? ᄋᆡ정ᄒᆞ신 우리 부주 씰ᄊᆡ업난 저ᄋᆡ들 괴ᄋᆡ괴ᄋᆡᄒᆞ신는 존안을 언자 다시 비올고? 우리 분여 심즁ᄋᆡ 서리고 밋친 인정을 다ᄒᆞᄌᆞ면 동ᄒᆡ수 먹얼 갈고, 오로봉 부시로[30] 다 알뮐 수 업사와, ᄃᆡ강하나이다.

밍밍한 촛불 ᄋᆞ릐 시시 수찰하시고, 저저이 강임하압소서. 유멍이 헌수하시머 우리 삼형제와 ᄆᆡ사 고무임과 다 와시여, 헝왕한 빙청ᄋᆡ 아모리 ᄋᆡ통한들 만고 헛부고 가석가석, 아러신가 모러신가?

오호 ᄋᆡᄌᆡ며 석ᄌᆡ석ᄌᆡ라. 샹향.

삼월이면 다시 피고, 강남 갔던 제비도 옛집을 찾아오며, 서산에 지는 해는 새는 날 다시 뜨고, 아름다운 풀은 해마다 푸르건만, 나그네 같은 세월과 비호같은 인생은 아침 이슬같이 스러지면 돌아오지 못할까요?

가엾고 딱한 우리 아버지, 천상의 좋은 곳에 편히 앉아 무엇을 하며 세월을 보내고 계신가요? 구천의 선경에서 옥황상제를 뵈온 후, 고조부님과 증조부님, 조부님을 다 뵈신 후, 부모님 내외분과 마주 앉아, 살아 있을 때처럼 반기시고 흐느끼고 계십니까? 원통하고 원통한 제부님도 다 같이 보셔서, 살아 있을 때 잘 만나지 못하고 못 잊던 장인과 사위 사이의 두터운 은혜를 푸른 하늘이 녹빛바다가 되고 해와 달이 나란히 떠 있을 때까지 영원히 반기시고 흐느끼고 계시는가요? 다정하신 우리 아버지, 쓸데없는 저희 딸들을 귀여워하시는 얼굴을 언제 다시 뵈올까요? 우리 부녀, 심중에 서리고 맺힌 사연을 다하자면, 동해물로 먹을 갈고, 중국 여산의 오로봉이라는 봉우리를 붓 삼아도 다 아뢸 수 없어, 대강 적습니다.

그윽한 촛불 아래 때때로 저희를 살펴보시고, 저희에게 내려와 주세요. 이승과 저승이 아주 다르며, 우리 3형제와 매산 고모님이랑 다 오시어, 가득한 대청에서 아무리 애통해한들 만고에 헛되니, 애석하고 애석합니다. 이러한 저희의 심정을 아십니까, 모르십니까? 아, 애통하며 애석하고 애석합니다. 이 정성을 받아 주시길 바랍니다.

30 오로봉(五老峰)은 중국 여산의 봉우리를 말한다. 중국 당나라 시인 이백의 〈오로봉〉 시에서 "오로봉을 붓으로 삼고[五老峰爲筆]"라는 구절이 있다.

감상 및 해설

딸이 친정아버지를 애도하는 제문이다. 아버지가 편찮으시다는 전보를 받고 찾아 뵈었을 때의 장면이 인상적이다.

> 우리 부주 만수무광하실 줄 바ᄅᆡ고 환후 중ᄋᆡ, '저을 보고저 하신다', 전부 밧고 급ᄎᆞ을 타고, 오가ᄋᆡ 득힝한이, '완나 완나' 하시며 반기시고, 기유 하로밤 자고 ᄃᆡ곳 갈나 하이, 빙즁하신 말삼, 'ᄂᆡ 괜찬다.' 하시든이 긋ᄃᆡ 그시가 영걸시 될 줄 ᄂᆡ 알이요.

환후 중이시라는 전보를 받고, 급행 열차를 타고 가서 뵙자, 아버지께서 "왔나? 왔나?" 반겼다고 했다. '왔나'를 두 번 반복한 데에서, 딸을 얼마나 반겼는지 알 수 있다.

그러나 겨우 하룻밤 만에 시댁을 섬겨야 하는 처지라서 가려고 하자, 그 마음을 알고, 아버지가 위로한다. "나는 괜찮다. 그러니 염려 말고 가라." 그 말씀만 믿고 돌아갔으나, 그때가 마지막이 되고 말았다는 한탄이다. 출가한 여성의 아픔과 애환을 잘 보여주는 대목이다.

8. 어머니 영전에

1936년, 임기중 편, 《역대가사문학전집》 45책, 2157번

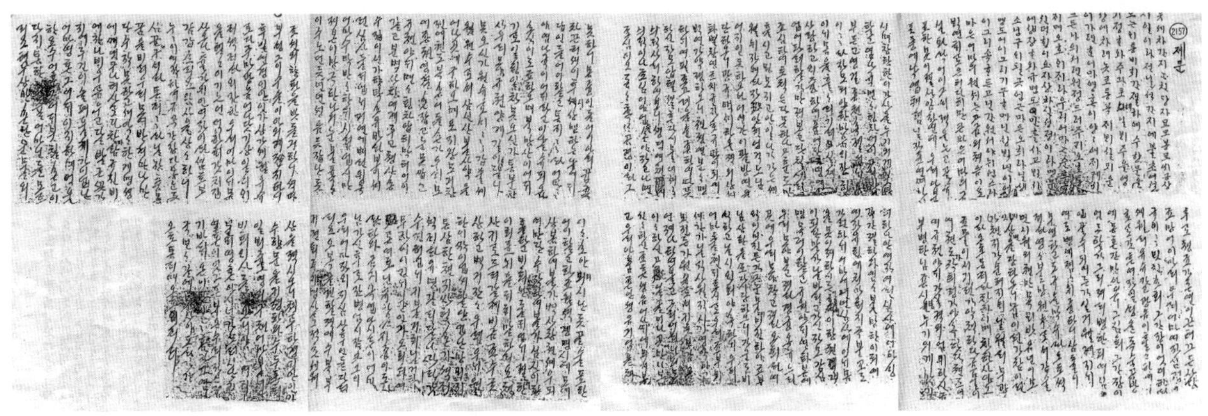

2157

제문

유셰차간지ᄌᆞ친당자묘모봉모씨금상
지일이라 전날셔간지에 불초여식
모ᄂᆞᆫ이 통비회간절하헤 수항문을
기졍ᄒᆞ와 주과로 요헤날 빈주을 엉
상에 차려놋코 통곡ᄌᆞ빈 실피운
이 가련ᄒᆞᆫ 어마 영혼이 알ᄋᆞ에 져계신
그ᄂᆞᆫ 나의 쳐련 원정 드려주기 오호통
지며 오호외ᄌᆞ라 우리 어마ᄂᆞᆫ 순[illegible]
신더 힝니요 자상하시ᄂᆞ 셩정이라 명문
에 생장ᄒᆞ와 규법도 만흘ᄉᆞ고 밝사
소님 구외될ᄭᅳᆺ 엄ᄂᆞᆫ 마ᄋᆞᆫ 오희라 날생
명도 어이 그리 기구ᄒᆞ매 니상빅년이엇
이 그리 속ᄒᆞ든고 니간 원서야 뉘엽스라
마ᄋᆞᆫ 어마의 ᄒᆡ서ᄂᆞᆫ 고ᄉᆞ의 졔ᄉᆞᆫ이요
빈연 회로은 ᄒᆡ다ᄒᆡ만 큰바은 어마의 ᄌᆞ
실화싹 어이ᄀᆞ씨 쟉을 눈고 ᄆᆞᆯ솨
표한 못이 쳔ᄒᆞᆯ 사임 치연에 유세 아부
풀숨에 낙엽 [illegible] 닌 자ᄎᆞ 연며 하신

제문

유세차 간지ᄂᆞᆫ 친당 자묘 모봉 로씨 금상지일이라. 전날 석 간지에 불초여 적모는 ᄋᆡ통 비회 간졀하여 수항 문을 긔정ᄒᆞ와 주과포혜 닐비주을 영상에 차려 놋코, 통곡 ᄌᆡᄇᆡ 실피 운이, 가련ᄒᆞᆫ 어마 영혼이 양양 여ᄌᆡ 게시그든, 나의 서련 원정 드러 주ᄀᆡ.

오호 통ᄌᆡ며 오호 ᄋᆡᄌᆡ라. 우리 어마는 순후하신 덕ᄒᆡᆼ이요 자상하신 성정이라. 명문에 생장ᄒᆞ와 규볍도 만흘시고. ᄇᆡᆨ사 소님 구ᄋᆡ필 ᄀᆞᆺ 업근마은, 오회라 닐생 명도 어이 그리 기구ᄒᆞ며, 닌ᄉᆡᆼ ᄇᆡᆨ년이 어이 그리 속ᄒᆞ든고.

닌간 원서야 뉘 업스라마은, 어마의 원셔는 고금의 쳐음이요, ᄇᆡᆨ연 회포은 허다히 만큰마은, 어마의 금실 화락 어이 그리 젹을는고. 골슈 표한 못 이절사. 임자연[31]에 우리 아분 표풍에 낙엽 쳐렴 닐자 표현 써나니,

제문

아, 오늘은 우리 어머니 모봉 노씨의 대상일입니다. 전날 저녁에 불초녀는 애통한 마음이 간절하여, 몇 줄의 글로 기정하여, 주과포혜 제물과 한 잔의 술을 영상에 차려 놓고, 통곡 재배하며 슬피 웁니다. 가련한 우리 어머니의 영혼이 여전히 계시거든, 내 서러운 마음을 들어주시기 바랍니다.

아, 애통하며 애통합니다. 우리 어머니는 순후하신 덕행과 자상하신 성품을 지니셨지요. 명문 집안에서 생장하여 법도에 밝으셨어요. 아, 그러나 운명은 어이 그리도 기구하셨으며, 인생 백년이라는데 어이 그리 빨리 가셨단 말입니까?

사람이라면 누군들 한이 없겠습니까만, 우리 엄마의 한은 고금 역사에서도 처음이고, 백년 회포는 허다히 많았지요. 엄마가 금실 화락을 느끼는 날은 어이 그리도 적었는지요? 골수에 맺힐 원한, 잊지 못할 그 일. 임자년(1972년)에 우리 아버지가 바람에 날리는 낙엽처럼, 어느 날 표연히 떠나버렸지요.

31 임자연 : 1912년.

후고쳥죠가ᄌᆞ연이곤뢰ᄭᅳ든상
죠망이이안뢰유쳐어ᄇᆞᆫ며긔셤졍의
ᄌᆡᄇᆡᄒᆞᄒᆞ빗친죠회그간쟝이어ᄃᆡ관ᄲᅥ
혜쉬릉뉘유슈갸준광음이흐ᄂᆞᆫ쇠ᄲᅧ이
효ᄯᅩ가훈며장엄셩ᄉᆞᆯ조ᄉᆞ고흡
에ᄋᆞᆼ훈간ᄆᆞᆫ시되ᄂᆞᆫ그림쇠그가장이
연두할ᄉᆞ가그뢰젹ᄯᅬ병한뫼며
이리ᄑᆞᆯ유되어ᄌᆞᆫ가실거웰졔지쉬
예도빈세졈ᄉᆞ위흉하니삼도흘이
무영할ᄂᆞᆫ도규ᄂᆞᆫ막슈ᄯᅡ오ᄌᆞ셕
졔ᄒᆞᆫ영ᄉᆞ부ᄅᆞᆫ망웬후ᄯᅩ써갑ᄉᆞᆯ
면지월외쳔만모뫼ᄇᆞᆺ유년이보
씨상변응랑화ᄋᆞᆫ너ᄂᆞᆷ이된가잠이라
과쳔긔가운혜긔뢰널웰뢰누광
이ᄒᆞᆫ오흘둠뢰ᄒᆞᆫ곳화이며효화사앙오
죠물이시기현가악졔라ᄒᆞᆫ금모흘이
며쳔도가각회평가야수화ᄒᆞᆫ쳔조며
며규쳔야치가ᄉᆞᆯ젹외엄뫼리시
부변한님죠ᄂᆞᆫ시ᄐᆞᆫ누기의ᄭᅦᄂᆞᆫ

후로 쳥죠가 돈연이 끈터끄든, 사싱 죠망 어이 아리.

우리어마 여자 심졍, 규비규비 밋친 쇼회, 그 간장이 엇더하리. 쵸로갓흔 여자 일싱을 독숙공방에 몽혼간 맛사오니, 그 심회 그 가장이 엇드할가. 그리 져리 병한 되여 심입골슈 되어든가. 일거 월제 지ᄂᆡ여도 병세 졈졈 위즁하니 삼츌이 무영하고 도규을 막슈라.

오호 셕ᄌᆡ라. 영영 불망 원수로ᄉᆡ. 갑술년[32] 시월의 쳔만 목뫼 밧 음년이 모시 상변을 당하오니, 꿈이런가 참이런가. 쳔지가문혀지ᄆᆡ 닐월리 무광이라.

오호 통ᄌᆡ라. 차하이며 차하사야오? 죠물이 시기런가, 악쳑하다 금물이여. 쳔도가 작희렁가, 야속하다 쳔도이여.

교쳔야지 가실 젹의, 엄뮈하신 규부 병한 님죵시탄 누기의게 맛기

그 후로 소식이 뚝 끊어졌으니, 살았는지 돌아가셨는지 그 누가 안단 말입니까?

우리 어머니, 여자의 심정으로, 굽이굽이 맺힌 소회, 그 가슴인들 어떠했을까요? 초로같이 덧없는 여자의 일생을 독수공방하며 꿈속에서나마 아버지를 보려고 하셨으니, 그 심정이 어떠셨을까요? 이래 저래 병이 되어 골수에 깊이 들었던가요? 세월이 흘러도 병세가 점점 위중해져서, 회복할 길이 막막했지요.

아 애석합니다. 영원히 잊지 못할 원수의 해, 갑술년(1994년) 시월에, 천만 뜻밖에도, 어머니 상을 당했습니다. 꿈인가요 생시인가요? 천지가 무너지고 해와 달이 빛을 잃었습니다.

아 애통합니다. 아 왜 이러신가요, 아 이게 무슨 일인가요? 조물주가 시기한 것인가요, 하늘이 장난을 치는 것인가요? 야속합니다 천도여.

구천으로 가실 적에, 지엄하신 시어르신의 병환 구완과 임종하는 일을 누구한테 맡기며,

32 1934년.

시ᄉᆡ 참참ᄒᆞᆫ 이 가ᄉᆞᆷ은 누기 뫼게 [illegible]
ᄒᆞᆯ고 엽ᄂᆞᆫ ᄃᆞᆨ 번ᄉᆞ 회치 어이 [illegible]
부ᄂᆞᆫ고 엿길 ᄌᆞᆷ 친ᄉᆞ 졔ᄃᆞ [illegible]
이ᄋᆡ ᄉᆞᆫ 참도 뫼 아ᄒᆞᆫ 바ᄉᆡ 인 갈ᄒᆞᆯ [illegible]
이니 몸을 흐ᄃᆞ 되기ᄅᆡ요 시를 졔
사랑ᄒᆞᆫ 외 ᄌᆞᆷᄒᆞ여 품에 안[illegible] 뎡 예
엽어 파되ᄒᆞᄂᆞᆫ 가만 쳐보ᄂᆞᆫ 닷 치세ᄒᆞᆫ
ᄌᆞ심ᄒᆞ여 ᄉᆞ죄ᄂᆞᆫ 다 못ᄒᆞᄂᆞ고 ᄉᆞᆫ도 만
ᄌᆞᄂᆞᆫ 시ᄂᆞᆫ 뫼 보리고 안일 나가 가ᄂᆞᆫ 쉐
쳘 쉬 자ᄒᆞᄉᆡ 자ᄅᆞ 안 취엿거도 남
어지인 듯ᄒᆞ오 번 어연가 이 ᄑᆞᆯ 방 여ᄂᆞᆯ
닭ᄒᆞᄂᆞ 만ᄌᆞ 태ᄒᆞᆯ 져외 상ᄉᆡ
ᄒᆞ빌 참여 ᄌᆞ쇠 ᄌᆞ귀 ᄋᆞ귀 ᄆᆞᆯ이 되여
박여 가약 ᄌᆞᆷᄒᆞ오니 친ᄌᆞᆷ 연분ᄉᆞ며
ᄒᆞ시여 ᄑᆞᆯᄌᆞ고 되ᄂᆞᆫ ᄎᆞᄌᆞᄒᆞ여 ᄯᅩ 뜻
ᄒᆞᆫ 참오 압헐 ᄉᆞᆯᄌᆞ ᄃᆞ시 ᄂᆞᆯ니 ᄌᆞ
쉬ᄒᆞᆨ 상ᄒᆡ ᄒᆞ여 부니 생ᄃᆡ에 ᄌᆞᆫ [illegible]
의ᄒᆡᆨ 이ᄂᆞᆫ ᄌᆞ심이야 어ᄂᆞᆫ 아 잘ᄒᆞᆫ 나면
ᄌᆞ심 치 ᄆᆞᆺᄂᆞᆫ ᄉᆞ ᄌᆞᄌᆞ 공겸이 ᄒᆞ고

시며, 창함한 이 가사을 누기의게 붓탁할고? 염나국 면면 행차 어이 그리 밧부든고? 영결 죵쳔 쇽절 업ᄂᆡ.

통이 통이라. 자모의 약한 마음, ᄋᆡ잔한 이 ᄂᆡ 몸을 홀홀리 기러오실제, 사랑하고 ᄋᆡ즁하여 품에 안고 덩에 업어, 파려할가 만져 보고, 닷칠세라 죠심하여 호칙은 다 못하나, 고훈도 만흘 시고. ᄆᆡᆼ모지고 안일나가.

가은 셰월 뉘 자벼라, 자모 안젼 엄걱 노님, 어지인 듯하오나, 어연간 이팔방연을 당하오니, 광규택셔하올 젹의, 상셔화벌 창영 죠씨 균자호규 짝이 되셔, ᄇᆡᆨ연가약 졍하오니, 쳔졍 연분 분명하니, 여필죠고례을 슌죵하여 ᄯᆞ뜻하신 자모 압헐 셜흔 다시 불너 셔셔 ᄉᆡ덕사리 하여 보니, 셩덕여쳔 ᄉᆡ덕이나 죠심이야 업슬손야?

자고 나면 죠심이오, 동동쵹쵹 공경이라. 그

많은 집안일은 누구에게 부탁한단 말입니까? 염라국 행차, 어이 그리 바쁘게 하셨습니까? 영결 종천해야 한다니 속절없습니다.

애통하고 애통합니다. 어머니의 약한 마음으로, 애잔한 이 내 몸을 홀홀히 길러오실 때, 사랑하고 중히 여겨, 품에 안고 등에 업어 키우셨지요. 깨질까 만져 보고, 다칠까 조심하며, 내가 다 지키지도 못할 만큼 교훈이 많았지요. 맹모삼천지교가 이것 아니겠어요?

가는 세월 그 누가 잡을 수 있을까요? 어머니 품에서 안전한 가운데 엄격하게 자라고 놀던 일 어제인 듯한데, 어느새 이팔 청춘, 혼일할 나이를 먹었지요. 사윗감을 물색하여, 문벌 좋은 창녕 조씨 집안에서 짝을 찾아 백년가약을 맺었으니, 천정 배필의 연분이 분명했지요. 여필종부의 가르침을 순종하여, 따뜻하신 어머니 앞을 떠나 시집살이를 시작했지요. 덕망이 하늘같으신 시댁 어른들이었지만, 조심이야 없을 수 있겠습니까?

자고 나면 조심이고, 노심초사 공경이었습니다.

어ᄃᆡ나 안여ᄒᆞ여 ᄒᆞᆫ 실ᄉᆞ예 ᄃᆡ하심
각가 ᄀᆡᆯ ᄒᆞ와 엿ᄌᆞ 볼ᄀᆞᆺ 망 ᄒᆞᆯ 이리 예
예 ᄀᆞᆼ유 ᄒᆞᆫ에 쳐ᄆᆞᄒᆞ지 ᄆᆞᆺ 본고ᄂᆞᆫ
가셔 ᄒᆞ시 어ᄆᆞ니 ᄆᆡ 부ᄉᆞᄉᆞ에 이시믈
을 못이 ᄯᅦ ᄒᆞ시ᄂᆞᆫ 듯 [illegible] 이 ᄒᆞᆫ [illegible]
이되ᄒᆞᆫ 박ᄉᆞ 날 바ᄅᆡ고 가신 ᄌᆞ로 갈ᄉᆞᆷ
ᄆᆡᆷ 모ᄀᆞ더니 ᄒᆞᆯᄂᆞᆫ 즈음 사뤼 ᄋᆡᆫ ᄒᆞ봅예
우리 모ᄃᆞ 보ᄂᆞᆫ ᄀᆡᆨ 평홍 우ᄂᆞᆫ 뉘ᄂᆞᆫ ᄃᆞᆯ
곳에 우예 보ᄂᆞᆫ 작고 ᄀᆡᆨ 오ᄒᆞ ᄒᆞᆫ 예
악이미 친 튼 가근 모ᄆᆞᆷ이 미치ᄂᆞᆫ 하야 교부
남상 ᄒᆞᆫ 울 ᄯᅩ 다시 당 ᄒᆞᄂᆞ니 가슨 ᄃᆞ비
ᄡᅵ ᄒᆞᆫ 날시 되회 아 ᄂᆞᆨ ᄒᆞ쉬 우리
어미 ᄌᆞᆼᄎᆞ 되 ᄒᆞᆷ ᄉᆞ 도 우리 ᄌᆞ ᄎᆞ부회
샤 ᄒᆞᆫ 가 날 치기 사 ᄊᆞᆯ 지기 사 ᄀᆞ 예 ᄋᆞᆨ ᄒᆞ고 [illegible]
뫼 뎐ᄂᆞᆫ 가 원 [illegible] 쳬 지 [illegible]
연 ᄀᆡᆫ 나 ᄒᆞ여 보ᄂᆞᆫ 고 ᄀᆞᆯ 여 ᄒᆞ니 [illegible]
이ᄉᆞ ᄒᆞ신 고 [illegible] ᄂᆞᆷ ᄎᆞ 어니 곳 마니 [illegible]
신ᄉᆞ 회신 ᄉᆞᄆᆞᆺ 쳥 ᄒᆞ 어ᄂᆞ ᄯᅢ에 뵈ᄋᆞᆸ
고 우리 이 ᄇᆞᆷ ᄎᆞ 노마 ᄉᆡᆼ 유 거 ᄃᆞᆨ 을 ᄀᆡᆨ

러하나 안여자 여린 심사에, 어마 싱각 간졀하와 염염 불망 한이 되여, 여자 유힝에 치마 회지 극분 모도 가련하닋. 어마에 년년 심사에 이 닋 몸을 못 이져 하시든이, 홀연이 항쳔객이 되단 말가?

날 바리고 가신 자모, 감심 명목 어이할고? 규원 야딗 연화봉에 우리 모야 부고져라. 경귱 오누 느린 곳에 우리 모야 착고져라. 오희라 여왹이 미진튼가? 그 눈물이 미진하야 죠부님 상란을 또 다시 당하오니, 가운도 비식하고 닐시 왼회 야속하닋.

우리 어마 출쳔딗효시로, 우리 죠부 뫼셔간가. 닐직사 월직사가 영악하고 모진든가 원슈로식. 귀로 보감 언제나 하여 볼고.

그리어라 나의 모여, 이이하신 고은 얼굴, 어나 곳 만나 보며, 신신하신 죠흔 셩음, 어나찌에 모셔볼고. 우리 아붐 죵안 셩음, 긔억을 채

그러나 아녀자의 여린 심사에, 어머니 생각이 간절해서 오매불망 한이 되었지요. 어머니의 심사도 이 내 몸을 늘 못 잊어 하시더니, 홀연히 황천객이 되셨단 말입니까?

날 버리고 가신 우리 어머니, 가시면서 어찌 눈을 감으셨을까? 구천의 연화봉에서 우리 어머니를 보고 싶어라. 아, 액운이 미진했던 것인가요? 그 눈물이 미진했는지, 할아버지 상을 또 다시 당했으니, 가운도 비색했지요.

우리 어머니, 하늘이 내신 효녀라서, 우리 할아버지를 모셔간 것인가요? 일진과 월진 운수가 사납고 모진 때문인가요? 원수입니다. 돌아가서 감사한 은혜에 보답하기, 언제나 해볼까요?

그리워라 어머니, 환하게 웃으시는 고운 얼굴, 어느 곳에서 만나 보며, 신실하신 좋은 음성, 어느 때에 다시 들어볼 수 있을까요? 우리 아버지의 얼굴과 음성을, 나는 기억을 채

못하니 몽혼이 놀어이 아쉬 갑즛
친곤 희쒸이 후쎄시 상별ᄒᆞᄂᆞᆫ 날에 되
답신 ᄃᆞᆯ어이 하ᄅᆞᆫ 동지 ᄉᆞᆺ 어ᄃᆞᆫ
아엽 낙혹이 어찌 할손이 ᄂᆞᆯ 유퇴 응
조식이 도로하도 매 복망산이 어찌
기로 일월이 칠 못 보신가 동 부활
사 우되 못하 쳔양게 길이 갈ᄂᆞᆫ나
못 보신가 원슈로시 ᄀᆞᆷ을 쎄
원수 쑈싸 삼신산 불로사약을
어나 곳에 구하오며 요지왕모 게 찬
쳔에 천도 복숭아 ᄃᆞᆯ손가 우리 모
예 춘쳔 영결ᄒᆞᆫ 잡고ᄂᆞᆫ 못 맘ᄉᆞᆫ
쥬쳔 양위면ᄉᆞ 화치 압ᄒᆞ딕 러어이
길고 분뻑사쟌 여계ᄀᆞ므 쳥산 총
수잡이 선가 황탑 후유바된 보히ᄒᆡ
련상사 ᄃᆞᆯ쳐엄ᄂᆡ 피연에 버된 위복
어마수탁 반ᄂᆞ화 귀시ᄒᆡ여시만
졔본이 망극화ᄂᆞ되ᄂᆞᆫ 부풍ᄉᆞ
이수노연 ᄃᆞᆺᄒᆡ면 쉰응 ᄎᆞᆺ잡난 ᄎᆞᆺ

못하니, 몽즁인들 어이 아리. 꿈죠차 끈허셔 이후시 상면하는 날에 ᄃᆡ답인들 어이할고.

통히 통히라. 어마 어마야. 염나국이 어ᄃᆡ라고 이날슈 되오나 쇼식에 도죠하오며, 북망산이 어ᄃᆡ기로 일힝 일차 못 오신가? 통분할사 우리 모야. 규쳔 양게 길이 달나, 못 오신가.

원슈로ᄉᆡ 원슈로ᄉᆡ 갑술 셰월 원수로ᄉᆡ. 삼신산 불사약을 어나 곳에 구하오며, 요지 왕모 긔 창젼에 쳔도 복숑 어들숀가. 우리 모여 죵쳔 영결 숀잡고 눈 못 쌉고, 규쳔 야ᄃᆡ 면면 힝차 압히 막혀 어이 갈고.

분벽 사창 여계 두고, 청산 숑수 집이신가. 향탁 쇼유 바라보이, 셔런 심사 둘 ᄃᆡ 업ᄂᆡ. 괴연에 벼린 위복 어마 수탁 만반한ᄃᆡ, 시럼업시 만져본이, 망극한 나의 눈물 표표이 수 노언 듯, 연년 셩음 듯잡난 듯,

못하니, 꿈속에선들 어이 알 수 있을까요? 그러니 훗날, 우리 셋이 상면하는 날에, 대답인들 어이할까요?

아 애통하고 애통합니다. 엄마 엄마야. 염라국이 어디라서 이날이 되도록 소식이 없으며, 북망산이 어디기에 한 번 가신 후로는 한 번도 못 오십니까? 통분합니다 우리 어머니. 구천과 이승의 길이 서로 달라서 못 오시나요?

원수입니다, 원수입니다. 갑술년 그해가 원수입니다. 삼신산 불사약을 어느 곳에서 구하기만 하면, 요지연 서왕모 비단 창문 앞에서 천도 복숭아를 얻을 수만 있으면 얼마나 좋을까요? 우리 모녀가 종천 영결하다니, 손잡고 눈 못 감고, 구천으로 행차하다니, 눈물로 앞이 막혀 어이 가실 수 있을까요?

아름답게 꾸민 방을 여기에 둔 채, 소나무 있는 청산을 집으로 삼고 계시다니요? 분향소를 바라보니, 서러운 심사를 둘 데가 없습니다. 궤연에 있는 의복, 어머니의 손때가 묻어 있습니다. 시름없이 만져 보니, 망극한 내 눈물이 수 놓듯이 떨어지고, 평소 어머니의 음성이 들리는 것만 같고,

이ᄉᆞ 초안 회ᄒᆡ시난 듯 골ᄉᆞᆯ 곳ᄒᆞᆫ
어이 ᄒᆞᆯ고 ᄒᆞ고 원ᄎᆡᆨ 졍ᄆᆡᆼ시에 모ᄒᆡ
상봉ᄒᆞ여 볼가 ᄇᆞ라 ᄉᆞ챵 쳔셰 ᄋᆞ우되
여 만단 수작ᄒᆞ여 볼가 섬지 이ᄒᆞ오
홀홀ᄒᆞ고 비회난 ᄃᆞᆯ뒤 업시 쳘ᄒᆞᆫ
이회 ᄭᅮᆷ귀 홀뒤 회말ᄒᆞ여 오ᄌᆞᆼ
ᄉᆞᆫ 키ᄎᆞ 드러 갈 제 비ᄂᆞᆫ 곳 ᄂᆞᄂᆞᆫ
상ᄒᆞ고 ᄇᆡᆨ거 잔ᄉᆞ 우ᄒᆡᆼ 우ᄂᆡ 원
ᄒᆞᆫ이 ᄆᆞᆨ이 업시 ᄒᆞᆯ 수 업ᄂᆞᆫ 망ᄆᆡᆼ되
통상ᄒᆞᆫ 젼긔 ᄯᅥᄒᆞᆯ ᄉᆞᆯ긔 ᄎᆡᆨ지
ᄇᆡᆨ직ᄒᆞᆫ 유면이 길 ᄃᆞᆯ다 ᄉᆞᄅᆞ ᄃᆡ 갈
수젼 ᄒᆡ업시 지ᄇᆞ치 ᄃᆞᆯ리 ᄂᆞᆯ 거시나
무ᄒᆞᆫ씨 이길 니ᄂᆞᆫ 인가 오ᄒᆞ여
[illegible] 곰여로 난 ᄎᆡᆨ양지 ᄒᆡᆼ이로ᄉᆞ
[illegible] ᄒᆞ와 곰치 ᄉᆞᆨ엽 아시ᄂᆞᆫ 이여 ᄃᆞᆨ
난 가ᄉᆞᆫ 후 ᄭᅩᆺ 칸 ᄇᆡᆼ엇시 잠ᄎᆞ 오의
우뢰 어ᄃᆞ 자외 ᄭᅴᄉᆞᆫ 상ᄒᆞᆫ이 ᄃᆞᆫ ᄃᆞᆯᄒᆞ
퇴ᄎᆞ 오복ᄒᆞᆫ 편ᄒᆞᆯ 젹에 수복무
치 젼되 ᄒᆞᄭᅬ 명ᄉᆞ ᄉᆞᆫ고 ᄌᆞᆨᄒᆞᆫ 서워

이이 쇼안 뫼시난 ᄃᆞᆺ, 골술 표한 어이할고.

화죠월셕 계명시에 모여 상봉 하여볼가. 벽사 창쳔 셰우 되여 만단 수작 하여볼가. 심신이 황홀하고 비회난 둘 ᄃᆡ 업ᄂᆡ. 절절한 이 회표 뉘을 ᄃᆡᄒᆡ 말하리요. 청산 귀로 드려갈 졔 비금 죠수로상하고, 벽ᄀᆡ 잔잔 우렴 우ᄂᆡ. 원한이 ᄡᆞᆨ이 업셔 할양업난 망외지통 삼한 쳔지 ᄡᅡ헐쏜가.

셕ᄌᆡ 셕ᄌᆡ라. 유명이 길리 달나 ᄯᅡ라갈 슈 젼혀 업ᄂᆡ. 귀불긔회 닐거타시 무하이 이 ᄀᆞᆸᄂᆡ 이 안인가.

오회라 여롱여호 닌규 아을 귀즁이도 사랑하와 금지옥엽 아시든이, 어마님 가신 후로 잔병 업시 잘 크오이, 우리 어마 자ᄋᆡ지심 사후인들 다려리요? 복을 젼할 젹에 수복 부귀 젼히 쥬ᄀᆡ. 명사로 적숀 세워,

환히 웃으시는 얼굴을 뵙는 것만 같으니, 골수에 사무친 한을 어이할까요?

꽃 피는 아침과 달 뜨는 저녁, 새벽닭이 울 때, 우리 모녀 상봉해 볼까요? 푸른 하늘의 가는 비가 되어, 갖은 수다를 떨어볼까요? 심신이 몽롱하고 슬픔은 둘 데가 없네요. 절절한 이 회포를 누구한테 다 말할까요? 청산으로 들어갈 때, 새들이 울고 있으니. 깊은 우리 원한이 천지 미물에까지 쌓여서 그런 것인가요?

애석하고 애석합니다. 이승과 저승의 길이 달라, 따라갈 수가 전혀 없습니다. 돌아가려고 해도 돌아갈 수가 없다는 말이 있더니, 갱내(坑內) 즉 구덩이 속이 바로 이를 두고 하는 말이 아닐까요?

아, 재롱 떠는 인규를 끔찍히도 사랑하셔서, 금지옥엽같이 여기셨지요. 어머니 가신 후로 잔병 없이 잘 크고 있어요. 우리 어머니의 자애로운 마음, 사후라고 달라졌을까요? 복을 전해 주실 적에, 수복과 부귀를 전해 주세요. 이 손주가 명사가 되어

초셔의 하ᄒᆞ신 글 받ᄌᆞ와 거ᄉᆞ니 섭ᄉᆞ와
○ 뫼셩 그이 수ᄉᆞᆯ이 아의께 잘 치ᄒᆞ니
후일 셔셩이 안이가 상가에 올 유슈
오다 주마 땅ᄒᆞ여 ᄃᆞᆺ기 상이 ᄒᆞᄃᆞ이외
쳐ᄉᆡᆨ ᄌᆡᄒᆞᆫ 의ᄌᆞᆫᄒᆞᆫ 우ᄉᆡ 어마이 뉘ᄂᆞᆫ
올혀ᄋᆞ이 기ᄂᆞᆫ 언ᄯᅥ ᄒᆞᆫ 가ᄂᆞᆫ 친ᄭᅡᆫ
샹ᄒᆞᆫ 즁을 가위인 여ᄒᆞᆫ이 ᄒᆞᆫ 셜즈 보
감감ᄒᆞᆫ 되오 일ᄉᆞᆺ ᄉᆞᆯ 샹 소 ᄒᆞ니
누ᄀᆞ이에 ᄌᆞᆨᄒᆞ여 ᄎᆞᆷ 꼭 가장 다 ᄒᆞᄂᆞᆫ 둣
싀골 ᄀᆞᆺ치 ᄒᆞᆫ 도ᄒᆞ ᄀᆞᆺᄒᆞᆫ ᄂᆞᆯ ᄀᆞᆺᄒᆞᆫ 옷
꿈을 비ᄒᆞᆫ 우ᄒᆞ니 ᄒᆞ여 반처 마나 만
다 ᄉᆞ지 ᄆᆞᆺᄒᆞᆫ 간 여이ᄒᆞᆫ 게 ᄆᆡᆼ셩
에 ᄒᆡ엿구나 허시ᄉᆞᆯ다 ᄎᆞᆫ바 ᄒᆞᆫ 귀ᄎᆞᆫ 비
에 ᄒᆞᆫ나 ᄇᆡ우 ᄂᆞᆫ우ᄂᆞᆫ 다ᄂᆞᆫ 발곤 ᄉᆞᆯ가
ᄒᆡ에 ᄀᆞ건이 ᄋᆞᆯ 펴ᄋᆞᆯ게 ᄒᆞ이 업난
어ᄯᅡ ᄒᆡᆼ ᄒᆞᆫ고 어위 이ᄒᆞ ᄒᆞ여 어ᄒᆞ
ᄒᆞᆫ요 수어ᄉᆞᆯ [illegible] 어 뒤ᄇᆞᆺ ᄒᆞᆫ ᄉᆞᆫ군이
다키 돈 ᄒᆞᆫ [illegible] ᄂᆞᆫ 어마 단 ᄃᆞᆫ ᄃᆞᆫ
되오 ᄒᆞᆫ우 상ᄂᆞᆫ ᄉᆞᆫ판 오ᄂᆞᆫ ᄂᆞᆫ외

죠션의 향화을 밧들긔 하니, 셕과 부싱[33] 그이 수술이 아의계 젼지하니, 후일 연경이 안잇가.

상가 셰월 유수로다. 주마 광음 어나닷 기상일ᄉᆡ. ᄋᆡ지 셕지라. ᄋᆡ잔한 우리 어마이, ᄂᆡ 몸을 혈혈이 기는 언덕, 하ᄒᆡ갓치 깁사오나, 출가위인 여자이라 셤흐 보감 갑흐리요. 왕사을 상상항니, 누누이 여작하며, 규곡간장 다 농ᄂᆞᆫ 듯, 심끌구ᄉᆡ라.

통ᄌᆡ 통지라. 닐장 춘몽 꿈을 비러 우리 모여 반겨 만나, 만단 수작 못하고셔, 악악한 게명셩에 쌔엿구나. 허사로다 찬바람 규진 비에 잔나비 우름 우고, 달발근 꼿가지에 두견이 슬피 울제, 가이업난 어마 영혼, 그 어ᄃᆡ 이지하며, 억울한 요수 어혼 그 어ᄃᆡ 붓칠손고. 이다지 통한한 쥴 어마닌들 모르리요. 혈누상반 숀난 눈물 외

조상의 제사를 받들게 되고, 큰 과일나무에 다시 열매 생기듯 그 제사 술을 아이한테 전하니, 훗날 우리 집안의 경사가 아니겠습니까?

상가의 세월은 더 빠르기도 합니다. 주마등같이 흘러가는 시간이 어느덧 대상날입니다. 애통하고 애석합니다. 애잔한 우리 어머니, 내 몸을 혈혈단신 기른 은덕, 하해같이 깊은데, 출가외인인 여자 몸으로 언제나 그 은혜를 갚을까요? 지난 일을 생각하니, 하나하나가 모두 어제만 같으니, 구곡간장 다 녹는 것만 같습니다.

애통하고 애통합니다. 일장춘몽 꿈을 빌어 우리 모녀 반갑게 만났으나, 갖은 이야기 다 못 나눈 채, 고약한 닭 울음 소리에 그만 깨었습니다. 허사였네요. 찬바람 궂은 비에 잔나비 울고, 달 밝은 꽃가지에 두견새가 슬피 울 때, 가엾은 엄마 영혼, 그 어디 의지하며, 억울한 어린 것들은 어느 손에 부탁할까요? 이다지 통탄할 줄 어머니인들 모르겠습니까? 피눈물이 두 줄기로 솟아 옷깃을 적시니, 눈물이

33 석과부생(碩果復生) : 큰 과일나무에 다시 열매가 생김.

상을 젹시오니 쳔두ᄒᆞ게 [illegible] 안이다
수한문을 기ᄃᆞ려 화와 수두흘 [illegible]
일번 초로 영위 [illegible] 젼어만 보ᄂᆡ
비회의 스 [illegible] 니야 ᄒᆞᆫ 뻐 [illegible]
넋의 영혼 안이시니 [illegible] 시오리
엇지 혼이 잇고 [illegible] 나와 혼 수리 ᄒᆞ올
기박 ᄒᆞᆫ 혼이 [illegible] 흠ᄒᆞᆫ 영모
극변 ᄉᆞ 길에 [illegible] 상하오 ᄉᆡᆨ가
오호통재 오호 [illegible]

상을 젹시오니, 체루하경 이 안인가.

수향 문을 귀졍하와 수두포회 일비쥬로 영긔 구쳔 어마 불너, 비회 ᄋᆡ사를이온니, 양양 여리 불ᄆᆡ 영혼 아시넌가? 모러시난가.

영혼이 잇그든 부은 수리라도 장기 바ᄅᆡ온이, 만이 만이 흠하고 염나국 면면 길에 무사이 도라가기, 오호 통ᄌᆡ며 오호 ᄋᆡ지라.

강물처럼 흐른다는 말이 이것이 아닐까요?

몇 줄 글로 기정을 삼고, 제물과 한 잔 술로 구천에 계신 엄마를 불러, 슬픈 심사를 아뢰니다. 여전히 어둡지 않으신 엄마의 영혼께서는 아십니까? 모르십니까?

영혼이 있거든, 이 부어 놓은 술이라도 드시기 바랍니다. 많이 많이 흠향해 주세요. 염라국 가는 먼 길에 무사히 돌아가십시오. 아 애통하며 애통합니다.

감상 및 해설

한글 제문이라는 용어는 요즘 학자들이 만든 말이다. 그럼 현지에서는 무엇이라고 불렀을까? 이 의문을 풀어주는 대목이 이 제문의 첫머리에 있다.

> 전닐 석 간지에 불초여 적모는 ᄋᆡ통 비회 간절하여 수항 문을 긔정ᄒᆞ와 주과포혜 닐ᄇᆡ 주을 영상에 차려 놋코, 통곡 ᄌᆡᄇᆡ 실피 운이, 가련ᄒᆞᆫ 어마 영혼이 양양 여ᄌᆡ 게시그든, 나의 서련 원정 드러 주ᄀᆡ.

바로 이 대목이다. '긔정(寄情)'이라 표현했다는 사실을 알 수 있다. 정을 붙인다는 말이다. 맞는 표현이다. 한문 제문에 비해, 순우리말 구어체가 살아 있다 보니, 고인에 대한 애틋한 정을 한결 실감나게 담고 있다는 점에서 그렇다. 문어체인 한문 제문이 정보다는 뜻(의미) 전달에 치우쳐 있다면, 한글제문은 정감의 표현이 두드러져 보이는 게 사실이다.

맨 끝에 '상향'이라는 말이 생략되어 있는 점도 특이하다. 경우에 따라서는 이 단어를 사용하지 않은 채 종결하기도 했다는 사실을 알려준다.

9. 오빠 영전에

1938년, 도재욱 님 소장, 세로 23㎝, 가로 350㎝

계본

유시차 분인 시구이 월이 이실 ᄉᆡᆼ이ᄂᆞᆫ 경긔 간은

유아뵈 가ᄂᆞᆫ 상산 거ᄂᆞᆫ 보ᄅᆞ 버ᄂᆞᆫ 쟁 티

앙긔 아[이은] 져이 ᄅᆞ에 소뫼 미현 셰앙이 착봉 실ᄒᆞ여

엉소 히ᄅᆞᆯ 만문나 나이ᄅᆞᆫ 히ᄅᆞᆫ 져히 오ᄃᆞᆫ ᄃᆞᆼᄃᆞ구고

우여 애ᄂᆞᆫ 기쟈 인ᄂᆞᆫ 오호ᄃᆞᆫ ᄃᆞᆼ천ᄀᆞ 라 ᄋᆞᆯ셰 나 남 버 옥

취이 가ᄅᆞᆫ 나이ᄉᆡ 셔노 연ᄂᆞᆫ 헌앙 울 가치 못ᄒᆞᆫᄂᆞᆫ

자새오 가ᄂᆞ 포하ᄂᆞ 이안 세상인 누구라 나ᄋᆞᆼ 비 쳥 께

어운 시ᄅᆞᆯ ᄂᆞᆫ 마나ᄂᆞᆫ 오가 버ᄂᆞᆫ 남ᄋᆞᆼᄂᆞᆫ 호오 쳔셰ᄋᆞᆼ ᄃᆞᆯ 못

귀ᄂᆞᆫ 셔 산ᄂᆞᆫ 유기 시메 졍ᄂᆞᆫ ᄂᆞᆫ 좀쳔ᄀᆞ 이ᄋᆞᆼ 숭하신ᄂᆞᆫ 구

자시 라무 ᄂᆞᆫ 이ᄂᆞᆫ 재호ᄃᆞᆯ 하ᄂᆞᆫ 께ᄆᆡ 기ᄂᆞᆫ 인ᄋᆞᆼ 인 하

제문

유시차 문인 십이월 이십삼일 경진은 유아 ᄇᆡᆨ가가 상산 김공 물와션ᄉᆡᆼ ᄃᆡ상지일야. 젼일에 소ᄆᆡ 밀셩 양 참봉실은 억ᄉᆡᆨ 소회를 만분니나 알외고져 ᄋᆡ오 통곡고유 영연지하 왈.

오호 통ᄌᆡ 통ᄌᆡ라. 우리 육남ᄆᆡ 육쳐ᄋᆡ 갈나 이셔, 노연 ᄒᆡᆼ낙을 갓치 못하고, 사생간 포한이야 셰상ᄋᆡ 누구라 남ᄆᆡ 형제 업살고마난, 오가 ᄇᆡᆨ남은 효유 쳔셩으로, 김셔산 슈지시며 겸공 도덕이 융슝하신 군자시라. 부모임계 효도하고 졔ᄆᆡ간ᄋᆡ 우ᄋᆡ

제문

아, 1938년 12월 23일은 우리 첫째오빠인 상산 김공 물와 선생의 대상날입니다. 그 전날에 밀양 양 참봉 아내인 여동생이 답답한 회포를 하염없이 오라버니의 영전 앞에 말씀 올립니다.

아아 마음이 애통하고 애통합니다. 우리 여섯 남매 사는 곳이 여섯 군데로 나뉘어 있어 노년의 즐거움을 함께 누리지 못하였으니, 죽고 사는 가운데 품은 한입니다. 이 세상 누구인들 남매와 형제가 없겠을까만, 우리 가문의 첫째오빠는 하늘에서 내린 효자입니다. 큰 유학자인 서산 김홍락 선생의 가르침을 받았으며, 겸손하고 공경하는 도덕이 높은 군자였습니다. 부모님께 효도하고 동생들과 사이

며 죵오국가ᄂᆞᆫ 몰우리 헐은 어ᄂᆞ 예ᄠᅢ이오 금에
예사로다 우리 헝커기ᄅᆞᆯ 우실ᄅᆞᆯ 재어ᄂᆞᆫ 부ᄂᆞᆫ 예부ᄂᆞᆫ
다가라 쳐여 ᄉᆞᆼ군가 ᄒᆞᆫ재ᄒᆞ다 이모여ᄂᆞᆫ 주ᄂᆞᆫ 벽ᄂᆞᆫ이
예군우ᄂᆞᆫ 어망국하여 이란ᄂᆞᆫ 부ᄂᆞᆫ불 벼ᄂᆞᆫ복이라사
뵈ᄋᆞ이 리긴 동하이도 헝ᄂᆞᆯ 저ᄂᆞᆫ 우리 ᄇᆡᆨ남ᄃᆞ부ᄂᆞᆫ
부ᄂᆞᆫ조ᄅᆞᆯ 하아ᄂᆞ시ᄂᆞᆫ 허ᄀᆞ실ᄂᆞᆫ 언잠각하여 가경이나
다아리ᄅᆞᆯ 가소하ᄂᆞ 너ᄂᆞ취에 연ᄒᆞᆫ여 편ᄂᆞᆫ 다ᄂᆞᆷ 봉재아교자편
울에ᄂᆞᆫ 부ᄂᆞᆫ로ᄅᆞᆯ 서하여 사상권ᄂᆞᆫ 시ᄂᆞᆷ 편ᄂᆞᆫ 다하권모
펴ᄂᆞᆫ 울후ᄂᆞᆫ게 가리여 유시ᄒᆞ가리 쟤시ᄋᆞ 중ᄂᆞ
충ᄂᆞᆫ 하여 무시무니 훈계하사 ᄉᆞᆯ옹아미갈

며, 죵족간 돈목지힝, 고언에 모범이요 금세예 사포로다.

우리 형제 길우실제 언문 예문 다 가라쳐 여즁 군자 훈계로다. 임오연 군변시에 군운이 망극하여 의관 문물 변복이라. 사방의 진동하이, 도힝높현 우리 빅남 두문불츌하압시고, 협실의 잠젹하여 가졍이나 다사릴가 소학 닉칙 열여편과 봉졔사 교자편을 언문으로 등셔하여 상권 삼편과 하권 오편을 휸거 가지여 유시로 가라쳐시이 동동촉촉하여, 무시무비 휸계하사, 슉흥야믜 자

좋게 지내며, 가문의 구성원 간에 돈독하고 도타운 행동들이, 옛날에는 모범이며 지금에는 보고 배울 표지가 될 만합니다.

우리 형제를 기르실 때 한글과 한문을 다 가르쳐 여성 중에 군자가 되도록 훈계하셨습니다. 임오군란 때는 나라의 운수가 나빠 옷과 관 그리고 제도와 물건들이 변화하여 온 세상이 시끄러웠는데, 우리 첫째오빠는 집에서 나오지 않고 자그마한 방에서 고요히 있었지요. 가정을 다스리고자 아이들이 배우는 《소학》과 여성들이 익히는 《내칙》의 〈열녀편〉과, 제사를 받는 방법인 《봉제사》, 그리고 자식을 가르치는 《교자편》을 한글로 필사하셨습니다. 상권 3편과 하권 5편으로 묶어 가져서 수시로 가르치시니, 가르치는 태도가 매우 공경하고 삼가며 조심스러웠습니다. 시시때때로 훈계하시며 애쓰고 노력하고

상ᄒᆞ고 ᄌᆞᆫᄒᆞᄋᆞ나 ᄇᆞᆯ미ᄂᆞᆫ 한 우리 ᄃᆞᆼ이 이ᄂᆞᆫ ᄭᅮᆷ으로
ᄲᅡᆺ자 아니키 못ᄒᆞ오니 ᄒᆞᆫ복 금ᄉᆡ 다ᄅᆞᆯ 손가 ᄭᅮᆷ으로
나ᄂᆞᆫ 뎌 ᄒᆞᆫ 구ᄭᅮᆷ이며 우리 번가 ᄆᆡᆼ 마ᄋᆞᆷ 졀로 ᄯᅥ ᄋᆞᆼ문
늣가 ᄎᆞᆯ가 시ᄋᆞ며 이ᄂᆞᆫ 신이 ᄲᅮᆫ 셔이라 유가 시ᄋᆞᆷ
여ᄊᆡ ᄒᆞ야 이 누기 아ᄂᆞᆫ이 쇼ᄒᆞᆼ도 ᄒᆞ리 지근 우소망
디히ᄂᆞᆯ 계 마ᄂᆞᆫ ᄲᅮᆫ 호강고 안ᄂᆞᆫ이 가원ᄒᆞ오니 ᄒᆞᆼ이 초
ᄀᆞ기 초삭이 위ᄂᆞᆯ ᄉᆞᆫ사ᄂᆞᆫ 이ᄂᆞᆯ 모 우리 티 기세ᄒᆞᆯ
졔ᄉᆞ며 나ᄂᆞᆫ 죄ᄉᆞᆫ 칸 조ᄎᆞᆼ시 졀ᄂᆞᆯ 아ᄋᆞᆼ여 시ᄂᆞᆫ 올로 라오ᄂᆞᆫ
기ᄂᆞ 사 셰히 쇽이며 ᄑᆞᆯ 셰유아 사ᄋᆞᆼ계 ᄌᆞᆫ에ᄂᆞᆯ 호ᄯᅩ
인ᄌᆞᆼ오니 가ᄭᅮ 붕려 나 ᄌᆞ길 가 ᄏᆡᆫ려ᄂᆞᆫ 님ᄯᅵ

상히 교훈하시나, 불민한 우리 등이 일분도 밧자압지 못하오니, 초목금슈라 헐손가? 부모님ᄋᆡ 후품시며 우리 ᄇᆡᆨ가 명망으로 명문 복가 출가식어 일신이 반셕이라. 유자싱여 선선하이, 뉘 안이 층도하리? 지근으로 왕ᄂᆡ할제 만반 호강 그 안인가?

원호 원호 통ᄌᆡ 통ᄌᆡ 기축 이월 슌삼일ᄋᆡ 우리 ᄐᆡᄐᆡ 기세할제, 소ᄆᆡ난 쳣 근친 조흔 시졀 상신으로 도라오고, 십사세 ᄒᆡ슉이며, 팔세 유아 삼계로 실호 모 ᄋᆡ통 오 ᄂᆡ가 분붕터니, 조실 자친 져ᄋᆡ 남ᄆᆡ

자상히 교훈을 주셨습니다.

그러나 미흡한 우리는 조금도 이 가르침을 따르지 못하였으니 초목이나 금수라고나 할까요? 부모님의 후광과 우리 맏오빠의 명망으로 명문 복가에 출가하여 이 한 몸이 평탄한 바위에 올라 아들 딸 낳고 잘 지내니 누가 아니 칭찬하지 않겠습니까? 가까운 곳에 있어 왕래할 때 모든 호강을 누릴 것입니다.

원망스럽고 원망스러우며 애통하고 애통합니다. 1889년 2월 13일에 어머니께서 세상을 떠나실 때, 저는 처음으로 친정에 오게 되어 좋은 시기를 만나 상신(웃티마을)으로 돌아왔지요. 14세 해숙이, 8세 어린아이 삼계와 더불어 일찍 어머니를 여의게 된 저희 남매가

슉여 넙우 운가 ᄒᆞ옵 우 그ᄅᆞᆸ ᄉᆞ옵 여 가자 가 [illegible]
ᄒᆞᆫ ᄒᆞ우로 이 너 유ᄅᆞᆯ ᄃᆞ 이로가 이인 ᄒᆞ올 거 ᄒᆞᆫ 일
이온가 가옵ᄂᆡ ᄆᆡᄂᆞᆫ 시인 의 쳥 두 ᄂᆞ 리라
풍류 우저 ᄒᆞ여 우려 앙가 이ᄅᆞᆫ 동인 시거 ᄒᆞ나며
든 쥐쳐 ᄋᆡ우 되여 ᄒᆞ귀 ᄒᆞ라 ᄒᆞ오 가ᄅᆞᆯ 울 미오
원슈 파ᄂᆞᆫ 이ᄅᆞᆫ 풍우려 부슈 저올 가보이라 강좌강
우 [illegible] 드 ᄲᆡ가 ᄋᆡ 단ᄂᆞᆫ 이 깃ᄂᆞᆫ ᄒᆞᆫᄂᆞᆫ 거 마가여 문
하이 우리 ᄋᆡ려 ᄂᆞᆷ며 졔 ᄒᆞᆫ가 ᄂᆞ인 슈여 서 [illegible] 화
시쳐 ᄂᆞᆫ 슈 ᄌᆞ와 ᄋᆞᆯ로 츄ᄂᆞᆷ 츄ᄂᆞᆫ 노뒤 ᄒᆞ여 ᄂᆡ쳐ᄂᆞᆫ 겨ᄋᆞ 사 ᄯᅩ니
실가 이ᄅᆞᆯ ᄊᆡ 이ᄅᆞᆫ 히 ᄆᆞ조시 촌 ᄒᆞᆫ 젼ᄂᆞᆫ 난다 우리 ᄅᆞᆯ
ᄆᆞ계셔도 ᄊᆡ 혀 ᄋᆞᆼ ᄅᆞᆯ로 길기 헤ᄂᆞᆫ 다ᄒᆞ 져 ᄋᆞᆼ 노ᄅᆞ 져 ᄋᆞᆼ 아ᄂᆞ 이

슉여ᄇᆡ우 군자호구 금동옥여 가진 자황 부모님ᄂᆡ 유득이요, 가가이 ᄋᆡ휼지ᄐᆡᆨ 안이온가?

갑오연 변난시ᄋᆡ 의령 두곡 피란 음도 우거하여, 우리 양가 일동ᄋᆡ 상거하니, 머른 친정 의웃되여 히귀하고 호사로ᄃᆞ. 을미 오월 슌팔일은 우리 부쥬 경갑이라. 강좌 강우 모든 빈ᄀᆡᆨ 의관이 질질하고 거마가 영문하이, 우리 여러 남ᄆᆡ 제죵간ᄋᆡ 슈연셔 헌슈차로 츔츄고 노ᄅᆡ하이, 니런 경사 또 니실가?

일비일히 모쥬 ᄉᆡᆼ각 졀노 난다. 우리 왕모게셔도 비형으로 길기신닷 경노 치경 압시우고,

현숙한 여성을 배우자로 삼고 군자의 훌륭한 배필이 되어 황금같은 아들과 옥같은 딸을 가지게 되었습니다. 이는 부모님의 덕이요 오빠의 슬퍼하며 불쌍히 여기는 마음에서 나온 것이 아니겠습니까?

1894년인 갑오년의 동학농민운동으로 말미암아 의령과 두곡에서 음도로 거처를 옮겨 우리 양가가 같은 동네에 있게 되었는데, 먼 친정이 이웃되니 희귀하고도 호사라고 할 수 있었습니다. 1895년인 을미년 5월 18일, 우리 아버님이 회갑을 맞이하여 근처의 모든 손님들의 의관이 화려하며 수레와 말들이 사방에서 몰려오니, 우리 여러 남매 재종간에 잔치에서 아버님의 장수를 위해 춤추고 노래하니, 이런 경사가 또 있겠습니까?

기뻐하고 슬퍼하며 어머님 생각이 절로 났습니다. 우리 할머님께서도 즐거우신 듯, 노인을 공경하고 존경의 뜻을 앞세우고

우ᄅᆞ 두킈 님이 모로 괴ᄅᆞ 가ᄒᆞᆷ히랴 ᄒᆞ올로며 기다가
평ᄉᆡᆼ인연이 월인ᄂᆞᆫ 우리 ᄂᆞᆫ가로다 ᄒᆞ온가
ᄒᆞᆫ년 ᄒᆞᆯ여ᄂᆞᆫ 니십 산구 ᄒᆞᄅᆞᆯ 라간 ᄉᆞ이 ᄉᆡᆼ애
굴 재셔 졀ᄒᆞᆯ 친 친구 ᄂᆞᆫ한 분 ᄉᆞ ᄒᆡ ᄆᆞᆷ이 로셔 감젹
다가 져유여ᄂᆞᆫ ᄒᆞᆫᄂᆞᆫ ᄒᆞ여 오여 이ᄅᆞᆯ 낭ᄅᆞ리 ᄒᆞ여
ᄭᅴ쾌셔 ᄒᆞ여셰라 오ᄒᆞ오리 ᄒᆡ라 기유오원 ᄒᆞ여가
아ᄅᆞᆫ에 우ᄒᆡ 아ᄀᆞ 일세기에 수ᄅᆡ 나ᄂᆞᆫ 뿐ᄂᆞᆫ두도
못ᄒᆞ아ᄋᆞᆯ 죄ᄅᆞᆯ 뢰 못ᄒᆞ 한ᄃᆞᆯ 소ᄒᆡ에 빈ᄒᆞᆫ ᄀᆞ즐여
시ᄂᆞᆫ월 아이예 ᄌᆞᆫ되예 ᄂᆡ리 ᄀᆞ중히ᄋᆞᆫ근 ᄀᆞ단겨ᄅᆞᆯ
마ᄀᆡ여일 ᄒᆞᄅᆞᆯ ᄒᆞᄒᆞᆯ ᄋᆞ에 도라오이 혀 ...

두 집이 오락가락 히락으로 넘기다가, 경신연 이월ᄋᆡ난 우리난 고가로 다시 오고,

가가넌 창연노단 심산궁곡 차자 드러 이삼 연 그곳 계셔 절친한 친구 모와 은사ᄋᆡ 본의로셔 잠젹다가, 졍유연 환고하여 오여 일남 차리 차리 영부취셔하여셔라.

오호 ᄋᆡ지라 기유 오월 염사일에 우리 야야 별세시ᄋᆡ 소ᄆᆡ난 분곡도 못하압고 철천포한고로 슈에 밋쳐 밋쳐 그 연 십월 양예 씨여 ᄂᆡ외 동힝 근근관결 맛치압고 훌훙이 도라오이 헛 쓴 통

두 집이 오락가락 즐거움으로 넘기다가, 1896년인 병신년 2월에 우리는 옛 집으로 돌아왔지요.

오빠는 길이 끊어진 깊은 산과 그윽한 골짜기를 찾아들어가 2~3년을 그곳에서 계셔서, 절친한 친구를 모아 은사의 뜻을 받들어 잠적하셨었지요. 1897년인 정유년에 다시 돌아오셔서 다섯 딸과 한 아들을 차례차례 사위를 맞아들이고 며느리를 들였습니다.

아아 슬픕니다. 1909년인 기유년 5월 14일에 아버지가 돌아가셨으나 저는 슬피 통곡하지도 못하였고 하늘을 찌를 듯한 한이 골수에 맺혔지요. 그해 10월 장례 때에 우리 부부가 동행하여 근근이 정성 다해 마치고 훌훌이 돌아오니 헛된

ᄂᆞ ᄉᆡᆼ존ᄒᆞ여 ᄒᆞᆫ다려 ᄉᆞ가지 월에 갓이ᄂᆞᆫ가
인져ᇰ오가ᄂᆞᆫ 이ᄒᆞᆫ 가지 셩은 후혜 ᄒᆞ야 이ᄂᆞᆫ 월이
니가ᄉᆡ여 우리 ᄒᆞ구 ᄌᆞᆼ이ᄒᆞ랑 봉도 ᄀᆞᆺ시여이
참이 ᄎᆞ혹ᄒᆞᆸ기 ᄒᆞ여 당도ᄒᆞᆫ 이 아ᄌᆞᆨ 쳐
다ᄒᆡᆼᄒᆞ여 니 우리 번가졀 [illegible] 힐ᄋᆞᆯ 도셔ᄅᆞᆯ 여ᄂᆞᆯ
어ᄇᆞᆷ곰 ᄒᆞᆫ ᄆᆞᆯ월산 ᄒᆞ봉 ᄎᆞᆫ의은 측ᄒᆞᆫ제
시오이 시우ᄭᅮᆯ 힝ᄒᆞ시ᄂᆞᆫ다 좌ᄂᆞᆫ 월이
제ᄑᆞᆯ노ᄒᆞ져 ᄒᆞ여 무ᄉᆞ치월 여마이ᄂᆞᆫ 우리 번
형ᄒᆞᆫ가ᄒᆞ이라 우리 형졔 여려 ᄉᆡᆨ길며ᄂᆞ나
다ᄇᆞ하여 구ᄂᆞᆯ ᄒᆞᆼ졍 오소ᄒᆞᆯ시ᄂᆞᆫ 실이 ᄌᆞᆨ녀ᄋᆞᆫ

곡쓴이로다.

정사 시월 염사일은 가가ᄋᆡ 경갑이라. 자식을 후ᄒᆡᆼ하여 십월ᄋᆡ ᄂᆡ 갓쪄이 우리 군자 양참봉도 갑연ᄋᆡ 참이차로 임시하여 당도하고, 인아 족척 다 왓쪄니, 우리 ᄇᆡᆨ가 졀ᄒᆡᆼ으로 셜연을 엄금하고, ᄇᆡᆨ월산하 봉곡촌의 은젹하고 계시오이, 시운불ᄒᆡᆼ 타시로다. 그 연 납월ᄋᆡ 계팔노 우거하여, 무오 칠월 염일일은 우리 ᄇᆡᆨ형 환갑이라. 우리 형제 여러 슉질 면면니 다 모와셔 그날 광경 조흘시고.

십이 폭 넘은

통곡뿐이었습니다.

1917년인 정사년 10월 24일은 큰오빠의 회갑일이었습니다. 자식을 뒤에 따르게 하여 10월에 내가 갔는데, 남편인 양 참봉도 이 회갑잔치에 임시로 도착하였지요. 이웃과 친척들이 전부 왔으나, 오빠는 절약을 이유로 잔치를 금지하고 백월산 아래의 봉곡촌에 은거하고 계시니, 시운이 불행한 탓입니다. 그 해 1월에 계팔이라는 곳으로 우거하여 1918년인 무오년 7월 20일은 우리 큰언니의 환갑이었습니다. 우리 형제와 여러 숙질이 조금씩 다 모여서 그날 광경이 좋았습니다.

열두 폭이 넘는

하이는 쳔쳔ᄒᆞᆯ 가되 오란 우화 ᄉᆡ운을 너키는
삼즁ᄉᆡᆨ 하츄 혀ᄂᆞᆫ 인 너라 ᄭᅩ이ᄂᆞᆯ ᄉᆡᆨ 죵잔 하게
ㅣ 현슈 할 쎄 사 ᄎᆞ 쎄 이ᄂᆞᆯ 뵈 즤인히 ᄉᆡᆨ 울로 기ᄂᆞᆯ
키ᄂᆞᆫ 거동 보키 연이 가ᄭᅳᆯ 하다 단 즁 ᄒᆞᆫ 길ᄋᆞᆯ 아
겡논 단 부ᄂᆞᆫ 일 가쎄 란 뵹의 낭인 신 보 장 ᄭᅴ 데 ᄒᆞᆯ ᄒᆞ
가슉 기ᄅᆞᆯ 조ᇰ 빈다 ᄒᆞ여다 ᄉᆡ 쳬 ᄀᆞ이 다 모라 셔 ᄉᆞ
무즈르 ᄲᅡ슈 가ᄂᆞᆯ 치 조ᄋᆞᆯ 시ᄂᆞᆫ 경사로다 니
디리 쳐ᄯᅳ ᄂᆞᆫ 울로 ᄒᆞ연ᄀᆞ 니 라모라 네 ᄭᅴ 여노 ᄀᆞ
로ᄉᆞᆨ 하ᄂᆞᆫ 뒤ᄋᆞᆫ 니 낭 ᄌᆞ 하다 나로 며기 호화
로셔 자 여 가ᄂᆞᆫ 다 거 나 ᄅᆡ 너 리 가ᄂᆞᆫ 참 ᄉᆡᆨ ᄒᆞ여 무

차일 청쳔을 가리오고, 좌우 화병 둘너치고 삼즁 셕화 초연ᄋᆡ ᄂᆡ외분 일셕동좌 차례차례 현슈할 제, 사ᄇᆡ혜 일ᄇᆡ쥬의 히ᄉᆡᆨ으로 길긴 거동 요지연이 방불하다. 단즁한 질아 경노, 다문 일자 제란 몸의 남ᄋᆡ 십자 부려할가?

숙질 종반 다여 다서 졔졔이 다 모와셔 슈무족도 박수갈ᄎᆡ 조흘시고 경사로다. ᄂᆡ외ᄀᆡᆨ 청빈으로 인인니 다 모와 네 복역도 그록하고, 칭찬니 낭자하다.

나도 역시 호화로셔 자여간 다 거나려 ᄂᆡ외가 참셕하여, 무

해 가리개가 푸른 하늘을 덮고, 좌우에는 꽃 병풍을 둘러쳤지요. 삼중으로 석화를 깔고 첫 잔치에는 부부가 한자리에 있어 차례차례 수명을 빌 때, 네 번 절하고 한번 술을 바치는 긴 거동이 요지연 잔치와 비슷하였습니다.

단정하고 정중한 조카인 경노, 다만 아들 하나이지만, 남의 열 아들 부러워할까요? 조카들이 반열에 많은 여성과 많은 사위들이 성대히 모여서 손으로 춤추고 발을 구르며 박수갈채, 참 좋은 경사였습니다. 안손님과 바깥손님들을 초대하여 사람들이 다 모여, 너의 복이 아주 크다 하고 칭찬이 자자하였습니다.

나도 역시 호화롭게 자식들을 거느려 부부가 참석하여

흉을 보기는 져며니 비호ᄉᆞᄉᆞ 쯔쳐 너 다 원ᄒᆞᆫ 쉬ᄉᆞᄉᆞ

기미 ᄒᆞᆯ 원은 나라 무산 원ᄒᆞᆫ 쉬든 소원 니 오셔

하나 야 무ᄂᆞᆫ 운ᄉᆞᆫ 쉬 그 ᄭᅳᆫ이 가나 이 신ᄉᆞᆫ 쉬 ᄭᅳᆯ 킈

이ᄂᆞᆫ가 자기 명 ᄉᆔ 그만이ᄂᆞᆫ가 쾌ᄒᆞᆯ 쾌ᄂᆞᆫ [illegible] 못ᄒᆞᆫ 어ᄉᆞ리

하ᄂᆞᆫ 엳ᄂᆞᆫ ᄭᅮ 중사 디 못ᄒᆞ는 자시 손자 나ᄋᆞ 을 ᄭᅮ

쾌 준ᄉᆞ 이 추 ᄉᆡᆼ ᄒᆞ 이 셰ᄂᆞᆫ 후 ᄭᅮᆫ ᄭᅮᆫ 탄 시ᄉᆞᄉᆞ 며

든 지ᄂᆞᆫ 쳥이를 ᄒᆞᆼ 되여 심ᄉᆞ ᄒᆞ면 지ᄂᆞᆫ 평 거든

혀 ᄭᅮ 가되여 ᄌᆞ나 ᄑᆞᆼ ᄭᅮ 하려니 나ᄋᆡ가 [illegible] 제 ᄎᆞᆯ

지에 ᄐᆞᆼ 리 ᄒᆞᆼ 이 자ᄒᆞ 사ᄋᆞ 하ᄎᆞ ᄋᆡ 아여 ᄒᆡ

심여 하여 아ᄂᆞᆫ ᄅᆞᆯ 살ᄂᆞᆯ 못ᄒᆡ 쳐셔 ᄌᆡᄂᆞᆫ ᄋᆡᄉᆞ 하

흠으로 길겻셔니, 시호시호 부ᄌᆡ니라.

원슈 원슈 기미 칠월 나와 무산 원슈 든고? 소쳔니 요셔하니, 양문 운슈 그분인가? 쳘쳔 포한 엇지할고? 열부 죵사 ᄂᆡ 못하고 자식 손자 낙을 부쳐, 근근이 투싱하이 션후 불분 탄식 탄식, 머든 친졍 일향 되여 심심하면 친졍 거름 혓부가 되엿ᄯᅩ나.

풍부하던 나ᄋᆡ 가재 졸지에 탕픠하이, 인자하신 우리 가가 아연히 심여하여 알들살들 못 이져셔 걸여걸여하

흠결 없이 즐겼으니, 참 좋은 때를 누린 부자였습니다.

원수입니다, 원수입니다. 1917년 기미년 7월이 나와 무슨 원수입니까? 하늘같은 남편이 일찍 세상을 떠났으니 양씨 가문의 운수가 이것뿐일까요? 하늘을 찌를 듯한 한스러움을 어찌할까요? 저는 열부의 일을 따르지 못하고 자식과 손자 보는 즐거움에 근근히 살아가면서, 앞뒤 가리지 않고 탄식하고 탄식합니다. 멀던 친정이 같은 동네가 되어, 심심하면 친정으로 걸음했습니다.

풍부하던 우리 가재가 졸지에 탕진하게 되니, 인자하신 우리 큰오빠 깊게 염려하셔서 알뜰살뜰 잊지 못하여, 마음에 걸려 걸려

시더ᄒᆞ이ᄅᆞᆯ 어제 가ᄎᆡ여 ᄒᆞ라ᄒᆞ매 ᄌᆞ자ᄌᆞ지ᄂᆞᆫ
안ᄌᆞᆯ우져ᄒᆞ야 ᄒᆡᆫ후ᄂᆞᆫ 하ᄂᆞᆫ셰노라 ᄒᆞ다ᄒᆞᆫ지
져어ᄃᆡᆯ ᄉᆡᆯᄒᆞᆫ 무ᄋᆞᆫ 빌ᄂᆞᆫ 피포우 ᄉᆞᆺᄉᆞ화가이의
아거라 ᄂᆞᆷ셔 나가이 노ᄒᆡᆼ이셔 이되ᄂᆞᆫ이 안야ᄒᆡ롱
ᄂᆞᆫ졀ᄂᆞᆫ 노난다 가ᄂᆞᆫ라 렬ᄂᆞᆫ 져유ᄒᆞ여 셰도ᄂᆞᆯ누
ᄉᆞᆸ고 젼ᄂᆞᆫ 벼ᄂᆞᆫ 이ᄂᆞᆯ 세ᄒᆞ여 후ᄂᆞᆯ 시ᄆᆡ 시고ᄌᆞᆷ어 시ᄌᆞᄂᆞᆫ
을ᄭᅩ도라 오유롱ᄂᆞᆫ ᄒᆞᄒᆞᆫ 편ᄆᆞᆯ을ᄂᆞᆫ 나되ᄂᆞᆫ 구무ᄂᆞᆯ어
니온가ᄌᆞ사 아ᄂᆞᆫ 타오며 거ᄋᆞᄂᆞᆫ 니오라 ᄭᅮᄭᅳᆯ시시
와여ᄀᆞ 하ᄂᆞᆯ시 월이ᄌᆞ남ᄂᆞᆫ 나라구ᄒᆞ여ᄂᆞᆫ 제유ᄉᆞ샹
월ᄂᆞᆫ 초구이ᄂᆞᆯᄂᆞᆫ ᄌᆞ사롱ᄉᆞ이 져ᄋᆞ가ᄂᆞ이라 나도가나오

시던 일, 어제갓치 역역하다. 명지 차자 진쥬 안뜰 우거하이, 허훌하고 쎨쎨하다.

동지 셧달 셜한풍의 불피풍우 쏫차가이 의사 거람 써나가이, 노즁이셔 이별이야 악슈 통곡 졀노 난다. 가넌 차럴 졍거하여 셔로 보고 누슈로 젼별일세. 혀훌 심신 쥬칙업시 집으로 도라오니, 동낙슈 흐련 물은 나의 눈물 아니온가. 쥬사야탁 오미경경 닉 오라부 보고 시워 어이할고.

시월이 잠관니라. 그 익연 게유 삼월 초구일은 쥬사 동싱 경갑이라. 나도 가니 오

하시던 일이, 어제처럼 생생히 기억납니다. 이름난 곳을 찾아 진주 안에 우거하니 허술하여 쓸쓸하였습니다.

동지섣달에 부는 눈과 찬바람에 바람과 비를 피하지 못하여 떠날 뜻이 있으니, 길가에서 이별하는 악수를 하고 통곡이 저절로 났습니다. 가는 차를 멈춰두어 서로 보고 눈물로 이별하니, 비어있는 몸과 마음으로 주책없이 집으로 돌아오니, 동락수의 흐린 물은 내 눈물과 같았습니다. 밤낮으로 생각하고 자나 깨나 우리 큰오빠 보고 싶어 어찌하겠습니까?

세월이 잠깐이니 그 다음 해인 1933년은 주사를 하는 동생의 회갑이어서 저도

타ᄡᅳ도 오셔ᄂᆞᆯ ᄀᆞ나ᄯᆞ 녀가ᄂᆞᆫ 기ᄅᆞᆯ 거워라 ᄒᆞᆫ ᄒᆞᆸ 친쳑
ᄇᆞᆯ하드니 치ᄂᆞᆫ 쳑쳐ᄋᆞ ᄒᆞᆫ 쥬ᄉᆞ를 길 기다가 ᄯᅩ 가ᄂᆞ니
ᄡᅧᆯ ᄒᆞ여 ᄎᆞᆺ창시 ᄒᆞ 히 가ᄂᆞᆯ ᄯᅢᄂᆞᆫ 어ᄂᆡ다 기별 오월 여ᄂᆞᆯ
일ᄂᆞᆫ ᄭᅩᆺ 쥬 ᄒᆔ신 ᄂᆞ니 나 ᄒᆞᆷ 사 ᄒᆞ려 ᄒᆞ여 ᄇᆞᆯ ᄉᆞᆯ 도 ᄃᆞᆯ
하이 져ᄋᆡ 도ᄌᆞ 쳔이 와 안ᄂᆞᆫ 줄 ᄂᆞᆫ 후 워ᄃᆞ니 ᄯᅢ가
워라 우리가 ᄇᆡᆨ ᄉᆔ 셩이 ᄂᆡ 타ᄡᅳᆫ 이 마ᄌᆞ나 와
지ᄉᆔ 상되 ᄯᅢᄂᆞᆫ 기 ᄒᆞᆫ 지 ᄋᆞᆯ ᄌᆞ 도 ᄌᆡ 가 나 가 ᄲᅡ 도 ᄅᆞᆯ
쟝하다 우리 ᄌᆞ 상 ᄡᅳᆫ 모이 ᄂᆡ ᄉᆞ 다 도 ᄉᆔ 로 ᄒᆞ다 다
ᄲᅮ 뢰 ᄡᅳ 쥬 쳐 ᄉᆔ 셔ᄋᆞ 가 챵 어 ᄒᆞ 여 쳥 ᄌᆞᆫ 홍
친산 왕 인 우 겨ᄋᆞ이 보오 신 셔 ᄀᆞ 지 ᄌᆞ 노 ᄅᆞᆫ 진 ᄒᆞ여
로 ᄒᆞᆫ 판 ᄡᅳᆫ 쳐 단 ᄒᆡᆼ이 ᄎᆞᆯ 난 ᄒᆞᄂᆞᆫ ᄇᆞᆯ 와 셔 ᄂᆞᆫ 신ᄋᆡᆼ

라부도 오셧구나. 반갑고 길거워라. 고향 친쳑 모와드니 친쳑 정화 쥬소로 길기다가, 쏘 각각 니별하여 초창 심회 갈 발 없다.

기년 오월 염일일 부쥬 휘신니나 참사하려 진업으로 득달하이 경치도 좃컨이와 안들노 후워드니 반가워라. 우리 가가 ᄇᆡᆨ슈 셩셩 ᄂᆡ외분이 마조 나와 집슈 상ᄃᆡ 반기하고, 집으로 드러가니 가사도 웅장하다.

우리 조상 부모임ᄂᆡ 사랑도 사당도 거록하다. 우리 부쥬 젹슈성가 창업하여 청ᄌᆡ 홍ᄌᆡ ᄉᆞ방ᄋᆡ 풍경이요, 오ᄉᆡᆨ 셕지 초 노코 좌우로 현반 붓쳐 단쳥이 찰난하고 물와선ᄉᆡᆼ

갔으니, 큰오빠도 오셔서 반갑고 즐겁게 맞이하였습니다. 고향의 친척들이 모였더니 친척들이 정담을 나누며 밤낮으로 즐기다가, 또 각각 이별하여 쓸쓸한 마음의 회한이 갈 바를 찾지 못하였습니다.

그해 5월 11일은 아버지의 기일이라 참석하러 진업에서 찾아오니, 경치도 좋거니와 안뜰로 들어가니 반가웠습니다. 우리 큰오빠는 흰수염이 성성하여 부부가 마주 나와 손잡고 상대를 반겨 집으로 들어가니 집안의 성세가 웅장하였습니다.

우리 조상 부모님의 사랑채도 사당도 거룩하였습니다. 우리 아버님은 맨손으로 가문을 일으켜 창업하시니, 청색과 홍색으로 사방을 풍경으로 바꾸었고, 다섯 색의 초를 놓고 좌우로 선반을 붙였으며 단청의 색이 찬란하고 물와 선생

우리가〻 셩헌셔ᄂᆞᆫ 뵈ᄋᆞᆸ고 여마ᄂᆞᆫ 편셔 뒤ᄌᆞ오ᄌᆞ
하니 쳥음 ᄃᆞᆯ려 쟝하ᄋᆞᆸ과 우리 나ᄋᆞ며 ᄉᆞ오신ᄋᆞᆯ
쥬소로 종자하나 [illegible]치원이 셔ᄒᆞᆫ가지 ᄇᆞᆫ의ᄉᆞ히
하여 한다ᄉᆞ시〻 ᄒᆞ소 쟝사ᄋᆞ아 우여 ᄇᆞᆼ금ᄉᆞ가 ᄉᆞᆼ
쳔ᄉᆞᆼ 부ᄋᆞᆼ 차로 귀쳐ᄋᆞ 하어 계ᄋᆞ 쳐로 ᄌᆞ여ᄋᆞ 하다 쟐ᄅᆞᆯ
우리 나이 ᄇᆡ 가 ᄭᆞᆯᄅᆞᆯ ᄒᆞᆫ나 ᄌᆞᆼ쳐 ᄀᆞᆯ 쇠ᄃᆞ〻 ᄆᆞᆺ하
져셔 져ᄅᆞ여〻 하시ᄂᆞ이ᄂᆞᆫ 쳐ᄋᆞᆼ ᄌᆞᆼᄉᆞ이 지ᄅᆞᆯ 빈이어ᄂᆞᆫ져
려〻 하시다가 츄구 월ᄅᆞᆯ 시옵유 이ᄂᆞᆫ인 작ᄭᆡᆯ시
르ᄅᆞᆯ 당하옵ᄂᆞ 남다라 시ᄂᆞᆫ 우리 시ᄭᆡ 다 잘영하신
후풍 을로 노ᄌᆞᆼ인다 라나와 사져ᄂᆞᆫ 오ᄯᆡ이 ᄯᆡᆯᄂᆞᆫ
[illegible] 뉴 [illegible]

우리 가가 셩현셔 공부ᄒᆞ여 만권 셔칙 ᄌᆞ옥하니, 힝금 도덕 장하쏘다.

우리 남ᄆᆡ ᄉᆞ오식을 쥬소로 동자하니 치원ᄋᆡ 성한 가지 봄 빗치 와연한 닷, 시시로 소창 삼아 옥연봉 금슈강산 소풍차로 귀경하이, 경치도 유명하다. 살들 우ᄋᆡ 나ᄋᆡ ᄇᆡᆨ가 불초한 니 동ᄉᆡᆼ을 씰씰 못 이져셔 결여결여하신 인정, 자모ᄋᆡ 질 ᄇᆡ 업고,

겨련 겨련하시다가 츄구월 십육일ᄋᆡ 작별시를 당하오니, 남다라신 우ᄋᆡ시며 단졍하신 후풍으로, 노즁ᄋᆡ 싸라나와 사젼ᄋᆡ셔 이별

우리 큰오빠 성현서를 공부하여 만권의 서책이 잔뜩 있으니 지금의 도덕이 장하였습니다.

우리 남매가 40~50일을 밤낮 한 그릇에 밥을 먹었으니, 울안의 무성한 나뭇가지에 봄빛이 완연하여, 때때로 소창(심심하거나 답답한 마음을 풀어 후련하게 함)을 삼아 옥련봉 금수강산을 소풍가서 구경하니 경치도 유명하였습니다. 살뜰한 우애로 나의 오빠, 불초한 이 동생을 질질 잊지 못하여 마음에 걸려 걸려 하신 인정은 자상한 어머니에 질 바가 없었습니다.

저 때문에 마음 놓지 못하시다가 가을 9월 16일에 작별할 때가 되니, 남다른 우애와 단정한 풍모로 길가에까지 따라 나오셔서 사전에서 이별할

ᄒᆞᆯ제 누의로 ᄒᆞᆫ지라 ᄒᆞ며 네 나히 마ᄋᆞᆷ [illegible] 쥬기겨 ᄂᆡ셔나
히마ᄋᆞᆯ 표ᄅᆞᆯ 지어 ᄂᆡ여 산나이ᄅᆞᆯ 안이 오ᄂᆞᆫ가 라시ᄂᆞᆫ가
시우간ᄒᆞ라 ᄒᆞ더니 오라 ᄒᆞ지 ᄭᅧ 못ᄒᆞ면 ᄒᆞᆼ여ᄋᆞᆷ 돈
햐하시거든 우리 낭ᄇᆡ 못ᄒᆞ다시 ᄭᅩ 사이라 아ᄭᅡ려나
디쳐오ᄅᆞᆫ 리ᄒᆞᆼ여 거ᄉᆞᆷ도 ᄒᆞᆯ년가 ᄌᆞᄂᆞᆫ ᄂᆞᆫ 일
ᄉᆔ어ᄅᆞᆯ ᄡᅥ 산나 ᄌᆞᆼ우리 낭ᄇᆡ 후 ᄡᅮᆯ 미ᄉᆞᆯ
ᄌᆞ안 잘 가거라 ᄒᆞ시니 말ᄉᆞᆷ 키ᄂᆞᆷ가 길ᄂᆞᆫ 나 [illegible]
난다 ᄒᆞ고 ᄒᆞ슈 ᄑᆞᆯ 월ᄂᆞᆫ에 ᄒᆞ셰ᄋᆞᆼ 이 간ᄋᆡ 예 ᄯᅵ 오시 ᄒᆞ다
가오가 ᄋᆡ ᄒᆞᆫ치라 어ᄎᆡᆨ 황ᄒᆞᆯ ᄲᆞᆫ가 삽기 칠
연ᄃᆡ ᄒᆞᆫ 공가ᄋᆞᆼ 우가 이우 제러ᄒᆞ 올가 이ᄅᆞᆯ 아ᄋᆞᆼ 유

제, 누슈로 하직하며,

네 나히 망칠지연, ᄂᆡ 나히 망팔지연 셔산낙일 안이온가? 다시 볼가 시우잔타. 부ᄃᆡ 부ᄃᆡ 오라부지 명츈ᄋᆡ 창영 힝차하시거든 우리 남ᄆᆡ ᄯᅩ 다시 보사이다. 아모려나 ᄂᆡ ᄉᆡᆼ젼ᄋᆡ 창영 거름도 할넌가? 조물도 할 슈 업고, 셔산 낙조 우리 남미 후봉을 밋을손야. 잘 가거라

하신 말삼 지금ᄭᆞ지 들니난 ᄃᆞᆺ. 그 후 츄 팔월에 조성ᄌᆡ 장예 ᄣᆡᄋᆡ 오싯ᄯᅡ가 오가ᄋᆡ 오신지라. 억ᄉᆡᆨ 황홀 반갑삽기 칠연ᄃᆡ한 봉감우가 이 우에 더하올가? 일야유

때, 눈물로 하직하며 말씀하셨지요.

"네 나이는 70세를 바라보는 나이인 61세고, 나는 80세를 바라보는 71세가 되니, 서쪽으로 해가 지는 것과 같아 다시 보는 것이 쉽지 않다. 부디부디 이 큰오빠가 내년 봄에 창녕으로 행차할 것이니 우리 남매가 또 다시 볼 수 있을 것이다. 아무려나 내 생전에 창녕을 또 들릴 것인가? 조물주도 할 수 없고 서산에 지는 황혼이 우리 남매의 재상봉을 믿겠느냐? 잘 가거라."

이렇게 하신 말씀 지금까지 들리는 듯합니다. 그 후 가을 8월에 조성재의 장례 때에 오셨다가 우리 집에 찾아오셨습니다. 가슴이 황홀하여 반갑기로는 칠년의 가뭄에 단비가 내리는 것이 이보다 더하겠습니까? 하룻밤

숩하ᄋᆞᆸ시ᄂᆞᆫ게 여 ᄂᆡ셔 나시와 나아올ᄯᅵ 마ᄅᆞᆯ 유
힌도ᄃᆞ이 거시 아ᄅᆞᆯ 슈이옵나 ᄌᆞ다가 어ᄋᆞᆺ지 되ᄅᆞᆯ ᄃᆞᆫ 어ᄋᆞᆸ
여가 되다 하며 기여 ᄀᆞ 자오ᄂᆞ시니 ᄲᅵ 한셔 ᄎᆞ시
우챤ᄂᆞᆫ 섀ᄯᅳᄀᆞ ᄂᆞᆫ 저ᄅᆞᆯ 연ᄂᆞᆫ 어 ᄒᆞᆫ 야ᄋᆞᆸ 까키 ᄯᅡ라 나가
오ᄅᆞ ᄯᅮ지 어ᄂᆞ지 ᄌᆞ 올다 시 ᄲᅮᆯᄂᆞᆫ 홍옷 하신 말ᄉᆞᆷ
명ᄌᆞ셰ᄂᆞᆫ 이 월은 여놈에 아ᄅᆞᆯ 온 계아 히ᄃᆞᆺ 되 가ᄋᆞᆸ이 내
우리 올ᄒᆡ 사라 마ᄅᆞᆯ 계인 ᄒᆞᆫ 가ᄂᆞᆫᄌᆞ게 ᄲᅵ 상인 어려
오나 그릇 난 나도 가ᄅᆞᆯ 재시나 너도 ᄯᅮ되 ● 오기 ᄒᆞᆫ
여라 당부ᄒᆞ 하시더니 이인 ᄒᆞᆫᄀᆞ 오라ᄯᅮ 아 그ᄯᅢᄂᆞᆫ 내
어ᄲᅥᆯ 되ᄂᆞᆫ 유ᄅᆞᆯ 셔ᄂᆡ 인도 ᄲᅮᆯ 나셔 오 하도 ᄌᆡ려ᄂᆞᆫ 셰ᄒᆞ

슈하압시고 게여코 쎠나시니, 아모리 말유ᄒᆡ도 노인지사 알 슈 잇나. 자다가 엇지 될고, 염여가 된다 하여 기여 기여 가옵시니,

뵈왓쎤가 시우잔코, 셥셥고 결연ᄒᆞ여 효암ᄭᆞ지 ᄯᆞ라나가

오라부지 언ᄌᆡ 쏘 다시 볼고?

호은으로 하신 말삼,

명츈 이월 염이일은 졔아 ᄒᆡ슉 회갑이니 우리 오ᄅᆡ 사라, 말제ᄋᆡ 환갑 보기 셰상ᄋᆡ 어려오니, 그ᄃᆡ난 나도 갈 거시니, 너도 부ᄃᆡ 오기 ᄒᆞ여 당부당부하시던이, ᄋᆡ호 ᄋᆡ호 오라부아, 그 별니 영별될 쥴 ᄭᅮᆷᄋᆡ도 몰나셔요.

하도 겨련 셥셥하여

주무시고 기어코 떠나셨지요. '아무리 말려도 노인의 일을 알 수 있나? 자다가 어찌될까 염려된다.'며 기어코 가셨지요.

뵌 것 같지 않고 섭섭하고 부족하여 효암까지 따라 나가 말씀드렸지요.

"우리 큰오빠 언제 또 볼 수 있을까요?"

그러자 호의와 은덕으로 말씀하셨지요.

"내년 봄 2월 22일은 동생인 해숙의 회갑이니, 우리 오래 살아도, 막내 동생 회갑 보기는 어려울 것이니, 그때는 나도 갈 것이니, 너도 부디 오라." 이렇게 당부 당부 하시더니 슬프고 슬픕니다. 우리 큰오빠 그 이별이 영영 이별로 끝날 줄은 꿈에도 몰랐습니다.

하도 서운하고 섭섭하여,

하여 놋ᄲᅳᆫ이셔 마ᄋᆞᆷ 져ᄂᆞᆫ하니 어나 다ᄉᆞᆺ인가 ᄒᆡᄋᆞ
올나시 어이ᄂᆞᆫ 홀이 ᄭᅳᆫ을 져ᄂᆞᆫ니라 유울 다졍
디ᄋᆞ후(타) 어디가지 가시ᄂᆞᆫ ᄌᆞ민 사치 아디 사셰
시월이 여ᄅᆞᆫ너가셔 ᄲᅧᄋᆞ ᄎᆞᆫ이 다ᄉᆞᆺ치 오면 너오
타 ᄲᅮ다시ᄀᆞ ᄭᅳᆺ가 하ᄂᆞᆯ을 ᄒᆡ이 ᄌᆡ퇴여 ᄊᆞᆺ나 ᄇᆞᆯ
텬[illegible]티나이 힘식 ᄎᆞᆨ장망ᄒᆡ 라자ᄅᆞᆯ 이셔
ᄌᆞᆺ차가이 ᄯᅢᆫ이 ᄲᅡᆫ가오나 년오라 ᄲᅮ안 오시니 ᄇᆞᆯ
참셩히 무ᄉᆞᆼ 일편단심가 치유각 오화 ᄲᅮ
지안오시ᄂᆞᆫ ᄌᆞᆯ 아ᄒᆞᆫ리 ᄋᆞᆺ시면 ᄂᆞᆷ도 오지 아닐 거ᄉᆞᆺ
후뎐가 마ᄋᆞᆷ 싱이나 힘ᄋᆞᆫ 중이 ᄌᆞ난ᄒᆞ이 ᄋᆞᆺ셰이희
졍녀 못하ᄂᆞᆫ 유칠사 ᄆᆞᆯ셔 산마령 ᄒᆞᆼ니 하여

노변ᄋᆡ셔 망젼하니, 어나닷 진기령 올나시이, 일보 이보 불견니라.

유달 다졍 ᄂᆡ 오라부 어ᄃᆡ싸지 가신고? 쥬ᄋᆡ 사지 야ᄋᆡ 사졔 시월이 얼넌 가셔, 명츈이 닷치오면 ᄂᆡ 오라부 다시 다시 보자 하고, 을ᄒᆡ 이월 되여쑤나.

불쳔리 나ᄋᆡ ᄒᆡᆼᄉᆡᆨ 쥭장망혀 단보자로 어셔 어셔 좃차 가이, 이변 반가오나 ᄂᆡ 오라부 안 오시니, 불참 성히 무흥 무흥 일편단심 가가 ᄉᆡᆼ각 오라부지 안 오실 쥴 아랏시면 나도 오지 안일 거로, 후ᄒᆡ가 막심이나 ᄒᆡᆼ동이 걱난ᄒᆞ이, 슈이희 졍ᄂᆡ 못ᄒᆞ고 육칠 삭을 셕산 마령 왕ᄂᆡ하며

길가에서 앞을 살펴보니, 어느덧 진기령을 오르셔서 한 발 두 발 보이지 않았습니다.

유달리 다정하신 우리 큰오빠는 어디 가신 겁니까? 밤낮으로 생각하여, 10월이 빨리 가서 내년 봄이 닥쳐오면 내 큰오빠 다시 다시 보자 하고 1935년인 을해년 2월이 되었습니다.

천 리를 멀다 생각하지 않고 저의 행색은 죽장과 짚신 그리고 한낱 표주박으로 어서 찾아가니, 한편으로는 반가웠지만 내 큰오빠는 오시지 않았으니, 흥이 일어나지 않았고, 오로지 큰 오빠 생각을 하였지요. 큰오빠가 오시지 않았으면 나도 오지 않을 것을, 후회가 막심하나 행동하기가 극히 어려워, 쉽게 정리하지 못하고 여섯 일곱 달을 석산과 마령을 왕래하며

구미 신쥭 하면 신장은 좀여 사가여ᄀᆞ ᄒᆞ다 다
오라ᄂᆞᆫ 부귀 연차
파ᄂᆞᆯ 월은 망후 할가 하여 신유ᄀᆞ 다 세 ᄭᅮᆯ 망은 원
슈세티 신올 할노 만ᄒᆞ연 하여 ᄲᅧᆼ자 시 월연 올
예ᄯᅳ 산을 웅우거 하여 자시ᄀᆞ 온가 다라가나 온가 ᄉᆞ뒤
졍신ᄀᆞ 하나는 향친가 져는 노 날ᄂᆞᆫ 우리 남셔
언리 ᄭᅳᆯᄂᆞᆫ 모라ᄯᅳ 지기위 군ᄉᆞ라 군사 하면 힝셔
나ᄯᅳ 산귀 져ᄋᆞᆯ 하ᄋᆞᆫ일시 우리 남이 신면도 하실 년
가슈야 츅ᄆᆞ 망하여셔 나날 월연ᄋᆡ 샹이를 ᄂᆞ시 ᄉᆞᆼ
젼ᄲᅮ다 ᄂᆞᆫ쥐 이어기 한ᄃᆞ 졀이ᄂᆞᆫ 곰ᄉᆞ 살피ᄯᅳ나 적
실한ᄯᅳ 어ᄇᆡ 이라 ᄉᆞ분도 년ᄇᆞ 쏫도 물에 여ᄉᆞ 간ᄂᆞᆫ

구비구비 싱각하면 싱장 고토 셕산가 역역하다.

팔월 망후 환가하여 싱각 싱각 오라부지 언지 언지 다시 볼고?

원슈 셰틱 싱활노 만연하여, 병자 십월 염오일에 부산으로 우거하여 자식 손자 싸라가니, 온갓 귀경 식식하나 고향 싱각 졀노 나고, 우리 남미 언지 볼고? 오라부지 기치 근력 근사하면 힝혀나 부산 귀경도 하옵시고, 우리 남미 싱면도 하실넌가?

주야 축망하여쓰니 납월 염사일 무심 즁 젼보 닷쳐 엇지 한 곡졀인고? 급급 살피보니, 젹실한 부엄이라. 소문도 닉 못 듯고 애 엇잔

굽이굽이 생각하면, 고향에서 나서 자란 지난 날의 일들이 역력하였습니다.

추석이 지난 후 집으로 돌아와 고민을 거듭하여 큰오빠를 언제쯤이면 다시 볼 수 있을꼬?

원수같은 세태가 되어 생활의 노동이 만연하여 1937년인 병자년 10월 15일에 부산으로 이사하여 자식 손자 따라가니, 온갖 구경을 세세히 하나, 고향 생각이 저절로 나고, 우리 남매 언제 볼꼬? 우리 큰오빠 기력과 힘이 이전과 비슷하시면 혹시나 부산 구경도 하시고 우리 남매 다시 생전에 볼 수 있을려나?

밤낮으로 축원하고 빌었더니 1월 24일에 뜻밖에 전보가 왔으니, 이 무슨 곡절인가, 급하게 살펴보니 부음이 확실했습니다. 아무런 소식도 듣지 못하다가 이 어떠한

ᄯᅥᆫ다 올ᄒᆡ 쳔ᄒᆞᆫ 죄 ᄒᆞ야 간 안ᄒᆞᆼ 아이 외ᄂᆞᆫ 이ᄅᆞᆯ 인ᄂᆞ니
너 오라ᄇᆞ 참혹이 셰상ᄋᆞᆯ ᄇᆞ려 나신가 어ᄃᆡ ᄯᅦ 져 흉ᄒᆞ
기ᄒᆞᆼ 편지 가ᄒᆞᆫ 셕 ᄒᆞᄂᆞᆫ 이ᄅᆞᆯ 워ᄂᆞᆯ 나ᄇᆞ 당ᄒᆞ다 ᄒᆞ인ᄂᆞ니
너 오라ᄇᆞ 죤이ᄂᆞᆫ 셰음 ᄒᆞ일ᄒᆞ시다 시ᄭᆞᆫ ᄀᆞᆺ 지ᄋᆞᆯ
ᄂᆞᆫ 인ᄂᆞᆫ 오라ᄇᆞ 오ᄌᆞ 원ᄂᆞᆫ 션ᄂᆞᆫ 다ᄒᆞ나 ᄒᆞᆺ가셔 너 오라ᄇᆞ
다시 볼가 ᄭᆞᆫ이 나가 ᄆᆡ야 ᄒᆞ며 ᄭᆞᆫᄂᆞᆫ 몰ᄒᆞᆫ 너
두자셔 시ᄂᆞᆫ 나니 어ᄯᅥᆫ ᄒᆞᆷ 지 이 사ᄂᆞᆫ 니 지
원ᄂᆞᆫ 호ᄅᆞᆯ ᄒᆞ여 가ᄂᆞᆫ 슈어ᄂᆞᆫ 기록 훈ᄒᆞ 팔ᄂᆞᆫ 치ᄅᆞᆯ ᄒᆞᆼ
슈ᄒᆞ여 시 나종 기 간 ᄯᅢᄂᆞᆫ 원 셔 ᄃᆡ 원ᄂᆞᆫ 지가 마ᄂᆞᄂᆞ
ᄒᆞ다 ᄒᆞ인ᄂᆞᆫ 너 오라ᄇᆞ 다려 ᄒᆞ시ᄂᆞᆫ 죤이ᄂᆞᆫ 이며 ᄆᆡᆼ 할
ᄒᆞ시ᄂᆞᆫ ᄒᆞᆫ 쟝 ᄋᆞ어 나 [illegible] 편ᄂᆞᆫ 어ᄂᆞᆫ 다시 ᄡᅳᆯ ᄃᆞᆺ 자ᄋᆞᆯ ᄂᆞᆫ 라ᄂᆞᆫ 신

변괴올고? 쳔호지호야, 진야몽야 이 왼 일고? ᄋᆡ고 ᄋᆡ고 ᄂᆡ 오라부 참으로 이 셰상을 써나신가? 업써져 통곡 기함 쳔지가 합식하고 일월니 무광하다.

ᄋᆡ고 ᄋᆡ고 ᄂᆡ 오라부 존안 셩음 하일 하시 다시 보고 듯자올고? ᄋᆡ고 ᄋᆡ고 오라부요. 구원 션당 나도 가셔 ᄂᆡ 오라부 다시 볼가? 길이 나 가작하면 분곡으로 ᄂᆡ 드가셔 시신니나 영별하지. 이삼 빅 니 장원 도로 글역 갈 슈 업고, 기록 츈추 팔칠 향슈하여시나, 동기간 별윤 서럼 쳔지가 막막하다.

ᄋᆡ고 ᄋᆡ고 ᄂᆡ 오라부 다졍하신 존안이며 명찰하신 하교 셩엄 어나 쳔연 다시 보고 듯자올고? 한심

변고입니까? 하늘이여 땅이여, 꿈인가 생시인가, 이 무슨 일인가? 내 큰오빠 참으로 이 세상을 떠나신 건가? 엎드려서 통곡하니 하늘과 땅이 막막하고 해와 달이 빛을 잃은 것만 같았습니다.

아이고 아이고 내 큰오빠, 그 얼굴과 목소리를 언제쯤 다시 보고 들을 수 있겠습니까? 아이고 아이고 큰오빠, 나도 저승에 있는 좋은 곳으로 가 내 큰오빠를 다시 볼까? 길이 나서 갈 만하면 골짜기로 들어가 시신이라도 영원히 이별할 것이거늘, 이삼백 리나 멀리 떨어져 있어서 갈 수 없습니다. 비록 81세를 사셨지만 남매간의 별세는 그 서러움이 하늘과 땅에 막막합니다.

아이고 아이고 내 큰오빠, 다정하신 존안이며 밝은 안목으로 하시는 가르침과 음성을 어느 세월에 다시 보고 들을 수 있겠습니까?

ᄃᆞᆫ가 어마님 예라 이월 망일은 앙ᄯᅢ 시인지 ᄎᆔ 못 가올
나ᄒᆞ이 기리며 ᄃᆡ려 가올 ᄎᆔ어ᄂᆞᆫ ᄭᅮᆷ 드ᄅᆡ이 ᄋᆡ여 사ᄂᆞᆫ 가[illegible]
서 ᄃᆞᆫ 녀ᄅᆞᆯ 이나 ᄒᆞᆫ시 워긔ᄂᆞᆫ ᄯᅢ ᄒᆞ여 도ᄅᆞᆯ 못ᄒᆞ
위드니 우리 ᄭᅮᆷ 부모ᄎᆔ니와 치ᄉᆞᆯ ᄒᆞᆯ ᄒᆞᄂᆞᆫ 샹예 ᄉᆞ뢰
[illegible] ᄃᆞᆯ니 오이ᄂᆞᆫ 니오라 ᄭᅮ ᄲᅡᆫ우 ᄃᆞ니 웬
왕ᄎᆔ 어더 주ᄂᆞᆫ 샹예 ᄉᆞ뢰 어이ᄒᆞ올ᄂᆞᆫ ᄃᆞᆫ닥을려
우잔ᄂᆞᆫ 인ᄂᆞᆫ 니오라 ᄭᅮ 나ᄂᆞᆯ 몬ᄎᆔᄅᆞᆯ 아올 어시 못 ᄲᅮ라
지뎌 흉ᄃᆞ긔 짐 ᄀᆞᆫ ᄃᆞᆯ 싱졔ᄃᆞᆫ다 가ᄒᆞ시며 못 잘ᄒᆞ나
ᄲᅡᆫ 기 실은 가원 ᄠᅧᆼ니 ᄃᆡᆫᄎᆔ 하이 이ᄆᆞᆯ 어보이 이ᄉᆡᆼ 올 가알
언웅 ᄃᆞᆫ 어보 사시나 허랑하ᄂᆞᆫ 시ᄅᆞᆯ 무ᄃᆞ라 못ᄒᆞ 一 흉 허 一

코 가업어라. 이월 망일 양예시ᄋᆡ 진쥬로 갈나ᄒᆞ이, 기리 며려 갈 슈 업고, 부득이 셕산 가셔 관결이나 하고 시워 진영 역하여 도곡으로 후워드니 우리 부모 모소니라.

ᄉᆡ롭고 통곡 통곡 상혀 소ᄅᆡ 들니오이 ᄋᆡ고 ᄋᆡ고 ᄂᆡ 오라부 반 무담원왕 소리 어ᄃᆡ 두고 상혀 소ᄅᆡ 어인 일고? 관곽을 더우잡고 ᄋᆡ고 ᄋᆡ고 ᄂᆡ 오라부 날 온 쥴 알어시요? 부라지져 통곡한들 ᄉᆡᆼ젼과 갓흐시면 오작히나 반기실가? 유명이 현수하이 알엄이 잇사올가? 일언 응답 업사시니 허황하고 실푸도다.

오호 통ᄌᆡ 통ᄌᆡ

쓸쓸한 마음에 가여움을 이기지 못하겠습니다. 2월 15일 두 딸과 진주로 가려 했는데 길이 멀어 갈 수 없고 어쩔 수 없이 석산에 가서 관 이별이나 하려고 진영에서 반대로 돌아와 도곡으로 가니, 우리 부모님 묘소가 있었습니다.

새롭게 통곡하는 상여소리 들려오니, 아이고 아이고 내 큰오빠, 워낭소리는 어디 두시고, 상여소리 어인 일입니까? 관을 겨우 잡고, 아이고 아이고 내 큰오빠, 저 온 줄 아시나요? 부르짖어 통곡한들, 살아계셨다면 오죽이나 반기실까? 이승과 저승이 판이하니 아는 것이 있을 것인가? 한마디도 응답하지 못하니 허무하고 슬프도다.

아아 슬프고 슬프도다.

라어나닷만여뉴칠 하난하난페옵고후이빤ᄒᆞᆫ하
여써사시니 뎌후ᄅᆞᆯ하ᄂᆞᆫ애긔ᄒᆞ 하다히ᄒᆞ니 보오라ᄭᅮ쳐ᄭᆡ
쑨뱅칭이ᄅᆞ두도못하오며이거ᄉᆞ로ᄃᆞᆼ신이ᄀᆞ이리ᄂᆞ오
라ᄭᅴ안졔ᄒᆞ시니우티난칠졍조이ᄒᆞ난사랑편지이ᄅᆞᆯ자부
쑨하이허ᄭᅳᆺ부시ᄅᆞᆯ무ᄉᆞ나오ᄒᆞᆫᄃᆞᆼ신니나인가옥
져ᄋᆡ서ᄂᆞᆫ다ᄋᆡ조상ᄭᅮ보다ᄒᆞ시ᄂᆞᆫ싱견 출쳐ᄂᆞᆫ디ᄒᆞ오시
로ᄒᆞᆫ경신ᄂᆞᆫ져ᄋᆡ다ᄒᆞ시ᄂᆞᆫ뎌지ᄂᆞᆫ행ᄎᆔ만디시랑우리지졍
의엿써시며쳔금보뫼기ᄇᆞᆫ군만년ᄒᆞᆷ축자ᄒᆡ다하시ᄂᆞᆫ
우리소쳐ᄒᆞᆼ참봉도빤가이상봉하여싱쳔가ᄭᅴ

라. 어나닷 만연 유툭 하관하고 평통 후ᄋᆡ 반혼하여 써나시니 허훌하고 썹썹하다. ᄋᆡ호 ᄋᆡ호 ᄂᆡ 오라부 혓분 병쳥 일곡도 못하오니, 이것도 동ᄉᆡᆼ인가? ᄋᆡ고 ᄋᆡ고 ᄂᆡ 오라부 안 게시이 우리난 친정도 업난 사람 편지 일자 무문하이, 혓부고 실푸구나.

오호 통ᄌᆡ 통ᄌᆡ 나ᄋᆡ 가가 유경 션당ᄒᆡ 조상 부모 다 못시고 ᄉᆡᆼ젼 츌쳔 ᄃᆡ효 시로 혼졍신졍 다 ᄒᆞ시고 ᄂᆡ 진형쥬 만ᄂᆡ시와 우ᄋᆡ지졍 엇쎠시며 쳔금 교셔 김군 만ᄂᆡ 흠쪽 ᄌᆞᄋᆡ 다하시고, 나ᄋᆡ 소쳔 양 참봉도 반가이 상봉하여 ᄉᆡᆼ젼갓치

어느덧 천천히 하관한 후 흙을 다지고 반혼하여 떠나가니 허허롭고 섭섭하였습니다. 슬프고 슬픕니다. 내 큰오빠 빈소에서 한 번도 곡하지 못했으니 이걸 동생이라 할 수 있겠습니까? 아이고 아이고, 우리 오라버니 안 계시니 우리는 친정도 없는 사람이 되어, 편지 한 글자도 쓰지 못하게 되었으니 헛되고 슬픕니다.

아아 가슴이 아프고 또 아픕니다. 우리 큰오빠가 저승에 가서 조상 부모님 다 모시고, 살아서는 하늘이 낸 큰 효자였으니, 밤낮으로 문안 인사를 드릴 것이며, 언니를 만나셔서 우애의 정을 나눌 것입니다. 천금같이 귀한 사위인 김군을 만나 자애를 베푸시고, 내 남편인 양 참봉도 반갑게 상봉하여 살아있을 때처럼

쳑〻 하날가 츅슈〻 ᄒᆞᆫ 원이 며ᄂᆞᆯ 호ᄉᆞ〻 오라ᄇᆞ오
님의 ᄆᆞᄋᆞᆷ이 됩ᄭᅵ 동거하시다가 우리 형졔 ᄯᅥᆫ 후
을 ᄲᅡᆫ주시ᄂᆞᆫ 쟝한 강시ᄂᆞᆫ이 혼미 낙당하여 회포
위할하시ᄂᆞᆫ 졍마ᄋᆞᆷ이 오며 ᄀᆞ기 한시ᄂᆞᆫ 실무ᄌᆞ다 ᄋᆡ가시
원ᄂᆞᆫ나 챵파유슈라 ᄒᆞ여 가ᄂᆞᆫ 셤시쟝이 이ᄂᆞᆫ 초가 ᄉᆞ리다 되
여셔 쳘ᄂᆞᆫ니리계 당하오나 뎌ᄂᆞᆫ 망극〻 ᄉᆞ뒤난
군졀ᄀᆞ 이융회하여 의오ᄆᆞᆯ 참ᄉᆡ요〻ᄂᆞᆫ 한ᄂᆞ시ᄂᆞ〻
오라ᄇᆞ 젼너 소혀로 ᄑᆞᆫ리 [illegible] 졔ᄆᆞᆫ 상아ᄂᆞᆫ 기로ᄉᆡ
아ᄅᆞᆯ의 오ᄂᆞ 이거ᄉᆞ나 자난마지 마ᄌᆞ이 가인 호ᄉᆞ〻
님 오라ᄇᆞ 싱쳐ᄂᆞᆫ다가 ᄋᆞᆺ호ᄋᆞᆸ며 ᄂᆞ자ᄋᆡ셔 혼다 ᄒᆞ여
우리 나ᄆᆞ셔 사ᄯᅢ며 ᄂᆞᆫ난가기여 ᄉᆞᆫ만하ᄋᆞᆸ지 가지ᄂᆞᆫ 뎌
ᄃᆞᆫ가 다이여ᄂᆞᆫ 소인ᄂᆞᆫ〻 오라ᄇᆞ 오ᄂᆞ 호슈이〻 가오리와
후쳬에 나ᄂᆞᆫ ᄂᆞ 형졔 뎌여여우 졔ᄂᆞᆫ 한도리 군자되
에 다지 뵉셰 안ᄂᆞᆨ하자이다 구ᄂᆞ 인ᄃᆞ 된셰ᄅᆞᆯ 어ᄆᆞ만 ᄇᆞᆫ리일
노ᄒᆞᆼ오나 ᄇᆞᆯ뎌하시ᄂᆞᆫ 촌여ᄋᆞᆫ셰기 흐졀하시리ᄎᆞ

오ᄌᆞ 홍진 샹향

혁혁하기 츅슈 츅슈 발원이며, ᄋᆡ호 ᄋᆡ호 오라부요. ᄂᆡ외분이 ᄇᆡᆨ셰 동거하시다가 우리 형주 션후를 밧구시고 장탄 상심ᄋᆡ 혼미 낙담하여 ᄒᆡ포 위황하신 소문ᄋᆡ 오렷기 한심코 실푸도다.

상가 시월니 창파 유슈라. 어언간 삼상이 일조갓치 다 되여셔 쳘빈지졔 당하오니, 덧업고 망극 망극 소ᄆᆡ난 근력이 융쇠하여 외오 불참 셥셥고 한심 한심. 오라부 젼 ᄂᆡ 소회로 편지 겸 제문 삼아, 공지로 알외오니, 이것도 니자난 마지막 쥭이가? ᄋᆡ호 ᄋᆡ호 ᄂᆡ 오라부 ᄉᆡᆼ젼과 갓흐시면, 만지 장셔 회답하여, 우리 남ᄆᆡ 셔사 반면 반갑기 엿써만 하오릿가? 실푸고 가이업소.

ᄋᆡ고 ᄋᆡ고 오라부요. 나도 슈이 슈이 가오리다. 후셰에난 남형제 되여 형우제공하고 도덕군자 되여 다시 ᄇᆡᆨ셰 안낙하사이다. 구곡ᄋᆡ ᄆᆡ친 셜엄, 만분지일노 ᄒᆞ오니, 불ᄆᆡ하신 존영은 셔기흠격하시릿가?

오호 통ᄌᆡ 상향.

빛나시기를, 축원하고 축원합니다. 슬프고 슬픕니다 큰 오빠, 큰오빠 부부가 백세동거하시다가 우리 큰오빠가 선후를 바꾸시고 먼저 별세하셔서, 올케 언니가 길게 탄식하시니, 혼미하고 낙담하여 한 해 넘게 위중하다는 소문이 들리니 쓸쓸하고 슬픕니다.

상을 당한 집안의 세월은 흐르는 시냇물 같아, 어언 대상날이 하루아침같이 되어, 빈소를 철거할 때에 이르니, 덧없고 끝없는 슬픔이 밀려듭니다. 저는 근력이 떨어져 이에 참석하지 못하였으니 섭섭하고 한심합니다. 큰오빠 앞으로 제가 품은 마음을 편지 겸 제문으로 모두에게 아뢰오니, 이것도 이제는 마지막입니까? 슬프고 슬픕니다. 내 큰오빠, 생전과 같다면 만장의 편지로 답신하여 우리 남매의 편지가 반갑기 어떻겠습니까? 슬픔이 끝없습니다.

아이고 아이고 우리 큰오빠, 저도 얼마 안 있어 가겠습니다. 후세에는 남자형제로 태어나, 형은 사랑하고 동생은 공경하며 도덕군자가 될 것이니 다시 백세동안 안락하게 즐기셔요. 가슴에 맺힌 서러움 만분의 일이나마 표현하니, 깨어있는 혼령께서는 이를 살펴보고 계십니까?

아 슬픕니다. 부디 이 제물을 받으십시오.

감상 및 해설

6남매 가운데 큰오빠의 영전에, 열 살 아래인 누이동생이 바친 제문이다. 시집가서 고생하는 여동생을 위해 마음 써 준 오빠에 대한 고마움이 특히 인상적이다. 남편이 먼저 세상을 떠나 곤궁하게 살아가는 자신을 아버지 대신 챙겨준 오빠이기에 무척 따랐다는 게 잘 드러나 있다.

작고하기 1년 전, 부친 제사 때 남매가 모였다 작별할 때, 눈물을 흘리면서 오빠가 했다는 말은 참 애틋하다.

> 네 나이는 70세를 바라보는 나이인 61세고, 나는 80세를 바라보는 71세이니, 다시 보는 게 쉽지 않다. 내년 봄에는 (여동생 회갑으로) 내가 창녕에 갈 것이니, 또 다시 볼 수 있을 것이다. 그런데 내 생전에 창녕을 또 들릴 수 있을까? 잘 가거라.

있을 때 잘하라는 말처럼, 미루지 말고 오고가며 동기간의 사랑을 나눌 일이다. 이 누이동생은 창녕에서 오빠를 만나지 못했으며, 얼마 후 대신 부음을 듣는다. 부모가 우리를 기다리지 않듯이 동기간도 마찬가지다.

10. 할머니 영전에

1948년, 박재연 교수 소장, 세로 33.7㎝, 가로 41.5㎝

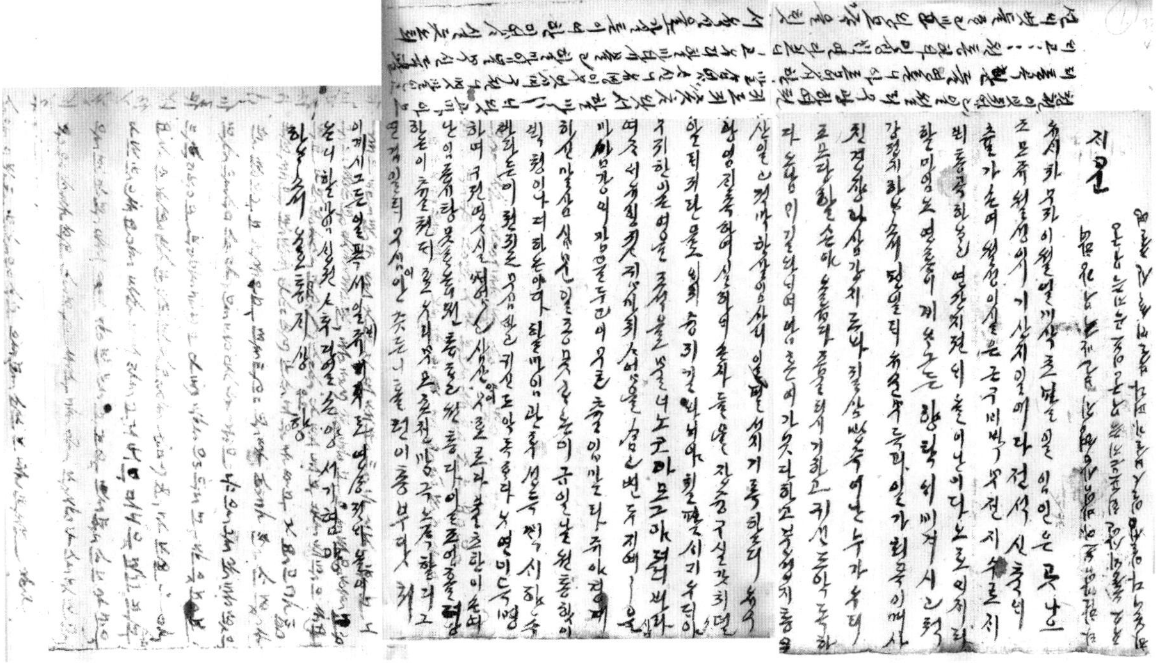

제문

[illegible]

유세차 무자 이월 열새 삭 초열흘 임인은 곳 날오

조모쥬 쉘셩이시 가 상지 일에 다 전석 신축던

츌가 손여 쉘셩이실은 근구 며박 꼿 전지 수로 지

뵈흠 국한 놓일 영찬치 젼 퇴 츌이 난에다 노로 외쳐라

할미 엄노 영웅이 계숩는 항락 쉬 배저 시는 척

강쳔지 하노 슈화 됨일 티 유손 부득 파 일가 회공이 떼사

칭견쟁 하시 삼가치 근반 지을 삼 빠축에 난 누가 숭대

조모당 할 손아 노흠다 조흘 하시 기허고 키쎈 두한 국하

다 손님 미길 되니며 엄혼에 가옷 다하고 부흥지 흥음

산일은 적바 항샹이고 사러이을 떨 쉬지 기록한도다 유수

향영 친축하여 살피쉬 손자들을 장충 구실 가퇴덜

알티하단을 노 뵈흥이 길 퇴비여 흴풍시기 우도이

ᄌᆡ문

유ᄉᆡ차 무자[34]이월 얼미삭 초팔일 임인은 곳 나으 조모주 월성 이시 기상지일이라. 전석 신축ᄋᆡ 츌가 손여 월성 이실은 근구비박 부전지수 근구비박부전지수[35]로 ᄌᆡ비 통곡하옵고 영상지젼ᄋᆡ 올이난이다.

오호 ᄋᆡᄌᆡ라 할마임요. 영혼이 계옵그든 향탁ᄋᆡ 비겨시고, 척강 정지하옵소셔. 평일ᄅᆡ 유순부득[36]과 일가 화목이며, 사친경장[37]과 삼강지도와 질삼 방즉 어난 누가 우리 조모 당할손야. 오호라. 조물리 시기하고 귀신도 악독하다. 오남ᄆᆡ 길와 ᄂᆡ여 남혼여가 못 다하고, 붕성지통 무산일고. 적막한 살임사리 일필서지기록할다.

유수 광영 ᄌᆡ촉하여 실하ᄋᆡ 손자드을 장즁 구실 갓치 덜 알ᄅᆡ 지란으로 ᄋᆡ지즁지 길와 ᄂᆡ야, 칠팔 ᄉᆡ ᄀᆡ우 ᄃᆡ야

제문

아, 무자년(1948년) 2월 8일은 곧 내 할머님인 월성 이씨의 1주기입니다. 그 전날 저녁에, 출가한 손녀 월성 이실은 삼가 변변치 않고 온전치도 못한 제물을 갖추어, 절하고 통곡하면서 영전에 올립니다.

아, 애통합니다. 할머님의 영혼이 계시거든 향로상 위에 내려오셔요. 평소에 보여주신 유순한 부덕과 일가 화목이며, 시부모님 모시고 어른 공경하신 것이며, 삼강의 도리와 길삼 방적에서, 그 어느 누가 우리 할머님을 당할까요?

아, 조물주가 시기하고 귀신도 악독해라. 5남매 길러내어 아들 딸 시집 장가 못 보낸 채, 붕성지통 즉 성이 무너지는 슬픔처럼, 당신이 돌아가셨으니, 이 무슨 일인가요? 적막해진 살림살이에 대해 붓을 들어 기록합니다. 흐르는 물같은 세월이 자꾸만 재촉하여, 슬하의 손주들을 손바닥 속의 구슬같이, 뜰 아래 지초와 난초같이 애지중지 길러내었지요.

7~8세 겨우 되어,

34 무자 : 1948년.

35 근구비박부전지수(謹具菲薄不全之羞) : 삼가 변변치 못한 제수를 갖춤.

36 부득 : 부덕(婦德)의 오기.

37 사친경장(事親敬長) : 어버이를 섬기고 어른을 공경함.

우리한 이ᄅᆞᆫ 영은 ᄌᆞ식을 ᄭᅮᆯ너 노구마 모그야 뎌려 써라
여ᄎᆞ 시뉴힝킷 지ᄉᆡ쉬ᄉᆞ 서ᄋᆞᆯ을 솜은 번 두 지예 ~ 올심
계ᄉᆞᆷ 강이 ᄌᆞᆼ을 두면 이 우ᄅᆞᆯ 출입 마ᄅᆞ다 ᄒᆞ야 장ᄯᅢ
히신 말ᄉᆞᆷ 시ᄉᆞᆷ ᄒᆞᆫ 일ᄋᆞᆯ 중 못 ᄒᆞᄂᆞᆫ이 큰 일ᄂᆞᆯ 원ᄒᆞᆫ 회이
ᄉᆡᆨ 횡이나 더 ᄒᆞᄂᆞᆫ 아ᄒᆞ여 될ᄯᅢ마이ᄆᆞᆫ 관후 성은 씩 시 ᄒᆞᆫ슈
캐ᄅᆞ던이 ᄃᆞᆫ길로 무섬ᄒᆞᆫ 기신 도 악독ᄒᆞ다 ᄒᆞ 연미ᄃᆞᆨ 맹
ᄒᆞ여 구헌 ᄆᆞᆼ시 셜 ᄡᅥᆯ여 ᄉᆞᆫ 사산 약이 ᄭᅡᆺ 고 ᄅᆞ다 ᄂᆞᆯ ᄒᆞᆫ이 순ᄒᆡ
난 임 ᄌᆞ뉴 탕 못ᄒᆞᆫ 된 흉ᄌᆞᆯ 싸 ᄒᆞᆼ다 이를 도 엇줄 뎡ᄒᆞᆼ
ᄒᆞᄂᆞᆫ 이 출쳔 되 ᄌᆞᆯ ᄂᆞ히ᄭᅡ 으 ᄒᆞᆫ쳔 ᄭᅢᆼ국 본ᄌᆞ 할리 고
연 ᄭᅧ 이 일 ᄅᆞ니 무섬이 연 ᄀᆞᆺ ᄃᆞᆫ ᄂᆞ ᄒᆞᆯ 편이 ᄒᆞᆼ 부ᄒᆞᆺ 체

무지한 일여을 조석으로 불너 노코,

"아모그야 더러 바라. 여ᄌᆞᄋᆡ 유힝지사 집사 취ᄉᆞ 업을 ᄉᆞᆷ고, 변두지예[38] 지예을 삼마, 삼강ᄋᆡ 맘을 두고, 이무론 츌입 말라."

쥬야 경계하신 말삼, 십부일종[39] 못ᄒᆞ온이, 금일날 원통함이 빅청이나 더 하온이다. 할마임 관후성득 빅ᄉᆡ 향수 바라든이 천지도 무심하고 귀신도 악독ᄒᆞ다. 우여이 득병하여 구저영사 씰ᄯᅵ업고 삼산약이 무효로다.

불초한 이 손여난 임종시탕 못ᄒᆞ온이 원통ᄒᆞ고 원통다.

일조엄홀당하온이 츌천ᄃᆡ효 우리 부모 호천망극 오죽할리. 그연 검일ᄅᆡ 무심이 안즛든니 홀런이 총부 닷처

무지한 딸아이 하나를 조석으로 불러 놓고는 이렇게 가르치셨죠.

"아무개야 들어 봐라. 여자가 마땅히 해야 할 일 가운데, 밥하는 일을 업을 삼고, 변두지례(籩豆之禮) 즉 제사 지내는 일을 지식으로 삼아, 삼강에 맘을 두고, 함부로 나다니지 말거라."

이렇게 주야로 단속하신 말씀, 열 가운데 하나도 순종하지 못했으니, 오늘 원통함이 백 배 천 배나 더합니다. 할머님께서는 너그러우시고 덕망이 높아 백세를 누리시리라 바랐더니, 천지도 무심하고 귀신도 악독하여라. 우연히 병을 얻어, 신령을 모신 집에 빌어도 쓸데없고 백약이 무효였습니다.

불초한 이 손녀는 임종은 물론 약 수발도 못하였으니, 원통하고 원통합니다.

하루아침에 상을 당하였으니, 하늘이 낸 효자 효부인 우리 부모님, 호천망극 하늘을 우러러 울부짖는 그 망극한 슬픔, 오죽할까요? 그해 오늘 무심히 앉아 있었더니

38 변두지예(籩豆之禮) : 제사 때 쓰는 그릇인 변(籩)과 두(豆)를 아울러 이르는 말.

39 십부일종(十不一從) : 열 가운데 하나도 순종하지 못함.

되옵ᄉᆞ 황ᄒᆞᆫ 듯 엿ᄌᆞᆸᄂᆞ니 아ᄒᆞᄅᆞᆷ 어ᄉᆞ ᄒᆞᆫ 말ᄉᆞᆷ 엿ᄌᆞᆸ 산나 ᄂᆡ 병이 무 업ᄉᆞᆸ셔 구천나 ᄭᆡᆺ 말ᄉᆞᆷ이고
되고 ᄒᆞᆫ 첨 ᄒᆞᆼ ᄒᆞ다 일성 ᄇᆡᆨ연 다ᄒᆞᆯ너 ᄒᆞ고 ᄂᆞ려 ᄒᆞᆯ ᄯᆡ 다ᄒᆡ 쓸ᄃᆡ ᄒᆞᆯ 말이 ᄯᅩ 못 ᄒᆞ 드ᄋᆞᆸ
션비 벗들 ᄒᆞ리 ᄯᆡ 왕모 ᄌᆞ 을 힛 서ᄒᆡᆼ 산을 ᄭᅩ 갈 ᄃᆞᆫ이며 ᄒᆞᆫ이 업ᄉᆞ 실 듯 ᄒᆞ외
다 ᄒᆞᆯ ᄆᆡᆼ얘 ᄒᆞ야 ᄇᆞᆷ이 상 ᄒᆡᆼ치 못 ᄒᆞ나 무강 ᄒᆞ여
ᄒᆞ오 ᄉᆞᆼ 비상 ᄒᆡ 우ᄂᆞᆫ지 ᄌᆞ 무궁이오 곡지 ᄌᆞ 무궁
ᄒᆞ옵니다 일성 일ᄉᆞ 보ᄉᆞᆯ가 ᄑᆡ다 ᄇᆞᆯ ᄆᆡ ᄉᆞ 신 ᄌᆞᆯ 연
이 계시그든 일 ᄑᆞᆯ ᄉᆞ 일ᄌᆞ 릔 ᄌᆡ 회 ᄒᆞ로 엿ᄉᆞᆼ 잣아 ᄂᆞᆯ 여 ᄂᆞᆫ 도
ᄃᆞᆫ니 ᄒᆞᆯ ᄆᆡᆼ얘 신원ᄉᆞ 후 ᄃᆡ 엇 ᄉᆞᆫ 양 서기 ᄒᆞᆸ 마옵
ᄒᆞ오 ᄉᆞ 어ᄋᆞᆯ 노 ᄒᆞᆷ ᄌᆞ 상 향

청천이 빗취업고 일월리 무광하여 천지도지 좃ᄎᆞ 왓서

할마 할마 ᄂᆡ 왓고마.

아모리 통곡한드 영혼니 아름업서 한 말솜이 업ᄉᆞ신니 유명이 무엇시며 구천이 몇 말인고. ᄋᆡ고 ᄋᆡ고 원통하다.

인ᄉᆡᆼ ᄇᆡᆨ연 다 보ᄂᆡ고 우리 할마 다시 볼고. 할마임 널부신 득팔선ᄋᆡ 볏들 ᄒᆞ고, 마고 왕모 쑥을 힛서, 육신을로 가실튼이 여한이 업ᄉᆞ실 듯.

오회라 할마임요. 아바임 삼형ᄌᆡ 만수무강하여 주소. 오ᄌᆞᆼᄋᆡ 사인 회포은 지즉 무궁이요. 곡지 즉 무궁하온니다. 일ᄉᆡᆼ일ᄉᆞ 불가피라.

불ᄆᆡᄒᆞ신 죤영이 계시그든, 일폭서 일ᄇᆡ쥬로 영ᄉᆞᆼ 전ᄋᆡ 올이온니, 할마임 ᄉᆡᆼ전 사후 다 알손양. 서기[40] 험양하ᄋᆞᆸ소서.

오호 통ᄌᆡ 상[41] 향[42].

홀연히 부고 통지가 이르렀습니다. 푸른 하늘이 빛이 없고, 해와 달도 캄캄해져, 엎어지며 자빠지며 달음질쳐 왔지요.

"할머니 할머니 저 왔구만요."

아무리 통곡한들 영혼이 알 리 없어, 한 말씀도 없으시니, 이승과 저승이 무엇이며, 구천이 몇 만 리란 말입니까? 애고 애고 원통합니다.

인생 백년 다 보내고, 우리 할머니 다시 볼 수 있을까요? 우리 할머님, 저 하늘나라에서, 선녀가 된 친구들 많고, 마고할미와 서왕모님과 벗하고 계실 테니, 아마도 여한이 없으실 듯합니다.

아, 할머님, 우리 아버지 3형제 만수무강하게 해 주세요. 오장에 쌓인 회포를 기록하려니 끝이 없고, 곡을 하자니 무궁합니다. 한번 태어났으면 한 번 죽는 것은 불가피한 일입니다.

어둡지 않으신 영령님, 지금 계시거든, 이 한 폭의 글과 한 잔의 술을 영전에 올리오니, 할머님은 살아계실 때나 돌아가셨을 때나 다 아시리라 믿습니다. 바라옵건대, 마음껏 드십시오.

아, 애통합니다. 흠향하십시오.

---

40 서기(庶幾) : 바라기는.

41 상(尙) : 바라옵건대, 두루두루, 빠짐없이.

42 향(饗) : 흠향하십시오.

감상 및 해설

할머니 영전에 바친 제문이다. 주지하듯 부모는 자식을 가르칠 수 없다고 한다. 욕심이 앞서서 피차 역정을 내기 쉽다. 공연히 부모 자식 간의 사이만 멀어지기 일쑤이다.

하지만 조손 관계는 다르다. 할아버지와 할머니는 그저 맹목적인 사랑으로만 대하므로 부작용이 없다. 이 제문의 주인공인 할머니는 부모를 대신하여 손녀를 가르쳤다. 그 할머니가 가르친 내용은 이렇다.

> 아무개야 들어 봐라. 여자가 마땅히 해야 할 일 가운데, 밥하는 일을 업을 삼고, 변두지례(籩豆之禮) 즉 제사 지내는 일을 지식으로 삼아, 삼강에 맘을 두고, 함부로 나다니지 말거라.

어린 손녀가 이렇게 자라기를 바라, 이렇게 수시로 일깨웠다고 한다. 그런 할머니의 교육이 뇌리에 남아, 할머니 영전에서 복창하듯 회고하고 있다. 성공한 교육이라 하겠다. 사랑으로 하는 교육이라 그랬으리라.

11. 어머니 영전에

1951년, 도재욱 님 소장, 세로 27㎝, 가로 98㎝

슈셰하신모칠월올해삭이삽칠일션츅하야
현비슈시인생쥬하시좀상지일졔샹경하출가애슈졍
쥬안슬일배쥬갓촉하셔
평좌젼재배하는슈한환사양하여왈요호동재해환하
다●인간만사허환고나세월은어이고리무정하여
고확은어이고리느라못하는고이위본계셔잠는슈
리사남매자하날제천지갓치쟝원하온하해갓치
부둉하여부모를셤뜻한대세상사모르고는현년
만년하도갓치동낙태평하올출로바라셔갓치비
덧더니유슈갓치가난광음매인곳업시흘너치ᄂᆞᆫ
조장셩함에하나둘출가하여어난덧상혱
졔다●션혼동하여셔남북제각곳다흣터지는어난
년셰고리놉시와현지앙친수불하는혈ᄂᆞᆫ단신
져동생셰업ᄂᆞᆫ시난세즁에준을모라즁병가지
일시행낙할길업시누대는한번려두는탄관객
지졀되업시이리저리소략가하여덧업시시자하
니신세도가련하는생활도한심하다무슨팔자기
박하여조실부모망극한중세상조차불효한대
친쥐자거나리는부모동기이리업시져일생을

유세차 신묘[43].

칠월 을해삭 이십칠일 신축 즉 아 현비 유인 성쥬 리시 종상지일 젼석 경자 츌가 여식 청쥬 양실 일배 쥬 갓초와셔 령좌젼 재배하고 수항 황사 알외여 왈.

오호 통재 허황하다. 인간 만사 허황코나. 셰월은 어이 그리 무정하며 고락은 어이 그리 고르지 못하든고. 이위 분 계시압고 우리 사남매 자라날 졔 천지갓치 장원하고 하해갓치 무궁하여 부모 품 쌋뜻한대, 셰상사 모르오, 쳔년 만년 하로갓치 동낙 태평하올 쥴로 반석갓치 미덧더니, 유수갓치 가난 광음 매인 곳 업사오니, 차차로 장성함에 하나 둘 츌가하여, 어난 닷 삼형제 다 성혼하여, 동서남북 졔 갈 곳 다 흣터지고, 어난 년세 그리 놉사와 쳔지 양친 구몰하고, 혈혈단신 져 동생, 세업 업시 난셰 즁에 증용 오라 증병 가자, 일시 행낙할 길 업시, 누대 고향 버려 두고 타관 객지 정처 업시 이리저리 오락가락, 덧업시 사자 하니, 신셰도 가련하고 생활도 한심하다.

무슨 팔자 기박하여 조실부모 망극한 즁 셰상조차 분요한대, 어린 처자 거나리고 부모 동기 이이 업시 저 일생을

아, 신묘년(1951년) 7월 27일은 우리 어머니 성주 이씨의 종상일입니다. 그 전날 저녁, 출가한 딸 청주 양실은 한 잔 술을 갖추어서 영전에 재배하고 몇 줄의 거친 글로 아룁니다.

아, 애통하고 허무합니다. 인간 만사 허무합니다. 세월은 어찌 그리 무정하며 괴로움과 즐거움은 어찌 그리 고르지 못할까요? 부모님 계시고 우리 4남매 자라날 때, 천지같이 원대하고 하해같이 무궁한 부모님의 품이 따뜻하였는데, 세상 일은 모릅니다. 천년만년 하루같이 즐거움을 함께 누리며 태평하게 지낼 줄로 철석같이 믿었더니, 유수같은 세월은 매인 곳이 없어 흘러 흘러 갔지요.

저희 딸들은 차차 장성하여, 하나둘 출가할 나이가 되어, 어느덧 삼형제 다 혼인하여, 동서남북 제 갈 곳 찾아 모두 흩어졌지요. 부모님 연세가 그동안 높아져 모두 돌아가시고, 혈혈단신이 된 저 남동생은, 물려받은 재산도 없이 난세 가운데 징용 오라면 징용 가고, 징병 오라면 징병 가느라, 한시도 즐길 수가 없었지요. 마침내 여러 대 지켜오던 고향을 버려두고, 타관 객지에 정처 없이 이리저리 오락가락, 덧없이 살다 보니, 신세도 가련하고 생활도 한심하였습니다. 무슨 팔자가 이다지도 기박하여, 조실부모한 것도 더없이 슬프고, 세상조차 어지러운 가운데, 어린 처자 거느리고 부모와 동기도 없이, 저 남은 일생을

43 신묘 : 1951년.

어이할ᄂᆞᆫ 우리도시 장한세덕 너ᄂᆞᆫ대가 부러할ᄂᆞᆫ 괄
퇴계현의ᄂᆞᆫ 별노대ᄀᆞ 한흔 망족이라 서제양자나
계시셔 문호를 찬대하ᄂᆞᆫ지 암휘헌 죽헌선생 그
뒤[illegible]룬 이여나 겨대과 소과 다하시ᄂᆞᆫ 입신양명하고
시니 문장도 학높ᄒᆞ신 중 충절도 저록할사 외례
상소등철하예 국시를 발켜서나 천추만세 장한공
덕 일국에 웃듬이라 자ᄌᆞ손ᄉᆞ 계승하여 문한범절
천명하니 우리부친 자형제분 소년재명 놉파기
셔 원근사우 추숭하니 일향에 상린서봉자 반에
쌍담호련 사람마다 흠모하여 일대명가 되엿더
니 가운이 불길하야 세도가 비색한가 백부님 조
세하ᄂᆞᆫ줄 북님 앙명하며 부친계도 무삼화로 육
십을 못넘기ᄂᆞᆫ 엄연일석 별세하니 일문이
무인이라 주인이 누구런ᄂᆞᆫ 이럿듯 장한 가문

어이할고? 우리 도 시 장한 세덕 어난 대가 부러할고? 팔게현의 고벌이요 대구향 즁 망족이라.

서졔[44] 양직[45] 나 계시셔 문호를 창대하고, 지암[46] 휘헌[47] 쥭헌[48] 선생 그 뒤를 이어 나겨, 대과 소과 다 하시고, 입신양명하오시니 문장 도학 놉흐신 중 츙졀도 거록할사. 의례 상소 등쳘하여 국시를 발켜시니, 천츄 만세 장한 공덕 일국에 읏듬이라. 자자손손 계승하여 문한 범졀 천명하니, 우리 부친 사형제 분 소년 재명 놉파 기셔, 원근 사우 츄즁하니, 일향에 상린셔봉[49] 사방에 완담호련 사람마다 흠모하여, 일대 명가 되엿더니, 가운이 불길한가, 셰도가 비색한가, 백부님 조셰하고 즁부님 안병하며 부친계도 무삼 화로 육십을 못 넘기고 엄연 일서 별셰하니, 일문이 무인이라. 쥬인이 누구인고?

이럿틋 장한 가문

어이한단 말입니까?

우리 도씨 가문이 대대로 쌓아온 미덕, 어느 가문을 부러워할까요? 팔거현의 높은 문벌이었으며, 대구 지역의 명망 있는 집안이었지요. 서재 도여유 선생, 양직당 도성유 선생이 나와 가문을 크게 일으켰고, 지암 도신수 선생, 휘헌 도신여 선생, 죽헌 도신징 선생이 그 뒤를 이어 나와, 대과와 소과를 다 합격하시어 입신양명하셨지요. 문장과 도학이 높으신 가운데 충절도 거룩했습니다. 의례에 대한 상소문이 나라에서 채택되어 대의를 밝혔으니, 천추 만세 영원히 장한 그 공덕 일국에 으뜸이었습니다.

그 영광을 자자손손 계승하여 글과 행실로 드러냈으니, 우리 부친 사형제 분 모두 어린 나이에 재주 있다는 이름이 높아 원근의 선비들이 추앙하였지요. 한 고을의 인재이며, 사방의 보배로서 사람마다 흠모하여 일대 명문 가문이 되었었지요. 하지만 가운이 불길한지, 세상의 운수가 막혔는지, 큰아버지께서 일찍 별세하고 둘째아버지께서 병석에 누우시고, 부친께서도 무슨 화인지 육십을 못 넘기고 갑자기 별세하시니, 주인 없는 가문이 되었습니다. 도대체 주인이 누구란 말입니까?

그토록 빼어난 가문이건만,

44 서재(鋤齋) : 도여유(都汝兪. 1574~1640). 서재마을의 유학자.

45 양직당(養直堂) : 도성유(1571~1649). 서재마을의 유학자.

46 지암(止巖) : 도신수(都愼修. 1598~1650). 문과급제자.

47 휘헌(撝軒) : 도신여((都愼與. 1605~1675). 문과급제자.

48 죽헌(竹軒) : 도신징(都愼徵. 1611~1678). 복제 시비에 상소를 올려 국정을 바로잡고 용궁현감으로 출사한 남인의 대표적 인물.

49 상린세봉(相麟世鳳) : 진기한 것이나 뛰어난 인물.

일죠에 터만 남아 사람은 업서지는 연자만 나라
드니 구시왕사당상연이 비입심상백셩가는
옛글노 보앗더니 우리 집이 이러할 줄 어나 사람
아랏스며 꿈엔들 아랏슬가 인간만사 허황한
둘이 런 줄을 뉘 알니오 무정함이 세월이오 아
지 못할 조물이라 선조 음덕 갑건만는 이리되
기 무삼 일는 원수로다 작년 별난 어난 시에 평정될
는 혼백조차 매안 하니 천리가 아득하는 일월
이 무량한 듯 유인 평생 적는 한에 아달 셜길너
내계 부귀영화 바랏건만 부귀영화 간 곳 업는 이
일이 무삼 일는 유인 홀평 계시거든 귀동생 음호하
세 수복강녕한 후에 유자유손 하기 하여 천세
만대 부귀하고 유인 환화 무궁하면 소녀 지원 다 되리니
복유 존령 서긔 감사 소호에 래 통재상
향

일조에 터만 나마 사람은 업서지고, 연자만 나라드니, 구시 왕사 당상연이 비입심상 백셩가[50]는 옛글노 보앗더니, 우리 집이 이러할 쥴 어난 사람 아랏스며, 꿈엔들 아랏슬가, 인간 만사 허황한들 이런 줄을 누 알이오?

무정함이 셰월이오 아지 못할 조물이라. 선조 음덕 깁건만는 이리 되기 무삼일고? 원수로다 작년 병난 이 난시에 평정되고 져 동싱 칠곡 오락, 소녀가 대구 오락 왓다갓다 유리하니, 예절인들 잇슬소냐? 유인 소상 허도하고 혼백조차 매안하니 천지가 아달 쌀 길어내겨 부귀영화 바랏건만 부귀영화 간 곳 업고 이 일이 무삼 일고? 유인 혼령 계시거든 저 동생 음호하여 수복 강녕하온 후에, 유자유손하기 하여 천셰 만대 부귀하고 유인 향화 무궁하면 소녀지원 다 되리니, 복유 존령 서긔 감사[51]

오호 애재 통재 상향.

하루아침에 집터만 남아 사람은 없어지고, 제비들만 날아들게 되었지요. 중국 시인 유우석의 〈오의향〉 시에서, "그 옛날 왕씨, 사씨가 살던 집의 제비들이 이제는 평범한 민가로 날아든다."고 하여, 옛글로만 여겼더니, 우리 집이 이렇게 될 줄 어떤 사람이 알았으며, 꿈엔들 알았을까요? 인간 만사가 허무하다 한들, 이럴 줄을 누가 알았겠습니까?

무정한 게 세월이고, 알 수 없는 게 조물주입니다. 선조들의 음덕이 깊건만 이렇게 되다니 대체 무슨 일일까요? 원수입니다 작년(1950년)에 일어난 전쟁 난리, 어느 정도 평정되고, 저 남동생은 칠곡으로, 저는 대구로 왔다갔다 떠도니, 예절인들 있었겠습니까?

어머니의 소상을 헛되이 보내고, 혼백조차 묻어 버렸습니다. 이 천지에서 아들 딸 길러내어 부귀 영화 바랐건만, 부귀 영화는 간 곳 없고 이 일이 무슨 일인가요?

어머니의 혼령이 계시거든 저 남동생 도와 주세요. 장수의 복을 누려 건강하게 해 주시고, 자식과 손주를 두어 천세 만대 영원히 부귀하여 어머니의 제사를 이어가게만 해 주신다면 제 소원 다 풀릴 것입니다.

엎드려 뵈옵기는, 어머니 영혼께서 이 정성 살펴주시기를 바랍니다.

아, 애통하고 애통합니다. 부디 이 제물을 받으십시오.

50 구시왕사당상연(舊時王謝堂上燕) 비입심상백성가(飛入尋常百姓家) : 그 옛날 왕씨, 사씨가 살던 집의 제비들이 이제는 평범한 민가로 날아든다(당나라 때 시인 유우석의 시 <오의향>의 구절).

51 서기감소(庶幾鑑昭)의 오자로 보임. 살피시길 바랍니다.

감상 및 해설

> 우리 도씨 가문이 대대로 쌓아온 미덕, 어느 가문을 부러워할까요? 팔거현의 높은 문벌이었으며, 대구 지역의 명망 있는 집안이었지요. 서재 도여유 선생, 양직당 도성유 선생이 나와 가문을 크게 일으켰고, 지암 도신수 선생, 휘헌 도신여 선생, 죽헌 도신징 선생이 그 뒤를 이어 나와, 대과와 소과를 다 합격하시어 입신양명하셨지요.

어머니의 영전에 드린 제문 서두에서, 딸은 친정인 도씨 가문이 얼마나 자랑스러운지 말합니다. 한글 제문의 주된 창작과 수용 계층이 양반사대부 집안의 여성들이었다는 설명이 사실임을 느끼게 하는 대목입니다. 객관적으로 인정받는 분들이 도씨 가문의 일원이었다고 밝히고 있어, 가문에 대한 긍지가 물씬 풍깁니다.

하지만 호사다마라 했던가요? 이런 집안에도 불행이 찾아왔다고 합니다.

> 가운이 불길한지, 세상의 운수가 막혔는지, 큰아버지께서 일찍 별세하고 둘째아버지께서 병석에 누우시고, 부친께서도 무슨 화인지 육십을 못 넘기고 갑자기 별세하시니, 주인 없는 가문이 되었습니다.

인생이 무엇인지 생각하게 합니다. 자만할 수 없는 게 인생이며, 겸손할 수밖에 없는 게 인생인지도 모르겠습니다.

12. 어머니 영전에

1952년, 홍윤표 교수 소장

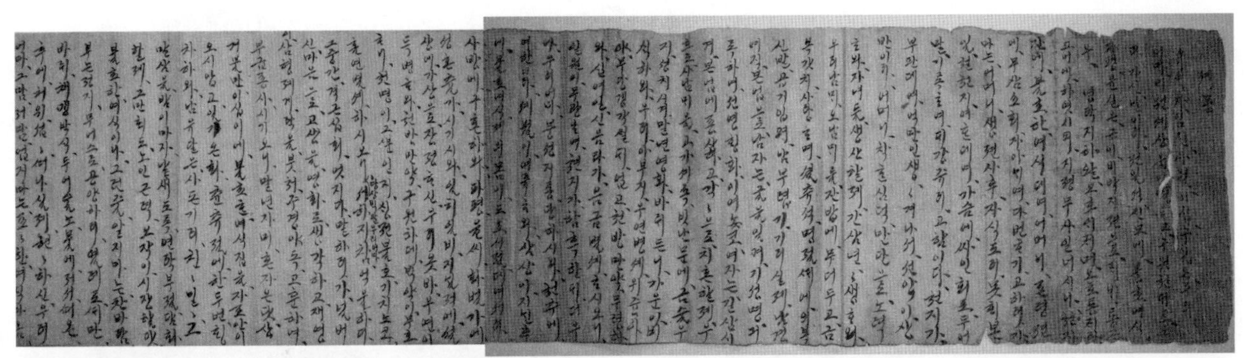

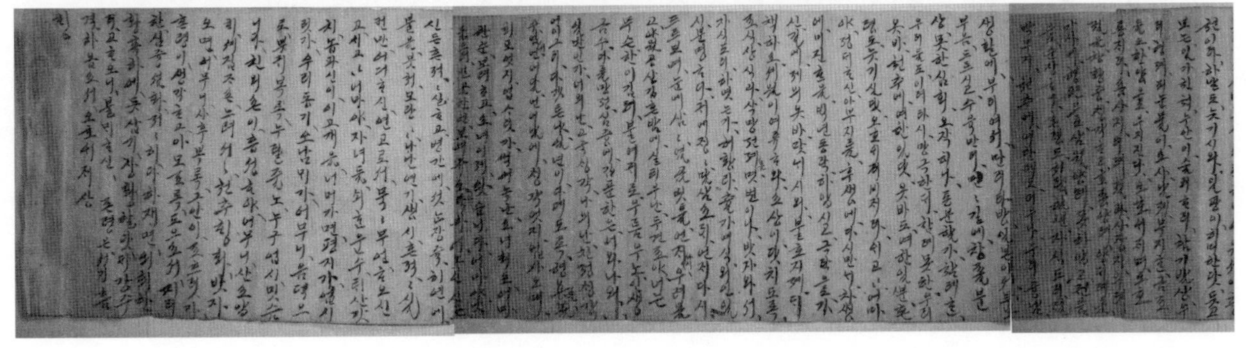

졔문

유셰차、임진、사월、이십구일은、우리、

어마、이 별셰상을、이별ᄒᆞ고、구원쳔ᄃᆡ로 도

라、가신 날이라、쳔읽셔신 모녀、불효여식

파평、윤씨는、곤이、비박지 쳔분으로、지빈 둉곤

우、 명박지하ᄒᆞ왼、보호쳐며、보호흔쳐라、

고어에、하엿시되、지졍무사일너시나、쳔지

간에、불효한、여식데여、어머니、조령젼

에、무삼쇼회자아니여、다번ᄒᆞ기、교하러가、

마는、어머니 ᄉᆡᆼ젼사후、자식도리、못ᄒᆞᆫ 본

읎、쳘헌지、여ᄒᆞᆫ데여、가슴에、싸인 회포、두어

말、기록ᄒᆞ여、피강ᄒᆞ고、할이다、쳔지가、

무관데여、억만인생、ᄉᆞ겨나서、선악이、ᄉᆡᆼ

만이라、어머니、착ᄒᆞᆫ 심덕、만단 불효 노덕

ᄒᆞ와、자녀 둘、생산ᄒᆞᆯ 졔、간삼년、ᄉᆡᆼᄒᆞ나、

제문

유세차 임진 사월 이십구일은 우리 어마ᄋᆡ 원세상을 이별ᄒᆞ고 구원 텬ᄃᆡ로 도라가신 날이라. 전일 석 신묘에 불초 여식 파평 윤실은 근이비박지젼으로 ᄌᆡᄇᆡ 통곡우 영탁지하 왈.

오호 ᄋᆡᄌᆡ며 오호 통ᄌᆡ라. 고어에 하엿시되, 지졍무사 일너시니, 천지간에 불초한 여식 데여, 어머니 존령 젼에 무삼 쇼회 자아ᄂᆡ여 다번ᄒᆞ기 고하릿가. 나는 어머니 생젼 사후 자식 도리 못ᄒᆡ 본 일, 철천지 여ᄒᆞᆫ 데여, 가슴에 싸인 회포 두어 말 기록ᄒᆞ여 ᄃᆡ강 쥬리 고함이다.

텬지가 부판 데여 억만 인생 생겨나서, 선악이 상반이라. 어머니 착ᄒᆞᆫ 심덕 만단으로 노력하와 자녀들 생산할 제, 간삼년 년생ᄒᆞ와

제문

아, 임진년(1952년) 4월 29일은 우리 어머니께서 이 세상을 이별하고 하늘나라로 돌아가신 날입니다. 그 전날 저녁에 못난 딸 파평 윤실은 변변찮은 제물을 차려 놓고, 영전 아래에서 절하며 통곡하며 아룁니다.

아, 애통하며 아, 애통합니다. 옛말에 이르기를, "지극한 정에는 간사함이 없다." 하더니, 천지간에 못난 딸이 되어, 어머니 영전에 무슨 소회를 자아내어 번거롭게 고하겠습니까? 저는 어머니 생전이나 사후에, 자식 도리 못해 본 일, 철천의 여한이 되어, 가슴에 쌓인 이 회포를 두어 마디 기록하되, 대강 줄여서 고하고자 합니다.

천지가 둘로 갈라져 억만 인생이 생겨나고, 선과 악이 서로 상반하게 되었습니다. 어머니의 착한 심덕으로 만단 노력하시어, 저희 남매를 낳으실 때, 3년 터울로 연이어 낳으셔서,

부텨님미、오남미믈、잔밥에、무더두고、금
복갓치、사랑ᄒᆞ며、僟齊석、명졍셰에、의복
신발、곱거입펴、남부럽기、기리실졔、남견
여직、본업불고、남자는、굶굶잇쩌、기선명、려
족하여、선연힝화、이여놋코여、자는갈삼시
겨、본업에、졸살하고、각〻으로、치혼할졔、우
흐로、사남미믈、고가쎄흑、빗난문에、금슐우
지、성치서겨、말년영화、바뤼든니、가운이ᄇᆡ
칙하와、우리아부지、우연변셰、위즁하
야、부모경각셜이、업고、친반만앗、무렴하
와、신여얼、신음타가、음금병셰ᄒᆞ시오니、
싣윤이、무관ᄒᆞ여、쳔지가、함ᄒᆞᆨ한뒤、더우
나、우리어디、분선지통、하시와、친후에
여한이라、셰상이여류ᄒᆞ와、상상이지난후
에、부모ᄒᆞ여서졔의몸이、도요사졋데여셔라、

우리 남ᄆᆡ 오남ᄆᆡ를 잔밥에 무더두고, 금복갓치 사랑ᄒᆞ며, 셜 츄석 명절에 의복 신발 곱기 입펴, 남 부렵기 기리실 졔, 남경여직 본업으로, 남자는 글을 일켜 기성명 긔록하여, 선영 힝화 이여 놋코, 여자는 길삼 시겨 본업에 죵사하고, 각각으로 치혼할 졔, 우리흐로 사남ᄆᆡ을 고가셰죡 빗난 문에 금슬우지 성치시켜, 말년 영화 바ᄅᆡ든니

가운이 비ᄉᆡᆨ하와, 우리 아부지 우연 병셰 위즁하야, 무당 겡각 씰ᄃᆡ업고, 천방 만약 무령하와 십여 일 신음타가, 음급 별셰ᄒᆞ시오니, 일월이 무광ᄒᆞ며 쳔지가 함흑한ᄃᆡ, 더우나 우리 어마 붕성지통당하시와 천추에 여한이라.

셰월이 여류ᄒᆞ와 삼상이 지난 후에 불초 여식 졔의 몸이, 도요 시절 데여서라

우리 남매 5남매를 남은 밥이 식지 않도록 이불 속에 묻어두고, 금옥같이 사랑하며, 설과 추석 명절에 의복과 신발을 곱게 입히고 신겨, 남들이 부러워하게 기르셨지요. 아들들은 밭갈이하고, 딸들은 베짜기를 본업으로 하되, 아들들에게는 글을 읽혀 성명을 기록하게 하는 한편 조상의 제사를 잇게 하였습니다. 딸들에게는 길쌈을 시켜 본업에 종사하게 하고, 각각 혼인시킬 때, 우리 4남매를 명문 집안의 빛난 가문에 비파와 금슬 좋게 혼인시켜, 말년 영화 보기를 바라셨지요.

그러나 가운이 비색한지, 아버지께서 우연히 병세가 위중해져, 무당 굿도 쓸데없고, 갖가지 처방과 약도 효험이 없어, 10여 일 신음하시다가, 갑자기 별세하셨습니다. 해와 달이 빛을 잃어버려, 천지가 캄캄한 가운데, 우리 어머니마저 돌아가셨으니, 천추의 여한입니다.

세월이 물처럼 흘러, 삼년상을 지낸 후에, 제 혼사를 치를 나이가 되자

사ᄅᆞᆷ에、구호ᄒᆞ와、파ᄃᆞᆯ 분셔、화벗가에
셩혼ᄒᆞ신가、시기시와、잇히 잇비지 닛적에 ᄒᆞᆫ
상에、가상ᄋᆞ로 장ᄉᆞ 졍ᄒᆞ신 우ᄒᆡ 못바、우편이
듯병ᄒᆞ와、천방만약、구ᄒᆞ하데 백약이 무효
ᄒᆞ니、쳔명이、그ᄉᆡᆼ분인지、신ᄌᆞᆫ 불효ᄒᆞ기치 노코、
호연 벗세하시보니 (당상 ᄇᆡᆨ발 우리 어마) 셔하지 참 억울하며、
그중간、격근 심회、엇지 다 말ᄒᆞ리ᄋᆞ가、넋버
신 마음ᄋᆞ로 고ᄉᆡᆼ을 몃해 화로 ᄉᆡᆼ각ᄒᆞ고 재영
이 삼형제 다 블 붓쳐、주경아 득고 훈ᄒᆞ여、
부즙 종사、시기오니、말년자미 혼자 본 닷 상
거불만 이 심이에、불효ᄒᆞ여 식점을 자료 상이
오시 앙고 잇기 혼화ᄒᆞ신 ᄌᆡᆨ에 한두번 ᄒᆞᆫ
차ᄒᆞ와、만유 ᄃᆞᆯ은 사 돈기러 친ᄒᆞ 빈ᄒᆞ、그

사방에 구혼하와 파평 윤씨 화벌가에 성혼 츌가시기시와, 일히일비 지닐 젹에 설상에 가상으로 장정ᄒᆞ신 우리 옷바 우연이 득병ᄒᆞ와 천방만약 구원하데 빅약 무효ᄒᆞ니, 천명이 그쁜인지 싱젼 불호 기치 노코, 홀연 별셰하시오니, 당상 빅발 우리 어마 서히지참 억울하다.

그 중간 격근 심회 엇지 다 말하릿가. 널버신 마음으로 고생을 영화로 생각하고 재영이 삼형졔게 락을 붓처, 주경야독 고훈하며 부급죵사[52] 시기오니, 말년 자미 혼자 온 닷.

상거불만이십리에, 불효ᄒᆞᆫ 여식 집을 자조 안이 오시압고, 일기 온화 츈츄절에 한두 번 힝차하와 남 유달은 사돈기리 친친밀밀 그

사방에 구혼하여 파평 윤씨 명문 집안에 혼인시키셨지요. 한편으로는 기뻐하시고 한편으로는 서운해하시면서 지내셨는데, 설상가상으로 정정했던 우리 오빠가 우연히 병에 걸려, 백방으로 약을 구해다 구완하였으나 백약이 무효했지요. 천명이 그뿐인지, 평생의 불효를 끼쳐 놓은 채, 홀연히 별세했으니, 당상에 계신 백발의 우리 어머니, 자식 앞세운 참혹함, 참 억울하기도 합니다.

그 중간에 겪은 심회는 어찌 이루 다 말하겠습니까? 넓으신 마음으로, 고생을 영화로 생각하고, 재영이 3형제한테 사는 재미를 붙여, 밤낮으로 교훈하며, 선생님을 찾아 배우게 했으니, 말년의 재미는 혼자 찾아온 것만 같았습니다.

거리가 겨우 20리도 안 되는데도, 이 불효녀의 집을 자주 오지 않으셨지요. 날씨가 온화한 봄과 가을에만 한두 번 오셔서, 남다른 사돈끼리 친밀하고 친밀한

52 부급종사(負笈從師) : 책상자를 지고 스승을 따르는 것.

ᄆᆡᆼ샹 블、밤이마자、날새도록、연ᄒᆞᆨ부졍ᄃᆞᆷ회、
ᄒᆞᆯ졔、그만회도노인근력、보쟉이、시잖핤맛
블효ᄒᆞᆫ、여식이나、그런ᄉᆞ졍、알지마、는찬바람、
부는졍지、무어스로、ᄑᆞᆫ양하리、혼쟈도쇠만、
바뒤、채갱박식、두어숫노、붓에、져셔뼈ᄂᆞᆫ、
후에、쳐위셔、셔나、실쳐、흿ᄒᆞ하신、우리
어마、그ᄆᆞᆷ、저만、엽지마는、조ᄒᆞᄒᆞᆫ、여식ᄆᆞ음
졔올혀볼ᄊᆡᆨ이、엽서、이번에、지은죄로、훗번
에난、사회블가、실즁에、멍셰ᄒᆞ고、다시오심기
다렷차흿、만외로다、기다려、돈우리어
마、다시안이오시랴고、안기다린、금ᄒᆞᆫ번부
무심즁、맛치기로、그자리예、밀졍ᄒᆞ여흿
지톤지、다려가서、어마님블、승안ᄒᆞᆫ쇠야

말삼을 밤이 마자 날새도록 연락부절 당화할 제, 그만히도 노인 근력 오작이 시장할 닷.

불효한 여식이나 그런 줄 알지마는, 찬바람 부는 정지, 무어스로 공양하리. 열레로 쎄만 바릐 채갱박식 두어 술노 물에 저서 쎠온 후에, 허위 섭섭 쎠나실 졔 현현하신 우리 어마, 그 맘 저 맘 업지마는, 죠죠한 여식 마음 졔송ᄒᆞ옴 짝이 업서, 이번에 지은 졔로 훗번에 나 사ᄒᆡ볼가? 심즁에 밍셰ᄒᆞ고 다시 오심 기다릴 차, 쳔쳔만의외로다.

기다리든 우리 어마, 다시 안이 오시압고, 안 기다린 급한 병부, 무심 즁 닷치기로 그 자리에 발정하여 천지돈지 다려가서, 어마임을 승안할 제, 아

대화를 밤이 맞도록 날이 새도록, 끊임없이 이야기를 나누셨지요. 그럴 정도의 노인 근력이지만, 오죽 시장하셨겠습니까?

불효한 여식이지만 그런 줄 알지마는, 찬바람 부는 부엌에서, 무엇으로 봉양한단 말입니까? 식사 때만 바라, 채소국에다 거친 밥 두어 숟가락을, 물에 말아서 드신 후에, 허위허위 섭섭히 떠나실 때, 현명하신 우리 어머니, 별다른 마음 갖지 않으시겠지만, 조마조마한 이 딸의 마음, 죄송하기 짝이 없었습니다. 이번에 지은 죄로 다음 생에 환생해서 씻어 볼까요? 심중에 맹세하고 다시 오시기만을 기다리고 있었더니, 천만 뜻밖입니다.

기다리던 우리 어머니는 다시 안 오시고, 안 기다린 급병 소식, 무심한 중에 닥치기에, 그 자리에서 길을 떠나 엎어질 듯 자빠질 듯 달려가서 어머니 얼굴을 뵈었지요.

이ᄂᆞᆫ 우리 어마 어ᄃᆡ 맛ᄎᆞᆷ아 푸서 와 이와 갓치
뷔흔 하오 고셩으로 부려 보니 감 하시고
군ᄇᆡ에 눈물 드려 소녀 보고 하신 말ᄉᆞᆷ은 본ᄋᆡ
네가 엇지 와ᄉᆞ노니 가죠 곰 더 샹ᄒᆞᆫ 드면 너의
물 사는 양 ᄂᆞᆫ비 눈 앙혀 보젓든이 명도 가뉴
한이라 이쇠 산 눈물 더 못 살고 져 치ᄂᆞᆫ 으로 가기 데
니 내 죽은 후에 파도 리 무근 눈물 셧ᄉᆞᆺ 짐 가졋
한집 갓치 지너 오며 자손 두게 유언ᄒᆞ여 원
지 부쇠 잔지 너라 이 ᄆᆡᆼ셔 유언ᄒᆞ고 심장의
우환 우시기 너무 심여 마옵시고 수이 회츈
ᄒᆞ시여서 소녀 집에 단여 가오 가사에 쳔
편모로 부득이 가기 ᄯᅢ 모ᄂᆞᆫ 문노고 벗ᄒᆞ하고
암 연이 셔나 본 후 우리 어마 회츈ᄒᆞ시옥 규

이이 우리 어마, 어ᄃᆡ 맛참 아푸시와, 이와 갓치 위중하오.

고성으로 부려오니, 감감하신 그 근력에 눈을 드러 소녀보고 하신 말슴,

온야 네가 엇지 왓노. ᄂᆡ가 죠금 더 살드면 너의들 사는 양을 ᄂᆡ 눈 압헤 보렷든이, 명도가 유한이라. 이 셰상을 더 못 살고 저싱으로 가기 데니, 내 죽은 후에라도 리문윤 솃 집 가졍 한 집갓치 지ᄂᆡ오며, 자숀들게 유언ᄒᆞ여 원지 우ᄋᆡ 잘 지ᄂᆡ라.

이 말삼 유언ᄒᆞ고 심장 ᄆᆡ우 상우시기, 너무 심여 마옵시고, 수이 회츈ᄒᆞ시여서, 소녀 집에 단여 가쇼. 가사에 형편으로 부득이 가기 데오, 눈물노 고별하고 암연이 쪄나온 후, 우리 어마 회츈 소식 쥬

"아이 아이 우리 엄마, 어디가 마침 아프셔서 이와 같이 위중하신가요?"

큰소리로 부르니, 가물가물하신 그 근력에 눈을 들어 저를 보며 이렇게 말씀하셨지요.

"오냐, 네가 어찌 왔노? 내가 조금 더 살면, 너희들 사는 모습을 내 눈앞에 보려고 했더니, 수명은 한도가 있느니라. 이 세상에 더 못 살고 저승으로 가니, 내 죽은 후에라도 이씨, 문씨, 윤씨 세 집이 한 집같이 지내며, 자손들에게 유언하여, 우애 좋게 잘 지내라."

이 말씀을 남기고는 매우 가슴아파 하시기에, "너무 심려 마시고, 어서 회복하시어서, 저희 집에 다녀 가셔요. 시댁 가사 형편으로 부득이 갑니다." 이렇게 눈물로 고별하고 침울하게 떠나온 후, 우리 어머니의 회복 소식을

야ᄒᆞᆨ수、바랏든니、희ᄒᆞᆫ요식、돈잣ᄒᆞ고 벗
셰부음 닷치기도、돈ᄒᆞ、ᄒᆞ 곱한 마음、ᄶᆞᆨᄶᆞᆨ
하、마하 가서、고싱ᄇᆞᆯ 붓너스나、저 당이 병무
ᄒᆞ다、되고 ᄋᆞᄋᆞ 우려 너머、천지가 문어지고 산천
이、보별ᄒᆞᆫ다、붓쳐 듯 살 듯시는 망극지통、
못이기서、산밧부시、ᄒᆞ곡ᄒᆞ니、시원섭섭이 ᄒᆞ는
천이야、하날도、늦기시와、일광이 희미한 닷、듯고
보는、일가 친척、누안이、숨쉬ᄒᆞ리、함기 밧상、무
히 잣쳐、죄는 붓이、오사、냇져、무지ᄒᆞᆫ、곰도
듯도 한양을、우지진 닷、오ᄒᆞ서져며、오ᄒᆞ
통지라、ᄋᆞᆫ사지、의례 잣과、사정지의례、
잣ᄎᆞᆫ、ᄎᆞᆼ환중 성、잦ᄒᆞ고、ᄒᆞ양례、양되례ᄒᆞ、
가사에、[illegible] 편을 ᄒᆞ삼 [illegible] 양례、못하양고、천ᄒᆞᆫ
을ᄒᆞ、순장ᄒᆞ나、ᄒᆞᆫ[illegible]도 처[illegible] 생、자식도 [illegible]
박무지、천ᄒᆞ에、여한데 보、더우나、우려ᄒᆞᆫ 날、

야 츅수 바랏든니, 회츈 쇼식 돈절ᄒᆞ고 별셰 부음 닷치기로, 동동쵹쵹 급한 마음 쇽쇽히 다려가서, 고성으로 불너스나, ᄃᆡ답이 영무하다.

ᄋᆡ고 ᄋᆡ고 우리 어마, 천지가 문어지고 산천이 욕열ᄒᆞᆫ다. 올체들, 삼동시는 망극지통 못 이기서, 산발 부시 통곡ᄒᆞ니, ᄋᆡ원셩이 츙천이라. 하날도 늣기시와 일광이 히미한 닷.

듯고 보는 일가 친척 누 안이 슬퍼 ᄒᆞ리. 함기 발상 우리 형제, 피눈물이 소사날 졔 무지ᄒᆞᆫ 금죠들도 한양으로 우지진 닷.

오호 ᄋᆡᄌᆡ며 오호 통ᄌᆡ라. 숑사지의례절과 사장지의례절을 창황 중 ᄉᆡᆼ각ᄒᆞ고, 초죵 양ᄃᆡ례를 가사에 형편으로 삼월 양례 못하압고, 전품으로 순장ᄒᆞ니, 혼령도 처량할 쁜, 자식 도리 절박무지, 천추에 여한 데오, 더우나 우리 즁남

밤낮 축원하며 바랐더니, 회복 소식은 끊어지고 별세하셨다는 부음이 닥쳤지요. 동동촉촉 급한 마음에 빨리빨리 달려가서 큰소리로 불렀으나, 대답이 전연 없었습니다.

“애고 애고 우리 엄마, 천지가 무너지고 산천이 오열한다.”

올케와 세 동서는 망극지통을 못 이겨서서, 산발한 채 통곡하니, 슬피 우는 소리가 하늘을 찔렀지요. 하늘도 느꺼워하는지 햇빛이 희미한 듯했습니다. 이것을 듣고 보는 일가 친척 중에 누가 슬퍼하지 않겠습니까? 함께 발상한 우리 형제, 피눈물이 솟아날 때, 무지한 짐승과 새들도 함께 우짖는 듯하였지요.

아, 애통하며, 아 애통합니다. 고인을 전송하는 예절과 장례 예절을 황망한 중에 생각하고, 초상과 탈상의 의례를 집안 형편에 맞춰, 3개월 장례를 못하고, 저당 잡힌 물품으로 치렀으니, 혼령만 처량할 뿐 아니라, 자식된 도리로 절박하기 짝이 없어, 천추의 한이 됩니다, 더욱이 우리 둘째오빠는

생환에 부히여셔 만리 타발 잇본이셔 부모
부음 드르실 슈욕 만리 면면 길에 참혹 분
상 못한 심회 오작하나 흉문 듯가 참혹
우리 형도 이터 하시 망극한디 참혹 못한 우리
못바 헌쳐에 여한 잇닷 못바도 여한 잇샨 혼
뎐도 늣기샷던 보오시게 비저하시고 어마
아 혀디 ᄒᆞ신 아부지 ᄒᆞ온 후생에 다시 만나 차생
에미 진효 ᄒᆞᆫ 빅년 동락하ᄋᆞᆸ시고 극락을 오가
신 길에 제의 못바닷너 시와 불효지죄 더
책하오셔 ᄋᆞᆲ이여 흐ᄂᆞᆫ 봐 오상이 ᄯᅢᆺ치도록
죠식 상식 ᄒᆞ라 삭망 전제 멋 변이나 밧자와셔
자식 도리 하엿는가 허황타 흐ᄀᆞ가 녀식 외인 일

생활에 무리여서, 만리 탐방 일본이서 부모 부음 드르시고, 수육 만 리 먼먼 길에 창죨 분상 못 한 심회, 오작히나 통분할가.

참례ᄒᆞᆫ 우리들도 이러타시 망극한ᄃᆡ, 참례 못한 우리 옷바, 천추에 여한일 닷. 옷바도 여한일 ᄲᅮᆫ 혼령도 늣기실 닷.

오호 ᄋᆡᄌᆡ 비ᄌᆡ라. ᄋᆡ고 ᄋᆡ고 어마야. 정ᄃᆡᄒᆞ신 아부지를 후생에 다시 만ᄂᆡ, 차생에 미진 ᄒᆞᆫ을 ᄇᆡᆨ년 동락하압시고, 극락으로 가신 길에 제의 옷바 맛ᄂᆡ시와, 불호지졔 ᄃᆡ책하쇼.

셰월이 여류 ᄒᆞ와 쇼상이 닷치도록 죠식 상식과 삭망 전제를 몇 번이나 밧자와서, 자식 도리 하엿는가? 허황타 출가 여식, 외인일

사는 형편상, 먼 외국 일본에서 어머니 부음 들으시고, 수륙 만리 먼먼 길에서, 창졸간이라 초상에 참석 못한 심회, 오죽이나 통분할까요?

참례한 우리도 이렇듯이 망극한데, 참례 못한 우리 오빠는, 천추의 여한일 듯합니다. 아니, 오빠만 여한이 아니라 혼령도 그렇게 느끼실 듯합니다.

아, 애통하고 애통합니다. 애고 애고 우리 엄마야. 단정하신 아버지를 후생에 다시 만나, 차생에서는 미진한 한이 있지만, 백년 동락하시고, 극락으로 가신 길에 저희 오빠도 만나셔서, 불효한 죄를 크게 꾸짖으세요.

세월이 여류하여, 소상이 닥치도록 조석 상식과 삭망 전제를 몇 번이나 받들어서, 자식의 도리를 하였던가요? 허망할 뿐입니다. 출가한 딸자식

시ᄇᆞᆫ명ᄒᆞ야 저에 쳥〻 맛ᄉᆞᆷ 소릐 언제다시
드르보며 눈에 삼〻 얼골 빗ᄎᆞᆯ 언제 우려볼
고 애ᄭᅳᆫ고 살갑ᄒᆞᆫ 밤에 실피우난 두견조야 너는
무ᄉᆞᆫ 한이 깁퍼 불너져조 우름우노 인생
금수 ᄯᅡ로 ᄒᆞ련 심즁에 갈푼한 는 너 바 나 와
이ᄯᅡᆫ 인가 너와 난고 국싱각나 뇌난 친졍싱각
어이그리 다ᄭᅥᆺ든 ᄯᅡ흔 년이 다ᄯᅢ 도즁 혈육 ᄯᅳᆺ
수년 ᄯᅦᆫ 너ᄯᅳᆺ 언너 ᄯᅡᆼ에 청각 업지 언ᄉᆞ 보ᄯᅢ
회포 업지 업ᄉᆞᆫ 가 ᄊᆡ어 녹난 소녀 회포 어마
한순 보려 ᄒᆞ고 소녀 이제 ᄯᅥᆺ슴니다 어마 아ᄇᆞ
흉드려 ᄃᆞᆫ 한번 보며 즉소 하ᄯᅦ 노인 신은
신든 ᄒᆞ져 실ᄒᆞ고 변간에 첫 눈장ᄌᆞᆨ히 연에

시 분명ᄒᆞ다. 귀에 ᄌᆡᆼᄌᆡᆼ 말삼 쇼릐, 언ᄌᆡ 다시 드르보며, 눈에 삼삼 얼골 빗을 언ᄌᆡ 다시 우려볼고.

야월공산 깁흔 밤에 실피 우난 두견죠야. 너는 무슨 한이 깁퍼 불여귀로 우름 우노? 인생 금수 다를 망정 심즁에 깁푼 한은 너와 나와 일반인가. 너의난 고국 ᄉᆡᆼ각, 나의난 친정 ᄉᆡᆼ각, 어이 그리 다 갓튼냐.

일년이 다 데도록 형용을 볼 수 업서, 언어 달 언어 날에, ᄉᆡᆼ각 엇지 업사오며, 회포 엇지 업ᄉᆞ릿가. 썩어 녹난 쇼녀 회포, 어마, 한순 보려 ᄒᆞ고, 쇼녀 이제 왓습니다.

어마야 낫틀 드러 얼골 한 번 보여 쥬쇼. 탁하에 노인 신은 신든 흔적 적실 ᄒᆞ고, 병간에 셧ᄂᆞᆫ 장쥭 히연에

외인임이 분명합니다. 귀에 쟁쟁한 어머니의 말씀 소리, 언제 다시 들어보며, 눈에 삼삼한 어머니의 얼굴빛을 언제 다시 우러러볼까요?

산 위에 달이 뜬 깊은 밤에 슬피 우는 두견새야. 너는 무슨 한이 깊어 불여귀 불여귀 하면서 울음을 우느냐? 인생과 금수가 다를 망정, 심중의 깊은 한은 너와 내가 일반이냐? 너희는 고국 생각, 나는 친정 생각, 어이 그리 다 같으냐?

1년이 다 되도록 모습을 볼 수 없어, 어느 달 어느 날인들, 어찌 어머니 생각이 없으며, 어찌 회포가 없겠습니까? 썩어서 녹는 저의 회포, 어머니, 한 번 뵈려고 이제 왔습니다.

엄마야, 낯을 들어 얼굴 한번 보여 주소. 탁자 아래 놓인 신발은, 신으시던 흔적이 적실하고, 병석에 서 있는 장죽,

불쵸붓쥐 모랑ᄒᆞ나난 연기 생시 혼령ᄒᆞ시긔
천만 어더ᄒᆞ신 연고로서 목〻 무연ᄒᆞ오신
고시고 나 너마야 자녀 듕 쇠ᄒᆞᆫ 운수라산 갓
치 놉파신이 이고개 듕 너머가면 평지가 업시
릿가 우리 몸기 소남미가 어무니 음댁으
로 뭇치 복〻 누팔 듕노 누구 엽시미ᄉᆞ옴
니다 친뫼 온이 흡선ᄒᆞ야 어무니 산소 앙
희셔 징조 ᄉᆞ온 느려서 천ᄒᆞᆺ 희황 ᄒᆞ 밧지
소명 어무니 사후 복〻 고안이 효ᄌᆞ리 가
혼령이 생각ᄒᆞ고 아모 효롤 도오소서 지리
한심쥿 ᄒᆞ화저〻 ᄒᆞ다ᄒᆞ 재면 원회한
향ᄒᆞ하여 뜻 상기 장황한 맛지 강쥬
라고ᄒᆞ오니 불민ᄒᆞ신 혼령 본서기 흠
격ᄒᆞ 봄ᄒᆞ소서 오ᄒᆞ쉬 저상
희ᄋᆞ

불을 붓처 모랑모랑 나난 연기 생시 흔적 적실컨만, 어디 ᄒᆞ신 연고로서, 묵묵무언 ᄒᆞ오신고.

ᄋᆡ고 ᄋᆡ고 어마야. 자녀들 쇠한 운수 ᄐᆡ산갓치 놉파신이, 이 고개을 너머가면 평지가 업시릿가. 우리 동기 오남ᄆᆡ가 어무니 음덕으로 부귀 복록 누릴 줄노 누구 업시 밋습니다. 친외손이 흥성ᄒᆞ야 어무니 산쇼 압ᄒᆡ 셰 집 ᄌᆞ숀 느려서서 천추 ᄒᆡᆼ화 밧자오면, 어무니 사후 복록 그 안이 죠흐릿가.

혼령이 생각 ᄒᆞ고 아모죠록 도으쇼서. 지리한 심즁 설화 저저히 다하재면, 의희한 황촉하에 듯삽기 장황할 닷, ᄃᆡ강 주리 고ᄒᆞ오니, 불ᄆᆡ ᄒᆞ신 죤령은 서기흠격하옵쇼서.

오호 ᄋᆡ지 상ᄒᆡᆼ.

담배에 불을 붙여 모락모락 나는 연기, 생시의 흔적이 적실컨만, 무슨 까닭으로 묵묵무언하십니까?

애고 애고 엄마야. 자녀들의 쇠미한 운수가 지금 태산같이 높으나, 이 고개를 넘어가면 평지가 없겠습니까? 우리 동기 5남매가 어머니 음덕으로 부귀 복록 누릴 줄, 하나같이 믿습니다. 친외손이 흥성하여 어머니 산소 앞에, 세 집의 자손이 늘어서서 영원히 향불을 바치면, 어머니의 사후 복록, 그 아니 좋으시겠습니까?

혼령께서 생각하시고 아무쪼록 도우소서. 지리한 심중의 사연, 자세히 다 아뢰자면, 희미한 촛불 아래, 들으시기에 장황하실 듯해서, 대강 줄여서 고합니다. 어둡지 않으신 혼령께서는 부디 감응하옵소서.

아 애통합니다. 흠향하십시오.

감상 및 해설

어머니 초상 때, 외국에 나가 있어서, 참석하지 못한 작은오빠 이야기를 고인에게 아뢰는 대목이 눈에 띈다. 살아 있는 남매가 보기에도 애석한데, 고인은 더욱 더 눈에 밟혔으리라 생각해, 그 한을 달래 드리기 위해서 진술한 것이리라.

> 오호 ᄋᆡ지 비ᄌᆡ라. ᄋᆡ고 ᄋᆡ고 어마야. 정ᄃᆡᄒᆞ신 아부지를 후생에 다시 만ᄂᆡ, 차생에 미진 ᄒᆞᆫ을 ᄇᆡᆨ년 동락하압시고, 극락으로 가신 길에 제의 옷바 맛ᄂᆡ시와, 불호지졔 ᄃᆡ책하쇼.

이 대목도 애틋하다. 먼저 세상을 떠나신 아버지와 만나서 미진한 정을 다 나누며 사시라고 축원한다. 아울러, 부모보다 먼저 죽은 오빠를 만나시거든, 그 불효를 크게 꾸짖으라고 한다. 저승에 가면 가족이 다시 만날 수 있다는 믿음이 전제되어 있다. 사실이라기보다 그렇게 믿고 싶은, 유한한 인간의 희망이리라.

13. 아버지 영전에

1953년, 홍윤표 교수 소장

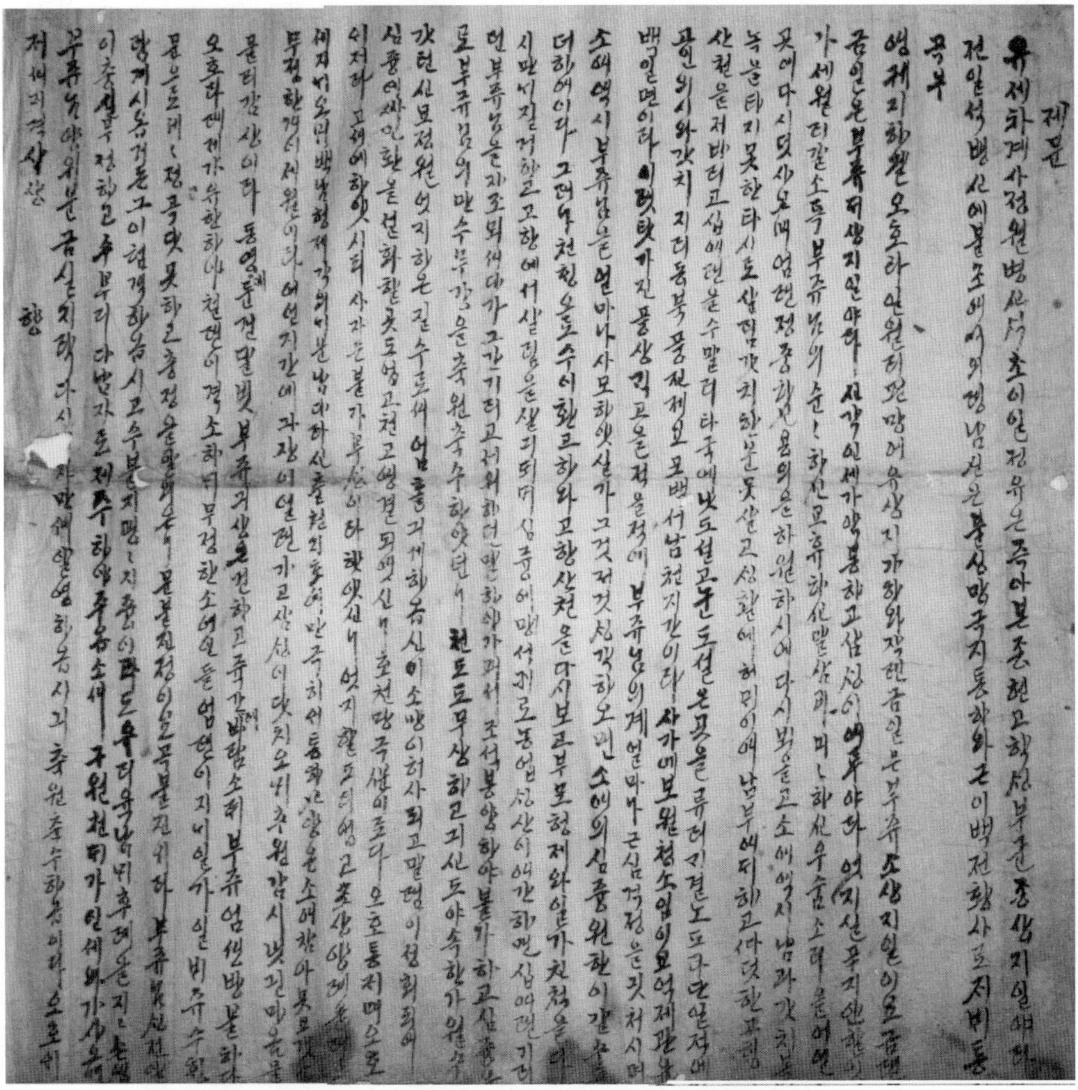

제문

유세차 계사 정월 병신삭 초이일 정유은 족하 본존 현고 학생부군 존상지일야라

전일석 병신에 불조애 어와 평남신은 불상망극지통하와 곤이 백전황사로 저비통

곡부

영제지하 월 오호라 안원퇴뫼망에 유상지가 하와 작편 금인은 부유 조상지일이요 금년

금인은 부유 퇴생지인야라 자각 인세가 약몽하고 삼십이 여우야라 엇지 산무지연하이

가세월디 갈소흑 부쥬남의 순ㄴ하신 교휴하신 맵삼과 미ㄴ하신 우숨소래 온어연

곳에다시 덧사오매 염했정중하신 용의은 하원하시여 다시 뵈올고 소에잇지 남과 갓치 남

녹을 타지 못한 타시로 삼딜갓치 하올듯 살고 싱활에 허미이에 남부에 되하고 다덧한 표현

산천은 저바리고 삼십에 데눈수 말리다 타국에 낫도 설고 눈도 설온 곳을 류리미 결노도 다단일적에

공인의시와 갓치 지디동북 풍진제요 모배서 남천지간이라 사가에 보원청소입이요 역제관뉴

[illegible]

제문

유세차 계사 정월 병신삭 초이일 정유은 즉 아 본종 헌고학ᄉᆡᆼ부군 종상지일얘라. 전일 석 병신에 불초 여식 의령 남실은 불ᄉᆡᆼ망극지통하와 근이백전황사로 ᄌᆡ비 통곡 부영궤지하왈.

오호라 일월리 편망어유상지가하와 작련 금일은 부쥬 소상지일이요, 금련 금일은 부쥬 ᄃᆡ샹지일야라. 신각 인세가 약몽하고 삼ᄉᆡᆼ이 여류야라. 엇지 실푸지 안할잇가.

세월리 갈소록 부쥬님의 순순하신 교휴하신 말삼과 미미하신 우숨 소리을 어언 곳에 다시 덧사오며, 엄련 정중하신 용의을 하월 하시에 다시 뵈올고. 소여 역시 남과 갓치 복녹을 타지 못한 타시로, 살림갓치 한 분 못 살고, ᄉᆡᆼ활에 허ᄆᆡ이여 남부 여ᄃᆡ하고 싸덧한 고ᄒᆡᆼ 산천을 저바리고, 십여 련을 수말 리 타국에 낫도 설고 눈도 설온 곳을 류리 ᄀᆡ결노 도라단일 적에, 고인의 시와 갓치 지리동북 풍진제요, 포백서남 천지간이라. 사가에 보월청소임이요, 억제관음

제문

아, 계사년(1953년) 1월 2일은 곧 우리 아버지의 종상일입니다. 그 전날 저녁에 불초 여식 의령 남실은 망극한 마음을 이기지 못해, 변변찮은 제물과 거친 글로 절하면서, 영전 앞에 통곡하며 아룁니다.

아, 세월이 상가에도 똑같이 흘러, 작년의 오늘은 아버지 소상일이었고, 금년의 오늘은 아버지 대상일입니다. 생각해 보니, 인생이 꿈만 같고, 삼년상이 물 흐르는 것과 같이 지나갔습니다. 어찌 슬프지 않겠습니까?

세월이 갈수록 아버지의 다정하신 교훈의 말씀과 은근하신 웃음 소리를 어느 곳에서 다시 듣사오며, 엄연하고도 정중하신 모습을 어느 달 어느 시각에 다시 뵈올까요? 저도 남과 같이 복을 타고 나지 못한 탓으로, 살림같은 살림 한 번도 살아보지 못하고, 생활하느라 헤매였지요. 머리에 이고 등에 지고, 따뜻한 고향 산천을 저버린 채, 10여 년을 수만 리 타국에, 낯도 설고 눈도 선 곳을 떠돌아다닐 적에, 고인의 시에 나오는 그대로였지요. "동북 풍진 가에 떠돌아다니고, 서남 천지간에 떠돌아다니노라." "집 생각에 달 아래 거닐다 맑은 밤에 서 있고,

백일면이라 이럿탓가진 풍상격고온적 울적에 부쥬님의계 얼마나 근심걱정은 깃처시며
소여역시 부쥬님을 얼마나 사모하엿실가 그것저것 싱각하오면 소여의 심중원한이 갈수록
더하여이다 그려나 천힝으로 수이 환고하와 고향산천은 다시보고 부모형제와 일가친척을 다
시 만나 질거항고 고향에서 살림을 살리되며 심중에 맺켠쳔로 동업상산이 여간하면 십여편 기려
던 부쥬님은 자조뵈서다가 그간 기려고 서워하던 맘 하여가지서 조석봉양하야 불가하고 심중으
로 부쥬님의 만수무강은 축원축수하엿던니 천도도무상하고 귀신도야속한가 원수
갓던 신모점원 엇지하온 질수로서 엄홀 과세하옵시이 소망이 허사되고 말뗌이 성회되어
심중에쌓인 한을 설화할곳도 업고 천고쟁결되엿신니 호천망극새이로다 오호통재며 오호
시저하 고해에 하엿시퇴 사자는 불가부싱이라 햇엿신니 엇지 할도리업고 초상양례은 예로

백일면이라.[53]

이렂탓 가진 풍상 ᄀᆡᆨ고을 적을 적에, 부쥬님의계 얼마나 근심 걱정을 긋처시며, 소여 역시 부쥬님을 얼마나 사모하얏실가. 그것저것 ᄉᆡᆼ각하오면, 소여의 심즁 원한이 갈수록 더하여이다.

그러나 천ᄒᆡᆼ으로 수이 환고하와, 고향 산천을 다시 보고 부모 형제와 일가 친척을 다시 만ᄂᆡ 질거하고, 고항에서 살림을 살ᄀᆡ 되여, 심즁에 맹서키로 농업 ᄉᆡᆼ산이 여간하면 십여 련 기리던 부쥬님의 만수무강을 축원 축수하얏던니, 천도도 무상하고, ᄀᆡ신도 야속한가.

월수갓턴 신묘 정월 엇지하온 질수로셔 엄홀 ᄀᆡ세하옵신이, 소망이 허사되고, 말렴이 정회되여 심즁에 싸인 환을 설화할 곳도 업고,, 천고 영결되엿신니 호천망극쁜이로다.

오호 통ᄌᆡ며 오호

아우를 그리며 구름 보다가 한낮에 잠을 자네"

이렇듯 갖은 풍상을 겪을 적에, 아버지께 얼마나 근심 걱정을 끼쳤으며, 저도 아버지를 얼마나 그리워하였을까요? 그것저것 생각하면, 제 심중의 원한은 갈수록 더합니다.

그러나 천행으로 쉽게 고향에 돌아와, 고향 산천을 다시 보고, 부모 형제와 일가 친척을 다시 만나 즐거워하고, 고향에서 살림을 살게 되었지요. 심중에 맹세하기를, 농업 생산이 어지간하면 10여 년 그리워하던 아버지의 만수무강을 위해 축원 축수하려고 했더니, 천도도 무상하고, 귀신도 야속합니다.

원수같은 신묘년 정월, 어떤 운수로 갑자기 별세하시니, 소망이 허사 되고 말아, 심중에 쌓인 한을 풀 곳도 없고, 영원히 이별하고 말았으니, 하늘을 우러러 망극할 뿐입니다.

아, 애통하며, 아 애통합니다.

53 원문의 '지리(支離)'는 유리표박(流離漂泊)과 같은 뜻으로, 정처 없이 이리저리 떠돌아다니는 것을 말한다. 참고로 당나라 두보(杜甫)의 시 〈영회고적5수(詠懷古跡五首)〉 가운데 첫째 수에 "동북 풍진 가에 떠돌아다니고, 서남 천지간에 떠돌아다니노라. [支離東北風塵際, 漂泊西南天地間.] "라고 하였다. 《全唐詩 卷230 詠懷古跡五首》 두보(杜甫)의 〈한별(恨別)〉 시에 이르기를, "집 생각에 달 아래 거닐다 맑은 밤에 서 있고, 아우를 그리며 구름 보다가 한낮에 잠을 자네.[思家步月淸宵立, 憶弟看雲白日眠.]"라고 하였다.

세재병오팔월 백남형제 각위 나분남대하신 출천지효성 만족히셔 동해 각향운 소에 참아 못보게
무정한 가셔 서원이라 여선지간에 과장이 열편가고 삼삼이 닷치오니 추월감시 낫고마음 물
물디감상이라 동영에 둔 전달빗 부츄 과생로 변하고 족간에 바람소리 부츄 엄심 빈 불하다
오호라 때에 저가 유한하야 천연이 결소하니 무정한 소에 일든 업연이 지니일사 일 비주 수회
몰운로 대대 정곡 및 못하고 충정은 몰외옵나 몰본친정이오 목불견위하 부츄불신전얀
광게시옵거든 그이 협력하옵시고 수불지명지 출이 파도 우디 윤남니후 예둔지지 촌에
이층실부 정하고 수부리 다 남자도 제주하야 주옵소서 구원 천디가 인세와 가사온대
부휴 상위분 금실치해 다시 자만세 영화하옵시고 축원 축수하옵니다 오호 쉬
저세 괴격 사샹 향

ᄋᆡᄌᆡ라. 고셔에 하얏시되 사자는 불가 부ᄉᆡᆼ이라 하얏신니, 엇지 할 도리 업고, 초상 양례를 례로 세 지ᄂᆡ오ᄆᆡ, 백남형제 각외ᄂᆡ분 남다라신 출천지효에 만극히 ᄋᆡ통하신 양은 소여 참아 못 보갯소.

무정한 겨이 세월이라. 어언지간에 과장[54]이 얼런 가고 삼ᄉᆡᆼ이 닷치오ᄆᆡ, 추원감시 냇긴 마음을 물리감상이라. 동영에 둥건 달빗 부쥬긔상 온건하고, 쥭간령 바람 소ᄅᆡ 부쥬 엄셩 방불하다,

오호라. 례제가 유한하야 철련이 격소하ᄆᆡ, 무정한 소여인들 엄련이 지내일가? 일ᄇᆡ쥬 수ᄒᆡᆼ문으로 세세 정곡 닷 못하고 충정을 알외온니, 문불진정이요 곡불진ᄋᆡ라. 부쥬님 ᄉᆡᆼ전 알람 계시옵거든, 그이 험격하옵시고, 수불지명명지즁이라도 우리 육남ᄆᆡ 후례을 지지손엽이 충실 무정하고, 우 부디다남자로 제주하야 주옵소서.

구원 천대가 인세와 가사오면, 부쥬님 양위분 금실지락 다시 □자 만세 알영하옵시긔 축원 축수하옵이다.

오호 ᄋᆡᄌᆡ 셔긔 격사[55] 상향.

옛 글에 말하기를, "죽은 자는 다시 살아날 수 없다." 하였으니, 어찌할 도리가 없고, 장례를 예법에 따라 지내고 나니, 오빠 내외분들이 남다른 효성으로 망극해하며 애통하는 모습은 제가 차마 못 보겠습니다.

무정한 게 세월입니다. 어언간에 초상과 중상이 지나고 탈상이 닥치니, 계절의 변화와 접촉하는 사물마다에 더욱 그리운 마음뿐입니다. 동산에 둥근 달빛은 아버지의 온건한 기상이고, 고갯마루에 부는 바람 소리는 아버지의 음성 같습니다.

아, 예법에 제한이 있어, 영궤를 철거해야 하니, 무정한 저인들 그냥 지낼 수 있겠습니까? 한 잔 술과 몇 줄의 글로, 세세한 사연은 다 아뢰지 못하고, 속마음만 아뢱니다. 글은 정을 다 표현할 수 없고, 곡을 해도 슬픔을 다 나타내지는 못합니다.

아버지, 생전처럼 아신다면, 이 정성 받아 주시고, 비록 저승에서라도 우리 6남매의 후손이 가지마다 충실 무성하고, 장수와 부귀와 자녀 많이 낳도록 해 주십시오.

하늘나라가 인간 세상과 같사오면, 아버지 내외분께서 금실의 즐거움을 다시 누리되, 만세토록 빛나시기를 축원 축수하옵이다.

아, 애통합니다. 부디 감응하옵소서. 작은 정성을 살펴 주소서.

54 과장(過葬) : 계급과 신분에 따라 각기 일정한 기일이 지난 다음에 장사를 치르던 일.

55 서기격사(庶幾格思) : 부디 감응하옵소서. 작은 정성을 살펴 주소서.

감상 및 해설

이 제문에서, 고문서의 작성 관행과 연관하여 주목할 부분이 있다. 처음 세 번째과 네 번째 줄 부분이다.

지비 통곡 우

세 번째 줄이 이렇게 끝나고 있는데, 아직 말이 마치지 않은 상태이다. 마땅히 "지비 통곡우영궤지하왈."이렇게 붙여 써야 맞건만, 줄을 바꾸어, 네 번째 줄에 그 다음 이어질 말을 적고 있다.

영궤지하왈

이는 고문서를 작성할 때, 높은 분을 지칭하는 말이 나올 때는 그분을 높이기 위해, 줄을 바꾸는 관행을 따르기 위해 그런 것이다. 글자 사이의 간격을 보통보다 많이 띄거나, 해당 글자를 다른 줄보다 아주 높여서 배치하는 방법도 있는데, 이 경우에는, 줄을 바꾸는 방식을 따르고 있다. 이 관행을 모르면, 필사자가 실수한 것으로 오해할 수 있는 표기이다.

14. 형수님 영전에

1953년, 황명희 님 소장

백수씨 한영조씨 결혼

우리 백수씨와 한영조씨의 백년화촉을 거행함에 친척이외 신사숙녀께 참석케 재령이오는 내황궁장 산변산도 비찬 지나신은 한산뒤 변서로도 화쉬모지한 칭순을 가시신이와 신유삭신사어 갈는슬 후회에 늘 혼깔 두어 줄은 천유자유 상식에 현화하야 연상할 체서 흥무 고결하나오라는 즐후나오라 나는 이를 수부러듯수 생활에 지장이 잔도된은 못되난 것이 꼭한 오줄 꾸헌에 더이 헌수한은 반이한 두가지가에 한면도라은 한나오래 이를 들어어 고다는 거시은 새덕이 히상에 살중에 두리로 국진히 다따근 자유스키워서 공영수 능히 할줄 버르며 또 울히나라에 선형이 을음 정직하야 온올로 창대케한 능히 버는 뿌헌이라하야 후세 천조만대에 한출도 라운이 문슬 거시리는

백수씨 한양조씨 제문

우리 빅수씨 유인 한양 조씨 적연 숙환으로 필경 임진 십이월 십사일에 작고하시니 부제 재령 이모는 비황중 장사 연사를 어언간 지낫사오ᄂ 한마듸 영결를 하지 못하고 처음으로 게사[56] 십이월 신유삭 십사일 갑술 초긔에 슬푼 말 두어 줄로 전유 게유 상식에 인하야 연상 앞헤서 통곡 고결하나이다.

슬푸나이다. 나는 일즉부터 듯노니, 사람에 집이 잘되고 못되난 겄이 꼭 안으로 부인에 덕이 현숙하고 안이한 두 가지 간에 달렷다고 함인대, 이른바 어즈다는 겄은 사덕이 있어 삼종에 도리를 극진히 다 딱고, 자식을 키워서 교양을 능히 할 줄 알며, 또 근검하고 선형이 온슌 정직ᄒ야 문호를 창대케 한 공이 잇는 부인이라야 후세 천추 만대에 아름다운 이름을 깃치는

아, 우리 형수님인 한양 조씨께서 여러 해 앓으시다가, 마침내 임진년(1952년) 12월 14일에 돌아가셨습니다. 시동생인 재령 이씨 아무개는 슬픔과 두려움 가운데, 장례 절차를 모두 다 지냈으나, 아직 한마디 영결 인사를 드리지 못했습니다. 오늘 계사년(1953년) 12월 14일 1주기(소상)에, 처음으로 슬픈 말씀을 두어 줄에 담아, 상식을 올리는 영전에서 통곡하며 영결 인사를 고합니다.

아, 슬픕니다. 저는 일찍부터 들었습니다. 어떤 집이 잘되고 못되는 것은, 그 집 부인의 덕이 현숙한지 아닌지에 달렸다는 말입니다. 이른바 어질다는 것은, 덕이 있어서 삼종의 도리를 극진히 다하고, 자식을 키워 교양있게 하며, 근검하고 성품과 행실이 온순 정직하여, 가문을 창대하게 하는 것입니다. 이런 공이 있는 부인이라야, 후세 천추 만대에 아름다운 이름을 끼치는

56 게사 : 1953년.

마음이 옴은 꽃숨을 통하야 화창하는 이곳은. 우주
인이 맺어지니 되여 영지 홍이 한 힐이 울이 하
재는. 유현은 장엄한 성지라 유현한 덕향라
청강한 평은라. 온화한 홍몽. 우천 선생의
앞은 뫼에서 생장하야 일루부터 외출께
모음은 살뿐 수호와 하늘나라 주관을 가지셨으
지상 세에 우리 치던 예 구하는 때 비로소 하니
우우 우리 부모 인자하신 은혜로운 말씀을
함을 수호 사랑을 회한 한 한을 치유한 눈물, 눈
의 부모 우이 한상 홍수에 성탄을 흠 구
하. 흘러와 빛이 항하시와 그러시에 세계 흥성
적 가하였으. 주시와 말씀을 주셔 덕택에 여기 되니 이
참된 수정 지성을 제상의 말씀을 주셔 지어
회신 하였는 두리에도 몸소 동리 만다 하옵
공경이 부모 누님 부여 수술 높증 찬하자~

법이오나, 고금을 통하야 차자보아도 이른 부인이 몃몃치나 되며 엇지 용이한 일이온잇까만는
유인은 자양한 성질과 유한한 덕힝과 정강한 마음과 온아한 용모로 옥천 선생의 법문에서 생장ᄒᆞ야 일즉부터 외측에 교훈을 받으시와, 아름다운 규법을 가지시고, 십육 세에 우리집에 구할 쌔 입문하시니, 우으로 우리 부모 인자하신 총의를 받으시고, 알로 우리 사남미 화락한 인간지락을 누리오니,
유인이 항상 효우에 성힝으로 훈훈히 즐거워 맞이 않히ᄒᆞ시와, 구고씨에게 효성을 다하고, 군자를 받으러 덕에 어긋됨이 없으시고, 지성으로 제사를 받으시며, 지어접빈하는 도리에도 올흔 도리만 다하시니, 종종이 모다 노성 부덕으로 층찬이 자자

법이나, 고금의 역사를 살펴 찾아 보아도, 이런 부인이 과연 몇몇이나 되며, 어찌 쉬운 일이겠습니까?

하지만 형수님께서는 인자하고 어진 성품과 온유하고 조용한 덕행과 강한 마음과 단아한 용모로, 의병장으로 유명한 옥천 조헌 선생님의 가르침을 받으며 성장하였습니다. 일찍부터 외가 쪽의 교훈을 받으셔서, 아름다운 여성 예법을 갖추시고, 16세에 우리집에 들어오셨지요. 위로는 우리 부모님의 인자하신 총애를 받으시고, 아래로는 우리 4남매와 화락한 인생의 즐거움을 누리셨습니다.

형수님은 항상 효성·우애의 행실로 훈훈히 즐거워 마지않으셔서, 시부모님께 효성을 다하고, 남편을 받들되 덕에 어긋남이 없으셨지요. 지성으로 제사를 모시고, 손님을 접대하는 도리에서도 올바르게만 하셨지요. 그래서, 온 집안 사람들이 그 성숙한 부덕에 대해 칭찬이 자자하였습니다.

라 셩ᄉᆞㅣ 아시ᄂᆞᆫ 유인에 호화로운 시체로라
수인에 초연ᄒᆞᆫ 평에 실상은 내가 ᄒᆞᄂᆞᆫ데로
각오ᄒᆞ니 이온 꿀쟁치는 쎵상이 잔랑ᄒᆞ야
못가 쏘조로 ᄒᆞ여즌 이수ᄒᆞᆫ 운명을 못듯
에서 못산 쏘된 난쏘로 강ᄒᆞ야 대추가 이르시
에. 무엇 박산으로 흥자히 혹대셩ᄒᆞᆯ
너나서. 세상ᄉᆞ를 욱ᄉᆞ 쳐르이던 흥ᄋᆞ 쳥ᄒᆞ
야 흥ᄒᆞᄂᆞᆫ으로 가히 나무여래 토가혹에 셩
평이ᄂᆞ 뿌루ᄒᆞ여도 지ᄂᆞᆫ지 뿌으로 갈ᄋᆞ히게
된 그와 경ᄎᆞᆫ으로 누ᄎᆞᆫ도 ᄒᆞ였스니 ᄒᆞᆫ우리
ᄂᆞᆫ 역시 불가ᄂᆞᆫ ᄒᆞ나 가는 원래 ᄂᆞ니 생각으로
ᄒᆞᆫ 날가 갈이. 은총으로 세상ᄭᅡ 빨리 가 지취
ᄒᆞ나 밖에 동한에 쏘천ᄒᆞ여 들은 적했라
농촌는 어연간 뿌운 갈이 박부된 빨엇
부자지ᄒᆞᆫ 날에는 구경하시 한은

하셨으니, 이겄은 유인에 호화로운 시절과 유인에 초연 덕힝에 실상을 내가 아는 대로 긔록함이요,

불행히도 세상이 판탕하야 고가 세족으로 하여금 이구한 문양으로 곳통에서 못 살게 된 난세를 당하야 대소가 일시 에 풍지박산으로 흣터저 흑대령으로 넘어서 서목으로, 혹은 철이 타향을 향하야 충남으로 가워 남부여대로 가족에 싱명이나 보수하려고 지남지북으로 갈이게 된 그 광경, 참으로 수참도 하였읍니다.

우리도 역시 보자손하신다는 원대하신 생각으로, 남과 같이 고장을 써날까 말까 자저하신 몃 히 동안에, 세전하여 오든 제택과 농토는 어언간 부운같이 박낙되고 말엇으니, 지리한 날에는 구경 업시 인심은

이 제문은, 형수님의 빛나던 시절과 초년 덕행의 실상을, 제가 아는 대로 기록한 것입니다.

불행히도 세상이 어지러워져(육이오), 한곳에 오래 뿌리박고 살아온 명문 집안들이 고통을 받아 더 이상 못 살게 된 난세를 당하여, 모든 가족이 일시에 풍지박산으로 흩어졌지요. 흑대령을 넘어 서목으로, 또는 천리 타향을 향하여 충남으로, 이른바 남부여대 즉 남자는 지고 여자는 이고, 가족의 생명이나 보존하려고, 남북으로 갈리게 된 그 광경, 참으로 무참하였습니다.

우리 가족도 자손을 보존하여야 한다는 원대한 생각으로, 남들처럼 고향을 떠날까 말까 주저하신 몇 해 동안에, 대대로 전해오던 집과 농토는 어느새 낡고 묵어 자빠졌지요. 그 지리한 날에 끝없이 인심은

님이 팔ᄌᆞ 긔약ᄒᆞᆫ지라 ᄌᆞ연은 ᄃᆞᆼ초 짐은 ᄉᆞᆯ
명월 ᄉᆞᆷ 셩옥 짐은 소를 천〻이 ᄉᆞᆯ펴 한즁 딕희 ᄌᆞᆫ
쳥쥐 ᄒᆞᆼ ᄒᆞ야 쳔비 ᄒᆞ여 ᄋᆞ연히 흉혈에 ᄂᆞ흐흘
심연 중ᄒᆞᆫ ᄒᆡ와 ᄂᆞᆷ셔ᄌᆞ ᄉᆞ셩인이 ᄇᆡᆨ경ᄉᆞ 반ᄋᆞ러
사시 ᄇᆞᆫ셔로 시ᄀᆞᆫ ᄉᆞ리 ᄂᆞ치 ᄇᆡᆼ이 ᄂᆞ러ᄅᆡ 기리 드린
심연 동ᄒᆞᆫ ᄒᆞᆯ 만ᄂᆞ도 못ᄒᆡᆺ기ᄂᆞ 구ᄅᆞᆫ ᄒᆞᆫ 가지 잡ᄋᆞᄂᆞ
창ᄉᆞ 놉흔 쳔ᄀᆞᆺ 녹은 쉬옷 ᄂᆞ려 반ᄒᆞᆫ 궁이라 ᄯᆡ〻라
칠ᄉᆞᄒᆡ 봉명과 팔〻ᄒᆞᆫ 된ᄉᆞᆯ 시ᄌᆞ만 ᄂᆞᆺ초ᄋᆡ로
친ᄉᆡᆼ이라 ᄒᆞ오ᄂᆞᄀᆞ ᄂᆞ〻ᄒᆞᆫ ᄒᆞᆫ 구ᄒᆡ셔 ᄃᆞᆼ셔ᄒᆞ긔
희례 ᄒᆞᆫ날 ᄒᆞᆫ 시졀이 지셩ᄋᆡᆼ ᄂᆞᆫ셔ᄒᆡ 쳔ᄒᆡ
치론 ᄯᆡ 형뎨 소이로의 구구ᄒᆡ 흉ᄒᆞᆫ 쳥ᄉᆞᄋᆡ로
간ᄒᆞ시지 어분 구시ᄂᆞ 니ᄉᆞ〻ᄒᆞᆫ 탕ᄂᆞ〻 ᄯᆡ라 ᄂᆞ문 ᄂᆞ루
로 ᄒᆡᆼ혼 시간도 어굿ᄎᆡᄂᆞ ᄒᆡᆼᄉᆞ 시량ᄂᆞᆫ ᄒᆞ리 ᄌᆞ최에로
쳔〻 즁〻ᄒᆞ거 ᄆᆞᆯ온 ᄉᆞ흘 츈ᄌᆞᆫ 추동 ᄉᆞ시 절로 ᄒᆡ
길 이 ᄅᆞᆯ 드ᄅᆡ ᄒᆞ여 가셔 ᄋᆡ 기드ᄒᆞᆫ 치로 셩에

날이 갈사록 호박한지라. 금연은 동쪽 집으로, 명연은 서쪽 집으로 전전서설한 중 더욱히 쏘 불힝하야, 선비게서 우연히 충현에 숙수로 십연 동안 워와 ᄒᆞ시니, 유인이 빅형을 받으러, 일시반시도 시측을 써나지 않히ᄒᆞ시며, 길고 긴 십연 동안 하로 밤도 옷칫긴을 풀고 한숨 잠을 마음놋코 전못ᄒᆞ지 못ᄒᆞ고, 바람증이라 쌔쌔의 감수에 봉양과 달달 부원은 시각만 늣치여도 첨상이라.

풍우가 소소한 함주에서 동서추대하야도, 한날 한시간이 지성봉양 ᄒᆞ시며, 천여 첩에 탄약은 이록의 숙주에 출천 우의로 단 역시 지어보나 주시나, 냉냉한 탕노에 저즌 나무로 일푼 시간도 어긋침 업시 시탕ᄒᆞ시와

조차에도 전전긍긍하신 마음으로, 춘하추동 사시절에 길일을 택하야 가신에 기도하고 칠성에

나날이 갈수록 각박해져서, 금년은 동쪽 집, 명년은 서쪽 집으로 전전하며 지냈습니다. 그러던 가운데 더 불행해져, 어머님께서 우연히 충현에 숙수 즉 음식 만드는 일을 하며 10년간 사셨지요.

형수님이 큰형과 함께 어머님을 받들어, 한 시간 반 시간도 그 옆을 떠나지 않으시며, 길고 긴 10년 동안, 하룻밤도 옷끈을 푼 채 잠 한숨을 마음 놓고 주무시지 않았습니다. 어머님은 바람증을 앓으셨는데, 형수님이 수시로 보살피며 봉양하여, 어떤 약은 시각을 조금만 늦어도 안되었습니다. 비바람이 치는 한날 한 시간도 빈틈 없이 지성으로 봉양하시어, 천여 첩의 탕약을 냉냉한 화로에 젖은 나무로 일푼 시간도 어긋남 없이 바쳤지요,

짧은 순간조차 조심하는 마음으로, 춘하추동 사시절에 길일을 골라 가신한테 기도하고

후우ᄂᆞᆫ도다. 오호에 부셩ᄒᆞ야 후원ᄒᆞ엿도다
쳔지신명이 유인라 친ᄒᆡᆼ셔 명호의 감ᄂᆞᆫ동직
항송ᄒᆞ올 나의 의탁 막주ᄒᆞ올 쳐ᄒᆞᆫ에 두긔
놉히 쳔비ᄒᆞ여 권ᄒᆞᆫ 후ᄉᆞᆫ 뵈올 살이신에 빗올 쳐
도ᄋᆞ올 ᄭᆡ리시ᄋᆞᆫ 우주ᄋᆞ로 거두시ᄂᆞ 호천망극
외연동ᄋᆞᆫ 완ᄆᆡ여 외치ᄒᆞᆫᄒᆞᆯ라 어ᄭᆡᄋᆞᆫ 허ᄉᆞᆨ
휘동우ᄒᆞᆫ 반ᄂᆞᆫ 초종명우에 외친ᄒᆞᆫ 시나. 우우
부친이라 유인에 유우로 오행ᄂᆞ 여외 초종
반쳔호라 상ᄒᆡᆫ 초혼에 며누가 뷔을 홀ᄒᆞᆫ ᄭᆞᆫᄋᆞᆫ에
근우가는 ᄋᆞᆸ면 ᄂᆞᆫ의 이목에 구쳐 ᄒᆞᆫ죽ᄒᆞᆫ 일
이여ᄎᆡ ᄒᆞᆫ 귀ᄒᆞ여 오ᄒᆞᆫ 유비ᄒᆞᆫ 호젼에 시를 작ᄒᆞ라
혼ᄃᆞᆫ 며ᄉᆞ에 자ᄉᆞᆫ는 여로 두ᄂᆞᆫ 온ᄒᆞᆫ이 된 유인에
하ᄂᆞᆯ도 가운데 죄ᄒᆞ여 러라 놉흔 이ᄒᆡ 져ᄂᆞᆫ 본ᄒᆞ야
같은 북놉흔 나의 동지 나라 이로 ᄉᆡᆼ에 유인
위ᄋᆞᆫ 덕ᄒᆞ야 빗ᄋᆞᆯ 우ᄒᆞᆫ 비ᄋᆞᆫ 외ᄋᆞᆯ 시라 오ᄅᆞᆫ 여령

축수ᄒᆞ시와, 오모에 복생을 축원하셨으나, 천지신명이 유인과 ᄇᆡᆨ형의 성효의 감동치 않흐시고 ᄯᅩ 나의 죄대악극으로 천신에 득죄ᄒᆞ와, 선비ᄭᅦ서 긔사 춘삼월 삭일에 불초 저고등을 버리시고, 수족을 거두시니

호천망극의 ᄋᆡ통은 완명을 의지할 자이 없으며, 더욱히 통곡한 바는 초종염수에 절차가 속수무책이라. 유인이 유무를 요량ᄒᆞ시와 초종 범절과 삼연 초로에 예수가 불효한 마음에 큰 유감은 업고, 남의 이목에 그저 한심한 일이 업게 한 겄이, 모다 유인 효행에 실적이라.

고금 여사에 참고ᄒᆞ여도 듬은 일이요, 유인에 아름다운 덕ᄒᆡᆼ이 허다ᄒᆞ오나, 이 대절은 뉘 안이 감복ᄒᆞ오며, 나의 동긔 남ᄆᆡ 일ᄉᆡᆼ에 유인의 은덕을 잊을 수 업난 일이올시다. 고로 여ᄉᆡᆼ

칠성님께 축수하시며, 어머님의 회복을 축원하셨습니다. 하지만, 천지신명이 형수님과 큰형님의 효성에 감동치 않으시고, 또한 내 죄가 하도 큰 나머지 천신(하느님)께 득죄하여, 어머님께서 기사년 춘삼월 초하루에 불초한 저희를 버리고 수족을 거두셨습니다.

아, 그지없이 애통하여, 이 모진 목숨을 더 이상 의지할 데 없습니다. 더욱히 통곡한 바는 초상에서부터의 장례 절차에 대해 속수무책인 점이었습니다. 형수님이 계획을 세워, 초상에서 탈상에 이르기까지의 범절을 따라 삼년상을 치르느라 애태우셨으니, 저의 불효한 마음에 별 유감은 없고, 남이 보기에 한심하지 않게 된 것은, 모두 형수님의 효행 덕택입니다.

형수님은 고금 역사를 참고해 봐도 드문 분입니다. 형수님의 아름다운 덕행이 허다하지만, 여기 적은 일은 그 누구라도 감복하지 않을 수 없으며, 우리 남매의 일생에서 형수님의 은덕은 잊을 수 없는 일입니다.

치우려 하되 나의 각각 생취하시나 가슴 나와 가로이
백수가 되도록 오부 베를 천에 성하고 드리려
철 갖이 꽃 황하게 도혼 자서하 중변 소술 비 세상
선 나의 유한이 효도 효을 증치 못하얏
구슬에 세나니를 되지 중지하시던 처자
매 할는 바하시고 또 나의 천생이 가축하인 광축
원한 불효 불효사 매 이러한 을 오진 죄 못하야
여된 날산에 가는 중생는 가고 사지를 끼한
이는 저것슨 슬유어 이주할 후생 각평은
원하 성상이 치로 도로 나의 죽슨 하시로 난장
이는 속히 원유한 현 날세 비명 죄로 본 선
스스 친한 슬 부랄 한하 나의 걱정 소위를
원나 나의 광는 소뫼한 한 엿시옵 예 또 내하고 평소
이스 기실어 노친스 외시고 박승한 상슬 전
나
새서 한는 배 도로하 필슨하 오슬 새로

의 우리 여러 남믹 각각 성최ᄒᆞ야 실가을 남과 같이 빅수가 되도록 오부에 슬전에 경ᄉᆞ를 드리려 한 것이, 불힝하게도 호촌 자씨가 중년으로 이 세상을 써나시니, 유인이 공히 ᄋᆡ통을 금치 못 ᄒᆞ시고, 그 유육에 제 남믹를 ᄋᆡ지중지ᄒᆞ시와 친자에 다름업사시고,

또 나의 천성이 과격ᄒᆞ고 광측하야, 불효 불우에 일싱으로 근신치 못ᄒᆞ야, 여러 번 난세에 가즌 풍상을 격고, 사지를 몃 번이나 격것음으로 유인이 주소로 수심 걱정을 하시와, 세상 이치를 도로 나의 조심ᄒᆞ기를, 간장이 녹난 ᄃᆞᆺ이 권유ᄒᆞ시와, 난세에 명철보신을 진심으로 부탁하야 나의 걱정을 위로하고, 나의 마음을 위안ᄒᆞ였으며 쏘 내가 고장을 잇기 실어 노친을 뫼시고, 익동한상으로 전전 서설함에 도로가 낙낙ᄒᆞ야, 조석으로 서로

그러므로 형수님의 살아생전에, 우리 여러 남매가 각각 혼인하여 가정을 이루어, 남들과 같이 백발이 될 때까지 아버님 슬하에 경사를 드리려 하였습니다만, 불행하게도 호촌의 누님이 중년 나이에 세상을 떠나셨습니다. 형수님이 우리와 함께 애통함을 금치 못하시고, 우리 여러 남매를 애지중지하시어 친자식과 다름없으셨지요.

제 천성이 과격하고 광적이어서, 부모님께 불효하고 형제한테는 우애하지 못한 채 평생 근신하지 못하였습니다, 여러 번 난세에 갖은 풍상을 겪고, 몇 번이나 죽을 뻔한 고비를 겪어, 형수님께서 밤낮 걱정을 하셨습니다. 세상 이치를 들어 내 마음 단속하기를, 간장이 녹는 듯이 권면하셨지요. 난세에 몸조심하라고 진심으로 부탁하여, 걱정하는 나를 위로하고, 내 마음을 위안하였습니다. 내가 고향에 있기 싫어해, 부모님을 모시고 익동과 한상으로 전전할 때, 도로가 막히는 바람에 아침저녁으로

단환회치 못ᄒᆞᆫ 길ᄒᆞᆫ 경우 환에 ᄎᆞ외ᄆᆞᆫ 갈이 지니
계되니 우인이 항상 셔쳔ᄉᆞ ᄲᅡᆯ니ᄒᆞ며 누누ᄒᆞ올
본분에 회ᄀᆡᄒᆞᆯ ᄯᅢ 치못ᄒᆞᆫ 간졀 나의 고
친우ᄀᆞ치 ᄒᆞ라 ᄒᆞ니 ᄭᅢᆫ 우 만대ᄒᆞ여 ᄒᆞᆫ 번의 글
리시ᄭᅡ지 우ᄅᆞ ᄒᆞᆫ ᄉᆡᆼ전 회ᄀᆡ 못ᄒᆞ고 설ᄒᆞᆫ ᄉᆞ괴 ᄒᆞ는듯
나가 ᄒᆞ로ᄲᅮᆫ ᄂᆞᆫ ᄆᆞᄋᆞᆷ ᄲᅮᆫ 세 회ᄎᆞᆨ의 조ᄒᆞᆫ 운ᄉᆞᆫ
진현ᄉᆡ 이를 권ᄒᆞᄂᆞᆫ ᄆᆞᄋᆞᆷ은 온당ᄒᆞᆫ 친쳔ᄒᆡ 정ᄒᆡ
오ᄂᆞᆯ 후에 모든 ᄉᆞᄅᆞᆷ 이ᄭᅵ이 오ᄂᆞᆯ 유익에 관두ᄒᆞᆫ
우리에 바른 다ᄉᆞᆫ 주여 ᄂᆞᆫ 유익ᄒᆞ 생 되ᄂᆞᆫ 히 ᄲᅡ로 ᄇᆡ로는
불ᄉᆞᆼᄒᆞᆫ 쳔신 ᄲᅮᆫ 일에 ᄒᆞᆫ 칸으로 한ᄲᅮᆫ 다ᄉᆞ며
신은 명쓸 ᄂᆞᆫ ᄆᆞᄋᆞᆷ 뒤희에 울홍기로 고홍ᄒᆞᆫ 졍
지로ᄒᆞᆫ ᄆᆞᄋᆞᆷ에 ᄯᅢᆯ어 오ᄅᆞ ᄀᆞ외 셔셔 ᄉᆞ온ᄒᆞ야 ᄒᆡᆼᄒᆞᆯ
선 강ᄒᆞᆫ 원대에 ᄯᅳᆺ이 이ᄉᆞᆫ 만 강운에 ᄇᆞᆫ을
행ᄒᆞ야 쥰ᄒᆞᆫ 못ᄒᆞᆫ 유족히 ᄒᆞ여셔 ᄎᆞᆯ ᄒᆞᆫ 성ᄉᆞᆯ
쟝ᄒᆞ지 ᄆᆞᆯ 셔ᄉᆞᆫᄒᆞᆫ 으로써 평ᄀᆞ치 ᄉᆞᆯ 졍명ᄒᆞᆫ ᄲᅮᆫ우메

단합하지 못ᄒᆞ고, 길흉 우환에 초, 월 같이 지나게 되니, 유인이 항상 시친을 바라보며, 누수로 불도에 회포를 금치 못ᄒᆞ시고, 간혹 나의 근친을 기다려 나의 면목만 대하여, 흔연히 즐긔시며 오릐 동안 싸인 회포를 설사리 푸듯 낫낫치 토설ᄒᆞ시며, 산전히착의 조흔 음식을 진상 성의로 권ᄒᆞ시와, 은은다정한 천현에 정이 골수에 소사나시니, 이겄이 모다 유인에 간독하신 우익에 아름다운 덕이요.

또 유인이 삼남일여를 낳으시와, 천신만고에 인간 고락을 다 격어 신근 양육ᄒᆞ시와, 의리에 올흔 길로 교훈하시고 지도하심에 딸아, 모다 그리 심히 우준하야, 병울은 강강한 원대에 뜻이 잇드니만, 가운에 불행ᄒᆞ야 한낫 유육이 업시, 초초 인싱으로 사라지고 마랏으며, 병걸은 정명한 보수에

서로 모이지 못해, 데면데면 지나게 되었지요. 형수님이, 항상 시부모님을 바라보며, 눈물 흘리면서 별도의 회포를 금치 못하시고, 어쩌다 내가 근친하기를 기다렸다가, 내 얼굴만 보고도 기뻐하셨지요. 오랫 동안 쌓인 회포를 서리서리 낱낱이 털어놓으시며, 산해진미의 좋은 음식을 상에 올려 진심으로 권하셨습니다. 은은하고 다정한 천연의 정이 골수에서 솟아나셨으니, 이것이 모두 형수님의 두터운 우애의 아름다운 덕이었지요.

형수님은 3남 1녀를 낳으셨는데, 천신만고의 인간 고락을 다 겪으면서도, 부지런히 애써 양육하셨습니다. 의리의 옳은 길로 교훈하시고 지도하심에 따라, 모두 매우 뛰어났지요. 병을(1919~1949)이는 굳세고 원대한 뜻이 있더니만, 가운이 불행한 탓인지 보람도 없이, 바쁘고 급한 인생으로 사라지고 말았습니다. 병걸이는 바른 것을 지키는 데

뜻이 일본에 . 조선의 장래 하는 장차 조국 정세에
유로이 울러 나이록 능삼 [illegible] 이 저장
청년 청운은 회홍한 동행과 능장한 수단에 착수
면 조선에 번로에, 중흥을 이어 중장한 뜻이 청산
5년간 정필을 조선에 실시한 장부에 한글을 남긴
나 올여히 며, 활안 이루지 평부화어 혼을 화장
대 외상이 하사는 소상책형이 창그히라는 히로단은
청에 장국을 회복한 자리나는 외면에는 생명이
동심신습에는 각관계 강구책을 강구 [illegible]
창시에 국민을 만화로부터 회복하소가 란히
너어지국은 [illegible]
[illegible]
[illegible]
[illegible]

뜻이 있으며, 그 아릐 창덕이는 장차 그 빅형에 뒤를 이을 터이니, 비록 술삭하나 까음이 정강ᄒᆞ며, 병운은 회홍한 도량과 능강한 수단이 있어, 면운재민 조에 종통을 이어 중창할 뜻이 있고, 쏘 당힝히도 금춘에 식식한 장부에 아들을 낳으니, 골격이 익익하고 미목이 영수하야 훈호 창대의 망이 있음으로, 빅형이 창근이라는 이름을 지어 장중 보화로 자라나고,

필여는 성힝이 흡사 유인을 달머, 강강 정즉한 마음이 족히 장내에 복받을 만한 그릇이 될 듯하나, 가연이 넘어 아즉 조흔 짝을 가리지 못ᄒᆞ고, 천여 외로운 몬양으로 경경혈혈ᄒᆞ야 주야로 엎어지락 잡아지락 ᄋᆡ통망극ᄒᆞ니, 이는 참으로 유인에 일대 유한으로 눈을 깜지 못할 일이오나, 방금 대방가에 발설되여, 명춘으로 영혼하오니, 필

뜻이 있으며, 그 동생인 창덕이는 장차 큰형님의 뒤를 이을 터인데 탁월하고 강하며, 병운이는 커다란 도량과 능수능란한 수완이 있어, 면운재 종택의 종통을 이어 다시 일으킬 만한 뜻이 있습니다(양자 입양). 게다가 병운이는 금년 봄에 씩씩한 대장부 아들을 낳았으니, 골격이며 용모가 빼어나서 잘 가르치면 창대할 희망이 있어서, 형님이 창근이라고 이름을 지어 손바닥 속 보화처럼 자라나고 있답니다.

필여(본명 : 병필)는 성품과 행동이 흡사 형수님을 닮아, 강하고 정직한 마음씨가 충분히 장래에 복 받을 만한 그릇이 될 듯합니다. 다만 혼기가 넘어 아직 좋은 짝을 고르지 못해, 외로운 처녀 몸으로 엎치락뒤치락 밤낮 애통 망극해하니, 참으로 형수님이 한스러워서 눈을 감지 못할 일입니다. 하지만 방금 명문 집안과 혼담이 있어, 내년 봄에 혼인하기로 했으니,

경중흔 취이흔 쏠버려 장내의 반부는 누리쇼셔
비는 밧빗치 흐는 빗최 이지러는 셔월 뫼동기 때
쳥강을 우희로 초줄흔 한송이를 흘 유흔 유한
하시러 너부 버헌 술 ᄯᆞ를 세가 반흔 모여 5흔 셔인이
평성에 즌기한슬 쳔셩을 한칸으로 흔에 방주에
공은 누흔세지 한흥이시며 방순에 부흔로에 희부에
흔흘 흑이 쏠흑이 한흥이시근 흔면흔이 저흑흔며
처슴에 놉흔 잔챵 느흥흔 누시는 번쳐 오롤흔
흰장은 널이 두시근 문흘 흐근 흥거흐흐이 시흐히
우흐 호희 흐샹이 흔 누흔여 모시는 흔장히며
채택이흔 남에 흐흥에 든지 명흔가 한흥이
되어 라시 희흘흔세 된 유인에 공이 어흐 ᄡᆞᆫ
흑며 유인에 져평이 어흐 ᄡᆞᆫ 피흔흔 흔흔 두흔
비흔이 유어헌 때 히흔 상샹여 남히 위해흔흔 저흑
흔비 올히흘 흔 흥거흔 흔내가 흥샹 ᄡᆞᆯ 흔 ᄯᆡ

경 조흔 ᄇᆡ필을 이어 장내의 만복을 누릴 터이오, 범ᄇᆡᆨ 치혼은 ᄇᆡᆨ형이 지도ᄒᆞ시고, 저 동긔에 남다른 우ᄋᆡ로 초슬튼 않일 듯 ᄒᆞ오니, 유인이시어 너무 여한으로 마르시기 바라오며,

또 유인이 평ᄉᆡᆼ에 근검하신 천성으로 한참도 손에 방즉에 공을 노흐시지 않이시며, 마음에 문호에 회복할 ᄎᆡᆨ임을 잊이 않이시고, 근면하야 저축하시며, 절약ᄒᆞ야 자장ᄒᆞ시와 수십 연 적곡으로 전장을 널이 두시고, 문호를 통개ᄒᆞ니 이겄이 모다 우리 조상이 전수ᄒᆞ여 오시든 전장이며 체택이라.

남에 수중에 든 지 몃 ᄒᆡ가 않이 되여 다시 회복하게 된 유인에 공이 얼마나 크며, 유인에 심경이 얼마나 쾨활하였든가요. 이겄이 유인에 일ᄉᆡᆼ 사업이 위대함을 긔록함이요, 일로 증거하야 내가 항상 말한 바,

반드시 좋은 배필을 만나 장래의 만복을 누릴 것입니다. 그 모든 혼인 절차는 형님이 지도하시고, 저희 동기의 남다른 우애로 허술하게는 않을 듯하니, 형수님께서는 너무 여한으로 여기지 마시기 바랍니다.

형수님께서는 평생 근검하신 천성으로 한참도 손에서 방적 즉 베짜는 일을 놓지 않으셨으며, 마음에 가문 회복의 책임을 잊지 않으셨습니다. 근면하여 저축하셨으며, 화장하는 것도 절약해, 수십 년 쌓아둔 곡식으로 논밭을 늘리고, 가문을 다시 일으켰으니, 이것이 모두 우리 조상이 전수하여 오던 토지며 집이었습니다.

남의 수중에 들어간 지 몇 해가 안되어 다시 회복하게 되기까지, 형수님의 공이 얼마나 크며, 그 심경이 얼마나 시원하셨을까요? 이것이 바로 형수님의 일생 사업의 위대함을 기록하는 까닭이요, 제가 항상 말한 바,

136 사환에 잡히어 웅장한 의관 갖추어 부부히 매여히
137 혼주 하신 한상이 흔대 하였다는 거울 시간 장분인가
138 부인에 빠뜨 번가 수십번 이상세에 나한되는 조원
139 제들나 관장 나께 택호 회부 관은 나관장에
140 치은 우부분이 제택에 식상 기리 상쌍아 부단
141 방두여 관양서 봉제사 거남번 갱남 남손줄 버기 칼사
142 택부 리로 찬는 수광 수에 두드 싸부부 누리리 라쾌한
143 어찰하 삶으에 하생시 나떡하며 다방나 비치근 곳하고
144 간날에는 갈수록 리나 하늘하늘며 무수난 수한심신
145 하러보오 동생들나 내리 내겨 길이어을 비나지 다답
146 울도험새 부우수에 평한흔 가세근 놀며보곤을 빛
147 부어싱매 오소홍새 가울이 발은 매월 동한 애찬
148 두루우감은 서산신목 무수울 목수을 한갈 수을 두리
149 달이며 어는떼어 히부루어 히지리 크차한 부다는
150 평편 수늘 나날이 바부분 사흔부 부지한 부봐는
10

사람에 집이 흥하고 쉬한 겄이, 꼭 부인에 덕이 현숙하고 않이한 대 있다는 겄이올시다.

가운인가 유인에 박복인가, 수십 년 일심에 여한 되고 포원되는 내 전장, 내 제택을 회복하야, 이 전장에 지은 오곡을 이 제택에 가리상 기리상 싸여 두고, 마음 여한 업시 봉제사 접빈객ᄒᆞ고, 남혼여가하야 빅수 ᄒᆡ로 자손을 좌우에 두고 만복을 누리려 한 것이, 유인에 일ᄉᆡᆼ 심역이엇만은, 엇지도 끗이 없난 날에는 갈ᄉᆞ록 험악ᄒᆞ야, 우주난 소란ᄒᆞ고 여러 영웅 열ᄉᆞ는 버리쎄같이 일어난지라.

병울도 역시 우국에 경윤을 가지고 같이 보조을 맞우어, ᄉᆡᆼ명을 초개같이 알고, 몃ᄒᆡ 동안 풍찬노숙하고 심산 심곡으로 토굴 안감으로 도라단이며 어든 병이 부중이라. 미리 조치할 수 업는 형편으로 아달이 많을사록 엇지할 수 업는

'사람의 집이 흥하고 쇠하는 것이, 반드시 부인의 덕이 현숙한가 그렇지 않은가에 달려 있다'는 말의 산 증거입니다.

우리 집의 운이 그런 것인가요 아니면 형수님이 박복한 탓인가요? 수십 년간 한마음으로 한이 되고 포원이었던 내 토지, 내 집을 회복하여, 이 토지에서 농사지은 오곡을 이 집에다 가득 쌓아두고, 원 없이 제사를 모시고 손님을 영접하며, 자녀를 혼인시키고, 백년 해로하여 자손을 좌우에 두고 만복을 누리려 한 것이, 형수님의 일생 심역이었지요. 하지만, 어찌하여 날이 갈수록 세상이 험악하여져서(해방공간의 좌우 이념 갈등), 여러 영웅 열사가 벌떼같이 일어났지요.

병울이도 우국의 경륜을 가지고 이에 같이 보조를 맞추어(좌익활동), 생명을 초개같이 알고, 몇 해 동안 풍찬노숙 즉 객지에서 고생하고, 깊은 산속이며 토굴이며 돌아다니느라 얻은 병이 부증 즉 붓는 병이었습니다. 미리 조치할 수 없는 형편으로서, 아들이 많을수록 어쩔 수 없는 지경에 이르렀으나,

지셩에 득달ᄒᆞ여시ᄂᆞᆫ 화목ᄒᆞ야 ᄲᅮ두ᄒᆞ니 ᄒᆞᆫ 줄이
외주ᄒᆞᆫ셰 ᄒᆞᆫ지ᄒᆞᆫ에 간찰ᄒᆞᆫ ᄂᆞᆫᄒᆞᆫ ᄲᅡᆼ은 거ᄉᆞ 주로ᄒᆞᆯ 수
딕ᄒᆞᆫ 상셩히 ᄒᆞᆫ 혼 진히 오ᄒᆡ ᄲᅡᆨ사오 ᄉᆞᆯ 가ᄌᆞᆫ 분
위ᄒᆞᄂᆞᆫ 비로 ᄃᆞᆼ ᄒᆞᆯ치고 ᄒᆞᆫ산 나아 수오 ᄆᆞᆫ 월 ᄎᆞᆯ치ᄂᆞᆫ ᄃᆞᆯ
ᄲᅡᆨ ᄒᆞᄋᆞᆫ ᄲᅧᆼ 거ᄉᆞᆯ ᄃᆞᆯ치고 자셩ᄋᆞᆯ 뒤션ᄂᆞᆫ ᄃᆞᆯ
자ᄎᆞ 뫼ᄃᆞᆯ은 ᄒᆞᆫ구로 가기 ᄀᆡ 팽ᄒᆞᆫ 우륵ᄉᆞᆯ 오이
홀치 오ᄒᆞᆫ 작ᄒᆞ 시ᄒᆞᆫ 간휴 ᄃᆞᄂᆞᆫ ᄒᆞ시 약은 ᄲᅳᆷ
가회로 와셔 부ᄌᆞᆫ 씨 어ᄉᆞᄂᆞᆫ 때로 가ᄒᆡᄂᆞᆫ 호샤ᄂᆞᆯ
안ᄌᆞᆯ로 ᄒᆞᆫ 뒤ᄂᆞᆫ 시위ᄒᆞᆫ 예 ᄒᆞᆼ갈로 ᄉᆡᆼ명은 ᄯᅢ
쓰리고 ᄯᅢ ᄲᅡᆨ게 ᄂᆞᆫ 영ᄌᆞᄂᆞᆫ 유연이 오ᄅᆞᆯ 동ᄒᆡᄂᆞᆫ ᄃᆞᆯ
후로ᄂᆞᆫ 황ᄒᆞᆼᄒᆞᆫ 거ᄒᆞᆫ ᄒᆡ 두 동ᄉᆞᆫ ᄆᆡᆼ서 ᄒᆡ연 희 ᄋᆞᆼ기 최면
ᄂᆞᆯ ᄋᆞᆯ 비록 오두에 ᄒᆞᆯ년ᄂᆞᆫ ᄆᆡ 잇ᄉᆞᄂᆞᆫ 엇지 ᄒᆡ이
ᄒᆞᆫ셰 구로 초쳡ᄒᆞᆫ 두ᄒᆡ ᄒᆞᄂᆞᆫ 히셔ᄉᆞ 되오 ᄶᅢ 정은 ᄌᆞᆼ산
ᄇᆡᆨ옥에서 ᄌᆞ의 히ᄅᆞᆯ 셩ᄉᆞᄂᆞᆫ 쌍ᄒᆞᆫ 이ᄅᆞᆯ 세로 ᄶᅡᆺ 허나
뵌 ᄒᆞᆼ ᄒᆞᆫ 후오ᄂᆞᆫ 에 후셤라. ᄋᆞᄂᆞᆯ ᄒᆞᆫ ᄶᅡᆼ ᄂᆞᆫ 대로

지경에 도달ᄒᆞ였으나, 화식이 박두하니 혼슬히 의구하게 한집에 단합ᄒᆞ야, 마음것 구료할 수 딱한 사정이라.

혼전이 운비박삭으로 가군은 필이를 다리고 한산 나의 우소로 힁차ᄒᆞ시고, 빅형은 병결을 다리고 경성으로 피신ᄒᆞ시고, 질부들은 차차로 각기 귀령하야 오즉 유인이 혼자 고택을 직히시와, 간혹 틈을 타서 약을 쓰고 긔회를 바서 부인씨켰으나, 쌔쌔로 가택을 수색ᄒᆞ야 문호를 타파ᄒᆞ고 시위하며, 총칼로 싱명을 쌔스려고 협박ᄒᆞ였으나, 유인이 소불동염ᄒᆞ시고, 추호도 창황급거한 태도가 업시 태연히 응기처변ᄒᆞ야 비록 목두에 창병은 업섰으나, 엇지 여이하게 구호조섭할 도리야 잇으리요. 필경은 궁산벽곡에서 저의 일싱을 삼십일 세로 맞이니, 원통한 죽음에 수심과 음호로 마음대로

마침내 화를 당할 조짐이 닥쳐오니 옛날처럼 한집에 모여 마음껏 치료하기 어려운 딱한 사정이었지요.

아버님은 필이를 데리고 내가 있던 한산의 거처로 오시고, 형님은 병결이를 데리고 경성으로 피신하시고, 질부들은 차차 각기 근친하여, 오직 형수님 혼자 고택을 지키셨지요. 병을이한테, 간혹 틈을 타서 약을 쓰고, 기회를 봐서 부인하라고 시켰으나, 때때로 가택을 수색하여 문들을 부수고 시위하는가 하면, 총칼로 생명을 뺏으려고 협박하였지요. 하지만 형수님은 조금도 마음이 흔들리지 않고, 추호도 당황한 태도가 없이 태연히 대응하였습니다. 비록 눈앞에 지키는 경찰은 없었지만, 어찌 자유롭게 간호할 수가 있었겠습니까?

마침내 산골짜기에서 그 일생을 (1949년에) 31세로 마치니 원통한 죽음이었습니다.

쌍긔은 날에 츄쇄오 ᄂᆞᆯ신으로 무지한 쌍무을 거ᄂᆞ려
황뎨에 오쟝한 츠재 쳐재라 범ᄉᆞᆼ다시 범ᄇᆞᆯ
셰졍어 쌀활 동외 벌ᄉᆞᆯ 계무 굴ᄉᆞ 유인에 쟝ᄀᆞ한
쌍뉴이 외동 쳘어 갈ᄂᆞᆫ 갈뉴에 못ᄂᆞᆫ 쌰ᄋᆞ 믈ᄉᆞ
메미셜 뭔한이 우쟝은 칼을 외무 쌍을ᄒᆞᆫ 한우라
한ᄉᆞᆼ 늘신 관여 한 들 여ᄉᆞᆺ 철ᄉᆞ 만ᄉᆞᆼ이 한ᄂᆞᆫ 듯ᄒᆞ라
벽산 슐가을 척 변신은 한셔 ᄂᆞᆫ 혜오가 화한 ᄉᆞᆯ을 칠상
회오 ᄆᆡᆨ 평에 지ᄉᆞ 한가 은 멱라 지ᄂᆞᆫ 바 ᄃᆞᆯ에 지쳥
ᄉᆞᆼ놀 시 창 한ᄉᆞᆫ 쳔 션 히 가ᄉᆞ 동한을 러 이 분ᄂᆞᆫ 칙연이
우 호을 동라 가ᄉᆞᆫ 히로 조에 쌍상은 더 ᄂᆞᆯ 오을
흉제란 유인이 되ᄂᆞᆫ 주려 쟈오ᄂᆞᆫ 이ᄅᆞ 오셜 흉변에 는
몽군 ᄉᆞᆯ 무한 오ᄌᆞ로 다ᄉᆞᆺ가 ᄉᆞᆫ셜 ᄒᆞᄂᆞ니 ᄆᆡ 는 무한
흉ᄉᆞ 쇄 셩 경ᄉᆞ 져ᄀᆞ 슬셜 이로 셔 ᄉᆞᆼ 헤 한 번 ᄂᆞᆫ 흘
화로 뤼 지ᄂᆞᆫᄃᆡ 가 ᄯᅥ셔 분ᄂᆞᆫ 라 우셜 치ᄂᆞᆫ 세를 ᄯᆞᆺ
히가ᄉᆞ 쌍히 로 쥬 인 을 ᄂᆞᆫ셔 ᄂᆞᆫ 조오로 히 ᄯᅥ ᄉᆞ 되

밝은 날에 ᄒᆞ지 못ᄒᆞ고, 모야무지 한밤중을 긔다려 황원에 미장하니 통재 석재라. 엇지 다시 입을 열어 말할 도리 있을까. 그러니 유인에 강강한 마음이 비록 철석같으나, 가슴에 못을 박고 골수에 밋친 원한이 오장을 칼로 외우난 ᄃᆞᆺ, 아무리 안심ᄒᆞ고 관억한들 엇지 칙수 않이할 도리 있을까요?

적연 신고하시든 해소가 화담으로 첨상되야 빅형에 지극하신 문약과 질아들에 지성으로 시탕함은 천신이 감동할 터이오나, 빅약이 무효로 도라고 일조에 세상을 쪄나시니, 오호 통제라. 유인이 일즉히 자모를 일흐시고 중연에는 공군으로 무한 고초를 다 격으시고, 말내에는 무한 촉수와 경겁을 격으시고 일싱에 한번도 호화로이 지날 쌔가 업시 불과 오십칠 세로 맞이시니, 만일 유인으로 ᄒᆞ여금 조물이 몇 ᄒᆡ에

마음대로 밝은 날에 묻지 못하고, 아무도 몰래, 한밤중을 기다려 들판에 매장했으니, 애통하고 아쉽습니다. 어찌 다시 입을 열어 말할 도리가 있을까요? 그러니 형수님의 강건한 마음이 비록 철석같으나, 가슴에 못을 박고 골수에 맺힌 원한이 오장을 칼로 에우는 듯, 아무리 마음 달래보고 억누른들 어찌 온전할 수 있을까요?

여러 해 고생하시던 기침이 화담 즉 몸에 열이 심하고 가슴이 두근거리며 입이 마르고 목이 잠기는 병으로 번졌지요. 형님이 여기저기 약을 수소문하고, 조카들이 지성으로 약시중하였으니, 천신이 감동할 터이오나, 백약이 무효로 돌아가고 하루아침에 세상을 떠나셨습니다.

아 애통합니다. 형님이 일찍이 모친을 여의고 중년에 무한 고초를 다 겪으시고, 말년에는 무한한 명 재촉하는 일과 겁나는 일을 겪으셨습니다. 일생에 한 번도 호화로이 지낼 때가 없이, 불과 57세로 마치셨습니다.

만일 유인으로 하여금 조물주께서 몇 해의

181 여유ᄒᆞᆫ 후 부샹ᄒᆞ여 오부에 여련ᄒᆞᆫ 후 ᄒᆞᆼ영ᄂᆞᆫ 무한
182 한잔에 동최로다 ᄒᆞᄂᆞᆫ 뒤로 어에 샹희ᄂᆞᆫ 씨ᄉᆡ 셔창
183 영줄ᄒᆞ여 즘장 모에 천평이ᄂᆞᆫ 하늘게 ᄒᆞᄂᆞᆫ 우리
184 박경라 박후 로ᄒᆞ야 철자 ᄒᆞᄂᆞᆫ 최후
185 최우에 ᄂᆞ려 ᄂᆞ흔 ᄒᆞᆫ오 갈 박ᄉᆞ ᄒᆞᆫ 세에 자황ᄉᆞ
186 ᄲᅮᆯ러인대 초목조차 시ᄉᆞᄒᆞ야 쌀ᄉᆞ 구경면이 되ᄂᆞᆫ
187 ᄀᆡ핫 우유인에 악우이 너무ᄂᆞᆫ 주셧ᄒᆞᄂᆞᆫ
188 난ᄂᆞᆫ 듯 ᄂᆞ여 쥐ᄉᆡᆼ본 히산 ᄉᆡ상라 다ᄒᆞᄂᆞᆫ 여ᄒᆞᄂᆞ
189 오모에게 ᄌᆡᆼ이든라 갈ᄃᆞ이 호영ᄂᆞᆫ 줄 ᄒᆞᆫ 평ᄉᆞᆯ에
190 원통ᄒᆞᆫ가 동ᄉᆞ 다시 ᄡᆞᆫ 씨샹에 나 쏭 오 ᄌᆞ에
191 장최ᄋᆡᆼ 자쇠로 다ᄒᆞ여 랑ᄃᆞᆫ ᄉᆞ줄 ᄉᆞ리 자셔
192 로ᄃᆡ ᄡᆞᆫ 평성에 미ᄒᆞ비ᄒᆞᆫ 도ᄉᆞ 간 우로ᄃᆡ
193 라후 시ᄂᆞᆫ 오부모 ᄎᆞᆫ ᄂᆞᆼ여 ᄒᆞᆫ ᄎᆞ되에 오ᄅᆡ시면
194 인세에 히든 볏ᄋᆡ 희가 ᄒᆞ여 오부에 허니ᄒᆞᆫ
195 굴벽라 ᄇᆡᆨᄌᆡᆼ에 호조ᄒᆞᆫ 신관 ᄉᆞ줄 셔ᄒᆞ여

여유만 주었으며, 오부에 여연을 효양ᄒᆞ시와, 인자에 도리를 다하고, 필여에 설최나 씩혀 서방으로 하여금 장모에 전형이나 알게 하고, 우리 빅형과 빅수 ᄒᆡ로하야 현자 초순을 전후 좌우에 느려 노코, 환소 담낙으로 인세에 자황을 볼 터인대, 조물이 시기하야 벌서 구경인이 되고 마랏으니, 유인에 박복이 너무도 극심하나이다.

나는 듯나이 저성은 인간 세상과 다름 업다 하니, 오모에게 평일과 같이 효양ᄒᆞ시고, 병울에 원통한 거동을 다시 만나, 세상에 낫쁜 모자에 자정 자ᄋᆡ를 다하시며, 다음으로 우리 자씨를 만나 평싱에 미흡한 동긔간 우ᄋᆡ를 다 푸시고, 부모 자남ᄆᆡ 한자리에 모이시면, 인세에 일로 역역히 가하여, 오부에 엄엄하신 글역과 빅형에 초조하신 신관으로 심여

여유만 주었다면 어땠을까요? 우리 아버님의 여생을 돌보셔서 도리를 다하고, 필여의 혼인이나 시켜 그 서방으로 하여금 장모의 모습이나 알게 하고, 우리 형님과 형수님이 해로하여, 뛰어난 자손들을 전후좌우에 늘어놓고, 즐겁게 웃고 이야기하는 즐거움으로 인간 세상의 재미를 보셨겠지요. 하지만 조물이 시기하여, 벌써 저승 사람이 되고 말았으니, 형수님의 박복함이 너무도 심합니다.

저는 들었습니다. 저승은 인간 세상과 다름없다고 하니, 어머님께 이승에서와 같이 효도로 봉양하십시오. 원통한 병을이를 다시 만나, 세상에서 못 다한 모자의 정을 다하시며, 다음으로는 우리 누나를 만나 평생에 미흡한 동기간의 우애를 다 푸십시오. 부모님과 남매가 한자리에 모이시면, 여기 인간 세상의 소식을 역력히 나누십시오. 아버님의 연약한 근력과 형님의 초조한 모습으로 염려하는 일,

천손 일라 절벽에 경잔잉한 거룩라 지기 무릎
해 황서산 한곳 향라, 황혀에 바라공 발
높드 쌀하한 거상라, 남와 두한에 에
천곳을 인하라 지리한 신령은 높히 솟아시며
연리래시 불되는 서며 바람 싸늘게 시길가 한는
하고 늘우 남아 비친 원을 비와 루늘 하비어 가
흘러 산봉우리 후한 천신은 바람게 솟른
우에 방은 황사부어 른처 음에 북어에 며
천은라 중간에 신안에 황라 사실라 사황
방에 곧울 늘기록 날라 낮하늘 한세에
천상라 남의 지리한 산령을 받들하 부모에
없는 은을 천하는 유인에게 된일라, 산넘는
천리게 천남은 꿋꾸준 연은 낙의 천호
우할라 남의 천장 늘에 쓰랄 천하 기운
운흥리 상황

끝

심여하신 일과, 필아에 경경 잔잉한 거동과 질부들에 황황 서설한 모양과 창덕에 여러 종반놈들 발아한 긔상과, 나의 도탄에 빠저 하로도 인세가 지리한 심경을 슬퍼ᄒᆞ시며, 얼마나 슬퍼ᄒᆞ시며 얼마나 즐긔실가 하나이다.

슬푸나이다. 일월이 여류ᄒᆞ야 어언간 초긔 닷처오니, 수란한 심신을 억제ᄒᆞ고, 두세 업ᄂᆞᆫ 황사무어로 처음에 유인에 덕힝과 중간에 유인에 고싱과 사실과 사업에 큰 공을 기록ᄒᆞ고, 끗흐로 인세에 현상과 나의 지리한 사정을 말하야, 유인에 자손으로 하여금 유인에 덕힝과 사업을 알리게 하나이다.

복유 존연은 나의 회포를 알고, 나의 한잔 술에 음감하실가요. 오호 통지. 상향. 끝.

필아(병필)의 애처로운 거동, 질부들의 어쩔 줄 몰라 하는 모양, 창덕(손자 창근의 다른 이름이며, 큰집인 병을의 양자로 감)이네 여러 친척의 한탄하는 기상, 제가 고통스런 나머지 세상살이를 지루하게 여기는 데 대해, 얼마나 슬퍼하시며 얼마나 즐기실는지요?

슬픕니다. 세월이 물흐르듯 지나, 어느새 1주기가 닥쳐왔습니다. 심란한 몸과 마음을 억제하고, 두서없지만 이 거친 글을 올립니다. 처음에 형수님의 덕행을, 중간에는 형수님의 고생과 사실과 사업에서 이루신 큰 공을 기록하고, 끝으로 인간 세상의 현실과 제 지루한 사정을 말씀드려, 형수님의 자손으로 하여금 그 덕행과 사업을 알게 하려 합니다.

엎드려 빕니다. 형수님의 혼령께서는 제 마음을 알고, 제 한 잔 술을 받으시겠는지요? 아 애통합니다. 마음껏 드십시오.

감상 및 해설

이 제문은 시동생이 형수님을 추모하며 쓴 것이다. 고인의 첫아들이 해방공간의 좌우익 이념 갈등 속에서 희생당한 사실을 담고 있어 주목할 만하다. 개인사가 사회사와 긴밀하게 연결되어 있다는 점을 실감하게 한다.

고인의 아들인 병을 씨가 좌익에 가담해 활동한 데 대해, '우국의 경륜'에서 비롯했다고 적극 옹호하고 있어, 이제는 이렇게 말해도 될 만큼 시대 상황이 바뀌었다는 것을 느끼게 한다. 좌익이란 이유로 쫓겨다녔을 뿐만 아니라, 죽어서도 공개적으로 매장하지 못해 들판에 묻었다고 하여, 당시의 엄혹한 상황을 증언하고 있다.

또 하나 주목할 게 있다. 제문은 마무리하면서, 이 제문의 개요와 목적을 밝힌 대목이다.

> ㉠ 두세 업는 황사무어로, 처음에 유인에 덕힝과, 중간에 유인에 고싱과 사실과, 사업에 큰 공을 기록ᄒᆞ고, 끗흐로 인세에 현상과 나의 지리한 사정을 말하야,
>
> ㉡ 유인에 자손으로 하여금 유인에 덕힝과 사업을 알리게 하나이다.

바로 이 대목인데, ㉠이 개요이고, ㉡이 목적을 밝힌 부분이다. 특히 목적 부분에서, 한글제문을 왜 지었는지, 창작층의 구체적인 서술을 통해 확인할 수 있게 한다. 한글제문이 문학작품으로서만이 아니라 역사기록물로서의 가치도 함께 지니고 있다는 사실을 보여주는 사례라 하겠다.

또한 친족인 이원경(1928 ~ 2022) 여사가, 1997년 3월에 필사했다고 되어 있어 흥미롭다. 한글제문도 소설처럼 필사되면서 지인 사이에서 널리 읽혔다는 사실을 알 수 있게 하기 때문이다.

15. 아버지 영전에

1957년, 홍윤표 교수 소장

유

세차정유십이월정유삭십육일임자는작오친당

아바님의상을영결하고구천으로도라가신조상지일야라전일

숙신치예죽 가여자안동손씨은호천망극지통을이기지못하와

제면통곡하옵고슈향향사와일미박쥬로

영상하의괴좌하와지성통곡아뢰오니불미하신 영혼은아람이

기지와명명한상족하의향찰을의지하와 여자의첩첩설중사인정회일

시시명찰하옵소서 오호통재라천지엄양되찰하야만무리싱장하고

일월청산싱인후의인싱이최귀하니인싱이최귀한은오륜이이심이

요오륜지중의부자유친지일리라 오호라이몸이부모의덕으로써

상의싱겨나서부모난천지갓고형제난일월갓고친척은초목갓

유세챠 정유[57] 십이월 정유삭 십육일 임자는 직 오 친당 아바님 ᄉᆡ상을 영결하고 구천으로 도라가신 죵상지일야라. 전일석 신ᄒᆡ예 출가 여식 안동 손실은 호천망격지통을 이기지 못하와 제ᄇᆡ 통곡하옵고 슈항 향사와 일ᄇᆡ박쥬로 영상하ᄋᆡ 괴좌하와 지성통곡 아뢰오니, 불ᄆᆡ하신 영혼은 아람이 기시와, 명명한 상촉하ᄋᆡ 향탑을 의지하와, 여식ᄋᆡ 쳡쳡 심중 사인 정회얼, ᄉᆡᄉᆡ 명찰하옵소서.

오호 통ᄌᆡ라 천지엄양 ᄇᆡ합하야 만무리 ᄉᆡᆼ장하고, 일월성신 ᄉᆡᆼ긴 후ᄋᆡ 인ᄉᆡᆼ이 최귀하니, 인ᄉᆡᆼ이 최귀함은 오륜ᄋᆡ 이심이요, 오륜지중ᄋᆡ 부자유친 ᄌᆡ일리라.

오호라 이 몸이 부모ᄋᆡ 덕턱으로 ᄉᆡ상ᄋᆡ ᄉᆡᆼ겨낫서, 부모난 천지갓고 형ᄌᆡ난 일월갓고 친척은 초목갓

아, 정유년(1957년) 12월 16일은 우리 친정아버지 세상을 하직하고 구천으로 돌아가신 종상일입니다. 전날 저녁에, 출가 여식 안동 손실은 하늘같이 망극한 애통함을 이기지 못해, 재배하며 통곡합니다. 몇 줄의 거친 글과 변변찮은 한 잔 술로 영상 아래 꿇어 엎드려 지성으로 통곡하며 아룁니다. 어둡지 않으신 영혼께서는 부디 아셔서, 밝은 촛불과 분향로를 의지하여, 이 딸의 첩첩이 마음속에 쌓인 정을 세세히 살펴 주세요.

아, 애통합니다. 천지의 음양이 배합하여 만물이 생장하고, 일월성신이 생긴 후에 인생이 최고 귀하게 되었습니다. 인생이 최고로 귀한 까닭은 오륜이 있기 때문이며, 오륜 가운데에서 부자유친이 제일입니다.

아, 이 몸이 부모님 덕택으로 세상에 생겨났습니다. 부모님은 천지같고 형제는 일월같고, 친척은 초목같았습니다.

57 정유 : 1957년.

치쥬야간이명낙하고쟈시거든면셩하야 희산갓한부모실하쳔휴
만시바릿더니무정할사역여광음빅서과지되단말가오호라
아마님시상이기시옵되도덕군자뿐을바다언으[illegible]순ᄌ하고말삼
이관후하와장공예육족지도심중이홍달하고좌젹직과업젹장
삼밤맛엄시건셜하야오날삼여팔낫미를기출갓치정읍두위
이ᄌ붓망길여닛지유월염쳔더운나리더우면더울시라덩이업고
쉴새업고동지섯달치운나리치우면치울시라품미안아쏠새업시

치, 쥬야간ᄋᆡ 명낙하고 샤시저리 변성하야, 틔산갓한 부모 실하 천츄만ᄉᆡ 바랫더니, 무정할사 역여광음 ᄇᆡᆨᄉᆡ 관ᄀᆡ 되단 말가.

오호라 아바님, ᄉᆡ상ᄋᆡ 기시올 ᄌᆡ, 도덕군자 뽄을 바다, 언으가 순순하고 말삼이 관후하와, 장공예[58] 육족지도 중ᄋᆡ 통달하고, 좌적직괴[59] 입적장삽[60], 밤낫 업시 건실하야, 오남 삼여 팔남 ᄆᆡ를 기출갓치 정을 두워, ᄋᆡᄋᆡ불망[61] 길여놀 ᄌᆡ, 유월 염천 더운 나릐 더우면 더울ᄉᆡ라, 덩ᄋᆡ 업고 쉴 ᄊᆡ 업고, 동지 섣달 치운 나릐, 치우면 치울ᄉᆡ라, 품ᄋᆡ 안아 놀 ᄊᆡ 업시

주야간에 명랑하고, 사시절에 번성하여, 태산같은 부모님의 슬하에서 천년 만년 살기를 바랐더니, 무정하기도 합니다. 흐르는 세월에 백년의 손님이 되고 말았단 말인가요?

아, 우리 아버지께서 세상에 계실 때, 도덕 군자의 본을 받아, 언어가 순하고 말씀이 너그러워, 9대가 한집에 살았다는 장공예의 지혜에 통달하고, 앉았다 하면 삼태기를 짜고, 섰다 하면 삽자루를 잡아, 밤낮 없이 건실하게 사셨습니다. 우리 5남 3녀 8남매를 두터운 정으로, 애애불망 즉 부드럽고 포근하게 길러내실 때, 유월 염천 더운 날에 더우면 더울까봐, 등에 업고 쉴 때가 없었습니다. 동지 섣달 추운 날에, 추우면 추울까봐 품에 안아 놓을 때가 없이

58 장공예(張公藝) : 9대가 한 집에서 살았다는 사람.

59 좌즉직궤(坐則織簣) : 앉았다 하면 삼태기를 짬.

60 입즉장삽(立則杖鍤) : 섰다 하면 삽을 잡음.

61 애애불망(哀哀不忘) : 슬퍼하며 잊지 않음.

고아부아길여니아간너취부멉을차려차뢰ᄒᆞ셩취하야놉거북갈
며려녹코봉초한이뗘샤도삼소이팔기니가니용조춘샤쉐가잇쉬
봉황이쌍을어더경실우지ᄂᆞ난거씰눈암취뿌지라고좌우로
구혼하니봉쳡간안동쏜시낭자가춘수하고천연이지중하와
희허이출가하야시시뿌남조헌영절니왕가셔로하고깁흔사함께
터니차회라인간자여고진감니어뒤두고형진미리무삼잇고시운니
봉칭하고호사가라마하와취산갓한우리아마우연한후기시옵니
출천지효오라바님동분셔쥬단니며셔의약을로치효하고지극
정셩원씨형남혼정신청격진하되명도가한니잇고싱사가우쉬잇셔
화란편각실쎄업고황연명잇별시하니유ᄒᆞ창천아차하쉬지며차

고아부아[62] 길여ᄂᆡ야, 간녀취부 법을 차려, 차ᄅᆡ차ᄅᆡ 성취하야 남거북갈 버려 녹코, 불초한 이 여식도 삼오이팔 기ᄂᆡ가니, 요조춘ᄉᆡᆨ ᄊᆡ가 잇서, 봉황ᄋᆡ 짝을 어더, 검실우지[63] 노난 거실, 눈압ᄒᆡ 보시락고 좌우로 구혼하니, 불원간 안동 손시 낭자가 쥰수하고 천연이 지중하와, 히허이 출가하야 ᄉᆡ시 복납, 조헌 명절 ᄂᆡ왕간 서로 하고, 길흉사 함께터니, 차회라, 인간사여, 고진감ᄂᆡ 어ᄃᆡ 두고 형진비ᄅᆡ 무삼일고.

시운니 불ᄒᆡᆼ하고, 호사다마하와 ᄐᆡ산갓한 우리 아바, 우연 환후 기시오니, 출천ᄃᆡ효, 오라바님 동분서쥬 단니며서, 의약으로 치효하고, 지걱 정성 월ᄊᆡ 형님 혼정신성 걱진하되, 명도가 한니 잇고, ᄉᆡᆼ사가 수ᄋᆡ 잇서, 화타 편작[64] 실ᄊᆡ업고, 왕연 명일 별ᄉᆡ하니 유유창천아[65], 차하 ᄋᆡ ᄌᆡ며 차

나를 돌아보며 어루만져 길러내셨습니다.

며느리를 고르고, 사위를 선택하는 법을 따져, 차례차례 결혼시켜 남쪽과 북쪽에 벌여 놓으셨습니다. 불초한 이 딸도 15세를 지나 결혼할 때가 차자, 봉황의 짝을 얻어, 금실 좋게 지내는 것을 보시려고, 좌우로 구혼하니, 안동 손씨의 자태가 준수하고 인연이 깊어 출가하였습니다.

사시사철 따라 선물을 주고받으며, 좋은 명절이면 서로 왕래하고, 길흉사를 함께 하더니, 아, 인간사가 슬픕니다. 고진감래는 어디 두고 홍진비래가 무슨 일인가요? 시운이 불행하고, 호사다마라더니, 태산같은 우리 아버지, 우연히 병환이 있으시니, 출천대효인 오라버님이 동분서주 다니면서, 의약으로 치료하고, 지극 정성으로 보살펴 드렸지요.

하지만 수명이 한도가 있고, 생사가 정해져 있어서, 화타와 편작같은 명의가 쓸데없이, 작년 내일 별세하셨습니다. 아득하고 아득한 하늘이여,

62 고아부아(顧我復我) : 나를 다시 돌아보고 나를 어루만짐. 《시경》 소아(小雅) <육아편(蓼莪篇)>.
63 금슬우지(琴瑟友之) : 금슬(거문고와 비파)처럼 어울리며 벗함. 《시경(詩經)》 <관저(關雎)>.
64 화타와 편작은 모두 전설적은 명의(名醫).
65 유유창천(悠悠蒼天) : 아득하고 아득한 하늘.

하안제오 오호라 시월리여 산주석명이 남가복 일양에 못하옵고 삼
일성북 순장할제 취토가 한곡조의 팔자명정 앞세우고 취량이
도라가서 천산의 누워시니 강이 없어서름지고 오호통재라 상가시월일
몽간의 어언간 주상연 이라 휘일리 부럽한의 겸석을 허송하면 기한니
엄삼기로 한잔술 명의 역고 한결 안주 준비하야 즘〻히 조차 옷지삼
거리나리오나 물소리잔〻하고 소월산오라 오나 송풍은 소〻한리
실푸다 아빠 님이여 사온다 기다련가 겹〻히 조차와서 영상하의
더러 안자 일미 쥬부 워녹 고시고〻 홍곡하니 유명이 달나 심의 넉왕

하 인ᄌᆡ오.

오호라 ᄉᆡ월리여, 신구식 법이 달나, ᄇᆡᆨ일 양예 못하옵고, 삼일 성복 순장ᄒᆞᆯ ᄌᆡ, ᄒᆡ로가 한 곡조ᄋᆡ 팔자 명정 압서우고, 처량이 도라가서 청산ᄋᆡ 누워시니, 가이업시 서름지고.

오호 통ᄌᆡ라, 상가 세월 일몽간ᄋᆡ 어언간 주삼연[66]이라. 휘일리 부림ᄒᆞᆷᄋᆡ 검석을 허송하면 기한니 업삽기로, 한 잔 술 병ᄋᆡ 역코 한 점 안주 준비하야 급급히 좃차올 ᄌᆡ, 삼거리 나리오니 물소ᄅᆡ 잔잔ᄒᆞ고, 소월산 도라오니 송풍은 소소한ᄃᆡ, 실푸다 아버님이 여식 온다 기다련가.

겁겁히 좃차 와서 영상하ᄋᆡ 더러 안자 일ᄇᆡ쥬 부워녹코, ᄋᆡ고ᄋᆡ고 통곡하니, 유명이 달나심ᄋᆡ ᄂᆡ왕

이 얼마나 애통하며, 이 얼마나 참기 어려운 일인가요?

아, 세월이여, 신구식 법이 달라, 백일장은 못하고, 삼일간만 성복하여 장례를 모실 때, 〈해로가〉 한 곡조에, 여덟 글자로 쓴 명정들을 앞세우고, 처량하게 돌아가서 청산에 누우셨으니, 가없이 서럽고, 아, 애통합니다.

상가의 시간이 꿈결같이 어느새 3주년입니다. 돌아가신 날이 다시 왔습니다. 오늘 저녁을 허송하면 기약이 없기에, 한 잔 술병을 넣고, 한 점 안주를 준비하여 급히 떠나왔지요. 삼거리 내려오자 물소리가 잔잔하고, 소월산을 돌아오니 소나무바람이 쓸쓸합니다. 아 슬픕니다. 아버님이 이 딸이 온다고 기다리시는 건가요?

급급히 와서 영상 아래 앉아, 한 잔 술을 부어 놓고, 애고 애고 통곡하니, 이승과 저승이 다르매 왕래

66 주삼년(週三年) : 세 번째 해가 돌아옴.

을앓유없고혐향이가감엽서흔곡이헛곡이라오호통지며오호의
지라아마남오ᄂᆞᆫ도라오소ᄂᆞᆫ오날컨역도라오소서양갓치면ᄂᆞᆫ길도
미쳐기만하고쓰면오고가고하건마난황천은커산진지있거칭차하신
후이도라올줄이커시나황천이라하난지가안풀벌젔사난법이없마나
좋상관지도라올줄이커신고아모리좋허라도염왕씨슈유바라오날
컨역도라와서 영참하이만반진찬만이ᄂᆞᆫ혐향하고싱지예귀한자
너만가이장봉하야 시ᄂᆞᆫ동낙깃긴후이니있아칠세난나리성피
믹운자마하고옥경천디올나가서옥황전문안하고옥황전
쥬문하와걱낙씨리도라가서안기싱을몃을삼고젹송자헛재
을지여만팔천연기시오면여삭도박서후이지부어도라가서이싱
쉬부녀괴정후싱이부여괴야이싱환싱하옴이로지청을로마뤈

을 알 슈업고, 험향이 가감 업서 통곡이 혓곡이라.

오호 통ᄌᆡ며, 오호 ᄋᆡᄌᆡ라. 아바님요 아바님요, 도라오소 도라오소 오날 전역 도라오소. 서양 갓치 먼먼 길도 비ᄒᆡ기만 타고 보면, 오고가고 하건마난, 황천은 저 산진ᄃᆡ, 일거 힝차하신 후ᄋᆡ, 도라올 줄 이저시니, 황천이라 하난ᄃᆡ가, 인품 범절 사난 법이 얼마나 조삽관ᄃᆡ 도라올 줄 이저신고. 아모리 좃허라도 염왕ᄊᆡ 슈유[67]바다, 오날 전역 도라와서, 영탑하ᄋᆡ 만반진찬 만이 만이 험향하고,

싱시예 귀한 자녀 반가이 상봉하야, ᄉᆡᄉᆡ동낙 질긴 후ᄋᆡ, ᄂᆡ일 아침 ᄉᆡ난 나ᄅᆡ, 성피ᄇᆡᆨ운 자바타고 옥경천ᄃᆡ 올나가서, 옥황전 문안하고, 옥황전 쥬문하와, 걱낙ᄉᆡᄀᆡ 도라가서, 안기싱을 벗을 삼고, 적송자럴 짝을 지여, 만팔천연 기시오면, 여식도 빅ᄉᆡ 후ᄋᆡ 지부ᄋᆡ 도라가서, 이싱ᄋᆡ 부녀지정 후싱ᄋᆡ 부여 되야, 이싱 환싱하옵기로 지성으로 바륍

여부를 알 수 없고, 흠향하셨는지 안하셨는지, 제물에 가감이 없어 통곡이 헛곡입니다.

아, 애통하며 애통합니다. 아버님요 아버님요, 돌아오세요 돌아오세요. 오늘 저녁에 돌아오세요. 서양같이 먼먼 길도 비행기만 타고 보면, 오고가고 하건만, 황천은 저 산지인데, 한 번 가신 후에는 돌아오실 줄 잊으셨습니다. 황천이라는 데가, 인품을 지니고 예의범절을 따라 사는 법이 얼마나 조심스럽기에 돌아올 줄 잊고 계십니까? 아무리 좋더라도 염라대왕께 말미를 얻어, 오늘 저녁에 돌아오셔서, 영탑 아래에 가득히 진수성찬을 차렸으니, 많이 흠향하십시오.

생시에 귀한 자녀들을 반갑게 상봉하여, 세세히 함께 즐긴 후, 내일 아침 새는 날, 저 백운을 잡아타고 하늘나라 올라가서, 옥황상제님 앞에 문안드리고, 옥황상제님 앞에 아뢰어 주세요. 극락세계에 돌아가서, 안기생이란 신선과 벗이 되고, 적송자라는 선동과 짝을 지어, 1만 8천 년을 계시면, 이 딸도 백년 후에 그곳에 돌아가서, 이생의 부녀지정처럼, 후생에도 부녀로 환생하기를 진심으로 바랍니다.

67 수유 : 휴가.

하오나다 오호통저며 오호미진라 여자의 잔소리로시ᄂ 원졍다 하오면 외ᄋ
쳔ᄉ딘안하고 영혼쳔 원망기로되 강는 기록하도오 경장야닭기
울고 구만장천 다리키어 견이 청작으로 잇비 홍곡하오나 불미한찬
영혼은 서사간임하옵소서 오호통저 상 향

하오니다.

오호 통ᄌᆡ며 오호 ᄋᆡ지라. 여자ᄋᆡ 잔소릐로 시시원정 다하오면 의심 첨시 미안하고, 영혼전 원망키로 ᄃᆡ강 기록ᄒᆡ도, 오경장야 닭키 울고, 구만장천 다리 저서, 건이청작으로 일ᄇᆡ 통곡하오니, 불ᄆᆡ하신 영혼은 서사감임하옵소서.

오호 통ᄌᆡ 상향.

아, 애통하고 애통합니다. 여자의 잔소리로 시시콜콜 할 말 다하면, 의심하실까 싶네요. 혼령 전이니 대강 기록해도 아시겠지요?

새벽에 닭이 울고, 저 하늘에서 달이 지려고 합니다. 맑은 술을 차려 놓고 한번 절하며 통곡하니, 어둡지 않으신 혼령께서는 부디 받아주세요.

아, 애통합니다. 흠향하십시오.

감상 및 해설

8남매를 성실하게 양육한 아버지를 추도하며 올린 글이다. 영원히 헤어지는 게 아쉬워, 다시 돌아와 달라고 애원하는 말이 인상적이다.

> 아버님요 아버님요, 돌아오세요 돌아오세요. 오늘 저녁에 돌아오세요. 서양갈이 먼먼 길도 비행기만 타고 보면, 오고가고 하건만, 황천은 저 산지인데, 한번 가신 후에는 돌아오실 줄 잊으셨습니다. 황천이라는 데가, 인품을 지니고 예의범절을 따라 사는 법이 얼마나 조심스럽기에 돌아올 줄 잊고 계십니까? 아무리 좋더라도 염라대왕께 말미를 얻어, 오늘 저녁에 돌아오셔서, 영탑 아래에 가득히 진수성찬을 차렸으니, 많이 흠향하십시오.

대상날인 오늘 저녁이 지나면 마지막이니, 지금 돌아오시라고 부탁한다. 서양에도 비행기 타면 가는 세상이니, 황천에서 돌아오라고 한다. 혹시 황천이 살기 좋은 곳이라 이 세상을 망각하셨느냐면서, 그렇더라도 잠시 휴가를 받아 다녀가시기를, 차려 놓은 제물을 드셨으면 하는 바람이다.

16. 누나 영전에

1957년, 홍윤표 교수 소장

웃시차 정욱찾칠 얻인 사 추셥 몰신해 눈으뢰
눈남대상 지일이다. 불효하오는 눈남 생시에 밧
날온 자식에도 일천가지로 부족한온 얼일 배우
로 생시에라 못한온 말씀 매양 어라도 생각할가 하와
정이 기록한온 제몬 두으로 흘러. 비박한온 전순을
가 후의 만물의 정성을 아리로 제하라. 재배 통곡
영불망 생치하옵올 보호 애재부뢰는 남이시며
이몸은 출한 아우는 우리 생난 미남 발은 자랑으로
지내다가 울리에 이러섯나니가 인생칠십고래
히는 몸인 이세에 을 낫는만으며 눈낫은 평생기
력이 건강하시고 천성이 온순 자상하시며 주엽내

유시차 정유[68] 삼월 임인삭 초십일 신해는 우리 눈님 대상지일야라. 불초 아우는 눈님 생시에 남달은 자정에도, 일천 가지로 부족하온 일, 일배 주로 생시에 다 못하온 말삼 대강이라도 상달할가 하와, 정이 기록하온 제문 두으 줄과 비박하온 전수를 영결 영상지하왈.

오호 애재 우리 눈님이시여, 이 불초한 아우는 우리 삼남믜 남달은 자정으로 지내다가, 읏지 이에 이러섯나니가. 인생칠십고레히는 고인이 시에 일넛근만, 우리 누님은 평생 기력이 건강하시고 천성이 유순 자상하시여, 규법 내

아, 정유년(1957년) 3월 10일은 우리 누님의 대상일입니다. 이 아우는 누님 생시의 남다른 사랑을 입었는데도, 일천 가지로 부족한 일, 한 잔 술로 생시에 다 못한 말씀을 대강이라도 아뢸까 합니다. 기록한 제문 두어 줄과 변변찮은 제물을 영상 아래에 드리며 고합니다.

아, 애통합니다 우리 누님. 이 불초한 아우는 우리 삼남매간의 남다른 애정으로 지냈는데, 어찌하여 이렇게 되셨습니까? 인생칠십고래희 즉 70세까지 사는 사람은 드물다고 고인의 시에서 일렀지만, 우리 누님은 평생 기력이 건강하시고 천성이 유순하고 자상하셔서 남다르실 줄 알았습니다. 법도대로 사시며

68 정유 : 1957년.

칙어인생 갈께 드무지와 입상와 등행하가 산자
뫼돌 봇지는 말이 인생에 출중하와 인ᄌᆞ 친장
가친즈 향장이 뉘만이 청천홍양 하오리잇가
이야우는 향양 백연희 고로를 출천 하엿
드니 가온 일물 길잡몰 든가 장형을을 적이
시장을 딴나 잇스나 눈보은 백세를 남비 안흔
천백세 홍주더니 홍진을 풍에 기쨋이 소사듯
지못하ᄂᆞᆫ 이에 이러 닷나나가 살을하에 이들 따는
넘은 두시 두지 못하ᄂᆞᆫ 이를 향재 낫무렴 친
미기 터드니 일존도 딴 분 두시 거쨋이는 우이 하
뻐산나니가 뻣불에 핑조딴 팔뵈년을 쌀 아도
구백년 어찌 재리 한딴 쌀가 갖차 어우리 봉 쫌〻
서우고 한옷에 애오나 때나이 사오리 어사가 땅을 더

칙이 인생간에 드무시와, 득행과 가간사의 돌보시는 일이 인생에 출중하와, 인아척당과 원근 향당이 뉘 안이 칭찬흠앙하오리잇가.

이 아우는 항상 백연히로를 축원축원하였드니, 가운이 불길하였든가, 자형은 일적이 시상을 뜨나싯스나, 눈님은 백세를 납비 알고 천백세 축수터니, 읏지 일조에 기택이 소식 듯지 못하고, 이에 이러셧나나니가.

설하에 아들딸 널은 드시 두지 못하고, 아들 형재 남부럽잔이 기러드니, 이긋도 만은 드시 기택이는 으이하였나니가. 옛날에 핑조난 팔빅년을 살아도 구백년이 유재라 하난 말과 갓치, 이 아우의 설푸고 서운하옴이야, 오나 때나 있사오리있가만은, 더

스스로 단속하시며 사시는 게 인생간에 매우 드무셔서, 덕행과 가정사 돌보시는 일이 출중하다 보니, 친인척과 원근의 고향 사람들 가운데 그 누가 칭찬하거나 추앙하지 않은 사람이 있었습니까?

이 아우는 항상 우리의 백년 해로를 축원하고 축원드렸더니, 가운이 불길하였던가요? 자형님이야 일찍 세상을 떠나셨지만, 누님만은 백세도 부족해 천백 세 사시라고 축수하였더니만, 어찌 하루아침에 기택이의 소식도 듣지 못하신 채, 여기 이르셨는지요? 슬하의 아들딸을 충분히 두지 못하고, 아들 형제만 남부럽잖게 길렀더니, 이것도 많은 듯, 기택이는 어떻게 된 것입니까?

옛날에 팽조는 800년을 살아도 9백 년보다는 짧다고 했다지요? 이 아우의 슬프고 서운한 마음이야 오죽하겠습니까?

옷이 뼝헐이 흘은 섭ᄃᆞ 푸ᄅᆞ의 통지 동ᄒᆞᆫ는
양보기 밉ᄡᅡᆼ 절ᄲᅡᆨᄲᅡᆨ 하여나 하오 ᄒᆞ흰 재.
버오호 동재라 낫ᄯᅡᆯ을 아들 형재 엔지 ᄒᆞᆼ지
길너ᄃᆡ니 원수의 ᄯᆞᆯ나 ᄲᅡ앗기 ᄃᆡᆨ에 ᄉᆞ식 보면
하여 주야장 춘고대ᄒᆞ 하더니 원수 왕ᄉᆞ는 ᄲᆞᆯ나
외유 듯 칠여이라. 사모한 들 무선 도용이
덜보 오호빈(재) 불 춘하우는 낙담은 자쳐인서 지모로
하나 배가씨 ᄃᆞ구 ᄒᆞᆫ 하나니다. 부시도 너무
낭ᄂᆞ쇠(의) 한때 불호 않으가 주문 보지 말아는지 보
ᄆᆡ불양 하여 가다 수백 리 도를 ᄭᆞᆯ여 가서 잠시
방룡 하니 또 나신 얼굴(웃지) 있는 처리 오대 주 ᄭᆞ지 치란
가서 장형 재라 보내고 무산 평으로 ᄭᆞᆯ나 하니었

욱이 영철이 홀로 설푸고 ᄋᆡ통지통하는양, 보기 민망 절박절박하옵나니라.

오호 ᄋᆡ재며 오호 통재라. 남달은 아들 형재 ᄋᆡ지중지 길너더니, 원수의 날니 바람에, 기택이 소식 모연하여 주야장춘 고고고대하더니, 유수광은은 빨나셔 오나듯 철연이라. 사모한들 무선 소용이리요.

오호 ᄋᆡ재 불초 아우는 남달은 자정 있지 못하나, 백 가지로 부족하나 니다. 몹씰너무 난니 피란 때, 불초 아우가 죽읏난지 살았난지 오매불망하여가며, 수백 이를 달여가서 잠시 상봉하고 뜨나신 일, 읏지 있저리요.

대구까지 피란 가서 자식 형재 다 보내고, 무산 정으로 살나 하였

더욱이 남겨진 영철이가 홀로 슬프게 애통해하는 모양, 보기가 민망하기 절박하고 절박합니다.

아, 애통하고 애통합니다. 남다른 아들 형제를 애지중지 길렀더니, 원수의 난리 바람에, 기택이의 소식이 묘연하여, 주야 장천 고대 고대하더니, 유수같은 광음은 너무도 빨라서, 어느듯 철연 즉 궤연을 치우는 종상입니다. 사모한들 무슨 소용이 있겠습니까?

아, 애통합니다. 불초 아우는 남다른 사랑을 잊지 못하나, 백 가지도 부족합니다. 몹쓸 난리의 피란 때, 불초 아우가 죽었는지 살았는지 오매불망하여 가며, 수백 리를 달려가서 잠시 상봉하고 떠나신 일, 어찌 잊겠습니까?

대구까지 피란 가서, 자식 형제 다 보내고, 무슨 정으로 살려고 하셨습니까?

오날은 사주야 명쳠 공생 하시든 일을 생각
하니 원통하오 오호의 재능 쓰면 전에 기대이
도라오는가 흉앙 빌 곳도 업서 속사모하와
보고생한 듯 회명 이온간 딸 동산대 죽도다
아사 낫 볼 명강이나 보리 만금 한 행 전에 지행 물또
낭산이 아비 일이 일이온 뿔은 곳은 사 발이 다 천
도란 회환하야 쟉변 그을 이 잣처 밧긔 흉 행은
불우할 산천도 불변하올 흉 풍 장 면사 우흘
모맹산 듯하올 때 실흐장우 래 눈낫 등하 보실 흉하
못하오니 지우으나 못에 기시 뿐이가 때 흉향
동대 못하니 내 몸을 장사 하심가 동향 수모면 깨
하니 뿔욱 헌 지기 버은가 흉행 부모 꿈 판하니

소. 남은 식구나 연명할나고 고생고생하시든 일 생각사록 원통하오.

오호 이재 눈님, 삼연 전에 기택이 도라오는가 축앙축앙 빌읏드니, 영영 소식 모연하고, 고생 끗히 영광이 온단 말도 잇난대, 좀드 살아셔 남은 영광이나 보지 안코, 한갑 전에 시상을 뜨낫서니, 이 일이 원일이요.

빨은 긋은 시월이라. 천도난 회환하야 작연 금일이 닷처 맛고, 풍경은 불수하고 산천도 불변하온 중,

종당 연사두로 모였난 듯하온대, 설푸다 우리 눈님, 돌아오실 힝차 모연하오니, 지금 으나 곳에 기시난이가. 만악천봉 독피문하니 은일 종사하시난가. 도화유수모연거하니 별유천지 기시온가. 춘광부도옥문관하니

남은 식구나 연명하려고 고생 고생하시던 일 생각할수록 원통합니다.

아, 애통합니다 누님, 3년 전에 기택이가 돌아오는가 축원 축원하며 빌었지요. 영영히 소식이 묘연하고, 고생 끝에 영광이 온단 말도 있건만, 좀더 살아서 남은 영광이나 보지 않고, 환갑 전에 세상을 떠나셨으니, 이 일이 웬일입니까?

빠른 것은 세월입니다. 계절은 돌아와, 작년 오늘이 다시 오고, 풍경도 달라지지 않고 산천도 불변합니다.

친족들의 모임이 있었던 듯한데, 슬픕니다 우리 누님은, 돌아오실 기약이 묘연하니, 지금 어느 곳에 계십니까? 깊은 산골짜기 속에서 문을 닫고 지내는 것처럼 숨어 살고 계시는 것입니까? 복숭아꽃이 물에 떠서 아득히 흘러가는 그런 별천지에 계시는 것입니까? 봄빛이 옥문관이라는 깊숙한 요새에는 이르지 못한다더니만,

일긔 망연 하니 어룰이 쉬운 말이온 어랍 지사 샹것 거
던 첫재 자행 맛내옵고 눈난 향 재행 봉하오니 오날
을 봉서로 동생 면목도 전혀 조시옵 알일 발상
해 한 해 부족하오니 어룰 전에 설산 자행 회합 면
에 참가 회ㅅ드니 장으로 상낫 미두 로 모 써 뿐 뿐
지수 차회 노고 히니 감사 하드니 별연 갓 동동 오구 요
연 하옵나니 어룰이 윈 어룰은 하였드니 일 히 일
비단 쌀 하 갓치 평자 중에 도복되 맛 눈 난 생각에
나서 재옥이 사납미 되외 운이 생 지 로 생 ㅅ
하오신 월 점안 이 이런 동리 동동 하온 동양 하야 보기
절박 하였나이다 낫 낫 보리 눈 난 낫 파 갓
체 빼연 장수 못하시오니 슬 을 뜨나 시소 오 ㅆ 무
리 눈 난 명 절에 일 비 후 로 자 빼 하니 관 등

일그에 명연하사니, 이 일이 원일이요.

이왕지사 가싯거던 칫재 자형 맛내보고, 눈님 형재 상봉하고, 오문님을 보시거든 동생 안부도 전ᄒᆡ 주시오. 알일 말삼 태산하해 부족하오나, 일전에 선산 자형 회갑연에 참가힛드니, 재욱 사남ᄆᆡ 두로 모여서 만반지수 차려노코 히히락낢하드니, 별안간 통곡으 변하엿나니다.

이 일이 원일인고 하였드니, 일히일비란 말과 갓치, 경사중에도 우리 맛눈님 생각이 나서 재욱이 사남ᄆᆡ 저의 으문이 생시를 생각하고 원 집안이 ᄋᆡ통지통하는 양 차마 보기 절박절박하였나니다.

남달은 우리 눈님, 남과 갓치 백연 장수 못하시고 시상을 뜨나싯소. 오날 우리 눈님 영전에 일ᄇᆡ주로 작별하니, 원통

갑자기 눈을 감으시니, 이 일이 웬일입니까?

이왕에 가셨다면 첫째 자형 만나보고, 누님 형제분도 상봉하고, 어머니를 보시거든 동생 안부도 전해 주세요. 아뢸 말씀 태산과 바다같아 다 말씀드리기 부족합니다. 일전에 선산의 자형 회갑연에 참가했더니, 생질 재욱의 4남매가 두루 모여서 가득히 음식물을 차려 놓고 희희낙락하더니, 별안간 통곡으로 변하더군요.

이 일이 웬일인가 하였더니, 일희일비 즉 한 번 기뻐하고 한 번 슬퍼한다는 말처럼, 경사중에도 우리 맏누님 생각이 나서, 재욱이 4남매가 저희 어머니 생시를 생각하고 온 집안이 애통지통하는 양, 차마 보기 절박절박하였더랬습니다.

남다른 우리 누님, 남과 같이 백년 장수 못하시고 세상을 떠나셨습니다. 오늘 우리 누님의 영전에 한 잔 술로 작별하니, 원통하기 그지없습니다.

하시 거리 없오 옥호의 재오보올 ᄒᆞ야 우ᄂᆞᆫ 병환

시도 못 바보ᄂᆞᆫ 창내 병결시도 ᄯᅡᆨᄯᅡᆨ 못 해서

나며 안절박ᄒᆞ오나 무졍ᄒᆞᆫ 마ᄋᆞᆷ ᄉᆞ뢰 ᄆᆞᆯ옵뵈오나

되ᄂᆞᆫ 놈 각별히 보샤 ᄒᆞ시ᄂᆞᆫ 옥회 ᄃᆡ산ᄒᆞ히 곤숑ᄒᆞ올

기특ᄒᆞ오되 잇ᄉᆞ가 ᄒᆞᆨ이 ᄋᆞ손ᄒᆞ온 ᄯᅡ히참ᄒᆞ오 ᄯᅡ 젼두

친빈ᄒᆞ온 ᄆᆞᆨ잔 후라 동흣지우ᄒᆡ 눈넘의 든ᄒᆞ오되

잇ᄉᆞ가 ᄆᆡ사련 망ᄒᆞ온 중의 ᄯᅡᆫ 졍슴을 알올 ᄲᅮᆫ이

신ᄂᆞ 명ᄆᆞ지 중 앓ᄋᆞ시나 ᄂᆞ가 ᄆᆞᆯ우시 ᄂᆞ니가 ᄇᆞᆨ셩

분ᄒᆡ에 다시〃〃 조흔 세계 맛나시어 ᄆᆡᆼ원 국

택ᄒᆞ올 ᄂᆞᆫ다 옥호의 지ᄇᆡ 오호 동제

이ᄋᆞ인 현

상ᄒᆞᆸ

하기 거지없소.

오호 이재요. 불초 아우는 병환시도 못 와 보고, 초상 내 영결시도 작별 못하리니 미안 절박 절박하오나, 무정타 마옵소서. 남달은 우리 눈님 각별히도 사랑하신 은히 태산하히로 심천을 기록하오리잇가. 함이승손하온 마황후와 점두친이온 막자후라도 읏지우리 누님이 드라오리잇가?

매사 분망하온 중 다만 정승을 알일 뿐이이니, 명명지중 알으시나니가 몰우시나니가? 옥경 요지에 다시 다시 조흔 세게 맛나시여 영원 극락하압소서.

오호 이재여 오호 통제 상향

아우 인형

아, 애통하고 애통합니다.

불초 아우는 누님의 병환 때도 못 와 보고, 초상 때에도 작별을 못해서 미안한 마음 절박절박합니다. 무정하다 마세요. 남다른 우리 누님이 각별히도 사랑하신 은혜, 태산과도 같고 하해와도 같은데, 어찌 그 은혜를 다 기록하고 표현할 수 있겠습니까?

매사 분망한 가운데 다만 정성만 알릴 따름입니다. 하늘나라에서 아십니까? 모르고 계십니까?

하늘나라의 옥경과 요지 좋은 세계에서 다시 만나, 영원히 극락을 누리십시오.

아, 애통합니다. 아, 애통합니다. 흠향하십시오.

아우 인현 드림

감상 및 해설

죽은 누나가 살아서 듣고 있는 듯이, 고인 사후에 있었던 일을 알려주는 대목이 퍽 인상적이다.

> 일전에 선산 자형 회갑연에 참가힛드니, 재욱 사남미 두로 모여서 만반지수 차려노코 히히락낡하드니, 별안간 통곡으 변하엿나니다. 이 일이 원일인고 하였드니, 일히일비란 말과 갓치, 경사중에도 우리 맛눈님 생각이 나서 재욱이 사남미 저의 으문이 생시를 생각하고 원 집안이 이통지통하는 양 차마 보기 절박절박하였나니다.

바로 이 부분이다. 누나 죽은 후, 그 자형이 회갑을 맞아 잔치를 열었으나, 고인 생각에 통곡한 사실을 전함으로써, 고인을 위로하고 있다. 잊혀진 사람이 가장 불쌍한 사람이라는 말이 있는데, 아직도 당신을 기억하고 있으니, 저승에서 위안을 삼으라는 뜻에서 한 말이리라.

17. 어머니 영전에

1958년, 홍윤표 교수 소장

제문〃 祀祭文 作

유세차、무술정월、병인삭、이십수일갑오은、
족친당자주、유인김영、김씨소상지일야라、
전일석、계사에、불초자、기한은、곤이、비박지
젼을로、재배통곡우、오호애재며、오호통재라、
고어에、하엿시되、지졍무사알너시나、천지간에、
불초한、자식데여、자주、존영젼에、무사옴、
소회 자아내여 다번호기고하긔가 천지가
부판(관)데여、열만인생、〈져나서、선악이、상반이라
어머니、착한〈(상덕、)만단으로、노력하와、자여들、생산
할제 간、삼년、〈생하와、우리(팔)남매를、잔밥에、
무더두고、금옥갓치、사랑하며、설추석、명절(때)
에、의복신발、곱기입펴、남부렵기、기리실제、남경
여짓、본업을로、남자는、곤을、일켜、거성명、괴록
하여、선영행화、이여 놋코、여자는길삼시켜、본、

유세차 무술[69] 정월 병인삭 이십구일 갑오은 즉 친당 자주, 유인 김영김씨 소상지일야라. 전일석 계사에 불초자 기한은 근이비박지젼[70]으로 재배통곡우

오호애재며 오호통재라. 고어에 하엿시되, 지졍무사[71] 일너시나, 천지간에 불초한 자식 데여, 자주 존영 젼에 무삼 소회 자아내여 다버ᄂᆞ기[72] 고하릿가.

천지가 부판[73]데여 억만 인생 생겨나서 선악이 상반이라. 어머니 착한 심덕 만단으로 노력하와 자여들 생산할 졔, 간삼년 년생하와 우리 팔남매를 잔밥[74]에 무더 두고 금옥갓치 사랑하며, 셜 츄석 명절 쌔에 이복 신발 곱기 입펴 남부렵기 기리실 졔,

남경여직[75] 본업으로 남자는 글을 일켜 긔 성명 긔록하여 선영행화[76] 이여 놋코, 여자는 길삼 시켜 본

아, 무술년(1958년) 정월 29일은 곧 우리 어머니 김영 김씨의 소상일입니다. 전날 저녁에, 불초자 기한은 변변찮은 제물을 갖추어 재배하며 통곡합니다.

아, 애통하고 애통합니다. 옛말에 이르기를, '지극히 정직하여 거짓이 없다'고 하였습니다. 천지간에 불초한 자식이 되어, 혼령 전에 무슨 소회를 자아내어 번잡하게 고하겠습니까?

천지가 갈라져 억만 인생이 생겨나서 선과 악도 서로 구분되었습니다. 어머니께서는 착한 심덕에 만단으로 노력하여, 저희 자녀를 낳으실 때, 3년마다 연이어 낳으셨습니다. 우리 8남매를 남은 밥을 식지 않도록 이불 속에 묻어 두고, 금옥같이 사랑하며, 설과 추석 명절 때에 의복과 신발을 곱게 입혀, 남부럽지 않게 기르셨습니다.

남자는 농사요 여자는 길쌈이 본업이니, 아들에게는 글을 가르쳐, 그 성명을 기록하게 하며 제사를 잇게 했지요. 딸에게는 길쌈을 시켜 종사하게 하고,

69 무술 : 1958년.
70 근이비박지전(謹以鄙薄之奠) : 보잘것없는 제사 음식을 갖춤.
71 지정무사(至正無邪) : 지극히 정대하여 거짓이 없음.
72 다번(多煩)하게 : 번거롭게.
73 부판(剖判) : 갈라짐.
74 잔밥 : 남은 밥.
75 남경여직(男耕女織) : 남자는 농사를 짓고 여자는 길쌈을 하다.
76 선영향화(先塋香火) : 조상에 제사지냄.

업에 종사하고 각각으로 치혼한 제 고가세족
빗난 문에 금슬우지 성치시켜 말년 영화 바
래든니 가운이 비색하와 우리 [illegible]부주 우연
병세 위중하야 무당 경각 씰대 업고 천방만
약 무령하와 수월 신음타가 음금 별세하시
오니 일월이 무광하며 천지가 함흑한대
더우나 우리 모주 붕성지통 당하시와
쳔추에 여한이라 셰월이 여류하와 삼상
이 지낸 후에 셜상에 가상으로 장정하신 우
리 형님 우연이 득병하와 천방만약 구원
하되 백약이 무호하니 천명이 그분인지
생전 불효 기치놋코 홀연 별세하시오니

업에 종사하고 각각으로 치혼할 제, 고가세족[77] 빗난 문에 금슬우지[78] 성치시켜 말년영화 바래든니, 가운이 비색하와 우리 부주 우연 병세 위즁하야 무당 경각 씰대업고 천방만약[79] 무령하와 수월 신음타가 응급 별셰하시오니, 일월이 무광하며 천지가 함흑한대 더우나 우리 모주 붕성지통[80] 당하시와 쳔추에 여한이라.

세월이 여류하와 삼상[81]이 지낸 후에 설상에 가상으로 장정하신 우리 형님 우연이 득병하와 천방 만약 구원하되 백약이 무호하니 천명이 그뿐인지 생전불호 기치놋코 홀연 별셰하시오니

각각 결혼시킬 때, 명문 집안에 들어가 금실좋게 살게 하여 말년의 영화를 바랐더니, 가운이 막혀서 그런지 우리 아버지가 우연히 병을 얻어 위중해지셨지요. 무당의 굿도 쓸데없고, 천 가지 처방과 만 가지 약도 효험이 없이, 여러 달을 신음하시다 갑자기 별세하셨습니다. 일월이 빛을 잃으며 천지가 캄캄하였습니다.

아, 세월이 시냇물처럼 흘러 삼년상을 지낸 후에, 설상가상으로 정정하던 우리 형님이 우연히 병이 나서 천방 만약으로 구완하였으나, 백약이 무효하더니, 천명이 그뿐인지 홀연히 별세하셨습니다.

77 고가세족(故家世族) : 여러 대에 걸쳐 세도를 누린 큰 집안.
78 금슬우지(琴瑟友之) : 부부간의 금슬이 좋아 친구처럼 지내는 것.
79 천방만약(千方萬藥) : 천 가지 처방과 만 가지 약.
80 붕성지통(崩城之痛) : 남편의 죽음을 슬퍼하며 우는 아내의 울음.
81 삼상(三喪) : 삼년상.

당상백발우리모주ㅣ, 셔하지참억울하다,
그중간, 격근심회 엇지다말하리잇가, 날버신,
마음으로, 고생을영화로, 생각하고, 재종형
뎨게락을, 붓쳐주경야독, 교훈하여, 부급종
사, 사기오니, 말년자미혼자온닷, 사람생젼
즐걸락자 별세사후슬플애자 잡고
이래, 사람마다상사라고하지마는, 부모형
뎨친척간에, 별세날이, 하직되니, 존비
귀천, 물론하고, 슬픈정곡일반이라, 올흔
을, 생각하고, 이내몸을, 도라, 보니애々
하신, 몸부여, 구로생육, 하실적에, 은공

당상백발 우리 모주 서하지참[82] 억울하다. 그 중간 격근 심회 엇지 다말하릿가

널버신 마음으로 고생을 영화로 생각하고 재쥬 형제게락을 붓처 주경야독 고훈하여 부급종사[83] 시기오니 말년 자미 혼자 온닷

사람 생전 즐길 락자 별셰 사후 슬플애자 자고 이래 사람마다 상사라고 하지마는, 부모형제 친척간에 별셰날이 하직된니 존비귀천 물론하고 슬픈 정곡 일반이라.

오륜을 생각하고 이내 몸을 도라본니, 애애하신 모주여 구로생육[84] 하실 적에 은공

백발의 우리 어머니, 서하지참 즉 부모가 자식을 잃은 참혹한 슬픔을 당하셨으니, 그 중간에 겪은 사연을 어찌 다 말하겠습니까?

넓으신 마음으로 고생을 영화로 생각하고, 재주 형제한테 사는 재미를 붙여, 주경야독을 교훈하여, 부급종사 즉 책 상자를 지고 스승을 따르게 시켰습니다. 말년의 재미를 혼자 누리는 듯하셨습니다.

생전에는 즐기다가, 별세에는 슬퍼하기, 이것은 자고로 사람이면 누구나 겪는 일상적인 일이라고 합니다. 부모와 형제와 친척이 별세하여 하직하게 되면, 존비귀천을 물론하고 슬픈 것은 매일반입니다.

오륜을 생각하고 이 내 몸을 돌아보니, 슬프고 슬픈 우리 어머니, 저희를 낳고 기르실 적에, 그 은공

82 서하지참(西河之慘) : 부모가 자식을 잃은 참혹함.

83 부급종사(負笈從師) : 책 상자를 지고 스승을 따름.

84 구로생육(劬勞生育) : 자식 낳고 기르는 수고.

놉아、하날이오、자정깁흔、바다이라、한날
갈치 놉흔공과、바다갈이 깁흔정을、
호심을 갑사오며、정셩으로、가파별
가、그은공을、갑흘진대、활부봉양、
부족이라、통재며、애재라、오늘밤 영혼
전에、오호애재、통곡하나、호천이망극이
요、일월이 무광이라、자고로、사람마다、별세
하면、다 이런가、작년이 달하신 말슴、어이
그리、못듯는고、작년이 달 보돈 얼굴、어이 그리、
못보는고、부모된、그자정은、별반이 후박없
치마는、자주갈은、그자정은、이세상에、누잇슬가、
다남애를、갈러낼제、자식에게 미친 자정 몰
손가락、한가지라、아들딸、차등 업시、애지중

놉아 하날이요, 자정 깁픈 바다이라. 하날같치 높은 공과 바다같이 깊은 정을 호심으로 갑사오며 정셩으로 가파낼가. 그 은공을 갚을진대 활부봉양 부족이라.

통재며 애재라 오늘밤 영혼 전에 오호애재 통곡하니 호천이 망극이요 일월이 무광이라. 자고로 사람마다 별셰하면 다 이련가 작년 이 달 하신 말슴 어이 그리 못 듣는고. 작년 이 달 보든 얼굴 어이 그리 못 보는고.

부모된 그 자정은 별반이 후박 없지마는 자주같은 그 자정은 이 셰상에 누 잇슬가. 다남애를 길러낼 제 자식에게 찌친 자정 열 손가락 한가지라 아들 딸 차등업시 애지중

높아 하늘만 같고, 그 사랑은 깊은 바다만 같습니다. 하늘같이 높은 은공과 바다같이 깊은 정을 효심으로 갚으며, 정성으로 갚을 수 있을까요? 그 은공을 갚을진대 할부봉양 즉 양식이 부족해서 자신의 살을 베어서 부모를 봉양해도 부족입니다.

아 애통하고 애통합니다. 오늘 밤 영혼 전에 아, 애통하며 통곡합니다. 하늘을 우러러 부르짖어도 망극이요, 해와 달이 빛이 없습니다.

자고로 사람마다 부모님이 별세하면 다 이런가요? 작년 이 달에 하신 말씀을 어이하여 들을 수 없는 건가요? 작년 이 달에 보던 얼굴, 어이 그리 못 보는 건가요?

부모의 사랑은 누구나 두텁고 얕음이 없겠지만, 우리 어머니같은 그 사랑은 이 세상에 누가 또 있을까요? 저희 여러 남매를 길러내실 때, 자식에게 끼친 사랑, 열 손가락 한 가지로, 아들 딸 차등 없이

지、하신자정、어이그리、유달한지、이리귀케가
려낼제요조숙녀자부보고、군자호기사휘보아、
차례〃〃성혼하고、손부증손、보고、백년상수、
바랬더니우연이、어득병환、근〃해부하시드니、
일조일석에홀련별세하시오니、천지가무
너지고、일월이、무광이라、창천〃〃이、무슨변
이리요、천도가무심하고、신도가무지튼가、염나
왕이、무광턴가、강산이、무너지고、천지가、합색
이라、오호통재며、오호애재라、일차왕림바、
랫더니、금수세계보기시얼어느、곳을、향하시고생
리백운、높이타고、자우제행하시난가、공중
에구름타고、신선되로가시넌가、춘산에、꽃피

지하신 자정, 어이 그리 유달한지

이리 귀케 기러낼 제, 요조숙녀 자부보고, 군자호기 사휘 보아 차례차례 성혼하고, 손부 증손보고 백년 상수 바랬더니, 우연이 어든 병환 근근 해부하시드니, 일조 일석에 홀련 별셰하시오니, 천지가 무너지고 일월이 무광이라

창천창천 이 무슨 변이리요. 천도가 무심하고 신도가 무지튼가. 염나왕이 무광턴가. 강산이 무너지고 천지가 합색이라.

오호 통재며 오호 애재라. 일차 왕림 바랫더니 금수세게 보기 시러 어느 곳을 향하시고, 생리백운 높이 타고 지우제 행하시난가. 공중에 구름 타고 신션 되로 가시넌가. 춘산에 꽃피

애지중지하신 사랑, 어이 그리 남달랐는지요?

이렇게 귀하게 길러내실 때, 요조숙녀인 며느리를 보시고, 군자호구인 사위들을 보아서, 차례차례 결혼시켜서, 손부와 증손을 보고 백년 장수를 바랐지요. 하지만 우연히 얻은 병환으로 근근히 버티시더니 하루 아침에 홀연히 별세하셨습니다. 천지가 무너지고 일월이 빛을 잃었습니다.

하늘이여 하늘이여, 이 무슨 변입니까? 하느님도 무심하고 귀신도 무지하며 염라대왕도 무력한 것인가요? 강산이 무너지고 천지가 캄캄합니다.

아, 애통하고 애통합니다. 한 번이라도 오시나 바랐더니, 짐승같은 세계가 보기 싫어 어느 곳으로 가셨는지요? 공중으로 구름 타고 신선 되려고 가셨는가요?

여도자주 생각이요 추야에 달발가도 자주생
각이라 원수해 작년차월 자주가신날을 날이
가고 달이가매 어연간에 오는세월 다긴다시 일년
삼백육십일이 순시간에다 지나고 어마주 소상
일이 어언간에 다운지라 무정세월은 가도다시
오것마은 애중하신 어마주여 가신드니 못오신
가 보고지고 자주 얼굴 듯고지고 자주 말슴 사생갈
이 멀다한들 어어이리 못오시요 황천을로 가는
길이 몃달이나 머러건대 그길로가는사람 가면
다시못온는고 원수로다 황천길이 원수로다
황천길만 업섯시면 애중하신 자주
여 아무리 떠려서도 맛날곳이 잇시지마는

여도 자주 생각이요, 추야에 달 발가도 자주 생각이라.

원수해 작년 차월 자주 가신 날을, 날이 가고 달이 가매 어연간에 오는 세월, 다 긴다시 일년 삼백육십일이 순시간에 다 지나고, 어마주 소상일이 어언간에 다은지라.

무정 세월은 가도 다시 오것마은, 애중하신 어마주여 가시드니 못 오신가. 보고지고 자주 얼골, 듯고지고 자주 말슴. 사생 길이 멀다 한들 어이 이리 못 오시요. 황천으로 가는 길이 몇달이나 머러건대, 그 길로 가는 사람 가면 다시 못 오는고.

원수로다 황천길이 원수로다. 황천길만 업섯시면 애중하신 자주며 아무리 머려서도 맛날 곳이 잇지마는,

봄동산에 꽃이 피어도 자주 생각나고, 가을밤에 달이 밝아도 자주 생각납니다.

원수의 해인 작년의 이 달, 어머니께서 가신 그날이 다시 왔습니다. 세월이 흘러, 1년 365일이 순식간에 다 지나고, 어머니 소상일이 어느덧 돌아왔습니다.

무정 세월은 가도 다시 오건만, 우리를 사랑하시던 어머니는 한 번 가시더니 왜 못오시는지요? 보고 싶습니다 어머니의 얼굴. 듣고 싶습니다 어머니의 목소리. 죽음의 길이 멀다 한들 어이 이리도 못 오시는가요? 황천으로 가는 길이 몇 달이나 걸리도록 멀기에, 그 길로 가는 사람은 한 번 가면 다시 못 오는가요?

원수입니다. 황천길이 원수입니다. 황천길만 없었으면 사랑하는 우리 어머니, 아무리 멀어도 만날 수가 있을 텐데,

예로부터, 죽는사람, 황천길을 못마
가서, 별세한, 그날부터, 영결종천,
하직이라, 만고영웅 진시황도 통
일, 천하 군도량에 자우만세 바랜마음,
어이그리, 지각없소, 만은서책, 불에살
려다른서책, 살지말고, 죽을사자, 사라
시면, 후천지에, 나온사람, 죽지안고 사라
보지, 애고답々, 자모주여, 에이그리, 못
오신고, 곤룡산, 높은봉이, 평지되여
오실나오, 삼철리, 약수물이, 육지되
면, 오실나오, 슬프다, 우리자주여
야월공산, 깁흔밤에 실피우난, 두견조야,
너는, 무슨한이 깁퍼, 부불여귀로, 우름우노, 인생

예로부터 죽는 사람 황천길을 못 마가서, 별세한 그날부터 영결 종천 하직이라.

만고영웅 진시황도 통일천하 그 도량에 지우만세 바랜 마음, 어이 그리 지각업소만은, 서책 불에 살 제 다른 서책 살지 말고 죽은 사자 사라시면, 후천지에 나온 사람 죽지 안고 사라 보지. 애고 답답 자모주여 어이 그리 못오신고. 골룡산) 높은 봉이 평지되여 오실나오. 삼철리 약수 물이 육지되면 오실나오.

슬프다 우리 자주여. 야월공산 깁흔 밤에 실피 우난 두견죠야, 너는 무슨 한이 깁퍼 불여귀로 우름 우노. 인생

예로부터 죽는 사람의 황천길을 막을 수가 없지요. 별세한 그날부터 영원한 작별이요 하직이지요.

만고 영웅 진시황도 천하를 통일하는 그 도량으로 나라가 만세까지 가기를 바라는 마음, 어찌 그렇게도 지각 없게시리 책들을 불살랐다지요. 다른 서책 불사르지 말고, '죽을 사(死)' 자를 살랐더라면, 그후에 태어난 사람들이 죽지 않고 영원히 살았을 것을 애석합니다.

애고 애고 답답합니다. 어머니, 어이 그리 못 오십니까? 곤륜산 높은 봉우리가 평지되면 오시렵니까? 삼천리의 약수물이 육지 되면 오시려나요?

슬픕니다 우리 어머니. 달 밝은 깊은 밤에 슬피 우는 두견새야, 너는 무슨 한이 깊어 불여귀 불여귀 하며 울음을 우느냐?

금수다룬망졍삼즁에깁푼한온녀와나와
일바인가녀의난고국생각나의난친당생각
어이그리다갓튼냐우리동기팔남매가
어무니음덕으로부귀복록누릴줄노누구
업시밋습니다친외손이흥셩하야어무니산소
압해친외손느려서서쳔추향화밧자오면자주
사후복록그안이조흐릿가훈령이생각하시고야
모조록도우소서 지리한삼즁셜화저저히다하
재면의희한황축하에듯삽기장황
할닷대강주리고하오나불매하신
존령은근이일배쥬로박하오나서기
흠격하옵소서 오호애재상
향

금수 다를망정, 심즁에 깁푼 한은 너와 나와 일바인가. 너의난 고국 생각, 나의난 친당 생각, 어이 그리 다 갓튼냐.

우리 동기 팔남매가 어무니 음덕으로 부귀복록 누릴 줄노 누구업시 밋습니다. 친외손이 흥성하야 어무니 산소 압해 친외손 느려서서 천추향화 밧자오면, 자주 사후복록 그 안이 조흐릿가.

혼령이 생각하시고 아모조록 도으소서.

지리한 심즁설화 저저히 다 하재면 의희 황촉하에 듯삽기 장황할닷, 대강 주리고 하오니, 불매하신 존령은 근이 일배쥬로 박하오나, 서기 흠격하옵소서.

오호 애재 상힝.

인생과 금수가 다를 망정 마음속 깊은 한은 너와 내가 일반인가 보구나. 너는 고국을 생각하고, 나는 어머니 생각, 어이 그리 다 같은지 모르겠구나.

우리 동기 8남매가 어머니께서 도와주시는 덕택으로 부귀와 복록을 누릴 줄을 굳게 믿습니다. 친손과 외손이 번성하여, 어머니 산소 앞에 주욱 늘어서서 바치는 제사를 영원히 받으실 테니, 어머니의 사후 복록도, 그 아니 좋겠습니까?

혼령께서 생각하시고 아모쪼록 도와주세요.

지리한 마음속의 사연, 낱낱이 다 말씀드리자면, 어렴풋한 촛불 아래 다 들으시기에 장황하실 듯해 대강 줄이겠습니다. 어둡지 않으신 영령님, 변변치 못하나마, 한 잔 술을 갖추어 드리오니, 부디 받아주십시오.

아 애통합니다. 흠향하십시오.

감상 및 해설

이 제문에는 앞의 12번 자료에서 보이는 표현이 똑같이 보여 흥미롭다.

오호 애재며 오호 통재라. 고어에 하엿시되, 지졍무사 일너시나, 천지간에 불초한 자식 데여 자주 존영 젼에 무삼 소회 자아내여, 다번ᄒᆞ기 고하릿가?(중략)

셰월이 여류하와 삼상이 지낸 후에, 설상에 가상으로 장정하신 우리 형님 우연이 득병하와 천방만약 구원하되, 백약이 무호하니, 천명이 그ᄲᅮᆫ인지 생전 불호 기치 놋코, 홀연 별셰하시오니, 당상 백발 우리 모주 서하지창 억울하다. 그 중간 젹근 심회 엇지 다 말하릿가?

널버신 마음으로 고생을 영화로 생각하고, 재쥬 형졔게 락을 부처 주경야독 고훈하여, 부급종사 시기오니, 말년 자리 혼자 온닷.

요즘 개념으로는 표절이라고 할 만한 현상이다. 마음에 드는 구절을 거듭 인용했던 문화를 확인할 수 있다. 그렇지만 아버지 별세 후 형님도 우연히 득병해 사망했다는 부분까지 일치하는 점은 얼른 납득하기 어렵다. 우연의 일치일까? 아니면 다른 이유가 있는 것일까? 연구해 볼 만하다.

18. 올케 영전에

1959년, 도재욱 님 소장, 세로 28㎝, 가로 245㎝

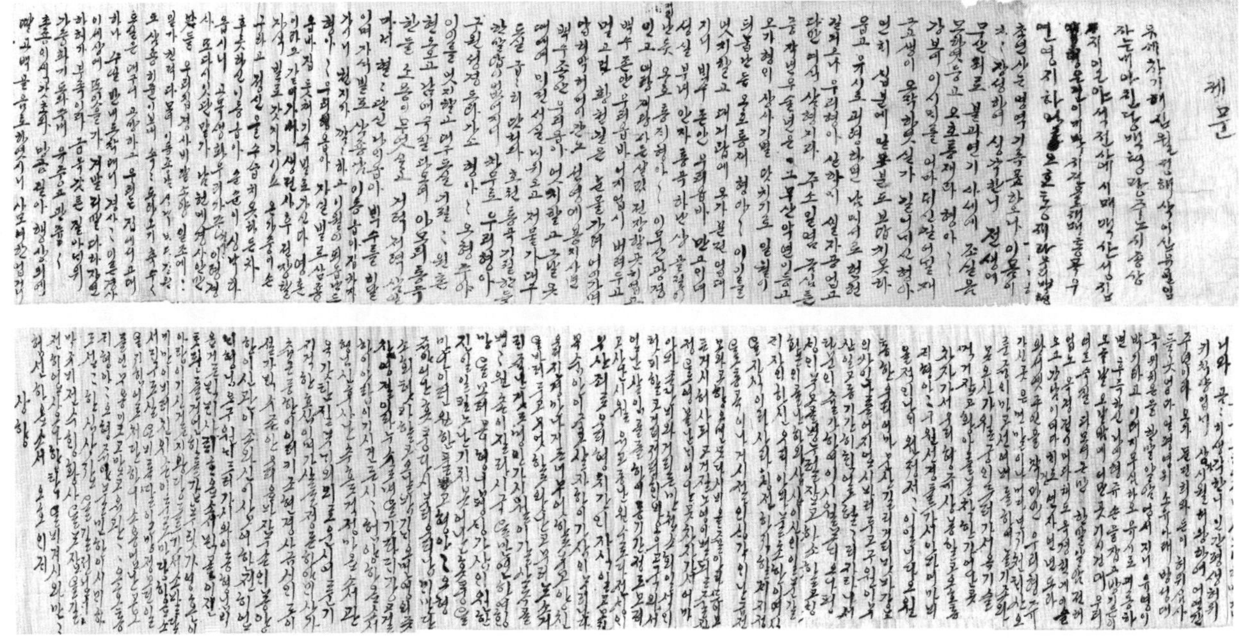

졔문

유셰차 긔해 십월 졍해 삭 이십뉵일
자는 내아 친당 백형 광주노시 종샹
[illegible]지 이악 셕젼샤에 시매 맥산셩 집
[illegible]형 운관이 계박 취젼홍호래매 홍곡우
연영지하 [illegible] 오호통재라 우리 백형
츈연 사는 병역 기흉몹하오나 이믈하이
초ㅣ 장셩하여 싱각한나 젼생에
무산죄로 불과연기 사세에 조실은
무한엿등고 오호통재라 형아
강븍이 시며 믈 어마디신 갈어될재
그고생이 오악하엿실가 길어시신 형아
언히 십분에 일뿐분도 브담치못하
옵고 유시로 괴졍하면 남미서로 현현
길러오나 우리형아 실하미 실자공업고
다만 여식 삼형제라 주소일염 금심은

제문

유세차 기해 십월 정해삭 이십육일 임자는 아 친당 백형 광주 노시 종상지일야 석 정사에 시매 맥산 성집 은진 이비박지전으로 재배 통곡우영연 지하왈.

오호 통재라. 우리 백형 초년사는 영역 기록 못하오나 이 몸이 차차 장성하여 싱각한니 전생에 무산 죄로 불과 연기 사세에 조실 음모하엿등고?

오호 통재라. 형아 형아 강보에 이 시ᄆᆡ를 어마 ᄃᆡ신 길어널 재 그 고생이 오작하엿실가? 길어ᄂᆡ신 형아 언ᄒᆡ 십분에 일분도 보답치 못하옵고, 유시로 괴령하면 남ᄆᆡ 서로 헌헌 길거오나, 우리 형아 실하ᄋᆡ 씰 자공 업고 다만 여식 삼형지라 주소 일염 극심튼

제문

아, 기해년(1959년) 10월 26일은 우리 올케 광주 노씨의 종상일입니다. 그 전날 저녁에 창녕 맥산의 성 씨 집안에 시집간 시누이가 절하며 통곡하면서 올케 영전에 아뢲니다.

아, 애통합니다. 우리 올캐의 초년 역사는 또렷이 기록할 수는 없으나, 이 몸이 차차 장성하여 생각하니, 내가 전생에 무슨 죄를 지었기에 불과 4세 나이에 어머니를 여의었단 말입니까?

아, 애통합니다. 형님, 형님, 강보에 싸인 이 시누이를 엄마 대신 길러내실 때, 그 고생이 오죽하였을까요? 길러주신 형님 은혜 십분의 일도 보답치 못하고, 때때로 찾아가면 남매와 더불어 서로 아주 즐거웠지요. 하지만, 우리 형님 슬하에 아들은 없고 오직 딸 삼형제라서 밤낮으로 걱정하셨지요.

즁자년우 숙년은 ● 그 무산 약연이옵고
오가형이 상사 기별 닷치기로 일월이
되옵난 듯 옹호통재 형아〻 이길을
잇지 할고 대저 과랍에 오가 분견 업재
지너 빅수 존안 우러옵바 만고이녀
성실 부내 안자 통곡하난 상 골절〻
제칙 난츳 옹호 통지 형아〻 이무산 광경
인고 애통 재통 사든 살림 전장할 곳하엿고
백슈 존안 우러옵바 어지업시 버려두고
멀고 먼 황천길은 눈물가려 어이가려
앙히 막혀 미이 간노 션영에 봉지사년

중, 작년 무술년은 그 무산 악연이등고? 오가 형의 상사 기별 닻치기로 일월이 듸눕난 듯 오호 통재 형아 형아 이 이를 엇지할고?

대거랍에 오가 문전 업대지니, 빅수 존안 우리 옵바 만고 익녀 성실 부녀 안자 통곡하난 상골 절이 저리난 듯. 오호 통지 형아 형아, 이 무산 광경인고?

애탕 재탕 사든 살림 전장할 곳 업고, 백수 존안 우리 옵바 니지 업시버려 두고, 멀고 먼 황천 길은 눈물 가려 어이 가며, 압히 막혀 어이 간노?

선영에 봉지사면

작년(1958년) 은 그 무슨 악한 해이던가요? 우리 형님이 돌아가셨다는 기별이 닥치니, 해와 달이 뒤집어지는 듯, 아, 애통합니다. 형님, 형님, 이 일을 어찌할까요?

우리집 문전에 엎드러니지니, 백발의 우리 오빠와 만고에 사랑하는 딸과 부녀가 앉아 통곡하고 있어, 뼈마디가 저리는 듯하였습니다. 아, 애통합니다. 형님 형님, 이 무슨 광경입니까?

애면글면 하여 일군 살림을 맡아줄 곳도 없이, 백발 오빠의 얼굴, 의지 없는 우리 오빠를 버려둔 채, 멀고 먼 황천 길을 눈물이 앞을 가려 어찌 가며, 앞이 막혀 어찌 갔습니까?

조상들 제사 모시는 일이며,

빅우조은 우리옵아 어ᄉᆞ치할고 그날옷
때여여 미런 서울 니위오고 처물가 대우
드실 급ᄒᆞ히 맛치와 호친 흉극기절ᄒᆞᆫ 들
한말ᄉᆞᆷ이 버벗어지어 차무로 우리형아
구원성정 도라가소 형아ᄒᆞ 오형우야
이이를 멋지할고 대구도실 기절ᄒᆞ 원혼
현오고 감며숙칠 과모의 아모의 흉믁
흔들 조용이 무엇실고 저력저력 샹할
마리 혈ᄒᆞ 관신 나의옵아 빅수를 히날
이며 자식빌로 상종감 이흥옵이 갑차자
가서 원리아 말

백수 존안 우리 옵바 엇지할고? 그날 옷 때 대여 ᄆᆡ전 서실 ᄂᆡ외 오고, 저 물가 대구 도실 급급히 닷처와, 호천 통곡 기절한들, 한 말 답이 없어지니, 차무로 우리 형아, 구원 성경 도라가소.

형아 형아 오 형주야. 이 이를 엇지할고? 대구 도실 기절 기절 원촌 현도 오고, 남매 숙질 다 모여 아모리 통곡한들, 소용이 무엇실고? 거럭저럭 삼일 마ᄂᆡ 혈혈단신 나ᄋᆡ 옵아, 빅수를 히날이며, 자식 빌로 삼죵남 이동 옵바 집 차자

백발의 우리 오빠를 어찌할까요? 그날 매전 사는 서실이의 내외도 오고, 저 물가 대구의 도실이도 급히 와서, 하늘을 우러러 부르짖으며 통곡하다 기절한들, 한 말씀도 대답이 없으십니다. 참으로 우리 형님, 하늘나라인 구원과 선경에 돌아가십시오.

형님 형님 아, 우리 형님, 이 일을 어찌할까요? 대구의 도실이가 기절하고 기절합니다. 원촌의 현이도 오고, 남매와 숙질이 다 모여 아무리 통곡한들, 소용이 무엇일까요? 그럭저럭 3일 만에 혈혈단신 우리 오빠, 백발을 휘날리며, 입양할 자식을 빌러 삼종 형제인 이동의 오빠네 집 찾아 가시니,

가셔니 천지가 깜깜하고 이월이 되옵드니
형아형아 우리 생옵아 자실 별로 삼홍
옵바 집 둣쳐기유 별로 가신다 영혼
이라도 가ᄂᆞᆫ이가 써 생전사후 진정할
자식 별로 갖치 가시요 온 가중이 손
구하고 정신을 수습치 못하든차
후ᄎᆞᆺ하신 이동옵아 운운이 생각하
옵시니 고목생화 우리가 주경사이다 이평경
사 또 와시잇관 말가 남헌에 경사 안만
받들 우리 집 경사 비할 ᄃᆞ양 일조에
일가 친척과 모두 이동죵남 싱각 바다 강원

가시니, 천지가 깜깜하고 이(일)월이 되옵난 듯.

형아 형아 우리 옵아, 자실 빌로 삼죵 옵바 집 둣 채 기쥬 빌로 가신다. 영혼이라도 같이 가서 생전 사후 전장할 자식 빌로 갓치 가시요. 온 가중이 손구하고 정신을 수습치 못하든 차 후듯하신 이동 옵아 순순히 싱낙하옵시니, 고목생화 우리 가중 경사 경사 이령 경사 또 다시 잇단 말가?

남헌에 경사안 만난들 우리집 경사 비할소양? 일조에 일가친척 다 모여 이동 죵남 싱낙 바다 강원

천지가 깜깜하고 해와 달이 뒤집어지는 듯했습니다.

형님 형님, 우리 오빠, 자식을 빌러 삼종 오빠 집에 집으로 가셨습니다. 형님의 영혼이라도 같이 가서 생전 사후 맡아줄 자식을 빌러 함께 가시지요. 온 가족이 정신을 수습치 못하던 차에, 후덕하신 이동 오빠가 순순히 승낙하시니, 고목에서 꽃이 피듯, 우리 가문의 경사 경사, 이런 경사가 또 다시 있단 말입니까?

남헌에 경사 안 만난들, 우리집 경사 비할소냐? 하루아침에 일가 친척 다 모여, 이동 오빠의 승낙을 받아, 강원도

…시니 바다 갓은
오 삼중 히출이 보내 속속 도라오기 축수축수
동실은 대구서 고망하고 우리는 집에서 고대
하나 수삼 만내 도착 대니 경사경사 이른 경사
이 세상에 또 잇슬가 거발리 딸다 하자 잘면
하희가 부족이라 금복 갓튼 질아 너의
가중 화기 도와주내 유중교 관중중
효흠이 씨가 ㅅ효화 망흠 질아 행상외에
딸고 백골을로 하엿시니 사모내 한 업거나
너와 곰곰 히 생각한니 인간 평생 허위
키치 양업니 상가 시월 허왕하여 어연간
주변이 [illegible]

도 삼죵 히쥰이 보내 속속 도라오기 축수 축수.

도실은 대구서 고망하고 우리는 집에서 고대하나, 수일 만내 도착대니 경사 경사 이른 경사 이 세상에 또 잇슬가?

거 말 리 말 다라 자연 하허가 부족이라. 금옥갓튼 질아 ᄂᆡ외 가중 화기 도와주내. 유중코 관즁 관즁 초죵 이씩 갓초아, 망금 질아 행상 되에 딸고 백골 음토하엿시니, 사모 녀한 업거니와, 곰곰히 생각한니, 인간 평생 허워키 칙양 업ᄂᆡ.

상가 시월 허왕하여 어연간

삼종 희준이를 보내 속히 돌아오기를 축수하고 축수하였지요.

도실이는 대구에서 기다리고, 우리는 집에서 고대하였으나, 수일 만에 도착하니, 경사 경사 이런 경사가 이 세상에 또 있을까요?

그 말과 이 말이 달라 자연히 하회가 부족했습니다. 금옥같은 조카 내외가 집안의 화기를 도와 주네요. 중요한 초상과 종상의 예식의 법도를 갖추어, 만금같은 조카가 상여 뒤에 따르고, 시신을 흙에 묻었으니, 여한은 없습니다. 다만 곰곰히 생각하니, 인간 평생이 허망하기 헤아릴 길 없습니다.

상가의 세월이 허망하게 흘러, 어언간

주년이라 오와 물진희와 돈이 허위삽사
드롤 업다 알경영위 소유아래 방셩대
구위치온 물 한말 알흔 업셔 지나 유명이
박기타고 이며지무신하호 유시로 피웅하
변 후흑하신 라에형쥬 송을잡고 방기는이
모흔날 오날밤에 어먼곳 기시건대 우리
며로 숙절 뫼모며 는만 한말일흔 권해
엽노 옥경졀이 며와 해도 옥경칠계이술
오고 강남이 며다 희호전 연자 면년도라
와서 뎃 주인을 작마인 우리형쥬
가신곳은 면미흔이나 버린년기 천리한호
큰중의 마고 선여내 돌히여 놀기조완

주년이라. 오가 문전희 든이 허위 심사 들 곳 업다. 일평 영위 소유 아래 방성대곡 위치온들, 한 말 알암 업서지니, 유명이 박기타고 이대지 무심하오?

유시로 긔롱하면 후즉하신 나에 형쥬 손을 잡고 방기든이, 오늘날 오날 밤에 어만 곳 기시건대, 우리 여르 숙질 다 모여근만, 한 말 알암 전해 업노? 옥경전이 머다 해도, 옥경천에 이슬 오고, 강남이 머다 ᄒᆡ도 연자 연년 도라와서 옛 주인을 착건마난, 우리 형쥬 가신 곳은 면 말이나 머다넌지, 천틔산 오룬 즁ᄋᆡ 마고선여 버들 하여, 놀기 조와

1주년입니다. 우리집 문전에 들어오니, 허전한 심사를 둘 곳이 없습니다. 형님의 영전 아래 목을 놓아 크게 울며 외친들, 한 말씀도 앎이 없으시니, 이승과 저승이 바뀌었다지만 이다지 무심하십니까?

때때로 놀리면 후덕하신 우리 형님, 손을 잡고 반기더니, 오늘날 오늘 밤에 어느 곳 계시기에, 우리 여러 숙질이 다 모였건만, 한 말씀도 앎이 전혀 없나요? 옥황상제가 계신다는 백옥경이 멀다 해도, 그 백옥경 하늘에서 이슬이 내려오고, 강남이 멀다 해도 제비가 해마다 돌아와서 옛 주인을 찾습니다. 하지만, 우리 형님 가신 곳은 몇 만 리나 멀기에, 천태산 깊은 곳에서 마고 선녀의 벗이 되어, 노는 게 좋아서

못오신가 쉬운 궁인들려 가서 옵기 술
써거잘고 회양아 올봉차하니 가어간곳
차자가서 우리 형주 상봉하올고오롭
지행아 그 구원선경들 가서 이화하여 마뇌
올적의 나의 원취저、、이일을 더ㅎ오 원
통한 우리 어마 못사는 길리 저리 나서라 강오
의 쓰사이 가올 어지 엄시 보려 두고 구원이 북
산 일고 통기 간히 되구 어을 한술 그리 갈히 나서
하분인 츄을 가히 하여 이시 위를 분다 오나 평
성인 북오 풀병누 런을 장고 하소 한을 고칭

못 오신가 월궁ᄋᆡ 드러가서 옥기슬 썩거 잡고 황아를 봉착한가? 어난 곳 차자가서 우리 형쥬 상봉할고?

오호 통ᄌᆡ 형아형아 구원선경 두르가서 아바어마ᄇᆡ올적ᄋᆡ 나ᄋᆡ 원정 저저이 일너다오. 원통한 우리 어마 문산길리 거리 밧바 강보의 싸인 나를 어지업시 바러두고 구원이 무산일고?

동기간히턱어로 헐헐리 자라나서 타문ᄋᆡ 출가하여 이 시월 보ᄂᆡ오나 평싱ᄋᆡ 부모 골병 누럴 잡고 하소할고? 싱

못 오시는가요? 월궁에 들어가서 옷깃을 부여잡고 항아 선녀를 만나셨는가요? 어느 곳 찾아가서 우리 형님 만날까요?

아, 애통합니다. 형님 형님, 구천과 신선세계 들어가서 아빠와 엄마를 뵈올 적에, 내 소원 자세히 일러 주세요. 원통한 우리 엄마, 무슨 길이 그리도 바빠서, 강보에 싸인 나를 의지도 없는 채 버려 두고 구천이 무슨 일인가요?

동기간의 혜택으로 무사히 자라나서 다른 가문에 출가하여 세월을 보낸 평생, 부모님에 대한 깊은 병을 누구를 붙잡고 하소연할까요?

한놈의 골난 하와 사ᄒᆞᆸ시 이신 이를 블손가을
ᄒᆞ지 ᄌᆞ하 하신 우리 아ᄒᆡ 불쵸ᄒᆞᆫ 이여ᄂᆞᆫ
을 자식이라 사랑 칭찬 하시니 하올 쳐지정
을 흉골이나 거시 점은 인손가의 나는 금전
보와 고 하옵오매 노다 사 비올 줄 몰이 한 소유 보
든 거시 허사 되고 거진 노영이 변ᄒᆞ되 들 구들
정을 영 불난니 이어 곳치 가서 어마
아와 졸나니와 거리는 미 천소 회이 일서의
허되 할고 저되 저결한 일 우우고 국외서
얼난 살이 없 골골 히야 홍기간 정로 보려
고 산는 시월 운 월 종난 원순 근다 전상ᄉ이

활ᄋᆡ 골난하와 삽삽이신ᄋᆡ 일분 갈 ᄌᆡ 자ᄋᆡ하신 우리 아바 불초한 이 여식을 자식이라 사라 ᄉᆡᆼ전 하직할 ᄌᆡ 지정으로 통곡이나 거 시절ᄋᆡ ᄉᆡᆼ각ᄋᆡ난 금전 모와 고향 오면 ᄯᅩ 다시 뵈올 줄 아라쓴이 모든 거시 허사 되고, 거질노 영 이별 될 줄 진정으로 영 몰난ᄂᆡ. 어난 곳 차자가서 어마 아바 존난 뵈와, 거리든 만첩 소회 일석ᄋᆡ 헛피할고?

거력저력 ᄒᆡ와 오우 고국의서, 업난 살임 골돌하여 동기간 정도 보려고 사난 시월, 유교 동난 원수로다. 전ᄉᆡᆼᄋᆡ

생활이 곤란한 나머지 일본 가실 때, 자애로우신 우리 아빠, 불초한 이 딸도 자식이라고 여겨 살아생전 하직할 때 지극한 정으로 통곡하셨다지요. 그 시절의 생각으로는 금전을 모아서, 고향 오면 또 다시 뵈올 줄만 알았더니, 모든 것이 허사가 되고, 그길로 영 이별이 될 줄 진정으로 영 몰랐네요. 어느 곳 찾아가서 엄마와 아빠의 얼굴을 뵈어, 그립던 만첩이나 쌓인 소회를 하룻밤 풀어볼 수 있을까요?

그럭저럭 지낸 고국에서, 없는 살림살이에 골똘하여, 동기간의 정도 보려고 살았던 세월, 육이오 동난이 원수입니다. 전생에

우산 져ᄌᆞ 우리 형치가 인자식이 일로 못ᄒᆡ
복슘이 아이 소고 살자 ᄒᆞ니 가삼이 ᄂᆞ리ᄂᆞᆫ다
우리 지쳥 마ᄂᆞ 자ᄒᆞᆫ 너부어시 ᄒᆞᆯ 못ᄒᆞ고 이ᄂᆞᆼ친
올바려 두고 못엇ᄒᆞᆯ 되ᄂᆞᆫ고 무려 노ᄉᆞ지
릐 즁ᄂᆞᆫ 지ᄉᆞ로 녕민 가자원ᄒᆞᆫ 이가ᄂᆞᆫ ᄉᆡᄂᆞ슉골
ᄲᆡᆼᄲᆡᆼ 원슈 ᄒᆞᆫ이 질러시국을 만ᄂᆞᆫ 하ᄂᆞᆯ ᄒᆞ여 ᄒᆞᆼ
망을 모ᄒᆡ 봄니 혈여 ᄲᆡᆼᄉᆡᆼ 가ᄉᆞᆼ이 원한
진ᄒᆞᆯ 일ᄒᆞᆯ 노ᄂᆞᆫ 기지 보셔 ᄂᆡᄂᆞᆫ 흉ᄒᆞᆼ을
미운이 려고 원한 곰을 ᄇᆞᆯ고 ᄒᆡᆼ아 ᄋᆞ오형
즁ᄒᆞ의ᄂᆞᆫ 흉ᄒᆞᆼ다 ᄉᆡ누려 우리ᄂᆞᆫ 비ᄇᆞᆫ단

무산 죄로 우리 형지간ᄋᆡ 자식 일코 모진 목숨 안이 죽고 살자 하이, 가삼ᄋᆡ 부리 난다.

우리 진경 만나거등 너 무엇하로 두고 양친을 바려 두고 무엇하로 왓난고 무러 보소. 거릐 죽난 것도 명인가?

지월이 갈산 독골 병병 원촌 이질라. 시국을 만연하여 힝방을 모러오니, 형님 평싱 가삼의 원한 진 일. 일필노난 기치 못어날 훗풍을 만나 이런 원한 풀고 형아 형아 오 형쥬야, 어난 훗풍 다시 부러 우리 남ᄆᆡ 만단

무슨 죄로 우리 형제간에, 자식 잃고 모진 목숨 죽지 못하고 살자 하니, 가슴에 불이 납니다.

진경이를 만나거든, "너 무엇하러 양친을 버려 두고, 무엇하러 여기 왔느냐, 물어 보세요. 그렇게 죽는 것도 명일까요?

지월리, 갈산, 독골, 병병, 원촌을 잊으면 어쩌나? 시국이 혼란하여 그 행방을 모르니, 형님이 평생 가슴에 원한으로 여긴, 이 한 줄의 글로는 다 기록하지 못합니다. 훈풍을 만나 이런 원한 풀고, 형님 형님, 아, 우리 형님, 어느 훈풍 다시 불어 우리 남매의

소회 편지와 즐고 오ᄂᆞᆯ 보니 기ᄃᆡ 오며 ᄒᆞ엿던 ᄎᆞ
참 영결이라 누ᄉᆞ로 내 울 기라 ᄃᆞ 가고결
ᄒᆡᆼ이 야 ᄒᆞᆼ이 이기시건고 시 ᄒᆞ 헌닝 양회ᄒᆞᆫ 촌서
행ᄒᆞᆫ 시후사ᄂᆞᆫ ᄎᆞ ᄒᆞ로 거ᄋᆞ 정 마ᄂᆞᆯ 슈서 관
옥 가시 ᄐᆞᆫ 지를 ᄭᅮ니 뵈 뵈로 운 시어 ᄒᆞ 운기
지 져 ᄀᆞᆨᄒᆞᆫ 호심이며 가 사ᄅᆞᆷ 슈 져 ᄅᆞᆫ ᄒᆞ얘 민 사라
ᄎᆞᆷ 욕 ᄒᆞᆫ ᄐᆞ 하ᄂᆞ 이리키 조현 경 사 금 시인 ᄒᆞᆷ이
설 가 뵈 ᄉᆞ 즁 아ᄂᆞᆫ 우ᄒᆡ 은 ᄂᆞᆫ 잔 ᄂᆞᆫ 구 손 인 ᄂᆞᆫ 향
ᄒᆞᆫ 이신 관 ᄂᆞ 이 조 와 신 ᄂᆞ 이 사 보 여 ᄒᆞ 곤 ᄒᆡ 언ᄂᆞᆯ
비 형 ᄂᆞᆫ 오 구 원 ᄂᆞᆫ ᄃᆞ려 가 시 와 이 ᄒᆞᆼ 편 ᄂᆞᆫ 바

소회 헛파할고?

오늘 밤 기ᄂᆡ오면 영위좇차 영결이라. 누슈로 벼을 가라 ᄃᆡ강 고결하이, 아람이 기시거든 시시 험양하옵소서.

형님 신후사난 추호도 걱정 마옵소서. 관옥갓탄 실부 ᄂᆡ외 외로운 시어룬기 지걱한 효심이며, 가산을 정돈하야 ᄆᆡ사가 츄근둥한이 이러키 조현경사 금시ᄋᆡ 도 이실가? ᄇᆡᆨ수 존안 우리 옵바, 자부 손ᄋᆡ 봉양한이 신관이 조와신이, 사모 여한 전히 업ᄂᆡ.

형님요, 구원ᄂᆡ 드러가시와 이동 형님 ᄇᆡ

온갖 소회를 풀어볼까요?

오늘 밤 지나면 영위조차 영원히 이별입니다. 눈물로 벼루를 갈아 대강 하직 인사를 올리니, 알아 계시거든 수시로 흠향하십시오.

형님의 뒷일은 추호도 걱정 마세요. 옥같은 조카며느리 내외가 외로운 시어른을 지극한 효심으로 모시며, 가산을 정돈하여 매사가 빈틈이 없으니, 이렇게 좋은 경사, 이 세상에 또 있을까? 백발의 우리 오빠, 며느리와 손주의 봉양을 받아 얼굴이 좋으시니, 사모해야 할 여한이 전혀 없습니다.

형님, 구천에 들어가셔서 이동 형님을

옹저는 본디 사긔ᄒᆞ온 소시 녀흑 골이 잔
토죄는 거연히 흘 가는 보리 가 영호나이
아랑이 기신 저는 지왕 다 흘 가서 소 난흘 다
키 만이 뵈온 친이 옷 손이는 실흘 만 당흥흘 소
서 된 누 못 실 문 뵈 홈 다흘 이 방정 보뎐 이흘
을 기힌 에흘 처 던 히니 소용 어보난 곳호
흘 언 못 옹미 크고 만호고 원 되는 ˎˎ 옹흘흥
귀 헝아ˎˎ 호헝 죄에 보흘면 흐아시 버하
도 선그 힌시 사기는 을 기는 전 되옵니
박 죽뵈 전순 헝 황사 을 포잔 을 길
전희 어보 시옵나 한흔 을 넘거시와 만
허선 힌흘 소서 오호 인긔
상 향

옵거든 ᄇᆡᆨᄇᆡ 사ᄅᆡᄒᆞ옵소서. ᄇᆡᆨ골이 진토 된들 거 언히를 갑푸릿가? 영혼이 아림이 기시거든 지왕당 드러가서 소발 달키 만이 비러, 친외손이 두로 만당하옵소서. ᄃᆡ구 도실은 비록 ᄯᆞᆯ일 망정 모던 일을 지 힘어로 처단하니 소용 업난 고모들언 무용이고 고맙고 유관 유관.

오호 통ᄌᆡ 형아 형아, 오 형쥬야. 불민한 이 시ᄆᆡ 하도 섭섭한 심사 잡을길 정 업서 박쥬비전 수힝 황사을로 잡을 길 전히 업사오나 향탁을 비겨시와 만만 험선하옵소서. 오호 ᄋᆡᄌᆡ

상향.

뵈옵거든 백배 사례하셔요. 백골이 진토가 된들, 아들 입양하게 해 준 그 은혜를 어찌 갚겠습니까? 영혼이 알아 계시거든, 지왕당 들어가서 손발 닳도록 많이 빌어, 친외손이 두루 가득하게 해 주세요. 대구의 도실은 비록 딸일 망정 모든 일을 제 힘으로 처단하니, 소용없는 고모들은 쓸데없으니, 고맙고 흐뭇 흐뭇합니다.

아, 애통합니다. 형님 형님, 아 형님. 아둔한 이 시누이가 하도 섭섭한 마음을 잡을 길 전혀 없어, 변변찮은 술과 제물, 몇 줄의 거친 글로, 잡을 길 전혀 없지만, 향로상을 기대어 맘껏 드십시오. 아, 애통합니다.

부디 이 제물을 받아 드십시오.

감상 및 해설

시누이가 올케의 영전에 올린 제문이다. 일반적으로는 소원한 관계라고 하는데 꼭 그렇지만은 않다는 사실을 보여주는 사례다.

겨우 4세 나이에 어머니를 여읜 자신을 그 올케가 어머니 대신 양육했다고 회고한다.

> 형님, 형님, 강보에 싸인 이 시누이를 엄마 대신 길러내실 때, 그 고생이 오죽하였을까요? 길러주신 형님 은혜 십분의 일도 보답치 못하고, 때때로 찾아가면 남매와 더불어 서로 아주 즐거웠지요.

이렇게 착하게 살았으면 좋은 일만 많았어야 하련만, 그 올케 슬하에 아들이 없이 딸만 3형제 밤낮 걱정했다고 한다. 다행히 삼종오빠가 아들 하나를 양자로 주었던 경사를 떠올리며, 그 조카가 이번 장례 때 극진히 잘 모셨노라 고하고 있다. 고인에게는 더 없는 위로의 메시지였겠다.

19. 올케 영전에

1963년, 황명희 님 소장

제문

계조 춘이월 을묘삭 이십칠일 갑자에 중평
주 병일 졍시 죵상 지일을 당사와 묵을 촌
중제 삭주 이일쌔와 두어 줄 황우 둔 사로
쳔대 구원에 유령을 물너 쳔ᄌᆞᆫ 한 술을 올
라 ᄀᆡ득한 졍으로 대상 발외 무수 쳥여 오는
황혼 오시 옥을 홍재와 쳥주 ᄒᆞ여 쳔ᄌᆡ

제문

계묘[85] 춘이월 을묘삭 이십칠일 갑자에 종형주 영일 정씨 중상지일을 당사와, 둔사로 천대 구원에 유형을 불어 첩첩한 슬품과 가득한 정곡을 대강 알외오니, 행여 소감하옵소서.

오호 통재라 형주 형주여, 천지

아, 계묘년 2월 27일, 사촌형님 영일 정씨의 중상일입니다. 이 날을 당해, 아둔한 말씀으로 하늘에 계신 형님을 불러, 첩첩이 쌓인 슬픔과 가득한 정을 대강 아뢰니, 부디 받아주십시오.

아, 애통합니다. 형님, 형님! 천지가 만들어진 후,

85 계묘 : 1963년.

조화중을 미일생일 산난 성인도 편지 못출수
졍초에 셩혁 신행히 천의 강성하사
만연광누락 무화설구존 끗삼런바 천만
이의 구서긴 갈희 중천병결히 되옵서
벗이 신상한 중빈지의에 빈번한 상생
지별츨 시우화오리화 볼이츨 득활이 민궁
한 호차천무동 추 성출추도. 신구면의
천광만에 지성구완다화옷을 동한번비히
황 누거이도 쌀세하산천도 모없한
조으로 이시사한동 출하사난며자부의
천서장 호천지동이길뫼로이 장출다
부의평 쌀문자에시사 봉이화변부자
한은 유명우출은 홍재 을초중제는
수화세부쳐 평출에 우에지고화서는도책
물일삼고 일분에 적변화와 중한에 부천
후로주 하 일시도 부처치한이서 변정
번빅가 처평도동에 만상을 회비해화에
변화 번서이장별출서 황중장사한은 땅도
정은 화출수 없이 초출일은 황나에 래산모의출

조판 후, 일생 일사난 성인도 면치 못ᄒᆞ시나, 형주에 성덕 심행이 천의 감응하사, 만연 향수 다복하실 줄 밋삽던바, 천만 이외 꿈결같히 종천 영결이 되오니, 엇이 심상한 종반지의에 범연한 사생지별로 비우하오리까?

불일 독환이 위중하ᄉᆞ 효자 현부 동동촉촉 성효 초도 신구 명의, 천방 만약 지성구완 다하올 동안 없이, 황황 늣겨이도 별세하시니, 산천도 무심하고, 조물이 시기한 듯, 슬하 사남미 자녀 부의 천지 망망 호천지통, 일월이 무광ᄒᆞ나, 우리 형주 별윤 자애시나, 엇이 적연 부지하시고, 유유 명목ᄒᆞ신고.

통재 통재 불초 종제는 유하적부터 형주에 무애지교하시든 은택을 입삽고, 일문에 적인하와 종반에 모첨 후로 주주야야 일시도 무심치 안이시고, 여행범백과 처신 행동에 만사를 희비 애락에, 변함 없이 자별ᄒᆞ시니, 황공 감사하온 마음, 형은할 수 없이 출입 왕내에 태산 으지로

한 번 나서 한 번 죽는 것은, 성인도 면치 못할 일입니다. 그래도 형님의 덕망과 행실에 하늘이 감응하셔서 만년 향수를 누리며 다복하실 줄 믿었습니다. 천만 뜻밖에도 꿈결같이 세상을 떠나 영영 이별이 되니, 어찌 여느 친족간의 범연한 작별과 같겠습니까?

갑자기 병세가 위중해지셔서, 효성스런 아들 내외가 어쩔 줄 몰라하며 지극 정성으로 초반부터 온갖 명의와 명약으로 구완하였지요. 보람도 없이 서둘러 별세하시니, 산천도 무심하고, 조물주가 시기한 듯합니다. 슬하의 4남매 부부가 천지 아득한 가운데 하늘을 우러러 부르짖으니, 해와 달이 빛을 잃어 버린 것만 같습니다. 우리 형님, 특별히 자애로우신 분이건만, 어찌 침묵한 채 모른 체하시고, 유유히 눈을 감으셨단 말씀입니까?

애통하고 애통합니다. 저는 어릴 때부터 형님의 한없는 은택을 입었지요. 어느 가문에 시집간 후로도 밤이나 낮이나 일시도 무심하지 않고, 일체의 여자 행실이며 처신에 대해, 기쁘나 슬프나 변함 없이 자별하셨습니다. 황공 감사하온 마음, 형언할 수 없습니다. 출입 왕래하며 태산같이 의지하였으니,

상시여연 길흔 졔ᄐᆡᆨ 만흔 일든 잡ᄉᆞ치 못
ᄒᆞ엿ᄂᆞᆫ 츈ᄂᆞᆫ 여ᄎᆞᆯ을 당ᄒᆞ와 가시ᄂᆞᆫ 길으로 ᄶᆞᆨ지 못
ᄒᆞ엿ᄉᆞ오니 ᄌᆞᆼ계에 우공 졍션이 셔시로 ᄎᆞᆼ동치 못
ᄒᆞᆼ이라 우흐로 ᄂᆞᆼ국〳 졍츈 평 평ᄒᆞ오 현
ᄌᆡ화 셩ᄒᆞ여 ᄒᆞ올여 ᄉᆞᆫ 우ᄒᆞ여 쳔 중 우
졀에 셔이 빗ᄎᆞ여 진셰에 두ᄂᆞᆫ 올 ᄇᆞ려사 상 션이
빈ᄒᆞᆫ 쇠 ᄇᆞ사 가샹 ᄒᆞᆫᄌᆞ 우희 졍휴 ᄇᆞᆫ온
으ᄐᆡᆨ에 생장ᄒᆞ오와 호올셰 두이 ᄒᆞ오션 셩ᄒᆞ
쳔셩에 재능 활ᄒᆡ 으올 명나 ᄒᆞᆫ 이온에
읻ᄂᆞᆫ 충ᄒᆞ션 호흐 황ᄉᆞ ᄒᆞ션 조쳔에 호롱지 도와
번셩 안황에 우여 현신이 죽당 ᄇᆞᆫ도에
두명ᄒᆞ여ᄂᆞᆫ 생흐올 ᄒᆞ션 샹ᄂᆞ며 높흠은
고죠흔 으올 기도ᄒᆞ여와 면이 군자 수며에
면ᄃᆞ도올 ᄒᆞ올 친수며 부보친 졔지도올 면ᄒᆞ사
각최의ᄉᆞ 자ᄒᆞ 친 기ᄒᆞ도올 쌀여 부도 망흐
ᄒᆞ션 근ᄂᆞ 셩신 벗이 드흠에 각셔 벗상흐올 긴
마ᄂᆞᆫ 부벼이 쇤ᄒᆞᆫ 최못ᄒᆞ셔와 중년에
본셩지 둥으올 당ᄒᆞ션올 이룹 셩우ᄒᆞ셰둥
ᄒᆞ션 두ᄉᆞ구 ᄒᆞ셩 경에 내외 ᄇᆞᆫ ᄇᆞᆫᄂᆞ시와

삼십여 연 깊은 혜택 만분 일도 갑삽지 못하시고, 천고 영결을 당하와, 가시는 길을 막지 못하였으니, 종제에 우공 정신이 신기를 감동치 못함이라.

오호 통곡 통곡 형주 평싱 행하오신 유화 성덕이, 출어범유하시니, 천궁옥권에 서기 뻿치여 진세에 둠을 아끼사, 상신이 벗하고저 아사가심인가.

우리 형주 법문 고택에 생장하시와, 출세 특이하신 성덕 천성에 재능 활약으로 영낙한 이 문에 입승하신 후로, 환거하신 존전에 효봉 지도와, 번성안항에 우애 현심이 족당 문내에 득명하시고, 생출하신 사남미 높흔 교훈으로 기르시와, 면면이 군자 숙녀에 법도를 일웟스며, 무모한 제질들 면면 하나갓치 의식 자리 한기포[86]를 살펴 보호 양육하신 군노[87]성심 엇이 고금에 다시 잇사올고마난, 복역이 원만치 못하시과, 중연에 붕성지통을 당하심을 일생 유한 비통하시드니, 구원 성경에 내외분 만나시와,

30여 년의 깊은 혜택, 만분의 일도 갚지 못한 채, 천고의 영결을 당하고 말았습니다. 그 가시는 길을 막지 못했으니, 이는 제 정성이 하늘을 감동시키지 못했기 때문입니다.

아, 통곡하고 통곡합니다. 형님께서 평생 베푸신 성덕이 특별하셨으니, 아마도 하늘나라에까지 그 상서로운 기운이 뻗친 나머지, 인간세상에 두는 게 아까워, 옥황상제께서 벗 삼으려고 빼앗아가신 게 아닌가 합니다.

우리 형님, 법도 있는 가문에서 생장하셨지요. 비범하고 특이한 덕성과 타고난 재능으로, 미미한 저희 가문에 들어오신 후로, 홀로 계신 시아버님을 효성스럽게 봉양하였지요. 번성한 형제들을 우애 있게 대하는 소문이, 친족 안에서 유명하였습니다. 슬하의 4남매를 높은 교훈으로 기르셔서, 모두 군자 숙녀의 법도를 이뤘으며, 철없는 조카들을 모두 하나같이, 입고 먹는 자리와 춥고 배고픔을 살펴 보호 양육하신 수고와 정성, 어찌 고금 역사에 또 있겠습니까? 그런데도 복이 그것뿐이신지, 중년에 남편을 여의는 슬픔 당한 것을 일생의 한으로 여겨 비통해하시더니, 저 하늘에서 내외분 다시 만나,

86 한기포(寒飢飽) : 추운지, 배고픈지, 배부른지.

87 군노 : 구로(劬勞)의 잘못. 자식 낳아 기르느라 힘들이고 애씀.

인셰미한 지연으로 간셔 이은 션ᄌᆞ 오희와 평일
낭화한션 도우정 흔ᄎᆞ 가쳐조리 회조 쳐석ᄯᅢ
쳐와 계우로 추후 갈화 희한나 오희으로 나사촐
왕모셔 두나 지구ᄒᆞᆫ은 인셩으로 간ᄊᆡ희셔 산중ᄎᆞ
가시와 유ᄀᆞ 구원에 송빠을 모줄을 산ᄉᆞ 산조로
볏들을 상하 죽까지 반이 선ᄌᆞ 생각ᄒᆞ연
흥ᄀᆞᆫ 부쥴 초중쳬는 경장을 바지ᄒᆞ여
혼추 말연 각쳐 서녁더 ᄒᆞᆫ번 가간 중촌
몽중에는 엿ᄂᆞᆯ 우의 지청ᄒᆞᆫ 쇼나 지도ᄒᆞᆫ
미안ᄒᆞ시나 무병이 방격ᄒᆞ여 하로 밋츠신슈
수ᄒᆞᆫ을 생활지는 이런 생각 정ᄒᆞ여 션ᄃᆞ나
평일 후 빠른 자빈은 명ᄋᆞ지 중에 재촌 지명하
도우ᄒᆞᆷ 잇자 직ᄒᆞ는을 면ᄋᆞ 사ᄒᆞᆫ 셩공ᄒᆞ여
갈는 ᄌᆞᆷ쳐 나오 경창ᄒᆞ여 ᄭᆡ사 바허 다흥
ᄒᆞᆫ다 부ᄭᆡ신히 쥬감히 오ᄌᆡ로온 못ᄒᆞ여 실ᄒᆞ여
ᄒᆞ셔 년바여 명은 전에 히온 동강ᄒᆞᆫ을 주
ᄒᆞ여 추이 셩중ᄒᆞᆫ 것이나 구원 정병이 섯나
반신ᄒᆞᆫ은 고ᄭᆞ 좌조 홍재화 산촌에 꼿노화
외 추주에 간중ᄂᆞ의 쳐는 구경 선유 노름

인세 미진지연을 다시 이으신가.

오회라 평일 남다라신 호풍정, 춘추가절과 화조월석에 허다 제우로 추축 단회 희담 소일을 낙사로 알으시드니, 지극하온 인정을 다 바리시고, 혼자 가시와 유유 구원에 송백을 울을 삼고, 산조로 벗들을 삼아 적막지 안이신가 생각하면,

통곡 통곡 불초 종제는 형장을 의지하여, 천추 만연갓치 넉엿더니, 한번 가신 후로 몽중에도 옛날 우애지정 한 말삼 지도함이 없아시니, 유명이 양격하여, 아조 잊으신가.

수하들 생활 지도 일생 걱정하시드니, 평일 특별 자이로 명명지중에 재천지영이 도으심잇가. 질아들 면면 사업 성공하여, 가도 훤혁 날로 융창하여 만사 여히 대통하나, 못 보심이 유감이요, 필혼 못하여 심여하시던 애여, 명문 현가에 일등 가랑을 구하여, 수이 성혼할 겄이니, 구원 정영 이시나 안심하옵소서.

차호 통재라. 삼춘에 꽃노리와 추국에 단풍 노리 절 구경, 선유 노름,

이 세상에서 미진했던 인연을 다시 이으신 것인가요?

아, 평소 남달리 쾌활한 풍정으로, 봄가을과 꽃 피는 아침과 달밝은 저녁에 허다한 동생들과 함께 좇아다니며 모여서, 농담하며 소일하기를 즐거움으로 삼으셨지요. 그 지극한 인정을 다 버리시고, 혼자 가셔서 유유한 저 하늘나라에 소나무와 잣나무로 울타리를 삼고, 산새로 벗들을 삼아 쓸쓸하시지는 않을까 생각합니다.

통곡하고 통곡합니다. 저는 형님을 의지하여, 영원히 함께 살 줄로만 여겼더니, 한번 가신 후로는 꿈속에서도 옛날같은 우애의 정으로 한 말씀도 지도하시는 일이 없습니다. 이승과 저승이 다르다더니, 아주 잊으신 건가요?

아랫것들의 생활 지도, 일생 동안 걱정하시더니, 평소의 그 특별한 자애로움 때문에, 저승에서 하늘이 도와주셔서 그런 건가요? 조카와 아들들이 모두 사업에 성공하여, 집안이 날로 융성하여, 만사가 대통하고 있는데도 직접 못 보시니 유감입니다. 혼인을 못 시켜서 걱정하시던 딸은, 명문 집안의 일등 신랑과 만나, 곧 혼례를 올릴 것이니, 하늘에 있는 영령께서는 부디 안심하십시오.

아, 애통합니다. 3월 봄 꽃놀이, 가을의 단풍 놀이, 절 구경, 뱃놀이에서

빠고도우신 조흥회하는을 딴좌물 줄건
제형서두가 한조평 ~ 천만 가신 후로 친척
한, 붕우들을 보아 이하처드 잊으신 것 ~
흉우 ~ 세월은 수미화와 평추가 흥 ~
허연간 거연이 갓쳐 오수 누앙청 ~ 우세
신에, 방춘은 재청하다 만우줄에 병장되는 우리
한생은 천한 편가편 한조가서. 한찬 만사 병결
되다 금연 중얼이 화쉬에 청추조영부로
지쳐. 흉우 청한는 우리 제원 청제 둘은 아서
상이 번식 되었까 가 ~ 조만이 다올 청추
가고 고을 찾 ~ 따로 지화 우정 동에
라서 말수 집수회 한 차세 갓치 고을 수도 좋
비치 이는 원하는 구서 좌회라 고을이 누이 흥은
을 라 화쉬못 한 박굴이 누이 청고을 다해치 못
활제화 평추평 허흔 흥칠 명패 화선 지천이
낙과고 유 ~ 만대에 청병이 일씨치 하여
실지화 중제에 지주 청우라, 일찍 청차물
반기회 증행하옵소서
일천구백오십구년

만고 드무신 호풍 회담으로, 만좌를 즐겁게 하시드니, 아조 영영 한번 가신 후로, 친절한 붕우들을 엇이 이다지도 잊으신고. 절절 통곡 통곡

세월은 유미하와, 형주 가신 후, 어언간 기연이 닷처오니, 수양 청청 유색신에 양춘은 재릐하나, 만물에 영장 되는 우리 인생은 한번 가면 아조 가서, 인간 만사 영결되니 금연 금일 이 좌석에 형주 존영 부르지저 통곡하는 우리 계원 형제들도, 이 세상이 얼마 될까 각각 조만이 다를 뿐 형주 가신 그 길을 차차 따를지라. 옥경 청도에서 다시 만나, 집수 희담 차세갓치 즐기도록 비치 인도하압소서.

차회라 글이 능히 슬품을 다하지 못하고, 박물이 능히 정을 다 폐치 못할지라. 형쥬 평일 통철 명쾌하신 지견이 남다르시니, 유유 만대에 정영이 민멸치 안이실지라. 종제에 지극 정곡과 일비 청각을 반가히 흠향하압소서.

일천 구백 오십구 연[88]

만고에 드문 호탕한 농담으로 모두를 즐겁게 하셨지요. 이제 한번 가신 후로는, 친절한 벗들을 어찌 이다지도 영영 잊으시는 겁니까? 절절히 통곡하고 통곡합니다.

세월은 물 흐르듯하여, 형님 돌아가신 후, 어느새 1주년이 닥쳐왔습니다. 수양버들은 푸르게 새롭고, 따스한 봄은 다시 찾아왔으나, 만물의 영장인 우리 인생은 한번 가면 아주 가서, 인간 만사가 영원히 작별하고 말았습니다. 금년 금일 이 자리에서 형님의 혼령을 부르짖어 통곡하는 우리 계원 형제들도 마찬가지일 겁니다. 이 세상에서 얼마나 더 살지는 모르나, 각각 조금 더 이르고 늦는 것만 다를 뿐, 형님 가신 그 길을 차차 따를 것입니다. 하늘나라에서 다시 만나 농담하기를, 이승에서와 같이 즐기도록 인도해 주십시오.

아, 글은 슬픔을 다 표현하지 못하고, 변변치 못한 제물이 정을 다 담지 못합니다. 형님의 평소에 명철하고 명쾌하셔서 식견이 남다르시니, 영원히 기억하시리라 믿습니다. 저의 지극한 정과 한 잔의 청주를 반갑게 흠향하십시오.

1959년

88 끝의 이 연도는 무엇을 의미하는지 미상임. 본문 중의 대상은 계묘년(1963년)에 치뤄졌음.

감상 및 해설

고문서에서 같은 글자를 표기할 때 어떻게 했을까? 이 제문에서 확인할 수 있다.

동동촉촉

통곡통곡

이렇게 적어야 할 대목을 어떻게 처리했는지 보면 알 수 있다.

동〈촉〈

통곡〈

글자를 다시 적는 대신 〈 부호를 이용하고 있다. 오늘날의 동일 부호와는 모양이 다르지만 기능은 같았던 것이다. 서양식 문장부호, 교정부호가 도입되기 전, 우리 조상들도 필요에 따라 이렇게 기호를 개발해 활용했다 하겠다.

20. 아버지 영전에

1964년, 홍윤표 교수 소장

유

단군기원 사천이백 구십칠년

세차 갑진 십이월 정사삭 초십

일 병인은 자야, 엄친 인간 거령

을 바리시고, 구원극락으로 영원

히 도라 가시든, 금일 애 [illegible] 진라 양하 천열

석을 축배, 불초여 [illegible] 실

은 두배 줄 글과 호천망극지한

을 재배 통곡우 영탁지하왈

오호통재며 오호애재라 우리

부주님, 일생생, 풍상 리고로 친

남매 생산하사, 구로하신 은덕이야

호천이 망극하사다 애리중지하.

시든 은덕을 [illegible] 우리 음매 동생

출세입신, 하게 하삼니, 모도다

아버님의 은덕 니시라. [illegible] 우리남매간

의 자힘이, 아버님의 훈시에

어긋남이 업는게, 우리집, 항성

항대할 리상이오니다 오호통

재라 못다 물상한 이 여석은

유

단군 긔원 사천이빅구십칠년 세차 갑진[89] 십이월 정사삭 초십일 병인은 직 아 엄친 인간 걱정을 바리시고 구원 극락으로 영원히 도라가섯든 금일 얘라. 전일 석 을축에 불초여 진양 하은 두어 줄 글과 호천망극지한을 재배통곡우영탁지하 왈.

오호 통재며, 오호 애재라. 우리 부쥬님 일평생 풍상지고로 칠남매 생산하사 구로하신 은덕이야 호천이 망극하삿다. 애지중지하시든 은덕으로 출세입신하게 하심니 모도 다 아버님의 은덕니시라.

우리 남매간의 자힝이 아버님의 휸시에 어긋남이 업는 게 우리 집 창성창대할 긔상니오니다.

오호 통재라 못나고 불상한 이 여식은

아, 단기 4297년(1964년) 12월 10일은 곧 우리 아버지께서 인간 걱정을 버리시고 구원 극락으로 영원히 돌아가신 날입니다. 전날 저녁에 불초 여식 진양 하실은 두어 줄 글과 하늘같이 망극한 여한을 재배하고 통곡하며, 영전 아래에서 고합니다.

아, 애통합니다. 아, 애통합니다. 우리 아버지께서 일평생 풍상을 겪으시면서 우리 7남매를 낳으셔서 애쓰신 은덕이야 하늘처럼 망극합니다. 애지중지하시던 은덕으로 출세하고 입신하게 하셨으니, 모두 다 아버님의 은덕입니다.

우리 남매간의 태도와 행실이 아버님 교훈에 어긋남이 없는 것, 그것이 우리 집이 창성하고 창대할 기운입니다.

아, 애통합니다. 못나고 불쌍한 이 여식은

89 갑진 : 1964년.

하셔
■문에 출가 하와 혈운、숨
순 군자、부모님내 강게、불망
하왓사오나 여자의 약한 심장
취하를 못ㄱ저 주소간 오매불
망하엿사오나 무정세월 리류
수와 갓사와 아메님 춘추가 갈
사록 늙자 보시니 한상 뵈옵기
민망튼 중、거연 백화 무상일
고 우리남매 죄악ㅆ 관천하니
우리부츅 인세영결 하신 문무
듯자보니 오호 창천 창천아 진
야야 몽애아 이무산 죄악 이때
이무삼화액이온 궁천달지부
뜨리러 비상동곡에 기리 우럴
할듯 비ㄴ고、、우리부츅 칠십
춘당에 가진고상 다기내옵ㄴ

하씨 문에 출가하와 현구고 송순군자, 부모님 내 경게, 불망하왓아오나, 여자의 약한 심장, 친가를 못 니저 주소간 오매불망하엿사오나, 무정 세월리 류수와 갓사와 아버님 춘추가 갈사록 놉자오시니, 한상 뵈옵기 민망튼즁, 거연 액화 무삼 일고.

우리 남매 죄악이 관천하야 우리 부쥬 인세 영결하신 문부 듯자오니 오호 창천 창천아 진야아 몽야아. 이 무삼 죄악이며 이 무삼 화액이요. 궁천당지 부르지저 일성통곡에 기리 부절할 듯 익고익고 우리 부쥬 칠십 춘당에 가진 고상 다 기내옵고,

하씨 문중에 출가하여, 시부모님을 받들고 남편 모시면서도, 가까이에 계신 부모님을 늘 잊지 못하였습니다. 여자의 약한 심장, 친정을 못 잊어 밤낮으로 오매불망하였으나, 무정한 세월이 유수와 같아, 아버님 춘추가 갈수록 높아만 가서, 항상 뵈옵기기 민망하던 중, 갑자기 돌아가셨다니 이 무슨 일입니까?

우리 남매의 죄악이 너무도 많아, 우리 아버지가 세상을 떠나신 우리 아버지가 칠십 평생에 갖은 고생 다 겪으셨습니다.

만년에 만은 손자 다리실 만사
를 일시 실건대 오호 창천아
이 다리도 무심하오닛가 애고
애고 우리 남매간 애통 애원 그
지업사오나 무정세월 더 유상
가에 세월이 가서 어연듯 중상이
라 애르ᄂᆞᆫ 부즉님 한번 가신 길
다시 도라오지 안으시니 조물주
도 잘못ᄒᆞᆫ가 귀신과 칙 방업
는 술수런가 구원 천당이
인세와 갓다하오니 애르ᄂᆞᆫ 우리
부즉님 구천 극락 요지연에
극락을 보시옵고 억만년을 향
락하시렵닛가 오호 통재 애 오
호 애재라 우리 칠남매 오날 만
성심성의로 아버님 흥복
을 축원하오니 극락에서 도를
오시와 친외손 창성 창대 혼
마련 하옵소서 오호 애재 상
한

만연에 만은 손자 다리시고 만사를 길기실건대, 오호 창천아, 이다지도 무심하오닛가?

애고 애고 우리 남매간 애통 애원 그지업사오나 무정 세월리 유상가에 쌀이 가서, 어언 듯 중상니라. 애고 애고 부쥬님, 한번 가신 길 다시 도라 오지 안으시니, 조물주도 잘못인가 귀신의 칙양업는 술수런가?

구원천당이 인세와 갓다 하오니, 애고 애고 우리 부쥬님 구언극락 요지연에 극락을 보시옵고, 억만 연을 향락하시럼닛가.

오호 통재며 오호 애재라. 우리 칠남매 오날 밤 성심성의로 아버님 휴복[90]을 축원하오니, 극락에서 돌보시와 친외손 창성 창대를 마련하옵소서.

오호 애재 상향.

만년에 많은 손자를 데리시고 만사를 즐기실건대, 아, 하느님, 이다지도 무심하십니까?

애고 애고 우리 남매간의 애통하기 그지없는데, 무정한 세월이 상가에 유난히 빨리 가서, 어느덧 중상일입니다. 애고 애고 아버지, 한 번 가신 길 다시는 돌아오지 않으시니, 조물주도 실수하나요? 아니면 귀신의 측량없는 술수인가요?

저승과 천당이 인간 세상과 같다고 하니, 애고 애고 우리 아버지, 요지연의 극락을 보시고, 억만 년을 즐기시렵니까? 아, 애통하며 애통합니다. 우리 7남매, 오늘 밤에 성심 성의로 아버님의 충분한 행복을 축원합니다. 극락에서 저희를 돌보셔서 친손과 외손의 창성 창대를 마련해 주세요.

아, 애통합니다. 흠향하십시오.

90 휴복(休福) : 생활에서 충분한 만족과 기쁨을 느끼어 흐뭇함. 또는 그런 상태. 행복.

감상 및 해설

이 제문에서는, 일단 썼던 내용을 고칠 때, 어떻게 처리했는지를 확인할 수 있어 흥미롭다. 이를테면 전통 교정 방식이다.

한 구절을 고치고 싶을 경우, 아예 그 구절을 까맣게 칠해 버렸다. 그렇게 한 다음, 그 옆에, 수정한 내용을 작은 글자로 적고 있다. 요즘에는 한 줄이나 두 줄만 긋고 나서, 새 내용을 적지만, 예전에는 달랐다는 것을 알 수 있다.

21. 어머니 영전에

1964년, 황명희 님 소장

제문

유세차 갑신 이월 임술삭 십삼일 졀에
팔연 조셔 종상지비ᄅᆞᆯ ᄒᆞ야 쥐셔 게셔에 순천 ᄯᅡ
시졀은 극히 ᄇᆞ지 천ᄋᆞᆯ 병리지ᄒᆞ에 허ᄉᆞᄅᆞᆫ
흥누 ᄇᆞᆯ노 ᄒᆡᄒᆞ 구의 ᄆᆞᄂᆞᆫ 평히 ᄎᆞᆯ세 ᄒᆞᆨ
회ᄒᆞ 기후ᄂᆞᆫ 셩허라 ᄒᆞᆷᄋᆡ ᄲᅵ평히 고인ᄋᆞᆯ
행두최 한히 시며 무쇠 심ᄒᆞᆫ의 생죵ᄒᆞ고도 ᄒᆞ러
여ᄐᆡᆨ이 샹천지고ᄅᆞᆯ 호ᄎᆞ구ᄒᆞ사 남ᄒᆞᆫ 여ᄉᆞ
일신 출세 ᄒᆞᄌᆞᆫ ᄒᆞᄂᆞ자 쌍자 제ᄂᆞᆫ 힌 중 ᄯᅢ
ᄯᅥᆨ여 난자셔 후ᄂᆞ 시ᄌᆞᆫ ᄇᆞᆯ세시은에 회생된
죠졸ᄂᆞᆫ 후 ᄲᅮᆯᄒᆞᄂᆞᆫ 천ᄅᆞᆫ 건자ᄒᆡ 주ᄒᆞ시ᄂᆞᆫ ᄭᆞ랑
뵈장 ᄎᆞ셰ᄂᆞᆫ 이상 신ᄒᆞ시ᄂᆞᆫ 중권ᄀᆞ 선이
무ᄒᆡᆼᄂᆞᆫ 움ᄂᆞᆫ라 무리며ᄂᆞᆫ 여ᄇᆞᆯ 호지 ᄲᅢᄂᆞᆫ이
여천ᄒᆞ와 시ᄉᆞᆼ에 ᄇᆞᆼ우ᄒᆞᆫᄋᆞᆯ 어ᄋᆡ오ᄒᆞ ᄋᆞᆫᄋᆞᆫ
부주ᄂᆞᆫ ᄲᅧᆯ세 ᄒᆞ시 ᄆᆞᆼ쟐지연에 번호 ᄲᅢ구이ᄉᆞᆫ
ᄇᆞᆼ여징지 ᄒᆞᆼ견ᄂᆞ ᄒᆞᆼᄌᆞᆯ기ᄂᆞ ᄆᆞᄒᆞ시와 친서에
미ᄒᆞ지 ᄒᆞᆫ회 ᄎᆞᆫ이 ᄉᆡ우시나 왼 상제 여ᄋᆞᆼ에
셩호ᄅᆞᆯ ᄲᅧᆫ 밧지못ᄒᆞ연고 ᄯᅡᆫ면 ᄋᆞ해ᄅᆞᆯ 구ᄒᆞ
ᄒᆞᄂᆞᆫ 제ᄅᆞᆫ 두ᄅᆞᆯ 갈ᄆᆞᆼᄒᆞ라 ᄋᆞᆯ 거ᄌᆞᆯ못ᄒᆞ 최도ᄒᆞ
와 수이ᄒᆞᆫ ᄆᆞᆼᄒᆞᆫᄉᆞ ᄒᆞᆯ 시ᄂᆞᆫ리 왕ᄲᅢ 여두 거두ᄒᆞᆫ아

제문

유세차 갑진 이월 임술삭 십삼일 현비 함안 조씨 종상지일야 전석 게미에, 순천 박실은 근구비박지전으로 영긔지하에 혈읍 통곡 왈,

오회라 우리 모주 평일 출세 탁월하신 기품 성덕과 효우 백행이, 고인을 양두치 안이시며, 우리 십남ᄆᆡ 생육 교도하신 덕택이, 삼천지교를 효측하사 남혼여가 입신출세 무흠하시다가,

셋재 제남 인중애 뛰여난 자격 품질로 말세시운에 희생된 후로, 특별하신 천륜 자애 주야 시시로 만당 ᄋᆡ장 춘절이 상심하시난 중, 겹겹 가운이 불행ᄒᆞ옴과 우리 면 남ᄆᆡ 불효 죄별이 여전하와, 신명에 보우함을 엇이 못하압고, 부주님 별세하시니, 망팔지연에 선후 받구이신 붕성지통, 겹겹 통절 기력 모순하시와, 침석에 미령지환 회춘이 어려우시나, 왕상 제영에 성효를 법밧지 못하압고, 만연 유택을 구하압는 제군들 갈망 부탁을 거절 못, 총총히 도라와 수이 분망하니, 팔십 리 왕반 여독 거두하미

아. 갑진년(1964년) 2월 13일은 우리 어머니 함안 조씨의 종상일입니다. 그 전날 저녁, 순천 박실은 변변찮은 제물을 갖추어, 영궤 아래에서 피눈물을 뿌리며 통곡합니다.

아, 우리 어머니, 평소 남다르신 기품, 덕성, 효도, 우애 등 모든 행실이, 고인과 비교해 뒤지지 않을 만했습니다. 우리 10남매를 낳아서 기르고 가르쳐 주시는 덕택을 베푸실 때, 맹자의 어머니가 아들의 교육을 위해 세 번 집을 옮긴 것처럼 본받아서 장가 보내고 시집 보내어 입신 출세시켜, 티없이 사셨지요.

그러다가, 우리 남매 중 가장 탁월한 자질을 지닌 셋째 남동생이 말세의 시운에 희생된 후로 바뀌셨지요. 특별한 모정으로 밤낮 시시때때로 애간장이 끊어지도록 상심해하시는 데다가, 겹겹이 가운의 불행과 우리 몇 남매가 불효한 죄벌이 여전하여, 신명의 보우하심을 얻지 못했나 봐요. 아버님마저 별세하셨으니, 망팔 즉 71세 연세에 순서가 바뀌어버린 슬픔이 겹겹으로 닥친 셈이지요. 애통하고 절통해하시느라 기력이 손상을 입어, 부실한 몸이 병으로 편치 못해 회춘이 어렵게 되셨어요. 잉어를 먹고 싶다는 어머니를 위해 한겨울에 얼음을 깨고 잉어를 잡아 바친 효자 왕상의 효도를 본받지 못했습니다. 영원한 유택 즉 묫자리를 구하는 제군의 부탁을 거절 못하고 총총히 돌아와 분주하다 보니, 80리 왕복의 여독으로 머리 들기도

구만ᄒᆞ와 유〻지〻 ᄒᆞ압ᄂᆞᆫ다샤 쳔노 붓슬 흘 힘듕고을
못ᄒᆞ압ᄂᆞᆫ 교보를 쌋자와 황〻 교〻 보〻 젼송
잘여 각사 잘을 흥쳐〻 우리 모주 구천지 쟁ᄋᆞ [illegible]
무산 기간이 그의 압하 불를 우녀 가단외치 한도
시고 앞서 유명이 가절ᄒᆞ사 천로 반환부라
지쳐 여흘늬 흥 일 색어 화명ᄒᆞ수 ᄒᆞᆫ 반삼
한탄이 어업난 시사 구원에 멋깔이 옥인 우을 흥〻
지언ᄒᆞᆫ온 상에를 동상되 못츠 증명에로 미무간
말잘근 황락 제전이 우결업이 형역〻 존 한이
영제된 되신 슈누 갈호는 광슨이 상가에 려옥
신주 어수 상이 상재 성상이 되어 만우는 생효
이외 우는 우리 모주는 한번 가서 훈우 한든 짜
혓우 우리 여외 낭의 령체 혼추 쎤 절에
흑우 상신 애통 쵹한 오의 분 통하다 라
되시지 못한 여쟁고 법물 면 할 길 업하와
상연 병 흑에 시병은 못ᄒᆞ압난 무궁어 잇서 쟈서
부에 병화 길져물 여수히 조쳐 지사 우사
힌비 무석 힌듯 측쳐에 불흘 흥주〻
치회화 무주〻 구원선 성에 항와 목은 재용

극난하와, 유유지지하압다가, 천고 불효 임종을 못하압고,

급보를 밧자와 황황급급 보보 전경 달여가니, 차호 통지 통지 우리 모주 구천지행 무산 길이 그리 받바 불효 소녀 기다리지 안으시고, 발서 유명이 격절하사 천호 만환 부라지저, 혈읍 이통 일색이 회명하나, 한 말삼 아람이 없아시니, 구원이 몃말 이온고.

오호 통곡 지엄하온 상예를 도망치 못 초중 양예를 비몽간 받잡고, 향탁제전이 속절없이 성덕 존안이 영절되시고, 유수같흔 광음이 상가에 더옥 신속, 어나 사이 삼재 성상이 되여, 만물 생춘이 되오나, 우리 모주는 한번 가신 후 문안도 막혓으니,

우리 여러 남미 형제 춘추 면절에 촉목 상심 애통 유한 오미 분붕하나, 따라 모시지 못하고 여행 고법을 면할 길 없아와, 삼연 영측에 시빙도 못하압고 물어 있어, 자녀부에 영화 길경을 여구히 즐겨 지내오니, 인비목석[91]인 듯, 촉처에 불효 통곡통곡 차회라,

모주 모주 구원 선경에 양외분 재봉

힘들 정도라, 머뭇머뭇하다가 그만 임종을 못하는 천고 불효를 범했습니다.

급보를 받고 황황히 달려가니, 아, 애통하고 애통합니다. 우리 어머니, 구천 가시는 길이 무엇이 그리 바빠, 불효 소녀를 기다리지 않으시고, 벌써 이승과 저승이 막혀 아무리 울부짖어 피눈물 흘리며 애통해도 일어나지 않으시고, 한 말씀도 알아듣고 대답하지 않으시, 저승이 몇 만 리인가요?

아, 애통합니다. 엄숙한 장례 예절을 피할 길 없어, 초상과 중상의 예를 혼몽한 가운데 치렀지요. 분향하는 영전에서 속절없이 덕스러우셨던 얼굴을 영원히 못 뵙게 되고, 유수같은 세월이 상가에 더욱 신속히 흘러, 어느새 3년째 해가 되었습니다. 만물이 새봄을 맞이했으나, 우리 어머니는 한번 가신 후 문안도 막혔습니다.

우리 여러 남매 형제들, 봄가을의 명절에, 사물에 감촉할 적마다 상심하고 애통하는 여한이 커서 오매불망합니다. 끝까지 따라서 모시지 못하고, 여성이 지켜야 할 법도를 벗어날 없어, 3년 동안 모시지도 못하여, 자녀들과 함께 예전처럼 지냈습니다. 사람은 목석이 아닌 듯, 닿은 곳마다 불효가 떠올라 통곡하고 통곡합니다.

아, 어머니, 어머니. 하늘나라 선경에서 두 분이 다시 만나셔서

91 인비목석(人非木石) : 사람은 목석이 아님.

하시와 창생 미천지연을 감시하으시고 평이로
각성 낫거온 뫼서드길 다쌍나 인세 고식 권한한자
화조 월석에 은총을 촉고하와 늘 온한 수
근골 보태이다 한번 몽중에로 옛날 잔에 성하는 글
각시 듯잔지옷 한후 소녀 평케 관명지탄 히칠생
못하엿 애처절하시도다 꿈결 혼녀석 원녀 평석한
을 홍의 화녀 구흘선주 유명이 감흘시나 공중
에로 한번 못뵈오나 천세 인연은 하늘 보흡선히나
오회라 강음은 흉흔 노글리 강흔 인생은 하칠나이 불
갯흔 불혼 소녀는 년사 한여 선비 잣외를 따라
로쳘 지화 흐우세에 감사 음여 지청을 이여 긋세와
길흔 성흐굴 폐앙긴 뽀모나 늘 흘에 여천
각외를 각시 쌍찬은 글 이길신쌀 원 하나이다 배록
쌍은 늘후나 정부를 이뵈구하 한사 쌀한 연속수
평일 유모나 기치 갈은 덕을 칠원 자손 꾸리
병황 각부 무흥는 정인 명막 소녀 평계로 흥차
현부에 영흥진 ; 한오나 구원 수흔 히시다
한수 명무 흐선 소서 오회라 소녀에 현간 비원
번서 무궁하는 고무불진 배라 버연간 상상을

하시와, 차생 미진지년을 다시 이으시고, 평일 자명 늦거운 애서들 다 만나, 인세 소식 전하신가.

화조월석에 음용을 추모하와, 슬푼 안수를 보태이나, 한번 몽중에도 옛날 자애 성음을 다시 듯잡지 못하오니, 소녀 형제 박명지탄, 일생 못 잊어 애절하시드니, 불효 여식 완여 평석함을 홍히하여 그르신가, 유명이 다르시니 몽중에도 한번 못 뵈오니, 차세 인연으로 아조 모르심인가.

오회라 광음은 흐르난 물과 갓고, 인생은 아침 이슬갓흐니, 불효 소녀도 언마 안여 선비 잣최를 따를지라. 후세에 다시 몬여지정을 이어 금세와 같은 성효를 폐압고, 부모님 슬하에 여천자이를 다시 밧자옴을 일심 발원하나이다.

비록 마음은 슬푸나, 경물이 의구하고, 인사 변하였으니, 평일 부모님 기치신 은덕으로 친외자손 부듸 영창 다복, 무흠하고, 명박 소녀 형제도 효자 현부에 영효 진진하오니, 구원 음혼이시나, 안심 명목하압소서.

오회라 소녀에 천단 비원 언지 무궁이오 불진애라. 어언간 삼상을

다시 만나, 이승에서 미진했던 인연을 다시 이으시고, 평소에 보고 싶어하신 사위들 다 만나, 인간세상의 소식 전하셨는지요?

꽃 피는 아침과 달 뜨는 저녁에, 목소리와 얼굴을 추모하여, 슬픈 눈물을 보탭니다. 한번 꿈에서도 옛날의 자애로운 음성을 다시는 듣지 못하고 있습니다. 저희 두 딸의 팔자가 기구하다 하여, 일생 못 잊어 애절해하시더니, 불효한 저희가 못마땅해서 그러신가요? 이승과 저승이 다르니, 꿈속에서라도 한번 뵈올 수 없으니, 이승에서의 인연을 아주 잊으신 건가요?

아, 세월은 흐르는 물과 같고 인생은 아침 이슬 같으니, 불효 소녀도 어머니의 뒤를 따를 것입니다. 후세에 다시 모녀 간의 정을 이어, 금세와 같은 효성을 펴 드리고, 부모님 슬하에서 하늘같은 사랑을 다시 받기를 한마음으로 발원합니다.

비록 마음은 슬프지만 주변의 경치와 사물이 여전합니다. 인생살이가 변했으나 평소에 부모님께서 끼쳐주신 은덕으로 친외 자손들 모두 다복하고 무탈할 겁니다.

저희 남매도 효자 현부로 영원히 효성을 다할 것이니, 구천에 계신 혼령께서는 안심하시고 눈을 감으셔요.

아, 저의 천 갈래 비통한 심사를 말로 표현하자니 끝이 없고, 이 슬픔이 다할 수 없습니다. 어느새 탈상을 당해,

당하와 동셔가 이하엿스되 경졔ᄂᆞ니 일석에
모혀 리치하여 존친흥ᄂᆞᆫ 하오나 한 말ᄉᆞᆷ 여ᄒᆞᆫ
이 없하시고 금일지후로 철쎵빙 깨지 하오시며
좌와 침실에 혀와 황연 철츄고 쌔 되실어고
흥무의 경ᄉᆞᆫ 잃배로 철관고 영거ᄅᆞᆯ 지어 주ᄉᆡ
재봉을 최가여 하ᄂᆞᆫ 수 무복을 진정이라
모주 평히 ᄒᆞᆯ 흥 철명 견이 출세하여 재천
기 형이시나 소녀의 지 원지 흥을 하시ᄂᆞ 하실 지라
헌 배 청작을 흥 정하한 소셔

당하와, 동서각이 하엿든 형제 남미 일석에 모려 괘지하에 호천 통도하오나, 한 말숨 아람이 없아시고, 금일지후로 철빙까지 하오시면, 좌와 침실이 허허 황연[92] 천추 고새되실 일, 통곡 통곡 향은 일배로 천만 고영결을 지어 후새 재봉을 기약하압나니, 문불진정이라.

모주 평일 통철 명견이 출세하시니, 재천지영이시나, 소녀의 지원 지통을 하감하실지라. 일배 청작을 흠향하압소서.

형제 남매가 한자리에 모여, 영전 앞에서 애통하며 추모하지만, 한 말씀도 대답이 없습니다. 오늘 궤연까지 철거해 버리면, 그 자리와 침실이 인기척이 없는 채로 오랜 이야기로만 남겠지요.

아 통곡하고 통곡합니다. 향을 피우고 한 잔 술로 영원한 작별을 고하니, 후세에 다시 만날 것을 기약합니다. 글로는 제 마음을 다 표현하지 못하겠습니다.

어머니, 평소에 지혜로움이 특별하시니, 하늘에 혼령으로 계시지만, 제 지극히 원통한 심정을 다 굽어 살피실 것입니다. 한 잔 청주를 바치니, 흠향하십시오.

92 황연(荒煙) : 인기척이 없음.

감상 및 해설

어머니 탈상 때, 딸이 바친 제문이다. 무려 10남매를 낳아서 길러 주신 어머니를 그리워하는 정이 가득하다.

가지 많은 나무에 바람 잘 날 없다고 했던가? 10남매 가운데 가장 탁월했던 셋째아들이 "말세 시운에 희생"당하는 슬픔을 겪으신 비운을 떠올리고 있다. 아들의 잘못 때문이 아니라 '시운(時運)' 탓이라고 했으니, 불가항력적인 일이다. 새옹지마라는 말처럼, 기대했던 아들이기에 더욱 더 그 상실의 아픔도 컸으리라는 사실을 느끼게 한다.

남은 딸들이라도 다 잘되었어야 하건만, '딸 형제가 박명한' 탓에, 어머니가 평생 애절하게 여기신 일을 회상하며, 그 불효를 자책하고 있다. 돌아가신 후 꿈에서조차 나타나 주지 않으시는 이유가, 자신들을 못마땅하게 여겨 그런 게 아닌가하는 자격지심을 토로하고 있다.

욕망과 의지대로 되지 않는 게 인생임을 느끼게 하는 제문이다. 사는 동안 누구도 자랑하거나 안심할 수 없다는 사실을 다시금 확인한다.

22. 어머니 영전에

1966년, 황혜영 님 소장, 세로 27㎝, 가로 164.5㎝

유세차 병오주월 병오삭 십삼일 정비곡오는직 나의
모주대흥(외조모) 박씨 칠십칠세를 일기로 사과세계를 떠나신후 일주
기를 맞는 전날저녁 평사에 불초손녀 박실(큰이모)은 한잔 술 두어줄 글
월을 울이며 통곡영결하나이다 슬프다 서천에 지는 저달님아
을 기약하고 꽃원에 만산홍엽 평춘가절 질기는대 만물의 영장
으로 우리인생 무삼일로 한번가면 못오는가 영웅호걸 가인재자
조물주의 창조법칙 저항하리 누기든고. 슬프다 모주 시여
생노병사 기지 순환 팔십당연 엇지 홀홀외세 천년는 천연미나
실하된 우리들은 지난날의 모든 불효 모주 노경 갚풀거슬
천지로 평세형 조물이 시기한가 천수가 다했든가 천사만아 [illegible]
[illegible]가장진세 창졸간 평생 약한철미읎한끼 써보도 못한것이 내일
생에 한이로다 애닳어라 우리모주 하해 같은 깊은 은덕 태산 같이
의앙하니 유명을 달이하여 갚을날 없아오니 한용만자 하로바삐

유세차 병오[93]구월 병오삭 십삼일 정미 무오는 직 나의 모주 대흥 백씨 칠십칠세를 일기로 사바세계를 떠나신 후 일주기를 맞는 전날 저녁 정사에, 불초 소녀 박실[94] 한 잔 술 두어 줄 글월을 올이며, 통곡 영결하나이다.

슬푸다, 서천에 지는 저 달, 내일을 기약하고, 북원에 만산 홍렵, 명춘 가절 질기는대, 만물의 영장으로 우리 인생, 무삼 일로 한번 가면 못 오는가?

영웅 호걸 가인 재자, 조물주의 창조 법칙 저항하리 누기든고?

슬푸다 모주시여, 생노병사 기지순환 팔십 당연 엄홀 위세[95], 천연는 천연이나, 실하된 우리들은 지난 날의 모-든 불효 모주 노경 갑풀 거슬 천지로 맹세터니, 조물이 시기턴가, 천수가 다 햇든가, 천사만악[96] 가장 진세 창졸간 떠나시니, 약 한 첩 미음 한 끼 써 보도 못한 것이, 내 일생에 한이로다.

애닯어라 우리 모주, 하해같은 깊은 은덕 태산같이 의앙터니, 유명을 달이하여 갚을 날 없아오며, 인생 만사 하로 밤 꿈

아, 병오년(1966년) 9월 13일은 우리 어머니 대홍 백씨께서 77세를 일기로 이 세상을 떠나신 날입니다. 그 1주기의 전날 저녁에, 못난 딸 박실은 한 잔 술 두어 줄 글월을 올리며, 통곡하면서 영원한 작별을 고합니다.

아, 슬픕니다. 서쪽 하늘에 지는 저 달은 내일을 기약하고, 북녘 산에 가득한 단풍잎도 이듬해 봄을 다시 즐기건만, 만물의 영장이라는 우리 인생, 무슨 일로 한번 가면 못 오는가요? 영웅 호걸과 미남 미녀라도, 조물주의 창조 법칙을 저항할 사람 그 누구일까요?

아, 슬픕니다. 우리 어머니, 생노병사는 알려진 법칙이라지만, 팔순을 앞두고 갑자기 별세하셨습니다. 어쩌면 자연스러운 일이겠으나, 슬하의 저희들은, 지난 날의 모든 불효를 어머니 노년에라도 갚으리라 하늘에 맹세했더니만 이게 웬일인가요? 조물주가 시기해서인가요, 천수를 다 누리셔서인가요, 좋지 않은 일 많은 이 세상에서 별안간 떠나시니, 약 한 첩 미음 한 끼 모시지 못한 것이, 제 일생의 한입니다.

아, 애달픕니다. 우리 어머니, 하해같이 깊은 은덕, 태산같이 추앙하더니, 이제 유명을 달리하여 갚을 길 없어졌으니, 아, 인생 만사, 하룻밤 꿈입니다.

93 병오 : 1966년.

94 박실 : 박 씨 가문으로 시집간 사람. 영남 지역 여성이 친정 가족에게 자신을 일컫는 표현임.

95 위세(委世) : 세상을 버림.

96 천사만악(千事萬惡). 천 가지 일에 만 가지 악.

이르다 애통한 이심정을 어나곳에 애소하오오 초종양례 치르옵기에
유시로 생각하나 우리모주 가신곳이 선경이 아니라면 시체로 화한
것을 마음들여 깁버하며 소녀 비록 우매하나 우리 모주 팔랄적
면 천이 궁행하신 이적 빠짐없이 기록하건 소녀 즐문이려오나 듯
고본고 이적을 대강이나 기록하와 모주 존영 위로할겸 후생의 귀
감이라 조히오게 옮기오니 모주 정령 계시다면 못짓당해 하신양이
눈에 뵌듯하오이다 슯으다 우리모주 시례명끝 생장하와 천품이
고상하고 총명이 과인하야 모산외조교방으로 효우로 근기하고 시례
다반하며 봉선접빈하는 도리 극성극절하엿으며 날노 시로 행한
일는 내칙편을 거울삼어 례에 맛처 실천하고 정중한 그얼논과
관후한 그의 용은 보는자가 감화하며 고금여사 담논할적 막킴없
이대화하며 우리들의 가정교육 태임태사 교방으로 효우충신 절
부이고 부창부순 하라시며 정구지이번두지공 절도맛게 하엿으며

이로다. 애통한 이 심정을 어나 곳에 애소할고.

초종 양례 치룬 뒤에 유시호[97] 생각하니, 우리 모주 가신 곳이 선경이 아니라면, 시해[98]로 화한 것을 마음 돌여 깁버하며, 소녀 비록 우매하나 우리 모주 팔십연 천이궁행[99]하신 이력 빠짐없이 기록하긴, 소녀 졸문 어려우나, 듯고 본 그 이력을 대강이나 기록하와, 모주 존영위로할 겸 후생의 귀감이라, 조히 우에 옴기오니, 모주 정영 계시다면, 못맛당해 하신 양이 눈에 뵌 듯 하오이다.

슯으다 우리 모주, 시례[100] 명문 생장하와, 천품이 고상하고 총명이 과인하야, 모산[101] 외조 교방으로 효우로 근기하고, 시례 다반하며, 봉선 접빈하는 도리, 극성 극결하엿스며,

날노 시로 행한 일는 내칙편을 거울 삼어, 례에 맛처 실천하고, 정중한 그 얼논과 관후한 그 의용은 보는 자가 감화하며, 태임 태사 교방으로 효우 충신 쏀 보이고, 부창부수하라시며, 정구지임[102] 변두지공[103] 절도 맛게 하엿으며,

애통한 이 심정을 어느 곳에 하소연할까요?

소상과 대상의 예를 다 치른 뒤에 때때로 생각합니다. 우리 어머니 가신 곳이 신선세계가 아니라면, 혼백이 육신을 빠져나간 것을 마음 돌려 기뻐합니다. 우리 어머니 80년간의 이력을 빠짐없이 기록하기는, 제 우매한 글솜씨로 어려운 일이지만, 듣고 본 그 이력을 대강이나마 기록하는 것이, 어머니의 영혼을 위로하고 후손에게 귀감이 되겠기에, 종이 위에 옮깁니다. 어머니은 혼령, 정녕 계시다면, 이를 못마땅해하시는 모습이 눈에 뵌 듯 선합니다.

아, 슬픕니다. 우리 어머니, 시와 예절이 있는 명문 가정에서 자라, 타고난 성품이 고상하고 총명이 남다르셨습니다. 외가 쪽 모산 이동완 선생의 가르침을 따라, 효도와 우애를 바탕으로, 시와 예절을 다반사로 삼으며, 조상 제사와 손님 접대하는 도리를 지극한 정성으로 하셨습니다.

날이 수시로 하신 일은, 《내칙편》이란 책을 거울 삼아, 예절에 맞추어 실천하시고, 정중한 그 언행과 너그러운 그 태도는 보는 사람으로 하여금 감동하게 하셨습니다. 여성들의 모범인 태임과 태사의 가르침을 따라, 효도와 우애와 충신을 본보이고, 부창부수하라시며 물 긷고 절구질하기와 제기 갖추기를 적절하게 하셨습니다.

97 유시호(有時乎) : 때때로.
98 시해(尸解) : 신선이 되어, 혼백이 육신을 이탈해 육체만 남은 것.
99 천이궁행(踐履躬行) : 실천하여 몸소 행함.
100 시례(詩禮) : 시경과 예기 즉 문학과 예절.
101 모산 : 이동완(李棟完 : 1651~1726)의 호. 전주 이씨 효령대군의 후손으로, 진사에 합격했으나 벼슬에 나아가지 않고 후학 양성과 학문에만 전념하여 사림의 존경을 받았음. 미수 허목의 문인.
102 정구지임(井臼之任) : 물을 긷고 절구질하는 일.
103 변두지공(籩豆之功) : 제사 지내는 제기를 갖추는 일.

제사어주손을잡고 가련하무도못햇고 수다이오는빈객상하를
분별업이 한끼주기 대접해도 그정성을다햇으며 옹창낭탁다빗
으나 현어색이 업엇으며 일단사 일표음을 안빈낙도 삼으시고
여공으로 배운기예 침선방적 축미부처 극한서오 무릅쓰고 종
주달야하시옵고 농시를당하오면 가색에 골몰하여 빈한한이가정에
탁기가애〳하니 원근친척우러보며 향당이구비하니 정말로 우리모
주 팔십년 하신행적 대장부를 능가하고 여중군자 분명하다 숨은
다 우리모주 남혼여취인간사로 십팔세에 이별하와 위로는 증왕
부주 삼대분 구존하시고 알로는 숙부남 사형제분 미성으로 겨질
때라 그시관경 먼엇던고 경제타격 극도로 심할때라 더구나 증왕
부주 노환안환 지나시니 봉양절차 업엇든고 일년로 어렵거든 수삼
년간 대소변을 한시같이 받어내고 옹창이다빗으나 떠으질가 걱정되어
쪽박쌀 꾸어우니 시량곤란 일반이라 주방을찾어드니 상대산 포다
솥은어이 그리부르든고 그남그로 조석끼를 고리자니 서름업는 코눈
물이 행주치마다적시고 근근이 짓노라니 때가 이미 누죄가네 송구한

제사 어족 손을 잡고, 가정 화목 도모햇고, 수다이 오는 빈객, 상하를 분별 없이 한 끼 죽 대접해도 그 정성을 다햇으며,

옹창낭탁[104] 다 빗으나[105], 현어색[106]이 없엇으며, 일단사 일표음을 안빈낙도 삼으시고, 여공으로 배운 기에 침선방적 취미 붓처, 극한 서우 무릅쓰고 종주달야하시옵고, 농시를 당하오면, 가색에 절력하여, 빈한한 이 가정에 화기가 애애하니, 원근 친척 우려 보며, 향당이 구비하니, 정말로 우리 모주 팔십년 하신 행적, 대장부를 능가하고, 여중군자 분명하다.

슲으다 우리 모주, 남혼여취 인간사로 십팔세에 입문하와, 위로는 증왕부주[107] 삼대분 구존하시고, 알로는 숙부님 사형제분 미성으로 계실 때라, 그 시 관경 얻엇턴고? 경제타격 극도로 심할 때라. 더구나 증왕부주 노환 안환 지나시니, 봉양 절차 얻엇튼고? 일년도 어렵거든 수십 연간 대소변을, 한시같이 받어내고, 옹창이 다 빗으나 때 으질가[108] 걱정되여 쪽박쌀 꾸어으니, 시량 곤란 일반이라.

주방을 찾어드니, 상대산 모닥솔은 어이 그리 푸르른고? 그 남그로 조석 끼를 끄리자니, 서름없는 코눈물이 행주치마 다 적시고, 근근이 짓노라니, 때가 임이 느저가네. 송구한

제사 모시는 가족들의 손을 잡고, 가정 화목을 도모했으며, 수다하게 찾아오는 손님들을, 상하 차별 없이 한 끼 죽을 대접해도 그 정성을 다하셨습니다.

곡식 창고와 쌀자루가 텅비어도, 궁색한 빛을 얼굴에 나타내지 않으셨으며, 도시락 하나와 표주박의 물 하나만으로도 편안하게 여기며 사셨고, 여자의 필수 교양으로 배운 바느질, 베짜기에 취미를 붙여, 추위와 더위와 비를 무릅쓴 채, 아침부터 밤까지 하셨습니다. 농사철이 되면, 농사에 전력하여, 가난했던 우리 가정에 화기가 애애하니, 모든 친척이 우러르며, 동네사람들이 입을 열어 칭찬하니, 정말로 우리 어머니의 80년 행적, 사내 대장부를 능가하셨습니다.

아, 슬픕니다. 우리 어머니, 나이가 차면 결혼해야 하는 인간사의 법도로, 18세에 시댁에 들어가, 위로는 증조부를 비롯해 3대가 계시고, 아래로는 숙부님 사형제분이 총각으로 계실 때였으니, 그때의 형편이 오죽했을까요? 경제적 타격이 극도로 심할 때였는 데다. 증조부님이 노환과 안질을 겪으셨으니, 그 봉양의 어려움이 어땠을까요? 1년도 어렵건만, 대소변을 수십 년간 한결같이 받아내고, 곡식 창고가 다 비었으나, 끼니 거르실까 걱정되여 쪽박쌀 꾸어다 봉양했으니, 땔감과 식량 모두가 곤란했다지요.

주방에 들어가니, 상대산에서 땔감으로 해다 놓은 솔은 어찌 그리 푸른지요? 그 나무로 조석 끼니를 끓이자니, 설움 없는데도 나오는 코눈물이 행주치마 다 적시고, 겨우겨우 짓다보니, 식사 때는 이미 늦어만 갔지요. 송구한

104 옹창낭탁(甕倉囊橐) : 창고와 자루.

105 빗으나 : 비었으나.

106 현어색(顯於色) : 낯빛을 드러냄.

107 증왕부주(曾王父主) : 증조부의 옛말.

108 으질까: 어쩔까.

마음으로 진지상을 올리실제 모주즌 안우려보니 화기가 늉〻
하와 증왕부주 외로하며 효당갈력하옵니 증왕북주 추연히
하신 말삼 너의 효성 기특하다 지성이면 감천이라 오늘날을
가령 내대로는 사대이고 너대로는 육대로다 소중한 너일신을 빈곤
에 뭇치쇠러 이고란을 당케하니 내마음이 괴롭고나 내나이 팔십이라
살드라 얼마사라 내주은 뒤에라도 칠십장근 너식북에 극진구효
다하여라 복귀영화 복온이라 낙시엽말고 본을직혀 이가정을 보수하라
하신 말삼 엊그제 들은듯 하나이다 숙부냥사혜 제분쌍례식혀 분묘까지 조사
이모든소임에이그리과중한고덥고모르며 록만커지내실제 안색한번 변치
안코 우애우폭다 했으나 모족향상미흡하와 동기종반 일은 많은삼세
장은퇴폐하여 삼강오륜 문했으나 인간의근본이라 우리부대잊지말고
조선께서 하신이력 욕이되게 하지말고 가정이 화목하게 서로도와
지나가세 이렇게 당부말삼 노녀귀에 남어잇고 뒤이어 우리들의 윤남

마음으로 진지상을 올이실 제, 모주 존안 우려보니, 화기가 늉늉하와 증왕 부주 위로하며, 효당갈력 다하오니, 증왕부주 추연히 하신 말삼, "너의 효성 기특하다, 지성이면 감천이라, 오늘날 우리 가정 내 대로는 사대이고, 너 대로는 륙대로다. 소중한 너 일신을 빈곤에 뭇처러러 이 고란을 당케하니 내 마음이 괴롭고나. 내 나이 팔십이라, 살드라 얼마 사리. 내 죽은 뒤에라도 칠십 장근 너 싀부께 극직 극효 다하여라. 부귀영화 부운이라. 낙심 말고 분을 직혀 이 가정을 보수하라." 화신 말삼 엇그졔 들은 듯하나이다.

숙부님 사형졔분 성례식혀 분문까지, 그 사이 모든 소임 어이 그리 과중한고? 덥고 뭇고 어류만저 지나실 제, 안색 한 번 변치 안코, 우애 우폭 다했으나, 모쥬 항상 미흡하와, 동기 종방[109] 일른 말삼, "셰상은 퇴페하여 삼강오륜 끈혔으나, 인간의 근본이라. 우리 부대 잊지 말고 조선계서하신 이력, 욕이 되게 하지 말고, 가정이 화목하게 서로 도와 지나가세."

이렇게 하신 말삼, 소녀 귀에 남어 잇고, 뒤이어 우리들의 육남

마음으로 진짓상을 올리시며, 시어머님의 얼굴을 올려보니 노기충천하였다지요. 증조부님을 위로하며 온 힘 다해 효도하니, 증조부님이 갸륵히 여기며 하신 말씀, "네 효성 기특하다. 지성이면 감천이다. 오늘날 우리 가정, 내게로는 4대째이고, 네게로는 6대이다. 소중한 네 몸을 가난에 파묻혀 이 고난을 겪게하니, 내 마음이 괴롭구나. 내 나이 팔십, 살면 얼마나 더 살리? 내 죽은 뒤에라도 칠순의 강건한 네 시아버지께 극진히 효도하여라. 부귀영화는 뜬구름이다. 낙심 말고 분수를 지켜 이 가정을 지켜나가라." 이렇게 하신 말씀, 엊그제 들은 듯만 합니다.

숙부님 4형제 분을 혼인시켜 분가하기까지, 그 사이의 모든 책임, 어찌 그리도 과중하셨는지요? 덮어주며 묻어주고 어루만지면서 지나실 때, 안색 한 번 변하지 않고, 우애를 다했으나, 우리 어머니는 항상 미흡하게 여겨, 형제와 사촌들한테 하신 말씀,

"세상은 퇴폐하여 삼강오륜이 끊겼지만, 이것은 인간의 근본이다. 우리 부디 이것을 잊지 말고, 조상들이 이루신 업적, 욕이 되게 하지 말고, 가정이 화목하게 서로 도와 지내세."

이렇게 하신 말씀, 아직 제 귀에 남아 있습니다. 뒤이어 우리들 6남매가

109 종방(宗傍) : 사촌.

매가 차래로 성장하여 동서로 짝을 골라 제각기 가취 석길적에 이웃
두숙을 척포가 없는가정 그심정이 엇드스랴 후덕하신 중조부님
물심양면 드으시사 이가정에 대소사 줄곧이 지챙하며 숙질분
주사야탁 별무도리 내약하오 년소군우 퇴제남숫한 마가때로 잇서
상봉하솔 긴급한 처지에서 말리타국 호적상에 올넌 적에 황폐
한이가정 울에수윤이가 두루찾네 남아입지 출향관을 떳면이나 을렛으
매쵤쉬기 갖히 멀음마음사 업성취 하였드니 물유해 병당고보니 귀향하기
시흡해서 가장집물 방매하여 귀로에 올랏으나 호사가다마 하야 수화물
로 보단 집물 행방이 묘연하다 이무슨 가운인가 귀의운수 불길턴가
근심번한 풍모우 무릎과고 근근이 새운 공적 하로밤 꿈이로다 모두게
쉬 새벽마다 정하수 떠다놓고 정성들려 축원하든 그심력도 쓸대업네 혼란한 그
시기에 금산도수 헛치고서 파병하듯 곡국한몸 월려동안 공찬
노숙 형각만 남은인형 집이라 주라봉이 옛보습 그대로다 제남생각
천사만려 하여바로 고향에서 지탕하기 어려우매 다시용기 새로내여 정

매가 차래로 성장하여 동서로 짝을 골라 제각기 가취시킬 적에, 일두속 일척포가 없는 가정, 그 심정이 엇드스랴.

후덕하신 종조부님, 물심양면 도으시사, 이 가정에 대소사를 근근이 지탕하며, 숙질분 주사야탁 별무도리 내약하오. 년소한 우리 제남 뜻한 바가 따로 있어, 상봉하솔 긴급한 처지에서, 말리타국 호적 쌍을 건널 적에, 황페한 이 가정에 수운이 가득 찻네. 남아입지 출향관을 몇 번이나 을펏으며, 철석갗이 먹은 마음 사업 성취하엿드니, 을유 해방 당코 보니, 귀향하기 시급해서, 가장 집물 방매하여, 귀로에 올랏으나, 호사가 다마하야 수화물로 보낸 집물 행방이 묘연하다. 이 무슨 가운인가. 저의 운수 불길턴가? 근 십년 한풍 모우 무릎쓰고 근근이 싸은 공적 하로 밤 꿈이로다.

모주게서 새벽마다 정하수를 떠다놓고 정성들려 축원하든 그 심력도 쓸때업네. 혼란한 그 시기에 금산도수 헛치고서 망명하듯 귀국한 몸 월려 동안 풍찬노숙 형각만 남은 인형, 집이라 도라오니 옛 모습 그대로다.

제남 생각 천사만여하여, 바로 고향에서 지탕하기 어려우매, 다시 용기 새로 내여, 경

차례로 성장하여 동서로 짝을 골라 제각기 혼인시킬 때, 곡식 한 말과 베 한 자의 여유도 없는 가정 형편에서, 그 심정이 오죽했을까요?

후덕하신 종조부님이 물심양면으로 도와주셔서, 우리 가정의 대소사를 겨우겨우 지탱하였으며, 숙부와 조카가 밤낮으로 고심했지만 뾰족한 수가 없었으니 어쩌면 좋단 말입니까?

아직 나이 어린 우리 남동생이 뜻한 바가 따로 있어, 웃어른을 모시고 아랫사람을 거느려야 할 긴급한 처지에서, 만리 타국 오랑캐 땅으로 건너갈 때, 황폐한 이 가정에 근심이 가득 찼었지요. 대장부가 뜻을 세워 고향 떠나기를 몇 번이나 하였으며, 철석같이 먹은 마음으로 사업에서 성공하였더니, 을유년인 1945년에 해방이 되고 보니, 귀향하기 시급해서, 세간살이 내다 팔아, 귀로에 올랐으나, 호사다마라더니 수화물로 보낸 세간살이의 행방이 묘연하였지요. 이 가운이 기울어 그런 건가요? 동생의 운수가 불길해 그런 건가요? 근 십년 찬바람과 비를 무릅쓰고 근근이 쌓은 공적이 하룻밤 꿈이 되고 말았지요.

어머니께서 새벽마다 정화수 떠다 놓고 정성들여 축원하던 그 수고도 쓸데없었어요. 혼란한 그 시기에 그 물질을 다 흩어버리고 망명하듯 귀국한 몸, 한 달 넘도록 객지에서 고생하느라 피골이 상접한 모습, 집이라고 돌아오니 옛 모습 그대로였지요.

남동생이 심사숙고한 끝에, 고향에서는 지탱하기 어려워, 다시 용기를 내어,

주땅을 나올적에 공수북쪽 어이할고 사세가 부득이라 수레 뗏보를
숯한장기 걸머지고 가는행색 눈물없이 못보겠네 남없는 구불칭
을 우리집만 조맛듯이 경든고향 조상부모 또버리고 가는구나 경주에서
수년동안 피모라가 대구로 이거하여 오늘날 당해서는 조반석죽 고려가
니 고진가며 오늘형상 부주님 숙질분이 이만관경 못보시고 구천에
도라가게 쾌쾌해 하신거동 위로하려 늙기즌고 슬으다 나의제남 호일군
은 효우범백 출중하고 재약이 과인터니 병술년 이월달에
인세에 살어지니 이북슨 가온인고 부봉남 상병지통 위로할길바이
없고 잔상한 백아 형제 강보는 면햇으나 미미아비 다여희고 시〃로 호곡
체를 못이저서 시시로 추년해 하신양이 어이그리 자잣든고 장성한
성이 구천에 사무칠때 모주 가슴 못을박고 수십년이 가작로 처평
저들기상 앞날이 측망되니 모주 부대 슬퍼말고 인세에 미진한 모자인
연 구부연대에서 다시이어 길이〃 질기소서 슬으로다 모주시여 굿기실
은 죄의소회 들어보소 삼십칠세에 추근가하여 다복가정 일우어서 부귀

주 땅을 나올 적에, 공수 무책 어이할고? 사세가 부득이라. 수제 멧 불솟[110] 한 장기[111] 걸머지고 가는 행색, 눈물 없이 못 보겠네. 남 없는 그 불행을 우리집만 도맛드시, 정든 고향 조상 부모 또 버리고 가는구나. 경주에서 수년 동안 머물다가 대구로 이거하여, 오늘날 당해서는 조반석죽 끄려가니, 고진감내 오늘 현상, 부주님 숙질분이 이만 관경 못 보시고 구천에 도라가게, 척척해 하신 거동, 위로하리 뉘기든고.

슯으다 나의 제남 호일 군은 효우범백 출중하고, 재약이 과인터니, 병술년 이월달에 인세에 살어지니, 이 무슨 가운인고. 부모님 상명지통[112] 위로할 길 바이 없고, 잔상한 백아 형제[113] 강보는 면햇으나, 어미 아비 다 여희고, 시시로 호곡성이 구천에 사모칠 때, 모주 가슴 못을 박고, 수십 년이 가작도록 저 형제를 못 이저서, 시시로 추년해 하신 양이, 어이 그리 자잣든고. 장성한 저들 기상 앞날이 촉망되니, 모주 부대 슬허 말고, 인세에 미진한 모자 인연, 구품[114] 연대[115]에서 다시 이어 길이 길이 질기소서.

슯으도다 모주시여, 듯기 실은 저의 소회 들어 보소. 십칠 세에 출가하여 다복 가정 일우어서 부귀

경주 땅으로 나올 때, 빈 손에 아무런 대책도 없었으니, 이를 어찌합니까? 그래도 어쩔 수 없어. 수저 몇과 솥 하나 걸머지고 가는 행색, 눈물 없이 못 볼 정도였습니다. 남한테는 없는 그 불행을 우리집만 도맡듯이, 정든 고향이며 조상과 부모를 또 버리고 갔지요. 경주에서 수년 동안 머물다가 대구로 이사하여, 오늘날에는 조반석죽이나마 꾸려가고 있습니다. 고진감래같은 오늘의 이 형편, 아버님과 숙질분이 이런 모습 못 보시고 저승에 돌아가셨다며 슬퍼하셨으니, 그 누가 위로해 드릴 수 있다는 말인가요?

아, 슬프다. 우리 남동생 호일 군은 효성과 우애가 남다르고, 재주가 탁월하더니, 병술년(1946년) 2월에 인간세상에서 사라지니, 이 무슨 운명일까요? 눈앞이 캄캄한 부모님을 위로할 길 전혀 없고, 불쌍하게 남겨진 원백과 원복 형제. 겨우 포대기는 면한 나이지만, 어미 아비 다 여의고, 시시때때 우는 소리가 구천에 사무쳤습니다. 어머니 가슴에 못을 박고, 수십 년이 가까워지도록 저 형제를 못 잊어서, 시시때때 측은해하시던 모습이, 어찌 그리 잦으셨던가요? 이제 다 장성한 저 아이들의 기상, 앞날이 촉망되니, 어머니, 부디 슬퍼 말고, 이 세상에서 미진한 모자의 인연, 극락과 연화대에서 만나 길이길이 다시 즐기셔요.

아, 슬픕니다. 어머니. 듣기 싫으시겠지만, 제 말씀 좀 들어 보세요. 17세에 출가하여 다복한 가정 이루어서

110 불솟 : 불솥.

111 한 장기 : 하나. 한 개.

112 상명지통(喪明之痛) : 공자 제자 자하(子夏)가 자식을 잃고 실명한 고통.

113 백아 형제 : 권원백(權源百), 권원복(權源福) 형제.

114 구품(九品): 극락에서 다시 태어날 때의 아홉 등급.

115 연대(蓮臺) : 연화대(蓮花臺). 연꽃 모양으로 만든 불상의 자리. 연화는 진흙 속에서 피어났어도 물들지 않는 덕이 있으므로, 불보살이 앉는 자리를 만든다.

영화 부잣던니 풍낭이 일변하여 지난날의 부른희망 꿈은 거품
을 조라가니 륙척단신 이내몸이 의지할곳 바이없어 동서남북 어느
곳으로 내안살곳이 없고 일가친척 부ᄂ그리워 이곳저곳 떠도는몸 오늘
날 잇땅에서 제남을 의지하고 그날ᄀ 지난관경 백년못될 내일생이 천
구변지 만구빈지 초탁하기 어려워라 친구가 혹ᄀ 문벌 저럽히는가
조심되여 남들에 우거할때 만경창파 넓은바다 어부에 장사로저 떤
변이나 자세하다 결행곳한 한이 옳고 수출이 북쪽땅에 살고 부친우거
할때 우리모녀 사는살이 행노걸인 비웃는듯 하로구복 채우자고
칼날같은 찬바람에 사지가 어러터져 유혈이 낭자하네 부모님게 밥
은유체 기감회상 부른초막에 애고답ᄀ 내신세가 이에까지 조다른핫
나 우리부모 날기를적 금지옥엽 고이길너 안호남 희망보려터니
이지경이 되엿구나 곳핀아침 달밝은밤 동천하늘 구버보며 우리부
모 계신곳에 저곳이 분명커든 이여식의 오날정경이 지방없음을 소가
한두번 뵈쳐 부를때 소여 심정 맺인 서름 세상을 원망하고 부모님을

영화 보잣던니, 풍낭이 일변하여 지난 날날의 모-든 희망 물거품을 도라가니, 륙척단신 이 내 몸이 의지할 곳 바이 없어, 동서남북 어느 곳도 내 안 살든 곳이 업고, 일가친척 붓그러워 이곳 저곳 떠도는 몸, 오늘날 잇땅에서 제남을 의지하고 그날 그날 지난 관경 백년 못 댈 내 일생이 천 구빈지 만 구빈지 촌탁하기 어려워라.

친구가 혁혁 문벌 더럽필가 조심되여, 남도에 우거할 때, 만경창파 넓은 바다 어복에 장사코저 멧 번이나 자제하다 결행 못한 한이옵고, 수철 이 북쪽 땅에 사고무친 우거할 쌔, 우리 모녀 사는 살이, 행노 걸린 비웃는 듯, 하로 구복 채우자고, 칼날같은 찬바람에 사지가 어러 터저, 유혈이 낭자하네. 부모님께 받은 유체 기강회상 불효막대, 애고 답답 내 신세가 이에까지 도달햇나.

우리 부모 날 기를 적, 금지옥엽 고이 길너 앞날 희망 보려더니, 이 지경이 되엿구나. 꽃 핀 아침 달 밝은 밤, 동천 하늘 구버보며, 우리 부모 계신 곳이 저곳이 분명커든, 이 여식의 오날 정경 이여지망 없을손가.

한두 번 윗처 볼 때, 소여 심경 맺인 서름, 세상을 원망하고 부모님을

부귀영화 보자고 했더니만, 풍랑이 한번 변하자, 지난 날의 모든 희망이 물거품으로 도라가니, 6척 단신 이 내 몸이 의지할 곳 전혀 없어, 동서남북 어느 곳이든 가서 살지 않은 데가 없습니다. 일가 친척 부끄러워 이곳 저곳 떠도는 몸, 오늘날 이 땅에서 남동생을 의지하고 그날 그날 지낸 처지, 백년도 못 살 내 일생이 천 구비인지 만 구비인지, 앞날을 헤아리기 어려웠습니다.

친가의 빛나는 문벌을 더럽힐까 조심되어, 남도에 우거할 때는, 차라리 만경창파 넓은 바다의 물고기 뱃속에 장사지내려고 몇 번이나 시도하려다 결행 못한 게 한입니다. 수천 리 북쪽 땅에서 사고무친 신세로 지낼 때, 우리 모녀가 사는 형편, 길가는 거지도 비웃는 듯하였고, 하루 배를 채우려고 칼날같은 찬바람에 사지가 얼어 터저 유혈이 낭자하였지요. 부모님께 받은 몸, 함부로 상하게 하면 가장 큰 불효이건만, 애고 답답, 내 신세가 이 지경에까지 도달했단 말인가요? 우리 부모님 나를 기를 적에, 금지옥엽 고이 길러 앞날 희망 보려고 하셨더니, 이 지경이 되었단 말인가요? 꽃 핀 아침, 달 밝은 밤, 동쪽 하늘 바라보니, 우리 부모 계신 곳이 저곳이 분명하거든, 이 딸의 오늘 형편, 남은 희망이 없는 것입니까?

한두 번 외쳐 볼 때, 제 마음에 맺힌 설움, 세상을 원망하고

탓하다가 다시금 생각하니 박복한 소여로다 원망탓을 뉘하리오 건곤동
촌을 다시와서 우리부모 만수무강 축원하며 효도써 뵈올날을 기
약하고 내심정을 위로하며 그날그날 지나든일 오늘날 생각하니 복도
희ㅅ복로다 치마 해양색 태여난몸 원부모이 형제는 사람마다 그러하나 탈
난 내팔잔지 내부모 내동기는 그와는 달으로다 출가십년간 우리동기의지
하고 지난양이 금세에는 드물거든 슬으로다 모주시며 오늘날 내정경을
다시 구버보옵소서 가군되는 그양반은 조모를 모라옵고 구택의 조상
선영 잔부으리 뉘기든가 천지간 만물중에 종주번식 이스건만은 박
복한 이내몸은 차생에 무산죄로 남의가문 드러가서 향화를 다 없이
고 실자를 못얻으니 천양간 죄인이라 내설곳이 어대든고 하올이근
하나 없이 세월은 쌀이 흘러 여시호 출시년간 여이그리신속 주름
잡힌 내얼굴에 흰머리만 느러가는 기구한 이병신을 누구에게 의탁
할고 모주 평일 소소히 하신말삼 귀에 남어 있사오나 종말이 어이
될지 불가 난칙하나이다 이세상에 남긴 갖취 일리 혈륙

탓하다가, 다시금 생각하니 박복한 소여로다. 원망 탓을 뉘할 건고. 동천을 다시 우러, 우리 부모 만수무강 축원하며, 효로써 뵈올 날을 기략하고, 내 심정을 위로하며 그날그날 지나든 일 오늘날 생각하니, 너무도 헛부도다[116].

치마 행색 태여난 몸, 원부모 이형제는 사람마다 그러하나, 타고난 내 팔잔지 내 부모 내 동기는 그와는 달으도다. 륙십 년간 우리 동기 의지하고 지난 양이, 금셰에는 드물거든, 슲으도다 모주시여. 오늘날 내 정경을 다시 구버보옵소서.

가군 되는 그 양반은 존모를 모라옵고, 구택의 조상 선영 잔 부으 리 뉘기든가. 천지간 만물 중에 종족 번식 잇건만은, 박복한 이 내 몸은 차생에 무산 죄로, 남의 가문 드러가서 향화를다 없이고 실자를 못 얻으니, 천양간 죄인이라. 내 설 곳이 어대든고.

하온 일 하나 없이 셰월은 쌀이 흘너 어시호 륙십 년광 어이 그리 신속, 주름잡핀 내 얼골에 흰 터럭만 느러가는 기구한 이 병신을 누구에게 의탁할고. 모주평일 소소히 하신 말삼, 귀에 남어 있아오나, 종말이 어이 될지 불가난칙하나이다.

이 세상에 남긴 잣취, 일괴혈륙

부모님을 탓하다가, 다시금 생각하니 박복한 제 탓입니다. 원망 탓을 뉘한테 한단 말입니까? 동쪽 하늘을 다시 우러러, 우리 부모님 만수무강을 축원하며, 효도로 뵈올 날을 기약하고, 내 심정을 위로하며, 그날그날 지나던 일 오늘 생각하니, 너무도 허탈합니다. 여자로 태어난 몸이라서, 부모에게서 멀어지고 형제와 떨어져야 하는 것은, 사람마다 그런 것이라지만, 타고난 내 팔자인지 내 부모와 내 동기는 그와는 달랐습니다. 60년간 우리 동기가 의지하고 지난 것이, 금세에는 드물건만, 슬픕니다, 우리 어머니. 오늘 제 처지를 다시 굽어보세요.

남편 되는 그 양반은 고인이 되어 어머니 섬길 줄을 모르고, 고택의 조상 선영 앞에 잔 부을 사람이 누구란 말입니까? 천지간 만물 가운데 종족 번식은 자연스런 일이건만, 박복한 이 내 몸은 이승에서 무슨 죄로, 남의 가문 들어가서 제사를 이을 아들을 못 얻었으니, 천지간의 죄인입니다. 제가 설 땅이 어디란 말입니까?

이룬 일 하나 없이 세월은 빨리 흘러, 아, 60년이 어찌 그리 신속한지, 주름 잡힌 내 얼굴에 흰 터럭만 늘어가는 기구한 이 병신을 누구에게 의탁할꼬? 어머니께서 평소에 소소하게 하신 말씀, 귀에 남아 있으나, 제 끝이 어떻게 될지 예측할 수 없습니다. 이 세상에 남긴 자취라고는, 일점 혈육인

116 헛부도다 : 허탈하다.

며아하나 모주께서 친내주설없이 기루시사 범궐에 출가하여 자미로산는
양이 출행중 다행이며 미범한 사위손은 장태가 축망되고 우혈없는
이내 몸을 시ᄅᆞ로 위로하나 기록하고 고맙도다 아우되는 두향실은 인
간에 불행을 천상이 몸이 되여 순분수절하여 가며 어린것을 다리
고서 지나는 고환경을 눈물없이 어이보며 세호재상 금일현상 전라는
다효은 조목 모식하는 모양 면그히 하나 갈치 모쥬재세하신 날에 불효
막대기친 이적소진장의 주변인들 이래백이보장인들 말로 글로
다기록하야 모쥬평일 조처정 근심 위로할길 전혀없네 슬픔으로다
모주시여! 혼탁한 이인세에 방황하는 부생이라 사자불께 생자비라
모주 척대실회 마소 인세에 남어 잇는 후생에 불효이라 파르시면
우리 모주 하신 이적 효우시께 수상하여 가르를 화이셔하고자
엽엽순지 만당하나 우리 지친의 정황이라 일가의 시승이며 이옷바
물 모범이라 이만하면 우리 모쥬 인세에 남긴 공적 크고 적은

여아 하나, 모주께서 친애손 구별 없이 기르시사, 범문에 출가하여 자미로 사는 양이 불행 중 다행이며, 대범한 사위 손은 장래가 촉망되고 우혈 없는 이내 몸을 시시로 위로하니, 기특하고 고맙도다.

아우 되는 두 황실은 인간에 불행으로 청상이 몸이 되여, 수분수궐하여 가며 어린 것을 다리고서 지나는 그 환경을 눈물 없이 어이 보며, 세호 제남 금일 현상, 전과는 다르오나, 조득모식하는 모양 면면히 하나같치 모쥬 재세하신 날에 불효막대 기친이력, 소진 장의 구변인들, 이태백이 문장인들, 말로 글로 다 기록하야 모쥬평일 걱정 근심 위로할 길 전혀 없네.

슯으도다 모주시여, 혼탁한 이 인세에 방황하는 부생이라, 사자불비 생자비[117]라. 모주 부대 실허 마소. 인세에 남어 잇난 후생에 불행이라. 팔십 년 우리 모주 하신 이력, 효우시례 숭상하여 가도를 확입하고, 자엽 손지 만당하니, 이만하면 우리 모주 인세에 남긴 공적 크고 적든

딸 하나, 어머니께서 친외손 구별 없이 기르시사, 모범적인 가문에 출가하여 재미있게 살아. 불행 중 다행이며, 대범한 사위의 손은 장래가 촉망되고, 의지할 데 없는 이 내 몸을 시시때때 위로하니, 기특하고 고맙답니다.

아우인 두 황실은 불행하게도 과부 몸이 되어, 본분을 지키고 수절하며 어린 것을 데리고 지내는 그 환경을 눈물 없이 어찌 본단 말인가요? 남동생 세호의 금일 형편은 예전과는 좀 달라졌지만, 아침에 얻어서 저녁에 먹는 모양은, 여전히 똑같습니다. 어머니 살아계실 때 불효막심하였던 그 이력, 소진과 장의의 말솜씨며 이태백의 문장인들, 말로 글로 다 기록하여, 어머니의 평소 걱정과 근심을 위로할 길이 전혀 없습니다.

아, 슬픕니다. 어머니, 혼탁한 이 세상에서 방황하는 부평초같은 인생이라, 죽은 자는 슬픔이 없고, 산 자는 슬픕니다. 그러니 어머니, 부디 슬퍼하지 마십시오. 아직 세상에 남아 잇는 저희가 감당해야 할 불행입니다. 80년 우리 어머니의 이력, 효도와 우애와 시와 예절을 숭상하여, 가풍을 세우고, 아들들과 손주들이 집안에 가득하니, 이만하면 우리 어머니가 세상에 남긴 공적

117 사자불비(死者不悲) 생자비(生者悲) : 죽은 자는 슬프지 않고, 산 자는 슬픔.

안하오니 오늘날이마당에 친척지우 슬허하옴이 모주생전쌍
은 공척 그보수가 안니든가 슬으로다 모주한번가신후로 창〻
한 우리들은 누구를 훗축하며 그누기를 의양할고 좌우
를 살펴보니 알온이 가득찬데 대〻로 내려오든 우리집가풍은
날는달는 쇠퇴하는 그런상이 역〻히 보이옵니 이가정의 가는방
향 종챙을 요량못하니 차창없는 차쉬이며 대장없는 군졸에
라 모주향상이 가정을 꽃이되하신 마음 유평이 달을손가 구
천평게에서 읍우하여 주옵소서 오호이재 우리어바 생아 륙아
태산은 갈등을 날이 묘연하고 대강을 초한 글월이 곤쇠 영결사
로 대하오니 륙십년 모녀지정너무도 허〻무이라 떠자는날 우리모녀
신향에 다시 만나 인세에 맺친한을 풀러볼가 기약하며 이길향일
배주를 쏘다말고 흠향하사 극락성좌에 기리안편하소 빈사는망
향이라 대성장호 뭉근너가는 이몸의 구곡간장 싸인설움 아시나잇가
물으시나잇가 오호통재 애재 상향

안 하오니, 오늘날 이 마당에 친척 지우 슯어함이, 모주 생전 쌓은 공적 그 보수가 안니든가.

슯으도다. 모두 한 번 가신 후로, 창창한 우리들은 누구를 효측하며, 그 누기를 의양할고. 좌우를 살펴보니 암운이 가득 찬네. 대대로 내려오든 우리집 가풍은 날노 달노 쇠퇴하는 그 현상이 역역히 보이오니, 이 가정의 가는 방향 종행을 요량 못해, 차창 없는 차체이며, 대장 없는 군졸이라. 모주 항상 이 가정을 못 이저 하신 마음, 유명이 달을손가. 구천명계에서 음우하여 주옵소서.

오호 애재 우리 어마, 생아 륙아 태산 으덕 갑흘 날이 묘연하고, 대강을 초한 글월 이로서 영결사로 대하오니, 륙십 년 모녀지정 너무도 헛부이다[118]. 머자는 날 우리 모여, 선향에 다시 만나, 인세에 맺친 한을 푸러 볼가 기약하며,

일침향 일배주를, 쓰다 말고 흠향하사, 극락성좌에 기리 안면하소. 만사는 망향이라. 대성장호 물너가는 이 여식의 구곡간장 싸인 설움 아시나잇가 몰으시나잇가.

오호 통제 애재 상향.

결코 적지 않습니다. 오늘날 안마당에서 친척과 친지들이 슬퍼하는 것이, 어머니께서 생전에 쌓은 공적에 대한 댓가가 아니겠습니까?

슬픕니다. 모두 한번 가신 후에, 창창한 우리들은 누구를 본받으며, 그 누구를 모방할까요? 좌우를 살펴보니 검은 구름이 가득 찼습니다. 대대로 내려오던 우리집 가풍은 날로 달로 쇠퇴하는 현상이 역력하니, 이 가정이 어떤 방향으로 굴러갈지 갈피잡을 수 없으니, 차창 없는 차체이며, 대장 없는 군졸입니다. 어머니, 우리 가정을 늘 못 잊어 하신 마음, 이승과 저승이 다르겠습니까? 그곳에서 도와주셔요.

아, 애달픕니다. 우리 어머니, 낳으시고 기르신, 태산같은 은혜, 갚을 날이 아득하고, 대강을 적어본 글월로 영결사를 대신하려니, 60년 우리 모녀간의 정, 너무도 허탈합니다. 멀지 않은 날, 우리 모여, 선계에서 다시 만나, 이 세상에서 맺힌 한을 풀어 볼까 기약합니다.

여기 침향과 함께 한 잔 술을 올리니, 쓰다 말고 흠향하시고, 극락세계에서 길이 안면하셔요. 대성통곡하며 물러가는 이 딸의 구곡간장 쌓인 설움, 어머니, 아십니까 모르십니까?

아 애통합니다. 애통합니다. 흠향하셔요.

118 헛부이다 : 허탈하다.

감상 및 해설

77세에 돌아가신 어머니의 1주기에 딸이 바친 제문이다. 희수까지 누렸으니 호상이라고 할 만하지만, 예나 이제나 자식의 마음은 그저 애통할 뿐이다.

> "우리 모주 팔십연 천이궁행하신 이력 빠짐없이 기록하긴, 소녀 졸문 어려우나, 듯고 본 그 이력을 대강이나 기록하와, 모주 존용 위로할 겸 후생의 귀감이라, 조히 우에 옴기오니, 모주 정영 계시다면, 못맛당해하신 양이 눈에 뵌 듯하오이다."

이 제문을 지은 목적을 이렇게 또렷이 밝히고 있다. 모친의 행적을 대강이라도 기록함으로써 그 영혼을 위로하고, 후손에게는 귀감이 되게 하기 위해서다. 맞는 말이다. 우리의 존재는 기록을 통해서만 보존될 수 있다. 그렇지 않으면, 그 사람을 만나서 관계를 맺은 사람의 뇌리에만 남아 있다가 사라지고 만다. 제문을 기록함으로써 비로소, 후대에 계속해서 전해질 수 있다.

효성과 우애가 남달랐던 아들이, 해방 공간 좌우익의 극심한 이념 갈등 상황에서 희생당했던 고인의 개인사도 이 제문에 담겨 있다. 사회가 잘못되면 아무리 개인이 도덕적이어도 잘못될 수 있다는 사실을 일깨워준다.

23. 외조부님 영전에

1966년, 홍윤표 교수 소장

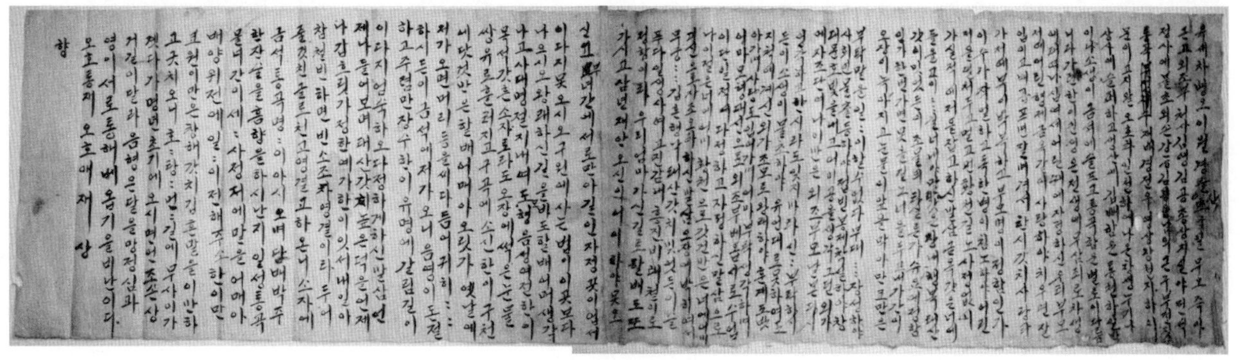

유세차 병오 이월 경술삭 초구일 무오 즉아
존고 외조부 처사 김성검공 종상지일야 전석
정사에 불초 외손 강증김[illegible]남이 근구부처지추
통곡 재배 경전우 영상 장천지하 이
몯이 고지왈 오호라 인천하에 나온 창생 누기나
상사에 슬퍼하고 생사에 깁빠함은 통천하 상반
이나 소생이 옴셔에 슬프고 통곡함은 별로이 다름
니라 가련한 이 인생은 전생에 무삼 죄로 차생
에 태여나 십여세 어린 때에 자정하신 우리 부모
저에 어린 형제 금옥같이 사랑하야 치우면 잘
입이고 배곱프면 잘 메겨서 한시 갓치 사랑타
가 저에 복이 박복하고 부모병이 정함인가
이 수가 작얼하고 독한 병이 침노하야 어린
저을 떨처두고 멀고 먼 황천길 노사 정없 외
가실 적에 저을 잡고 하신 발삼 금옥 갓은 너에
들 울고이 ⋮ 길너내야 말하는 장내 행복 되산
갓시 미엇든이 조물의 파설은가 슈요에 정함
인가 화변 가변 못 할 절 노 너을 두고 내가 가니
오장이 녹아지고 눈물이 앞을 막아 만고 만은

유세차 병오[119] 이월 경술삭 초구일 무오 즉 아 근고 외조부 처사 김영김공 종상지일야 전석 정사에 불초 외손 강능 김남익 근구부전지수 통곡재배 경전 우 영상 장철지하 이문이고지왈,

오호라 일천하에 나온 창생 누기나 상사에 슬퍼하고, 생산에 깁뻐함은 통천하 일반이나, 소생이 금석에 슬프고 통곡함은 별로이 다름니다. 가련한 이 인생은 전생에 무삼 죄로 차생에 태여나 십여 세 어릴 때에 자정하신 우리 부모, 저에 어린 형제 금옥같이 사랑하야 치우면 잘 입이고, 배곱프면 잘 며겨서 한시갓치 사랑타가, 저에 복이 박복하고 부모 명이 정함인가.

이수[120]가 작얼[121]하고 독한 병이 침노하야, 어린 저을 떨처두고 멀고 먼 황천 길노 사정 없이 가실 적에, 저을 잡고 하신 말삼, "금옥갓은 너에들을 고이고이 길너내야, 말리갓은 장내 행복 태산갓이 밋었든이, 조물의 타실른가 슈요에 정함인가? 한번 가면 못 올 길노 너을 두고 내가 간이, 오장이 녹아지고 눈물이 앞을 막아, 만코 만은

아, 병오년(1966년) 2월 9일은 곧 우리 외조부 처사 김영 김공의 종상일입니다. 전날 저녁에 불초 외손 강릉 김남익은 온전치 못한 제물을 차려놓고, 곧 철거할 영상 아래에서 재배하며 통곡하며 아뢰니다.

아, 이 세상에 나온 백성, 누구나 상례에는 슬퍼하고, 출산에는 기뻐함은 일반적인 일이지만, 제가 오늘 저녁에 슬퍼하며 통곡하는 것은 아주 다릅니다. 가련한 이 인생은 전생에 무슨 죄로 이 세상에 태어나서, 10여 세 어릴 때에 부모님을 여의었을까요? 다정하신 우리 부모님, 저희 어린 형제를 금옥같이 사랑하여, 추우면 잘 입히고, 배고프면 잘 먹이며 변함없이 사랑하셨건만, 제가 박복한 탓인가요 아니면 부모님 명이 그뿐이라 그런 것인가요?

독한 고질병이 침범하여, 어린 저를 떨쳐 두고 멀고 먼 황천 길로 사정 없이 가실 적에, 저를 잡고 말씀하셨지요.

"금옥같은 너희들을 고이고이 길러내어, 만 리같은 장래의 행복을 태산같이 믿었더니, 조물주의 탓인가, 수명이 정해져 있어서인가? 한 번 가면 못 올 길로 너를 두고 내가 가는구나. 오장이 녹아지고 눈물이 앞을 막아, 많고 많은

119 병오 : 1966년.

120 이수(二豎) : 고황(膏肓)으로서, 고칠 수 없는 중한 병.

121 작얼(作孽) : 재앙을 만듦.

부탁말을일::이할수없다부대::장성하야
사회인물출등하야접빈봉제착실하야창
패문호빛을내고어미공을생각그던외가
에자조단녀나이빤은외조부모날본듯시
생각하고한시라도잊지까라신::부탁하시
든이소생이물초하야유연대로못하여도
지척에계신외가조모로왕래하야훈제도받
아가며사랑도입어가며어미부탁생각하며
엄마모형대신으로외조부뵈옵서로수엽
이단일적에다정하고자당하신말삼으로
나이절은너에어미황천으로갓건만은너에어미
귀신으로자조오와하신발삼오장에박히여서
무궁::김혼행낙돼산갓치빗엇든이늘
푸다일생사여고진감내흥진비래철이로
정함이라우리엄마가신길로할배도또
가시고삼년재안오신외어이하야못오

부탁 말을 일일이 할 수 없다. 부대부대 장성하야 사회인물 출등하야 접빈봉제 착실하야 창대문호 빛을 내고 어미 공을 생각그던 외가에 자조 단여 나이 만은 외조부모 날 본 다시 생각하고 한시라도 잊지 마라 신신부탁하시든이, 소생이 불초하야 유언대로 못하여도, 지척에 계신 외가 조모로 왕래하야, 훈계도 밧아가며 사랑도 입어가며, 어마 부탁 생각하며 어마 모형 대신으로, 외조부 베옵시로 수업이 단일 적에, 다정하고 자정하신 말삼으로, "나일 절은 너에 어미 황천으로 갓건만은, 너에 어미 대신으로 자조 오라."하신 말삼, 오장에 박히여서 무궁무궁 깁흔 행낙, 태산갓치 밎엇든이 슬푸다 일생사여, 고진감래 흥진비래 철이로 정함이라.

신신부탁하시든이, 엄마 가신 길로 할배도 또 가시고, 삼년재 안 오신이 어이하야 못 오

부탁 말을 일일이 할 수 없구나. 부디부디 장성하여 탁월한 사회 인물이 되어, 손님 영접과 제사 받들기를 착실히 하여, 가문을 빛내거라. 어미의 공을 생각하거든 외가에 자주 다녀, 나이 많은 외조부모님을 날 본 듯이 생각하고, 한시라도 잊지 마라."

이렇게 신신 부탁하더니, 제가 불초하여 유언대로 못하여도, 지척에 계신 외가에 아침 저녁으로 왕래하였지요. 훈계도 받아가며 사랑도 입어가며, 어머니의 부탁을 생각하며, 어머니 대신으로 외조부님을 뵈오러 수없이 다녔지요. 그때마다 다정하고 사랑스런 말씀을 주셨지요.

"나이 젊은 네 어미. 황천으로 갔지만, 네 어미 대신으로 자주 와라."

이 말씀, 오장에 박히어서 무궁무궁 깊은 즐거움 누리며 살리라고 태산같이 믿었더니, 슬픈 게 인생사입니다. 고진감래와 흥진비래가 천리로 정해져 있나 봅니다. 우리 엄마 가신 길로 할아버지도 가시고, 3년째 안 오시니,

실고부녀간에서로만아길인자정꼿이업서
이다지못오시오구원에사는법이이곳보다
나으시오왕래하신길을바도할배어매생각
나고사대명절지내여도모형음성여전한이
목석갓흔소자로라도오장에썩은눈물
쌍유로흘러지고구곡에소신한이구천
에닷것만은할배어매아오릿가옛날에
저가오면머리등을씨다듬어귀히：：
하시든이금석에저가오니음영이돈절
하고주렴만장수한이유명에갈림길이
이다지엄숙하오다정하게하신발삼연
제나들어보며태산갓체높은덕을언제
나갑흐릿가정한예가한이잇서내일아
참철빈하며빈소조차영결이라두어

신고. 부녀간에 서로 만아 길인 자정 끗이 업서, 이다지 못 오시오. 구원에 사는 법이 이곳보다 나으시오. 왕래하신 길을 바도 할배 어매 생각나고, 사대명절 지내여도 모형 음성 여전한이, 목석갓흔 소자라도 오장에 썩은 눈물 쌍유로 흘러지고, 구곡에 소신 한이 구천에 닷것만은, 할배 어매 아오릿가. 옛날에 저가 오면, 머리 등을 씨다듬어 귀히귀히 하시든이, 금석에 저가 오니 음영이 돈절하고 주렴만 장수한이, 유명에 갈림길이 이다지 엄숙하오.

다정하게 하신 말삼 언제나 들어보며, 태산갓치 높은 덕을 언제나 갑흐릿가? 정한 예가 한이 잇서, 내일 아참 철빈하면 빈소조차 영결이라. 두어

어이하여 못 오시는 것인가요? 부녀간에 서로 만나, 그리웠던 정이 끝이 없어서, 이다지도 못 오시는가요? 하늘나라에서 사는 법이 이곳보다 나으신가요?

왕래하시던 길만 봐도 할아버지와 어머니 생각이 나고, 4대 명절을 지내어도 모습과 음성이 여전하니, 목석같은 저라도 오장의 썩은 눈물 두 줄기가 흘러내립니다. 굽이굽이 쌓인 한이 구천에 사무치건만, 할아버지와 어머니는 아시는지요?

옛날에는 제가 오면, 머리와 등을 쓰다듬어 귀여워하시더니, 오늘 저녁에는 제가 와도 얼굴과 음성이 없고, 발만 드리워 있으니, 이승과 저승의 갈림길이 이다지도 엄숙한가요? 다정하게 하시던 말씀, 언제나 다시 들어보며, 태산같이 높은 덕을 언제나 갚을까요?

예절에도 한도가 있어, 내일 아침에 영궤를 치우면 빈소조차 영원한 이별입니다.

줄것친 골로 천고영결 고하온니 소자에
금석통곡 명〻이 아시오며 당배박주
한잔술을 흠향을 하시난지 일성통곡
불너간이 세〻 사정저에 말을 어매아
배양위전에 일〻 이전해주소 한이만
크원이만은 창해갓치 깁흔 말을 이만하
고 곳치오나 호〻 탕〻 먼〻 길에 무사이 가
셧다가 명년 초기에 오시며 언 조손상
거길이 달과 음형은 달을 망정 심과
영이 서로 통해 삐 옴기을 비난이다.
오호통재 오호애재 상
향

줄 것친 글로 천고영결 고하온니, 소자에 금석 통곡 명명이 아시오며, 담배박주 한 잔 술을 흠향을 하시난지.

일성통곡 물러간이 세세 사정 저에 말을 어매 아배 양위 전에 일일이 전해 주소. 한이 만코 원이 만은 창해갓치 깁흔 말을, 이만 하고 긋치오니, 호호탕탕 먼 길에 무사이 가 계시다가, 명년 초기에 오시면언 조손 상거 길이 달라, 음형은 달을망정 심과 영이 서로 통해, 베옵기를 비난이다.

오호 통재 오호 애재 상 향

두어 줄 거친 글로 영결을 고하니, 이 저녁 저의 통곡소리를 똑똑히 알고 계시며, 변변치 않은 이 술 한 잔을 흠향하시는지요?

한 차례 소리내어 통곡하고 물러가니, 제가 세세하게 드린 사연을 부보님 두분께 일일이 전해 주세요.

한이 많고 원이 많아 바다같이 깊은 말씀을, 이쯤만 하고 그치렵니다. 아득히 먼 길에 무사히 가 계시다가, 내년 초에 다시 오시면, 할아버지와 손주의 길이 서로 다르고, 음성과 얼굴도 달라졌을 망정, 마음과 영은 서로 통하니, 뵙기를 빕니다.

아, 애통하고 애통합니다. 흠향하십시오.

감상 및 해설

외조부님 영전에 바친 제문이다. 독한 병으로 일찍 별세한 어머니가 남긴 유언이 절절하다. 외가에 자주 들르라는 부탁이다.

> 금옥같은 너희들을 고이고이 길러내어, 만 리같은 장래의 행복을 태산같이 믿었더니, 조물주의 탓인가, 수명이 정해져 있어서인가? 한 번 가면 못 올 길로 너를 두고 내가 가는구나. 오장이 녹아지고 눈물이 앞을 막아, 많고 많은 부탁 말을 일일이 할 수 없구나. 부디부디 장성하여 탁월한 사회 인물이 되어, 손님 영접과 제사 받들기를 착실히 하여, 가문을 빛내거라. 어미의 공을 생각하거든 외가에 자주 다녀, 나이 많은 외조부모님을 날 본 듯이 생각하고, 한시라도 잊지 마라.

먼저 가는 어미로서의 아쉬움, 남은 자녀들에 대한 기대와 염려 등이 잘 드러나 있다. 유언을 따라 늘 왕래하는 외손주한테 외조부가 한 말도 애틋하다.

> 나이 젊은 네 어미. 황천으로 갔지만, 네 어미 대신으로 자주 와라.

이렇던 외조부이기에 그 영전에서 애도하는 제문을 낭독한 것이다. 사랑은 쌍방통행적이다. 베풀어야 돌아온다는 진리를 여기에서 확인한다.

24. 누나 영전에

1967년, 박재연 교수 소장, 세로 22㎝, 가로 15㎝

소ᄒᆞᆯ이 지와 쉐 무을 뫼여드니 ᄒᆞ야 어년 덧 삼상이 지나 엿일을 실
각ᄒᆞ니 ᄒᆞ회의 삼십이라 보ᄒᆞ면 받기시고 떠나면 못 엿더니 ᄉᆞ친
도라가신 후 조로 연ᄒᆞ여 소ᄒᆞᆯᄒᆞ여 오신 시픈 마음이 애 바리보면 갈 젼
ᄒᆞ되 어른 업ᄂᆞᆫ 빈 집 사와 뉘 보라고 소리 잇가 그 모르는 젹 무신 네 인졍
박대ᄒᆞ다ᄒᆞ되 네 일을 실각ᄒᆞ면 나무ᄒᆞᆯ졍 가과로 쇠 슈죡
다 욕이 ᄒᆞ야 말ᄉᆞ고 고흔의 거 우을 뫼와 박복ᄒᆞ니 네 팔ᄌᆞ 박발
이 가련ᄒᆞ다 가군이 쇠로ᄒᆞ니 어느 조식 봉양ᄒᆞ올고 그중의
불효여식 젼졍ᄉᆞ가 망연ᄒᆞ에 연장ᄉᆞ 십년 동ᄋᆞ 가되 금에
시고 여ᄉᆞ ᄉᆞ애 ᄒᆞ니 뉘다려 원망ᄒᆞ올고 통의〃〃
라 오날 다녀간 년 후의 조초로 영결ᄒᆞ와 구텬 타실다 시만
나 반겨 이 보ᄉᆞ이다 ᄉᆞ부인 뎡 갈을로 징젼이 나가ᄉᆞ와
ᄒᆞᄒᆞ 박젼 일 비 쥬을 졍으로 ᄒᆞᆷ 챵ᄒᆞ오 소언지 장 야모구
ᄒᆞ니 소ᄒᆞᆯ ᄉᆞ 향

오호 ᄋᆡᄌᆡ라. 셰월리 여류ᄒᆞ여 어넌 덧 삼상[122]이라. 엿일을 ᄉᆡᆼ각ᄒᆞ니 쵹쳐의 상심이라. 보시면 반기시고 써나면 못 잇더니, ᄌᆞ형 도라가신 후로 자연이 쇼홀ᄒᆞ여 오고시푼 마암이야 바ᄅᆡ보면 간졀ᄒᆞ되, 어론 업ᄂᆞᆫ 빈 집안의 뉘 보랴고 오리잇가.

그 모르ᄂᆞᆫ 졀무신ᄂᆡ 인졍 박ᄃᆡᄒᆞᆫ다 ᄒᆞ되, ᄂᆡ 일을 ᄉᆡᆼ각ᄒᆞ면, 나무 첨녕[123] 가괴로쇠. 슈즉다욕이란 말솜 고금의 거울리라. 박복ᄒᆞᆫ 니 ᄂᆡ 팔ᄌᆞ ᄇᆡᆨ발이 가련ᄒᆞ다. 가군이 쇠로ᄒᆞ니, 어ᄂᆞᆫ ᄌᆞ식 봉양ᄒᆞᆯ고.

그중의 불쵸 여식 전정ᄉᆞ[124]가 망연ᄒᆞ에 연장ᄉᆞ십[125] 도여가되, 금여시고여시라. ᄉᆞᄉᆞ이 이러ᄒᆞ니 뉘다려 원망ᄒᆞᆯ고. 통의 통의라. 오날 다녀간 년후의 ᄌᆞᄎᆞ로 영결리라.

구텬 타일 다시 만나 반겨이 보ᄉᆞ이다. ᄉᆞ부인 령감[126]으로 징젼이나 가ᄉᆞ오니, 쵸쵸박젼 일ᄇᆡ쥬을 정으로 흠향ᄒᆞ쇼. 언지장야[127] 무궁ᄒᆞ니 오호 ᄉᆞᆼ향.

아, 애통합니다. 세월이 물 흐르듯 하여 어느덧 탈상하는 날입니다. 누과의 옛일을 생각하니, 손길 발길 닿는 곳마다 마음 상합니다. 보면 반기시고, 떠나면 못 잊더니, 자형님 돌아가신 후 자연히 소홀해졌지요. 오고 싶은 마음이야 바라보면 간절하되, 어른 없는 빈 집안에 누구를 보려고 오겠습니까?

그 사정을 모르는 젊으신네는, 인정상 야박하다 하지만, 내 일을 생각하면, 남의 입바른 말 가소롭기만 합니다. 너무 오래 살면 욕되다는 말은 고금의 거울입니다. 박복한 이 내 팔자, 어느덧 백발이 가련하기만 합니다.

이 애비가 노쇠하니, 어느 자식이 봉양할까요? 그중의 불초 여식네 가정사가 막막한데, 어느덧 마흔 살이 되어가니, 예나 지금이나 같습니다. 사정이 이러하니 누구더러 원망하겠습니까?

아 애통하고 애통합니다. 오늘 다녀간 이후로는 영원한 이별입니다. 구천에서 다음에 다시 만나 반갑게 보시지요. 먼저 가신 안사돈의 보살핌 받으며 보내시기를 빕니다. 변변찮은 한 잔 술을 올리니 정으로 받으시지요. 말하자면 길어집니다. 아, 흠향하십시오.

122 삼상(三喪) : 삼년상.
123 첨녕(諂佞) : 매우 아첨함.
124 전정사(前庭事) : 앞뜰의 일들. 가정의 일들.
125 연장사십(年將四十) : 나이가 40이 되어 감.
126 영감(靈鑑) : 영묘한 보살핌.
127 언지장야(言之長也) : 말하자니 김.

감상 및 해설

누나한테 올린 제문이다. 가깝게 지냈으나, 자형이 작고한 이후 발길이 뜸했던 이유를 길게 변명하고 있다.

> 내 일을 생각하면, 남의 입바른 말 가소롭기만 합니다. 너무 오래 살면 욕되다는 말은 고금의 거울입니다. 박복한 이 내 팔자, 어느덧 백발이 가련하기만 합니다. 이 애비가 노쇠하니, 어느 자식이 봉양할까요? 그중의 불초 여식네 가정사가 막막한데, 어느덧 마흔 살이 되어가니, 예나 지금이나 같습니다. 사정이 이러하니 누구더러 원망하겠습니까?

요컨대, 제대로 봉양해 주는 자식이 없어 누나한테 들리지 못했다는 것이다. 아마도 아들 없이 독거노인으로 살았던 듯하며, 딸이 있지만 생계가 막막한 상태라 그렇다고 한다.

요즘 노후 문제가 심각한데, 예전에도 마찬가지였다는 걸 알 수 있다. 노후가 여유로워야 동기간의 관계도 제대로 유지할 수 있다 하겠다.

25. 종형수님 영전에[128]

1967년, 황혜영 님 소장, 세로 29.5㎝, 가로 120㎝

128 소장자 황혜영 님의 모친 권호희(權鎬姬; 1920∼1997) 여사가 필사한 것임.

유세차 정미 구월 신축삭 십삼일 계축은 나의

고 백종형수씨 유인대흥박씨 금상지일이매 권일 입자에

시종제 안동권상갈은 일배주 수향리사로 재배 영결하나이다

오호라 ㅣ 수씨는 가시다 이상하세계의 쓴맛을 [illegible]하시고 평소에

원하시든 극락생라를 떠나신지 어느듯 이개성상이 흘너영연

을 거두는 오늘 낙늦게 두어줄 글월을 올이게됨은 수수저간

에 고페에 부당임나 페축넌이 정이라 오십년간 뭇까 권속을 하시든

그 십은 후덕을 소제 잇지 이즈리잇가만 본래 비박잔재로 부르민한

소치이옵나 이제 지필을 앞에 놓고 석일을 회고하니 누수가 방

타하여 수씨 칠십년 사행지로를 만에 일로 기록하지못하옵나 평일

간곡한 무ㅣ든 부탁을 외면하고 실행치 못함을 과사하는 이마음

더욱 통탄을 마지안나이다 오호라 수씨는 최별명문에 생장하사

의용이 관후하고 숙덕은 온량하여 무산 선생고방으로 비추편을

거오ㄹ삼에 호우로 근기하고 시례로 다반사는 몸를 논이른 연라 십칠함에

유세차 정미[129] 구월 신축삭 십삼일 계축은 나의 고 백종형수씨 유인대흥 백씨 금상지일이매, 전일 임자에 싀종제 안동 권삼달은 일배주 수항뢰사[130]로 재재영결하나이다.

오회라! 수씨는 가시다. 이 삿파세계의 쓴 맛을 마다 하시고, 평소에 원하시든 극락성좌를 떠나신 지 어느듯 이개 성상이 흘너, 영연을 거두는 오늘 남 늣게 두어 줄 글월을 올이게 됨은, 수숙지간에 고례에 부당이나, 례출어정이라. 오십 년간 무마 권휼하시든 그 심은 후덕을 소제 엇지 이즈릿가만, 본래 비박잔재로 불민한 소치오나, 이제 지필을 앞에 놓고 석일을 회고하니, 누수가 방타하여, 수씨 칠십 년 사행지도를 만에 일도 기록하지 못하오니, 평일 간곡한 모-든 부탁을 외면하고, 실행치 못함을 사과하는 이 마음 더욱 통탄을 마지 안나이다.

오회라 수씨는 화벌명문에 생장하사 의용이 관후하고 숙덕 온량하여, 모산 선생 교방으로 내측편을 거울삼어 효우로 근기하고 시례로 다반사는 물논이고, 연좌 십팔에

아, 정미년(1967년) 9월 13일은 우리 큰사촌형수님인 유인 대흥 백씨의 종상일입니다. 그 전날에 시사촌동생 안동 권삼달은 한 잔 술과 몇 줄 제문으로 영원한 이별을 고합니다.

아! 형수님은 가셨습니다. 이 사바세계의 쓴 맛을 마다하시고, 평소에 원하시던 극락으로 떠나신 지 어느덧 2년이 흘러, 영연을 거두는 오늘 남 늦게, 두어 줄 글월을 올리는 까닭은, 형수와 시동생 사이의 전통예절에는 없는 일이지만, 예절이란 정의 표현입니다. 50년간이나 저를 사랑으로 지도해 주신 그 깊고 두터운 은덕을 어찌 제가 잊을 수 있겠습니까? 본래 재주가 없고 명민하지도 못하지만, 이제 붓을 들고 종이 앞에 앉아 옛일을 회고하니, 눈물이 흘러내려, 형수님 70년 곧은 행실의 만분의 일도 기록하지 못하겠습니다. 평소의 간곡한 부탁을 모두 외면한 채 실행치 못한 죄를 사과하는 이 마음, 더욱 통탄해 마지 않습니다.

아, 형수님은 명문 가정에서 성장하여, 몸가짐이 너그럽고 마음씨가 온화하였습니다. 모산 선생님의 가르침을 따라, 《내칙편》이란 책을 거울 삼아, 효도와 우애를 바탕으로, 시와 예절을 음식 먹고 차 마시는 것처럼 생활화한 것은 물론이고, 18세 나이에

129 정미 : 1967년.

130 뇌사(誄詞) : 죽은 사람의 살아생전의 공덕을 칭송하며 문상하는 말.

우리집 종사를 이어받어 봉선지도는 폐절에 차착이 없엇고 사구고
봉군자를 극진 숭경하고 우애돈독하여 숙이 지간에는 돈목을 자랑
햇고 패스가정과 이주지간에 이색한 일에는 무마방법이 묘이가
잇엇고 자질의 교훈에는 엄하면서 유한이조로 화게 하셧고 사람을
사귀는 장협에는 귀천을 막논하고 탐수히 너이면서 중주를 일치
안코 가양가색을 사교술이 능수능대하엿으며 : 쟁의를 볼때는
결화를 치키는 고감준 논으로 인화를 씨키는데 사람을 놀나게하엿
으며 일단사 일표음으로 안빈생활을 하엿으되 봉선 접빈지도
에는 인색함이 없이 극결 극성하엿으니 규범이 광수하야
가는 일비하니 인이 종랑이 승복하고 노상행인도 감복한 사실은
내굿테여 말 안하여도 세상 사람 말하기를 여중 군자라 칭송이
자자하니라 이므로가 우편이 안이라는 것도 나는 알고 잇나니다

우리집 종사를 이어받어, 봉선지도는 례절에 차착이 없엇고, 사구고 봉군자를 극진 극경하고, 우애 돈독하여 축이지간[131]에는 돈목을 자랑햇고, 대소 가정과 어족지간에, 어색한 일에는 무마 방법이 묘이가 있었고, 자질의 교훈에는 엄하면서 유한 어조로 훈계하섯고,

사람을 사괴는 장합에는 귀천을 막론하고 탐탐히 넉이면서, 중주를 일치 않고, 가약각색으로 사교술이 능소능대하엿으며, 불의를 볼 때는 렬화를 치키는 고담준논으로 인화를 씨키는대, 사람을 놀나게 하엿으며, 일단사 일표음으로 안빈생활을 하엿스되, 봉선접빈지도에는 인색함이 없이 극결극성하엿으니,

규법이 정숙하야 가도 일비하니, 인이 종당이 승덕하고 노상 행인도 감복한 사실은 내 굿테여 말 안하여도, 셰상 사람 말하기를, 여중 군자라 칭송이 자자하나이다.

이 모도가 우연이 안이라는 것도 나는 알고 있나이다.

우리집 종사를 이어받어, 조상 제사 모시는 예절에서 어긋남이 없었습니다. 시부모를 모시고 남편을 받듦에, 극진하게 공경하였고, 우애가 돈독하여 동서지간에 화목을 자랑했습니다. 가정과 가정, 친족 사이에 어색한 일이 생기면 무난하게 해결하는 비결이 있었고, 자녀와 조카을 교훈할 때는 엄하면서도 부드러운 어조로 훈계하셨습니다.

사람을 사귈 때는 귀천을 차별하지 않고 존중하면서, 중심을 잃지 않고, 각양 각색으로 사교술이 아주 능란했습니다. 불의를 보면 열렬하게 토론하여 감화를 끼쳐, 사람들을 놀라게 하였으며, 도시락 밥과 표주박 음료로 가난한 생활을 하였지만, 조상께 제사하고 손님들 맞이하는 도리에는 인색함이 없이 지극히 정결하게 하였습니다.

집안 다스리는 법도가 정숙하여 가정의 질서가 하나같이 가지런하니, 이웃사람들과 친척들이 존경하고, 길가는 행인들도 감복한 사실은, 제가 구태여 말하지 않아도 세상 사람들이 말하기를, '여자 가운데 군자'라고 칭찬이 자자합니다.

이 모든 것이 우연이 아니라고 저는 알고 있습니다.

131 축이지간(妯娌之間) : 동서 사이.

수씨는 가셨으나 인세에 남은 후생 누구를 모방하며 의앙할고 수숙
질혼 하세후에 우리 가정 드라보니 너무나 암담하외 그러고 우리 수
숙이 지은 광경을 말할진대 내 나이 겨우 십일세 이른 병인
추에 소제 친신께 의를 맡어 자질 없음을 연세하신 후 시시로 효곡
성이 굿퀸에 사므칠때 나의 철을 따거 주시미로 수씨이며 나를
무끼 공훌하여 주신니로 수씨가 안이 였든가요 그후 소제 출혼이르자
권후 날노 려하시와 나를 재리기를 친자와 같은없고 한가한 틈
을 타시는 착한 옛사람을 들어 이야기 하시고 양두 구륙으로
가장한 세태를 증오하시면서 혼탁한 세상에 굴여지 말라것을 당부
하시고 매양 임신양병하야 문미지광을 기원하셨으며 가정 대소사
를 상의 상장하며 또는 실하에게 못할 말을 내게는 하셨으며

수씨는 가섯으나, 인세에 남은 후생 누구를 모방하며 의앙할고?

숙질분 하세 후에, 우리 가정 도라보니, 너무나 암담해요. 그리고 우리 수숙이 지나온 정경을 말할진대, 내 나이 계우 십일 세이든 병인 추에, 소제 천신께 죄를 얻어, 자모 엄홀 연세하신 후, 시시로 호곡성이 굿천에 사모칠 때, 나의 혈루를 딱거 주신 이도 수씨이며, 나를 무마 긍휼하여 주신 니도 수씨가 안이엿든가요?

그 후 소제 철이 드자, 권후 날노 더하시와, 나를 대하기를 친자와 달음 업고, 한가한 틈을 타서는 착한 옛 사람을 들어 이야기하섯고, 양두 구륙으로 가장한 세태를 증오하면서, 혼탁한 세상에 끌이지 말 것을 당부하섯고, 매양 입신양명하야 문미지광을 기원하섰으며, 가정 대소사를 상의 상장하며, 또는 실하에게 못할 말을 내계는 하섰으며,

형수님은 가셨으나, 이 세상에 남겨진 후생들은 과연 누구를 모방하며 추앙한단 말입니까?

숙부와 조카가 별세한 후에, 우리 가정을 돌아보니, 너무나 암담했지요. 그리고 형수님과 우리 형제가 지내온 형편을 말해보자면, 제 나이 겨우 11세인 병인년(1926년) 가을에, 제가 천신께 죄를 얻어, 어머니께서 갑자기 돌아가신 후, 시시때때로 곡하는 소리가 구천에 사무칠 때, 제 피눈물을 닦아 주신 분도 형수님이고, 불쌍히 여겨 달래주신 분도 형수님이 아니셨던가요?

그 후 제가 철이 드자, 자상하게 권면하시는 것을 나날이 더하셔서, 마치 친아들과 다름없이 대해 주시고, 한가한 틈을 타서는 착한 옛 사람을 들어 이야기해 주셨습니다. 양두구육으로 가장한 세태를 미워하시면서, 혼탁한 세상에 끌리지 말라 당부하셨고, 늘 입신양명하야 가문을 빛내기를 기원하셨습니다. 가정의 대소사를 상의하시는가 하면, 슬하의 자녀들에게는 못할 말씀도 제게는 하셨으며,

스께 또한 가스끼리 못할 말을 수씨께 전하였으며 려워하구
에우러하여 일실에 동거키로 수변이 되는사이 나로항상 손과
갈이 대하시고 동은화평을 서로 묻고 일변 일스로 같이 하며 밤에
은 가을밤과 꽃피는 봄 앗참에 흉금을 상조한지 사시변간을
일만하여왔으나 법으로는 수숙지간이나 정이로는 자모에 다름없고
형만나의 시숙에 들님이 없스미라 이 홀도적 심을 사세에는 찻을
길에 바이 없아오매 회한을 불급하나이다 오호 세월은 흘러
상전이 벽해로 변한 오늘 꿈같은 현실을
구권의 흘래 없이 굽혀지 감이 없다 하겟나이까 우리 엇지 사별년
고가를 떠나 대구땅에 오기 할줄 뉘가 짐작하엿을랴 수씨께서 정
인년 봄에 고토를 떠나시든 그날 수질 본 누수로 작별하시며 하신
팔삼 내 귀에 쟁쟁하나이다 그후 수씨는 거센 풍랑에 휩쓸며 부자

소제 또한 가슬끼리 못할 말을 수씨께 전하였으며,

더욱 대구에 우접하여 일실에 동거키로 수년이 되는 사이, 나를 항상 손과 같이 대하시고, 동온하청을 서로 뭇고, 일빈일소를 같이 하며, 밝은 가을 밤과 꽃 피는 봄 앗참에 흉금을 상조한지 사십 년간을 일관하여 왓으니, 법으로는 수숙지간이나, 정이로는 자모에 다름없고, 정말 나의 시승에 틀님이 없소이다. 이 훈도 덕성을 삿세에는 찻을 길이 바이 없아오며, 회한을 불금하나이다.

오호 세월은 흘너 상전이 벽해로 변한 오늘, 꿈 안인 현실을 굽어볼 때, 엇이 금석지감이 없다 하겟나이까? 우리 엇지 사백 년 고가를 떠나 대구땅에 우거할 줄 뉘가 짐작하엿을랴? 수씨께서 경인년 봄에 고토를 떠나시든 그날, 숙질분 누수로 작별하시며 하신 말삼 내 귀에 쟁쟁하나이다. 그 후 소제는 거센 풍낭에 휩쓸여 부자

저도 가족한테는 못할 말을 형수님께는 올렸지요.

더욱이 대구에서 생활할 때, 같은 집에서 여러 해 사는 동안, 저를 항상 손님과 같이 대하시고, 겨울에는 따뜻하게 지내는지 여름에는 시원하게 지내는지 서로 물었지요. 한번 찡그리고 한번 웃고 하는 것을 같이하며, 밝은 가을 밤과 꽃 피는 봄 아침에 흉금을 털어놓은 지 40년간을 일관하여 왔으니, 법적으로는 형수와 시동생 사이지만, 정으로는 어머니와 아들에 다름없고, 정말 제 스승에 틀림이 없습니다. 형수님의 가르침과 덕성을 더 이상 이 세상에서는 찾을 길 전혀 없으니, 회한을 금치 못하겠습니다.

아, 세월은 흘러 뽕나무밭이 바다로 변한 것만 같은 오늘, 꿈 아닌 현실을 굽어볼 때, 어찌 격세지감이 없다 하겠습니까? 어찌 우리가 400년 고택을 떠나 대구땅에 우거할 줄 그 누가 짐작이나 하였을까요? 형수님께서 경인년(1950년) 봄에 고향땅을 떠나시던 그날, 숙부와 조카가 눈물 흘리며 작별하시면서 하신 말씀, 제 귀에 쟁쟁합니다. 그 후 저는 거센 풍랑에 휩쓸려

유의 몸이 되여 신경을 쳘폐한지 일년이 넘도록 삼백여 미
쳔도에 복자 상봉이 어이 그리 극난툰고 종천운원을 향하야 절
축하수헌나 소졔 죄역이 미진하와 신묘사월 오일에 심화 작병
하사 거작사세하시니 이몸이 천양간 죄인이라 오흡다 나의 복주
엇지 명목하셧을리 불효자를 이세상에 두셧으나 포함이
업ᄉ으실가 이 모든 사실을 수씨는 소소이 아슬지라 구쳔 연뫼
에서 숙질현 만나시거던 금일 소자의 졍경을 빠집 업이 알
외소서 유명 양쳐이 이다지 현수한가 오회라 령해 이월 호일
군의 참서는 이제 새삼스러 수씨 심경을 괴롭힐가 말하지 안수이
다 그러나 항상 못 잇어하시든 백아 형제는 이제 철이 들어 장내가
축망되나 감히 상심마실지며 이가정에 모든 시름 형수께 아슬
진대 명제에 서든 길이 읍우하사 졍구 군에 복하된 모든 책무를

유의 몸이 되여, 신정혼정을 철폐한 지 일년이 넘도록, 삼백이 전도에 부자상봉이 어이 그리 극난튼고? 동천운원을 향하야 절축하수터니, 소제 죄역이 미진하와 신묘 사월 오일에 심화 작병하사, 거작사세하시니, 이 몸이 천양간 죄인이라.

오홉다, 나의 부주 엇지 명목하섯을리? 불효자를 이 셰상에 두섯으니 포함이 없으실가? 이 모-든 사실을 수씨는 소소이 아슬지라. 구품 연대에서 숙질분 만나시거던 금일 소자의 정경을 빠짐 없이 알외소서. 유명 양격이 이다지 현수한가?

오회라 정해 이월 호일 군의 참서는 이제 새삼스리 수씨 심경을 괴롭힐가 말하지 안소이다. 그러나 항상 못 잊어 하시든 백아 형제는 이제 철이 들어 장내가 촉망되니, 과히 상심 마실지며, 이 가정에 모-든 시름 형수씨 아슬진대, 명계에서도 길이 음우하사, 정구 군에 부하된 모-든 책무를

부자유한 몸이 되어, 부모님 잠자리 살펴드리는 일 그만둔 지 1년이 넘도록, 300리 가는 길에, 부자 상봉이 어찌 그리 어려웠던가요? 동쪽하늘을 향하여 간절히 두 손 모아 빌며 축원하였건만, 제 죄값이 너무 커서, 이듬해인 신묘년(1951) 4월 5일에 심화병이 생겨 이 세상을 떠나시니, 이 몸이 천지간의 죄인입니다.

아, 우리 아버지, 어찌 눈을 감으셨을까요? 불효자를 이 세상에 두고 가셨으니, 품은 한이 없으실까? 이 모든 사실을 형수님은 소상히 아실 것입니다. 극락세계에서 숙부와 조카를 만나시거든, 오늘 저의 심경을 빠짐 없이 아뢰어 주세요. 이승과 저승의 차이가 어찌 이다지도 다르단 말입니까?

아, 정해년(1947년) 2월, 호일 군이 세상 떠난 비극은, 이제 새삼스레 형수님의 심사를 괴롭힐까하여 말씀드리지 않겠습니다. 그러나 항상 못 잊어 하시던 원백과 원복 형제는 이제 철이 들어 장래가 촉망되니, 너무 상심 마십시오. 이 가정의 모든 시름, 형수님이 다 아시니, 저승에서도 길이 도우셔서, 정구 군에게 맡겨진 모든 책임을

가 있으시기를 바라나이다 오ㅣ 수씨는 이 인간세게에 오셔서 적지 않은
업적을 남기고 가셧나이다 자손이 창대하고 숙수 지절은 선빈후유
하엿으며 천사 만난으로 가장한 이사회에 천의 감복을 받은자
만사중에 가신 형수씨 무순 회환이 있으리오 사자불비 생자비라 오늘
몃사람이 영결에 슲어함은 천일에 갑진 보수의 대상이라 오호ㅣ
만사는 망양이라 단아의 범절과 자양실화는 찾어볼곳 바이없으며
나의 천언 만어가 소용이 무엇인고 대성장호로 불러가오며 불러
존영은 이술잔을 드시옵고 길이길이 안면하소 오호애재 상향

머자는 앞날에 완수하여, 우리 가문이 빛나기를, 존영은 끝없는 원조가 있으시기를 바라나이다.

오- 수씨는 이 인간세계에 오서서 적지 않은 업적을 남기고 가섯나이다. 자손이 창대하고 숙수지절은 선빈후유하엿으며, 천사만악으로 가장한 이 사회에 선의 감복을 받은 자 만사오니, 가신 형수씨, 무슨 회환이 있으리오? 사자불비 생자비라. 오늘 뭇 사람이 영전에 슲어함은 전일에 갑진 보수의 대상이라.

오호- 만사는 망양이라. 단아의 법과 자양 설화는 찻어볼 곳 바이 없으며, 나의 천언만어가 소용이 무엇인고? 대성장호로 물너가오니, 불매 존영은 이 술잔을 드시옵고, 길이길이 안면하소. 오호 애재 상향.

머잖은 앞날에 완수하여, 우리 가문이 빛나도록, 형수님의 끝없는 원조가 있으시기를 간절히 바랍니다.

아, 형수님은 이 인간세계에 오셔서 적지 않은 업적을 남기고 가셨습니다. 자손이 창대하고, 형수와 시동생 사이의 예절은 손님을 잘 대접하듯 하였으며, 일마다 악이 가득한 이 사회에서, 형수님의 영향을 받아 감복한 사람이 많으니, 가시는 우리 형수님, 무슨 회환이 있겠습니까? 죽은 사람은 슬프지 않고, 산 사람은 슬프다고 하였습니다. 오늘 뭇 사람이 형수님의 영전에서 슬퍼하는 것은 전일에 베푸신 일에 대한 값진 보답입니다.

아, 인생 만사, 길이 많아 잃은 양이 어디로 갔는지 찾기 어렵듯, 그렇게 어렵습니다. 형수님의 단아하신 법도와 모습과 말씀은 찾아볼 곳 전혀 없으며, 제 구구한 말씀이 무슨 소용이 있겠습니까? 크게 울부짖으며 물러가오니, 밝으신 형수님의 혼령께서는 이 술잔을 드시옵고, 길이길이 안면하십시오. 아, 애통합니다. 흠향하십시오.

감상 및 해설

우리 엇지 사백 년 고가를 떠나 대구땅에 우거할 줄 뉘가 짐작하엿을랴? 수씨께서 경인년 봄에 고토를 떠나시든 그날, 숙질분 누수로 작별하시며 하신 말삼 내 귀에 쟁쟁하나이다.

경인년(1950년)에, 400년 고택을 떠나 대구땅으로 이사해서 생활한 일을 회고한 대목이다. 6·25가 우리의 생활을 뿌리째 흔들었던 상황을 잘 보여주고 있다. 전통적으로 양반 가문의 체통을 유지하기 위해서 필요한 게 세 가지였다. 족보, 호(號), 고택이었다. 이렇게 생명같이 여겼던 고택이지만, 생존을 위해 피난하여, 대구라는 타지로 옮겨 갈 수 없도록 떠민 것이 6·25였다는 사실을 이 대목은 증언한다. 다시는 되풀이해서는 안될 민족의 비극임을 일깨워준다.

26. 큰오빠 영전에

1967년, 박재연 교수 소장, 세로 28.5㎝, 가로 129.8㎝

졔문

유셰차 졍미 팔월 신미삭 초구일 기오 난자 어백 남진
양하 공슉자 부군 졔용지 일애라 젼일 셔무인에
블쵸매 졔항안조실은 홰만지통을 이긔슈 업사와
한잔 술과 두어 줄 글로 약간 긔록하여 올리며 존영지
하에 재배 통곡하옵고 아래 고취하옵 통책이 어
재할 누슈가 피빨갓치 소사 슈장 만쥭지에 헐두
을 뵈려 난듯 지젼에 만나 [나떠] 졍신 혼미하여 자
셰이 아뢰지 못하겠사오나 붓을 매하압신 옵마 영
혼은 아압이 여기시거던 져의 둥셔하셔는 생시갓치만
기시던 유졍케 강쳥하옵슈셔 오호 통재며 오호 셕재라
옵마마으로 쳔지만물 생긴 후로 음양조화 배판하
여 건도난 셩남하고 곤도난 셩녀하여 우리형졔

유세차 정미[132] 팔월 신미삭 초구일 기묘난 즉 아 백남[133] 진양 하공 슈사 부군 중상지일야라. 전일 석 무인에 불초 매졔 함안 조실은 활반지통을 이질 슈 업사와, 한 잔 슐과 두어 쥴 글로 약간 기록하여, 옵바 존영지하에 재배 통곡하옵고 아레고저 하오니,

홍격이 억새하고, 누슈가 피발갓치 소사 소상강 반죽지에 혈누을 뿌려난 듯, 지면에 만만니 나려 정신니 혼미하여, 자세이 아레지 못하겻사오니, 불매하압신 옵바 영혼은, 아암이 겨시거던 거의 용서하시고, 생시갓치 반기시고 유졍케 감청하옵소서.

오호 통지며 오허 이지라. 옵바 옵바요 천지 만물 생긴 후로 음양 조화 배판하여, 건도난 성남하고, 곤도난 성녀하여, 우리 형제

아, 정미년(1967년) 8월 9일은 곧 우리 맏오빠 진양 하공 수사 부군의 중상일입니다. 그 전날 저녁에, 불초한 누이 함안 조실은 할반지통 즉 형제자매가 죽어 몸의 반쪽을 베어내는 듯한 고통을 잊을 수 없어, 한 잔 술과 두어 줄 글을 약간 기록하여, 오빠의 영전에 재배 통곡하며 아뢰고자 합니다.

가슴이 콱 막히고, 흐르는 눈물이 핏발같이 솟아, 소상강 반죽이 자라는 곳에 피눈물을 뿌린 듯, 종이 위에 가득 내려 정신이 혼미하여, 자세히 아뢰지 못하겠습니다. 부디 바라건대, 밝으신 오빠 영혼은, 알고 계시거든 모두 용서하시고, 생시처럼 반기시고 정답게 들어주십시오.

아, 애통합니다. 아, 애통합니다. 오빠, 오빠, 천지 만물이 생긴 후로 음양 조화로 만물이 갖추어져, 하늘의 기운은 남자, 땅의 기운은 여자가 된 바, 우리 7남매도

132 정미 : 1967년.
133 백남 : 큰오빠.

칠남매가 부모 잃겨 해여다서 층이、잘라 날졔
구로하신 부모 은덕 태산갓치 놉하 잇슬 하해갓치
깁허잇소 애고、、우리 엄마 엄마 갓치 효성으로
부모 공덕 어이하리 씨다 공을 가시엿소 부모즁전도
라 놀즁을 (어이 알리) 모르시오 씨고、、천홍해라 엄마 갓치 너까
진은로 그리슈 아이 이별할 슈 저년 자마 물나 엿소오
효홍거며 쌔져라 엄마으 몽매한 이거이 무엇을 아
오리 만(가) 난 듯 삽기도 하고 베옷도 하온마 세〻 화벌
우리 가문 겨〻승〻 나려와서 우리 아부츄 삼형
졔분니 우새도 지중하신 가도〻 창성하며 후손도
흥성하야 가내가 화목하니 누라서 부러치 안니리엽
자오며 행리에서도 모범가(하)층하온 화기가 만당이라
이려정을로 저이들 칠남매가 순슈이 자라날 제 엄마는

칠남매가 부모임 겨태여 나서 층이 층이 잘라날 졔, 구로하신 부모 은덕 태산갓치 놉하 잇고, 하애갓치 깁허 잇소.

애고 애고 우리 옵바. 옵바갓치 호성으로 부모 공덕 어이하고 어나 곳을 가시엿소. 부모쥬 전 도라올 쥴, 어이 그리 모로시오. 이고 이고 원통해라.

옵바갓치 어지심으로 그리 슈이 이별할 쥴, 저넌 차마 몰나엿소.

오호 통지며 이지라. 옵바요 몽매한 이거이 무엇을 아오리가. 만난 듯 삽기도 하고, 베오기도 하온바, 세세화벌[134] 우리 가문 겨겨승승 나려와서, 우리 아 부쥬 삼형제 분니 우애도 진중하실가. 도도창성하며 후손도 흥성하야 가내가 화목하니, 누라서 부러치 안니리 업사오며, 행리에서도 모범가라 층하오니, 화기가 만당이라.

이려심으로 저이들 칠남매가 순슈이 자라날 제, 옵바는

부모님 곁에 나서 층층이 자라났죠. 수고하신 부모 은덕은 태산같이 높았고, 바다같이 깊었지요.

애고 애고 우리 오빠. 오빠같은 효성으로 부모 공덕 어이하고 어느 곳으로 가시었습니까? 부모님 앞에 돌아올 줄을, 어이 그리 모르시오? 애고 애고 원통해라.

오빠같이 어지심으로 그리 쉽게 이별할 줄, 저는 차마 몰랐어요. 아, 애통하며 애통합니다.

오빠, 무지몽매한 제가 무엇을 알겠습니까? 만나며 말씀드리기도 하고, 배우기도 하였지요. 대대로 고귀한 우리 집안, 계계승승 전해내려와서, 우리 아버님의 3형제 분들이 우애도 좋으셨지요. 후손도 홍성하여 가내가 화목하였으니, 그 누군들 부러워하지 않았겠습니까? 동네에서도 모범적이니 가문이라 일컫었으니, 평화스러운 기운이 집안에 가득했지요.

이래서 저희 7남매가 순순히 자라날 때, 오빠는

134 세세화벌(世世華閥) : 대대로 고귀한 문벌.

장남이라 덕우와 소중하신 몸이되 여천성이 순후정
지하야 약간 학업을 닥그지며 슈신제가지 본을 아르시고
년기 장성하여 명문호가 김씨문에 압재로 출입
하시여 현철하신 우리 형이 내측 편을 홍하시기 부덕
을 겸미하여 여행을 모를 마 한 가지도 넘자 옴 옵조속
여군자 호쥬라 천정이 지중커날 무정하옵 우리 옵바
어는 곳을 가시길내 소자 조차 돈절하옵 홍재며 서재라
능간하ᄂ 민활하신 우리 옵바 십팔세에 부모주전 세
염 맛다 근면절약하며 가산니 윤택하고 조위부모슬
하에 효성을 다하시ᄂ 봉제사 접빈객에 지성 갈력
하여 성이 곳 하시옴 장하시오 우리 옵바 자랑마다
칭찬니라 애석하오 우리 옵바 취산 사리 더저두ᄂ 여
네 흘의 더듸시오 세고 원홍해라 여셧형 아옵마 겨서 자ᄂ
년기 약관에 부모님과 의논하여 총서로 不혼하야 조

장남이라 더우나 소중하신 몸이 되어, 천성이 순후 정직하야 약간 학업을 싹그시여 슈신제가지본을 아르시고, 년기 장셩하여 명문호가 김씨문에 압재로 출입하시여, 현절하신 우리 형이 내츽편을 통하시며, 부덕을 겸비하여 여행을 모를 바 한 가지도 업사오니, 요조숙여 군쟈호규라.

천정이 지중커널 무정하요 우리 옵바, 어느 곳을 가싯길내 소식조챠 돈졀하요.

통재며 석재라. 능간하고 민활하신 우리 옵바, 십팔세에 부모쥬 전 세업맛다 근면 절약하며, 가산니 윤택하고 조위 부모 슬하에 효성을 다하시고,

봉제사 접빈객에 진심 괄역하여 성이긋 하시오니, 장하시오 우리 옵바. 사람마다 칭챤이라. 애석하요 우리 옵바, 치산사리 더저 두고, 어이 그리 더디시오?[135]

이고 이고 원통해라. 여려 형아 옵바겨서, 챠챠 년기 약관에 부모임과 의논하여 동서로 구혼하야, 조

장남으로서 더욱이나 소중하신 몸이었죠. 천성이 온순하고 정다우며 정직하여, 약간 학업을 닦자 수신제가의 근본을 깨쳤고요. 더 장성하자 명문인 김씨 가문의 사위가 되어, 탁월한 재능으로 출입하였지요. 어질기 짝이 없는 우리 형이 《내칙편(內則篇)》을 통달하시며, 부덕을 겸비하여 여자의 행실 가운데 모르는 게 하나도 없었으니, 말 그대로, 얌전한 숙녀로서 군자의 좋은 짝이었습니다.

하늘의 예정이 엄중하다고는 하지만, 참 무정합니다. 우리 오빠, 어느 곳에 가셨기에 소식조차 끊어졌단 말인가요?

애통하며, 애석합니다. 능력 있고 민첩하신 우리 오빠, 18세에 부모님한테서 조상 대대로 내려온 재산을 맡아, 근면 절약하여 가산이 윤택하고 조부모와 부모의 슬하에 효성을 다하셨습니다.

제사 모시기와 손님 접대에 진심으로 힘껏 성의껏 하셨으니, 장하십니다 우리 오빠, 사람들마다 칭찬입니다. 애석합니다, 우리 오빠, 집안의 살림살이 던져 둔 채, 어이 그리 돌아가셨습니까?

애고 애고 원통하여라.

135 미상임. 문맥상 '돌아가셨소?'인 듯.

흔하문가려여서 효즉을 정하실제 치혼백을
라인에 부렵 잔키 모뎌 잇게 하신오나 거륵하신오
리옵바 고장인들 넘ᄉ더시며 민첩한 우리형이 치산
체혼 골물중에 현쳐하기 행하시니 가중이화목
할 종족가에 칭현니라 이션이을 약을 잡고 백슈
동낙하실줄을 실중에 갈까더니 쌍고ᄂᆞ 여불해라
한번가면 못온길은 이세상에 넘것마넌 그길은 너어하
여다 실을줄 불오시오 숑송예(?)송오씨 계다 강광하신
기럭 품오 우연니 득병하여 백약이무효 하야 육순도
경 우리부족 별라는 건강애 실정 무순수를 하드라도 봅
바회 생시기와 풍우한서 무릅스고 동분서주하시오
며 신주약을 구하여서 년월년일 복용하나 서천약

흔 가문 가리여서 호규을 정하실 제, 치혼 범백을 타인에 부럽쟌키 모범 잇겨 하시오니, 거록하신 우리 옵바 고상인들 엇더시며, 민쳡한 우리형[136]이, 치산 치혼 골몰 중에 현철하기 행하시니, 가중이 화목하고, 종족간에 칭현니라.

이련 이을 약을 삼고, 백슈동낙하실 쥬을 심즁에 갈마더니[137], 익고 익고 억울해라.

한 변 가면 못 온 길은 이 세상에 업것마넌, 그 길은 어이하여 다시 올쥴 모르시요.

오호 통직며 오호 익직라. 강쟝하신 기력으로 우연니 득병하여 백약이 무효하야, 육순 노경 우리 부쥬, 별다르신 쟈애 심정 무슨 수을 하드라도, 옵바 회생 시기라고 풍우한서 무릅스고 동분서쥬하시오며, 신구약을 구하여셔 년월 년일 복욕하나, 서천 약

여러 언니와 오빠께서, 차차 약관의 나이에 부모님과 의논하여 여기저기 혼처를 구해, 좋은 가문을 가려서 짝을 정하셨지요. 혼례의 모든 절차를 남부럽잖게 모범적으로 하셨으니, 거룩하신 우리 오빠가 얼마나 고생하셨겠으며, 민첩한 우리 올케도 살림살이와 혼사에 골몰하시되 현철하게 처리하여, 집안이 화목하고, 친척들 모두가 어질다고 칭찬하였지요.

이런 일이 약이 되어, 오래 오래 함께 즐겁게 사시리라 심중에 간직하고 있었더니만, 애고 애고 억울하여라.

한 번 가면 못 오는 길이란 이 세상에 없건만, 그 길은 어이하여 다시 올 줄 모르시나요?

아, 애통하고 애통합니다. 강건하신 기력이었는데 우연히 병이 나서 백약이 무효하였지요. 육순 노경이신 우리 아버님의 특별하신 그 사랑으로, 무슨 수를 쓰더라도 오빠를 회생시키려고 비바람과 추위와 더위를 무릅쓰고 동분서주하셨지요. 예전의 약과 새로 나온 약을 모두 구하여서, 달마다 날마다 이어서 먹였으나,

136 우리 형 : 오빠의 부인 즉 올케.

137 갈마더니 : 저장해 두었더니.

호빠 이엽서 호련업셔ᄋᆞ 반자 웁어져시니 싀고ᄂᆞᆫ 원통회다
우리부모ᄌᆞ슈 ᄯᅥᆨ나지 롱은 제송절 ᄀᆡᆨ뢰 얄슈업사오ᄆᆡ
원통ᄒᆞᆫ 우리 형이 옵빠 명세 최두 스길 낙ᄋᆞᆯ 즉소로 악
향을 친니 잡아 누월로 겨속ᄒᆞ나 화안유성을로 한굳 ᄆᆞᆺ
치규환ᄒᆞ온날 옛날 열행부연 신들 형야 ᄲᅦ더 햇시ᄃᆡ
싀고ᄂᆞᆫ 옵빠은 옵빠 갓치 현상을로 인자슈을 못ᄒᆞ션구
천에 영미서으 헌철ᄒᆞᆫ 우리 형이 회원에 맺친 스ᄅᆡ 괁
아드 ᄯᆞᆯ슈 업사온 질ᄒᆞ아 둘 칠남매에 어린 것들 홀후
인통ᄒᆞᆫ 만 양은 찬ᄒᆞ아 몰슈 견ᄃᆡ 엽소 명이슈야 조흘
이 지기ᄒᆞ옵인가 호자에다 ᄇᆞ련가 옵빠 연세 자셥일세
가원명이 안ᄃᆡ세 라 천도가 쟝만에 일을 피려ᄒᆞ옵니
라 울롱ᄒᆞ며 울롱의 져라 옵빠오 옛말에 ᄒᆞ엿기로 쟝가에

효 바이 업서 호련 일석에 만사을 이저시니,

ᄋᆡ고 ᄋᆡ고 원통ᄒᆡ라. 우리 부모쥬 역리지통은 졔송 절박 뵈알 슈 업사오며, 원통한 우리 형이, 옵바 병세 회두 스길 낙고[138], 쥬소로 약탕을 친니 잡아 누월로 겨속하나, 화안 유성으로 한 글갓치 규환하온 닐, 엣날 열행부인인들 형아에 더했시리.

ᄋᆡ고 ᄋᆡ고 옵바요. 옵바갓치 현심으로 인자슈을 못하시고, 구천에 영비[139]날시요. 현철한 우리 형이 ᄋᆡ원에 맷친 소리, 참아 드랄 슈 업사오고, 질아들 칠남매에 어린 것들, 호부 ᄋᆡ통하난 양은, 챰아 볼 슈 전니 업소.

명야 수야 조물리 시기하옴인가, 호사에 다마런가, 옵바 연세 사십일세가 원명이 안니시리라. 천도가 상반에 일윤니 괴려하옴이라.

오호 통지며 오호 ᄋᆡ지라. 옵바요, 엣말에 하엿기로, 상가에

약효가 전혀 없어 홀연히 하루 아침에 만사를 잊으셨습니다.

애고 애고 원통하여라. 우리 부모님께서 자식 앞세운 슬픔 당하신 고통은 죄송하여 차마 뵈올 수 없으며, 원통한 우리 올케, 오빠 병세 회복시키기 위해 고생을 즐거움으로 알고, 밤낮으로 탕약을 친히 잡아 여러 달 계속했지요. 화안, 유성으로 한결같이 구완한 일, 옛날의 열녀들인들 우리 올케보다 더했을까?

애고 애고 오빠요. 오빠같이 어진 마음으로 장수를 못하시고, 구천에 혼령이 되어 날아가시다니요? 현철한 우리 올케의 원망어린 소리, 차마 들을 수 없고, 조카들 7남매 어린 것들, 아버지 부르며 애통해하는 모양, 차마 전혀 볼 수 없습니다.

운명이 그런 건가요, 수명이 그런 건가요? 아니면 조물주가 시기해서 그런 건가요? 호사다마라 그런 건가요? 오빠의 연세 41세가 설마 제 명은 아니겠지요. 천도(天道)가 우리 기대와 상반되었으며, 인륜과도 어긋나고 말았습니다.

아, 애통하고 애통합니다. 오빠요, 옛말에 일렀지요. 상가에서는

138 낙고(樂苦) : '고생을 즐겁게 여김'의 뜻인 듯.

139 영비(靈飛) : '영이 되어 날아감'의 뜻인 듯.

난걸ᄌᆞ가엽난배되하옵ᄂᆞᆫ동기지간에대복이잇난배요소
용엽난이여전년에부ᄌᆞ명영ᄯᅩ차금연ᄉᆞ월에성혼
하여함안조씨문을로삼일만에출가하옵아무리불
출화저의오나동기지정에쟈연옵매생각누ᄎᆞ가중항
하여지척을분별치못하엿사오며원슉조다ᄂᆞᄂᆞ녀자유
행원슉조다씨고옵매으소ᄉᆞ에ᄯᅩᆺ쟈중장이중장여다여나
곳을향하옵더니나셜에쟝풍할전경에ᄒᆞ믈은무ᄌᆞ미
구비눈물리옷후원에놉흔봉은ᄀᆡᆯᄀᆡᆯ나슨풀이라우리남매
만간정곡과회저ᄀᆡᆫ만천지도부족이라초도못하옵나옵매
혼영은만ᄉᆞ용서하시옵고부ᄌᆞ초매저조ᄒᆞ뵈옵나난한잔술을
싱시갓치받기실서기를경하옵노서오호통재여오호외재상향

난 길사가 업난 배라 하옵고, 동기지간에 대복이 잇난 배요, 소용 업난 이 여제넌 아부쥬 명영 쫏차, 금연 이월에 성혼하여 함안 조씨 문으로 삼일 만에 출가하오니, 아무리 불초한 저의오나, 동기지정에 자연 옵바 생각 누슈가 종형하여, 지척을 분별치 못하엿사오며, 원슈로다 원슈로다 녀자 유행 원슈로다.

ᄋᆡ고 옵바요, 속예 쫏챠 중상이 종상이라. 어나 곳을 힝하오며, 어나 ᄊᆡᆺ에 상봉할고. 전겨에 흐른 무른 구비구비 눈물리요, 후원에 놉흔 봉은 면면니 슬품이라.

우리 남ᄆᆡ 만단 정곡 다하ᄌᆡ면, 만권지도 부족이라 초도 못하오니, 옵바 혼영은 만만 용서하시옵고, 불초 매제 조실의 올니난 한 잔 술을 ᄉᆡᆼ시갓치 반기시고, 서기 흠격하옵소서.

오호 통ᄌᆡ며 오호 ᄋᆡᄌᆡ 상ᄒᆡᆼ

길사가 없는 법이고, 동기지간에는 큰 복이 있는 법이라고요. 쓸모없는 이 여동생은 아버님의 명령을 따라, 금년 2월에 혼인하여 함안 조씨 가문에 3일 만에 출가하였습니다. 아무리 불초한 저이지만, 동기간의 정 때문에 자연히 오빠 생각으로 눈물이 흘러내려, 지척을 분별치 못하겠습니다. 원수같습니다, 원수같습니다. 여자의 처지가 원수같습니다.

애고 애고 오빠요. 시속의 예절을 따라 오늘 중상일이 곧 종상일입니다. 오빠를 보기 위해 어디로 가야 하며, 어느 때에나 상봉한단 말입니까? 앞 시내에 흐르는 물은 구비구비 내 눈물이요, 후원의 높은 봉우리는 면면한 내 슬픔입니다.

우리 남매의 쌓인 사연을 다 표현하자면, 만 권의 종이도 부족합니다. 조금밖에 못 썼으니, 오빠의 혼령께서는 부디 용서하시고, 불초한 이 누이 조실이 올리는 한 잔 술을 생시같이 반기시고, 모쪼록 기쁘게 드십시오.

아, 애통하며 애통합니다. 흠향하십시오.

감상 및 해설

본문에서 여성의 가치를 스스로 폄하하는 표현이 나온다. 어찌보면 격세지감을 느끼게 하는 대목이다.

> 소용 업난 이 여제넌 아부쥬 명영 쫏차, 금연 이월에 성혼하여 함안 조씨 문으로 삼일만에 출가하오니

바로 이 대목이다. "소용 업는" 존재라고 했다. 왜 그랬을까? 말할 것도 없이, 여자는 출가외인이라는 관념 때문이다. 한번 시집 가면 시댁 귀신이 되라는 사고가 여기 나타나 있다.

> 읻고 옵바요, 속예 쫏챠 중상이 종상이라.

마지막 부분의 이 대목도 전통사회에서 여성이 처했던 현실을 확인하게 한다. 중상에 참석했으나 종상에는 올 수 없었다고 되어 있기 때문이다.

27. 어머니 영전에

1967년, 임기중 편《역대가사문학전집》45책, 2156번 자료

2156

제문

유세차
경미 육월 슌일 일은 못ᄒᆞ
지앙 졍셔 죽상 졔일이라
젹문 서 신 둑 뎍 에 차녀 거 참
시설은 항서 일 묵 비복 지
졍을로 령위 지하에 고ᄒᆞ
여 고ᄒᆞ압나이다
오호통재 매재라 현모
야 슉녀의 졍상을 두위 졸
알괴온니 세ᄉᆞ 슈찬ᄒᆞ압
서 오호통재오 현모야 자셕
동리니로 향슈ᄒᆞᆫ시물 초죽
슈ᄒᆞ옵ᄂᆞᆫ 이차의 상졍이나
우리 모슈ᄂᆞᆫ 남달른 오천지
라 망슈 무량대공 지기ᄒᆞ압
고 축원ᄒᆞ엿든니 천귀
감ᄉᆞᄒᆞ고 중일이서 그ᄒᆞ여
우리 모쥬 칠순 상세 일생
을로 병용혹 천순일이온
슈삼애기 실인ᄂᆞᆫ 천만ᄉᆞ 뜻의
에모 형ᄇᆡ시 짐최 히졈지 초견
행구ᄒᆞ려나ᄉᆞ 장노뎌나을
계심ᄇᆡ경을 모비ᄂᆞᆫ 망극이서
가차 밧비 가ᄉᆞ어 바명세 없ᄉ
ᄒᆞᆫ 망극은 시급ᄒᆞ다면 길
을 모중일 당지 낭서 양
새나 당동ᄒᆞ여 대문 앞에 둘

유세차 정미 육월 슌일일은 모쥬 진양 정씨 종상 제일이라. 전일석 신츅에 차녀 거창 신실은 황서 일폭 비복지전으로 영위지하에 읍소하여 고합나이다.

오호 통재 애재라. 현모 현모야! 소녀의 정사을 두워 쥴 알외온니, 세세 수찰하압소서. 오호 통재요 현모야. 자식 도리 부모 향슈하시물 축슈하오문, 인자의 상정이나, 우리 모쥬는 남다른 소천지라. 만슈무광 태공지슈하시라고 축원 축원하엿든니, 천귀가 무정하고 조물이 시긔하여, 우리 모쥬 칠슌 삼세 일생으로 병오 육월 슌일일은 무삼 액일인고?

천만 뜻외에도 병부 맛처 허겁지겁 행구 차려 낙낙 장노 떠나올제, 심즁으로 비는 마음, 어서 가자 밧비 가서 어마 병세 엇드한고? 마음은 시급하나 먼먼 길을 온종일 다 지나고 석양 쌔나 당도하여, 대문 안에 들

아, 정미년(1967년) 6월 10일은 우리 어머니 진양 정씨의 종상일입니다. 전날 저녁에 차녀 거창 신실은 거친 글 한 폭과 변변찮은 제물을 갖추어, 영전 아래에서 눈물로 고합니다.

아, 애통하고 애통합니다. 어머니, 어머니! 이 딸의 사연을 두어 줄 아뢰니 자세히 살펴 주세요.

아, 애통합니다. 자식의 도리로서 부모님께서 장수하시기를 축원하는 것은 인지상정입니다. 하지만 우리 어머니는 남다른 분이시라. 만수무강한 가운데 오래오래 사시라고 축원하고 또 축원하였더니만, 하늘과 귀신이 무정도 하고, 조물주가 시기하여, 우리 어머니 칠순 연세로, 병오년 6월 10일에 이 무슨 액운이란 말입니까?

천만 뜻밖의 병 소식 듣고, 허겁지겁 행장 차려 먼 길을 떠나올 때, 마음 깊이 빌었지요. '어서 가자. 어서 가자. 바삐 가서 엄마의 병세 어떤지 알아 보자.'

마음은 급하나, 먼먼 길이라 온종일 다 지나고, 석양 때나 당도하여, 대문 안에 들어서니

어서어서 진몰하야 이원 일은
곡성이 진동하여 강혈이 하
는 맘이 애그 원통 이사람아
화식 같은 빗비오세 자네 기달
나 하심인가 참아〻 시고라
가시 가전에 운명이라니
애그 원통 지고 이외온고 못내
하든 수아 찾소 불여 앞으로 통곡
해도 어마 혼령 알음 없서
자는 듯 누웠시니 일월이 참
색하고 천지 뒤집는 듯 애
통코 뒤끌나니 저의들 애끌
는 심정 일분도 알음 없서
다정이 말하신 어마의 혼령을

그 누가 아사 가손 청상으로 앗사
갈 원통지고 나의 어마 백
년이나 계실가 바섰아 하니
믿듯 드니 애고 정말 죽음
길이 일은 갈오 뵐 일이 무량
하고 촉목도 설어운 듯
애고 원통 어마 호그릿든고
행상에 안장하사 상여 적
선 오랄 잇가 때 옷차 찌는 듯
삼는 듯 국심 더워 혈 곤연
나〻 장노 어이 갈고 호화
길은 단니든 길은 훈산으로 도
라 가오 일 먼 닫서 영결 안니
하삼고 그저 엄서 고행친척

어건니, 진야몽야 이 원 일고?

곡성이 진동하며 가형의 하는 말이, 애고 원통 이 사람아, 한 시간만 밧비 오제. 자네 기달나 하심인가. 참아 참아 신고타가 시간 전에 운명이라니, 애고 원통지고 이 윈 일고? 못내 하든 소녀 왓소. 불너바도 통곡해도 어마 혼영 아름 업서, 자는 듯 누웟시니, 일월이 합색하고 천기 뒤눕는 듯 애통코 뛰굴니나 저의들애 끌는 심정 일분도 아름 업서, 다정인좌하신 어마의 혼영을 그 누가 아사갓소? 천상으로 아사갓소?

원통지고 나의 어마, 백년이나 게실까바 설마한니 믿듯든니, 애고 정말 죽음 길이 일은가요? 일월이 무광하고 초목도 서러어운 듯, 애고 원통 어마 어마요. 그리는 고행 짱에 안장할 사 삼대 적선 보람인가? 쌔좃차 찌는 듯 삼는 듯 극심 더위 멀고 먼 낙낙장노 어이 갈고?

호화 기분 단디든 길 호상으로 도라가요. 일언 업시 영길 간니, 한심코 그지업서, 고행 친척

꿈인가 생시인가? 이 무슨 일인고?

곡성이 진동하며 올케가 나더러 이렇게 말한다.

"애고 애고, 원통하여라. 이 사람아, 한 시간만 먼저 오지. 자네 기다리느라 그러시는지, 참고 참으며 계시다가, 한 시간 전쯤 운명하셨다네."

애고 애고 원통합니다. 이 웬일이란 말입니까? 못 잊고 기다리시던 제가 왔어요. 불러 봐도 통곡해도, 엄마 혼령은 알아보지를 못해, 자는 듯이 누워만 계시네요. 해와 달이 붙어 버린 것만 같아, 애통하며 데굴데굴 구릅니다. 저희들의 애끓는 심정, 조금도 알지를 못하시니, 다정하고 인자하셨던 엄마의 혼령을 그 누가 빼앗아 갔단 말입니까? 천상으로 빼앗아 갔나요?

원통합니다 우리 어머니, 백년은 사시겠지, 설마하며 믿었더니만, 애고 애고 정말 죽음이 찾아온 건가요? 해와 달이 빛을 잃고, 초목도 서러운 듯, 애고 원통 엄마 엄마요. 그리던 고향 땅에 안장하였으니, 3~4대 적선한 보람인가요? 찌는 듯 삶는 듯이 극심한 더위에, 멀고 먼 길을 어이 갈까요?

환한 기분으로 다니던 길을 오늘은 장례를 위해 돌아가네요. 한마디 말도 없이 이 길을 가니, 한심하기 짝이 없습니다. 고향 친척과

동리 사람편ㅣ 이어마 혁실실
갈수록 원이 원통하여서 원근친
척 노소 없시 슬퍼하기는 더원
을 무릅쓰고 편히 안장하신
후에 상제님의 극진하시므로
리어마 극락세게 가시라고
상십구제 되실적에 법당에서
슈려 경치 웅장한 광당에
서 어마 사진 뫼시 놓코 극락세
제 축원할 제 어마영혼 제
시오면 거룩하신 주승님의
축원을 소ㅣ인도 받닷지요
가신 길이 어데면요
유수 세월 상막 중에 더욱 빨

나어나 닷어마 기년 닥처온
비이 불효여서 오ㅐ날밤 안니고
야 어느날에 어마 말슬 녀 일곡
원정하 오의 요어미ㅣ야
황산 시실 원 정이니세ㆍ수
찰하압 소서
작년 사월 초사일은 날 여사 차
자 옷 쏠때 상봉이 반가우나
이별관섭ㆍ 이생각하고 금
한 어망금이 모녀 이별막측
델줄 내몰낳고 신영이슬 덧
든가 어마의 흔 못 자해 끝중에
사못치는 미련을 남기심연지
머나먼 곤행자 차려대로

동리 사람 면면이 어마 현심 일 가트며, 원억 원통해하면서, 원근 친척 고소 업시, 숨막키는 더위을 무릅쓰고 편히 안장하신 후에, 상제임의 극진 효심 우리 어마 극락세게 가시라고, 사십구제 뫼실 적에, 범어사 슈려 겡치 웅장한 광당에서 어마 사진 뫼시 놓코, 극락세게 츅원할제, 어마 영혼 게시오면 거룩하신 쥬승님의 츅원으로 소소 인도 밧닷지요.

가신 길이 어데며요? 유슈 세월 상막 즁에, 더욱 빨나 어나닷 어마 기년 닥처온이, 불효 여식 오날 밤 안니고야 어느 날에 어마 불너 일곡 원정하오리요? 어마 어마야. 황산 실실 원정이니, 세세 수찰하옵소서.

작년 사월 초사일날 역식 차자오실쓸 쌔 상봉이 반가우나, 이별만 섭섭이 생각하고, 우둔한 이 마음이 모녀 이별 막죽 델 줄 내 몰낫소. 신명이 쏠엇든가, 어머의 흐뭇 자애 골슈에 사뭇치는 미련을 남기심인지, 머나먼 고행 행차 차려대로

동네 사람들 모두가 어머니의 현명하심을 칭송하며, 원통해하네요. 원근의 친척이 보는 가운데, 숨 막히는 더위를 무릅쓰고 편히 안장한 후에, 상주의 극진한 효심으로, 우리 엄마 극락 가시라고, 49제 뫼셨지요. 범어사 수려한 경치와 웅장한 법당에서 엄마의 사진 뫼셔 놓고, 극락세계를 축원했지요. 엄마의 영혼이 계시면, 거룩하신 주지스님의 축원으로 극락 인도를 받으셨겠지요.

가신 길이 어디인가요? 유수같은 세월이 상가에서는 더욱 빨라, 어느덧 엄마의 1주기가 닥쳐왔네요. 불효한 이 딸은 오늘밤이 아니면 어느 날에 엄마를 불러 한마디 말씀을 올릴 수 있겠습니까? 엄마 엄마야. 황산 실실의 말씀이니, 세세히 살펴 주세요.

작년 4월 4일, 저희 집에 찾아오셨을 때 상봉이 반가웠으나, 이별만 섭섭하게 생각하고, 우둔한 이 마음으로, 그게 우리 모녀의 마지막 이별이 될 줄은 미처 몰랐어요. 신명께서 마음이 쏠리게 하셨던 것인지, 엄마의 자애를 골수에 사무치게 하려는 미련을 남기시려 그런 것인지, 머나먼 고향 행차를 차례대로

장녀차녀다 ㅣ 차자서고행
당여갓나요
애고원통 우리모녀만 곡경치
하신말삼 형부의 인후성덕
중요자태 소녀심중 더욱잇나
원통지고 죽음이요 인생무
상 조승함은 어느누게 알라 불
효뜻을 알애 공순잔다 금년다서
사라다고 동천에 둥근달이
동굴기 여전한대 어마는
가고 엄서 슬푸다 우리 인생
초로갓치 스러젓네
갑은 실일 그동안도 지성효도
다못하고 홍 ㅣ 이셔나실제모
녀이별 서러운중 그말삼이

막죽인가 슬어 삽고 하신말
삼 손어머 칵한게 ㅣ 데면다
시 차자 음쉬 시나녀는 그간
언제 올래 하시 둥고 행당여
가신후에 잇삼실이 제 못데
여 무삼길을 그라저 포밧비 ㄱ
갓나모 애것하신애 자내
의 못내걸여 하신 여식 저의
형제만 찬은 삼남매에 하
실말숨 안건만는 한말삼 남
김업시 못중길이 그리 벗해
어느원기 재촉하여 그다지도 급
히 떠나갓소
오호통재 ㅣ 라, 어마 ㅣ 야 혼령

장녀 차녀 다다 차자서 고행 단여 가싯나요?

애고 원통 우리 모녀 만곡 정회 하신 말삼 현모의 인후 성덕 조요 자태 소녀 심즁 더 긇이나 원통지고 죽음이요. 인생 무상 조상함을 어느 누게 아라볼고? 뜰압에 고운 잔디 금년 다시 사라나고, 동천에 둥근 달이 둥굴기 여전한대, 어마는 간 곳 업서, 슬푸다 우리 인생, 초로갓치 스러졋네.

잛은 시일 그동안도 지성 효도 다 못하고, 총총이 쎠나실 제, 모녀 이별 서려운 즁 그 말삼이 막죽인가? 소녀 잡고 하신 말삼, 손아 대학 합격데면, 다시 차자올 거시니, 너는 그간 언제 올래 하시든니, 고행 단여 가신 후에, 이십일이 채 못 데여, 무삼 길을 그다지도 밧비밧비 가싯나요?

애즁하신 애자내의 못내 결여 하신 여식, 저의 헹제 만찬은 삼남매에 하실 말슴 만컨만는, 한 말삼 남김 업시 무상 길히 그리 밧바 어느 원기 재촉하여, 그다지도 급급히 떠나싯소?

오호 통재라. 어머 어마야. 홀영

장녀와 차녀 모두 다 찾아서 다녀가셨지요.

애고 애고 원통한 우리 모녀, 만리장성같은 사연을 주고받았지요. 어머니의 인후하신 덕망과 조용한 자태는 제 마음을 더 애끓게 하니, 원통하게도 죽음이 찾아왔네요. 인생 무상하고 일찍 죽는 문제를 어느 누구한테 알아볼까요? 뜰앞의 고운 잔디는 금년에 다시 살아나고, 동쪽 하늘의 둥근 달은 둥글기가 여전한데, 엄마는 간 곳을 모릅니다. 슬픕니다 우리 인생, 풀잎의 이슬같이 스러졌습니다.

짧은 시일 그동안에도 지성껏 효도하지 못했는데, 총총히 떠나셨으니, 우리 모녀의 이별이야말로 서러운 중 가장 크게 서럽지 않을까요? 제 손을 잡고 하신 말씀은 이것이었지요.

"손주가 대학에 합격하면, 다시 찾아올 것이다. 너는 그간 언제 올래?"

아, 이렇게 말씀하시더니, 고향 다녀가신 후, 20일이 채 못 되어, 무슨 길을 그다지도 바삐바삐 가셨던 말입니까? 사랑하시던 우리 남매 중에서도 못내 마음에 걸려하시던 이 딸한테나, 많지도 않은 저희 3남매한테 하실 말씀 많았을 텐데, 한 말씀도 남기지 않고, 무슨 길이 그리 바빠, 어떤 원귀가 재촉했기에, 그다지도 급급히 떠나셨습니까? 아, 애통합니다. 엄마, 엄마야.

소녀는 말이 잇사나 어마는대
답엽서 소녀는해 홍하나
어마는 모룸즉 하시나 매고
답: 어마〳〵야 어느시에 우리
어무 다시 만하 일찬 일선잠
새라도 한번 만히 나마 상봉
하여 한말삼 드려볼고 원통
질근 어마 계신 목경요 대면
말나 나더러 온대 한번 갓신
후에는 소식이 돈절 하올
어마〳〵요 구원선경 가시여도
소녀생각 하시 나올 양남이
계서 그든 구버 통촉 하옵소서
모주〳〵요 불효여식은 불

너브로 못하고 생면이 요원한
우리 부축 임종시 생 안락하
시든 잇사 내외분이 다시 만
나 이세상 미진 인연을 세에다
시행여 영구히 이별 업시 제
시낫가 저의들로 후생 차자
가는날엔 부모 앙외 길이〳〵
뫼시겟소
우리 네 마질 십시년〳〵 여비 그리
허황한 노부부운 무한 이나
가거 사을 생각하면 눈물 때여
상하질 듯 구곡에 매친 원한 맺
지파〳 기록 할고 편모 소술하
저의들 몸 쾌여 명조 출기식

소녀는 말이 잇시나, 어마는 대답 업서 소녀는 애통하나, 어마는 모름 즉하시니, 애고 답답 어마 어마야.

어느 시에 우리 어마 다시 만아 일차 일석 잠시라도 한 번만이나마 상봉하여 한 말삼 드려볼고? 원통지고 어마 게신 옥경 요대 멫 말 니나 데거온대, 한 번 가신 후에는 소식이 돈절하요? 어마 어마요, 구원 선경 가시여도 소녀 생각하시나요? 아람이 게시그든 구버 통촉하시옵소서.

모쥬 모쥬요, 불효 여식은 불너 보도 못하고 생면이 요원한 우리 부쥬임 후생 안락하시든잇가? 내외분이 다시 만아 이 세상 미진 인년 후세에 다시 이여 영구히 이벨 업시 게시닛가? 저의들도 후생 차자 가는 날엔 부모 양외 길이길이 뫼시겟소.

우리 어마 칠십지년 어이 그리 허황할고? 노복은 무한이나 가거사을 생각하면 육맥이 사라질 듯, 구곡에 매친 원한 엇지 다 기록할고? 편모 슬하 저의들을 차려대로 출가식

이 딸은 말이 있으나, 엄마는 대답이 없어 애통합니다. 엄마는 모른 체하시니, 애고 애고 답답합니다. 엄마 엄마야.

어느 때에 우리 엄마를 다시 만나, 일차 일시 잠시라도 한 번만이나마 상봉하여, 한 말씀 들어볼까요? 원통합니다. 엄마 계신 옥경 요대가 몇 만 리나 되기에, 한 번 가신 후에는 소식이 돈절합니까? 엄마 엄마요. 구원 선경에 가셔서도, 이 딸을 생각하시나요? 알고 계시거든 굽어살펴 주세요.

어머님 어머님요, 불효한 이 딸은 불러 보지도 못한 채, 얼굴도 모르는 우리 아버지, 저세상에서 안락히 계시는지요? 내외분이 다시 만나서, 이 세상에서 미진한 인연을 후세에 다시 이어 영구히 이별 없이 계십니까? 저희도 다음 생에서 찾아가는 날에는, 부모 두 분을 길이길이 모시겠습니다.

우리 엄마 70년, 어이 그리 허황할까요? 만년의 복은 많이 누리시긴 했으나, 과거사를 생각하면, 구곡에 맺힌 원한 어찌 다 기록할까요? 편모 슬하의 저희를 차례대로 출가시키셨지요.

져흰녀이 놀흘 ᄒᆞ시는 심회.
알흔 벽 ᄒᆞᆼ이 돌고 거울 면 ᄒᆞ산
고할 제 ᄀᆞᆷᄌᆞᆷ 요작ᄒᆞ여 안
골병이 다 ᄂᆞ실 가 미려 삼ᄀᆞᆼ
이 마음 도 세월 ᄊᆞ하 ᄉᆞ선 남
장ᄉᆞ이 ᄀᆞᆷ 보화 만 맏은 이 그해
두흔 일ᄉᆞᆫ인가.
어마 다시 살세 아니 ᄇᆞᆺ깃칠
ᄂᆞ고 ᄉᆞᆫ녀의 졉ᄒᆞ여 한 ᄌᆞᆯ문 참
아가내는 ᄌᆞᆼ 어린 ᄀᆞᆺ 들 병이나
서먼ᄒᆞ비 칫친 거 정 제ᄉᆞᆯ키
무한 인ᄌᆞᆼ 재ᄒᆞ ᄌᆞᆼ 저의 몸
놈ᄌᆞᆺ이 ᄌᆞᆺ 받ᄋᆞᆺ 들ᄉᆞᆫ녀의
박복함 에 일ᄒᆞ 허 ᄒᆞᆫ 섭ᄒᆞ

심ᄌᆞᆼ 통곡가에 미안ᄒᆞ며 ᄭᅩᆺ
은 만흔 모녀 간 만나고는 내ᄉᆞ
정 누알 니요 여ᄉᆞ 들이 애물
이라 장녀 이실 일 평생에
ᄊᆡ장엽서 쑥정 함은 이 가세
상못힌 빈 와지 천 골 몰회
ᄋᆞᆼ세월 애들고 ᄒᆞᆫ해 서 한알
동기 지엽이 려 할 제 어마 자
정 여무하 시 되오 만... 설녀 후
심 ᄋᆞ 여 더 어마 남 보히 ᄇᆞᆫ에 러
청엽 시 분ᄌᆞ 가사 호ᄂᆞᆫ 섬
일가 친척 ᄀᆞ진 ᄋᆞᄋᆡ 놀덕
행키 않 ᄎᆞᆼ 참 업스 되요
상성 색 며 현 삼 ᄒᆞᄀᆞ 덕 함은

켜, 필녀 이 몸 출가시는 심히 안질 병환으로 거일년을 신고할 제, 그 심증 오작하며 안질 병이 다 낫실가, 미거 심즁 이 마음도 세월 싸라 소견 난니, 자식이 근심 보화단 말이 그대 두고 이름인가?

어마 다시 심여 안니 끼칠나고 소여의 경경 여한 참고 참아 기내는 즁, 어린 것들 병이 나서 번번이 끼친 걱정 제송키 무한인 즁, 재학 즁 저의 큰놈 조모 잇탁 바랫든니, 소녀의 박복함에 일일 허황 섭섭 심중. 동기간에 미안 버섯찐은 말 모녀간 안니고는 내 사정 누 알이요?

여식들이 애물이라. 장녀 이실 일평생에 씨자 업서 걱정함은 인간 세상 못할 바라. 자진 골물 허송 세월 애들코 애석한 일, 동긔지심 이려할 제, 어마 자정 여복하시리요만, 성덕 후심 우리 어마, 남 보기에는 걱정 업시 분주 가사, 효공지성 일가친척 극진 우애, 노소 덕행 뉘 아니 층찬 업쓰리요?

산성땍의 현심 후덕함은

막내인 이 몸이 출가할 때는 심한 안질로 근 1년이나 고생하셨으니, 그 심정이 오죽했을까요? 안질 병은 다 나으신 건가요? 미욱했던 제 마음도 세월 따라 소견이 났으니, 자식이 근심이며 보화라는 말은 맞는 말입니다.

엄마, 다시는 심려를 안 끼치려고, 어지간한 어려움은 참고 참으며 지내던 중, 어린 것들이 병이 나서 번번이 걱정 끼쳐 죄송해요. 재학 중인 저의 큰놈을 어머니께 부탁하려고 바랐더니만, 제가 박복한 탓입니다. 동기간에도 못할 사연, 모녀간 아니고는 내 사정을 그 누가 알까요?

딸들이 애물입니다. 장녀 이실은 일평생에 자식이 없어 걱정했으니, 인간 세상에서 못할 일입니다. 자진하고 골몰한 채 허송 세월하며 애닳으며 애석한 일, 동기인 제 마음도 이런데, 엄마는 오죽했을까요? 덕이 많고 후하신 우리 엄마, 남 보기에 걱정 없이 가사에 분주하며, 효성하고 일가 친척간에 극진한 우애, 노소에게 덕행을 베풀었으니, 그 누가 칭찬하지 않았을까요?

산성댁 즉 어머니의 어질고 후덕함은

원손이 아닌 빠져 남의 사람
그려할제 자식 뎐 저의들은
그얼하나 원통 할고 우리어마
못쥬고 적덕 셕생 가서 대두신가
우현 보오 무엇 두평 엔호자
지금 일월 가효 식의 한의 당
드디요 여자는 잇서 무년 간차
생의 더먹을고 계시ᄉᆞ나 첨즁
한숙명 세 가완께 폐기어려
원서 완인 본심 본 들니여주
소월 넘개한다 가 전일 완산
본흘 줄인채 엿우 히 가서 못할
하옵고 늦넙삽
춘효 눈년ᅵ 누이요 환ᄅᆞᆫ는
피봇러 따든니 한번 가선 그길

운다시 올줄 모르신고 원통으
로울을 삼은 계곡소래 낙슬산
아새소래 벗을 삼으면 청궁 쑥
메깁히 누워 저의 들을 생각
나오 지세 인연 다하온 평ᄋᆞ
히 감동 낫오 애뇨 애절이
알고 실ᄉᆞ으다 한말삼 대답업
슈서 나소녀 명복을 더위삽
고 애고 원통설워 하나 어나
길에 홀노 할고 명ᅵ 한신 엽
훙이 내서 그든 혹 한에 통
혹 하시여 운효 하시 옵소서
우리 모녀 갑흔 정곡 태산
도봉 일은 한해도 망ᄒᆡ하

원근이 아는 바라. 남의 사람 그려할 제, 자식 된 저의들은 그 얼마나 원통할고? 우리 어마 요슌지덕, 선경 가서 베푸신가? 오 현모요, 우연 득병에 효자지심 일심 간호, 신의 한의 다 드리여, 차도 잇서 오년간 차생의 더 머물고 게싯시나, 침즁한 그 병세가 완캐데기 어려워서, 완인 본심 몬 돌리니여, 주소 일념 개탄타가, 전일 완신 몬돌인 채, 영구히 가시온 일, 한심코 늦겁다.

춘쵸는 년년녹이요, 왕손은 긔불긔라든니, 한 번 가신 그 길은 다시 올 줄 모르신고? 청송으로 문을 삼고, 게곡 소래 낙을 삼아, 새소래 벗을 삼으면, 청궁 쏙에 깁히 누워 저의들을 생각나요? 진세 인연 다 잇고, 경경히 잠드싯나요?

애모 애절이 알고 싶으나, 한 말삼 대답 업스시니, 소녀 병목을 더위잡고, 애고 애고 원통 설워하나, 어나 길에 호소할고? 명명하신 영혼이 게시그든 촉하에 통촉하시며, 오흡하시압소서.

우리 모녀 깁흔 정곡 태산도 부족이고, 하해도 망매하

원근이 모두 아는 바였지요. 남들이 그랬거든, 자식 된 저희는 그 얼마나 원통할까요? 우리 엄마의 요순같은 덕망, 선경에 가서도 베푸시는 것인가요? 아 어머니, 우연한 득병에 효성으로 일심 간호하였지요. 양의원고 한의원 다 들여, 차도 있어서 5년간 더 이 세상에 머물고 계시긴 했으나, 깊어진 병세가 완쾌되기 어려웠습니다. 밤낮 일심으로 개탄만 하다가, 예전같은 상태로 회복하지 못하신 채, 영원히 가신 일, 한심하고 느껍습니다.

봄풀은 해마다 푸르나, 왕자는 한번 가면 돌아오지 않는다더니, 그 길로 한 번 가시더니 왜 다시 올 줄 모르십니까? 푸른 소나무로 문을 삼고, 계곡 물소리를 낙을 삼으며, 새소리를 벗을 삼아, 그 푸른 궁궐 속에 깊이 누워, 저희를 생각은 하시나요? 이 세상의 인연 다 잊어버리고, 가볍게 잠드셨나요?

애모하고 애절한 사연 더 아뢰고 싶으나, 한 말씀도 대답 없으십니다. 제가 병목을 끌어잡고 애고 애고 원통하며 서러워하려고 해도, 어디에 대고 호소할까요? 밝고 밝으신 영혼이 계시거든, 촛불 아래 굽어 살피시며, 받아주십시오.

우리 모녀의 깊은 사연, 태산도 부족이고, 바다도 미치지 못하나,

나 셰ᄂᆞ 원졈 ᄃᆞᆺ 못 ᄒᆞᄂᆞᆫ 배 갓
〻 ᄌᆞ되온ᄂᆡ 멀〻 ᄒᆞ신 어마
흔영이오 못ᄂᆡ 애졀 ᄒᆞ신
뒤자ᄉᆞᆯ 들 칠 되옵ᄂᆡ 만셰
영지 ᄒᆞ시 울 ᄂᆡ 두셔 기츅
원〻 ᄒᆞᆸᄂᆡ 다
예ᄂᆞᆫ 원통 어마〻 야 옥결
오대 무ᄒᆞᆫ 謝 ᄅᆞ 기되〻
비ᄋᆞᆸ ᄂᆞ이다
오호 통재 애재 시ᄋᆞ 함

나, 세세 원정 다 못하고, 대강 대강 대강 주리온니, 명명하신 어마 혼영이요, 못내 애절하신 저 자손들, 친외손이 만세 영귀하기을 거두시기 축원 축원하온니다.

에고 원통 어마 어마야. 옥경 요대 무한 행락 기리 기리 비옵나이다.

오호 통재 애재 상향.

세세한 원정을 다 아뢰지 못하고, 대강 대강 줄입니다. 밝고 밝으신 엄마의 혼령께서는, 못내 애절하실 저 자손들, 친외손이 만세토록 영광스럽고 귀하게 되도록 거두어 주세요. 축원 축원합니다.

애고, 원통합니다. 우리 엄마 엄마야. 옥경 요대에서 무한히 즐겁게 지내시기를 길이길이 빕니다.

아 애통하고 애통합니다. 흠향하십시오.

감상 및 해설

이 제문을 보면, 1960년대 말, 교통이 불편했던 사정을 엿볼 수 있다. 다음 대목이 그렇다.

> 어서 가자 밧비 가서 어마 병세 엇드한고? 마음은 시급하나 먼먼 길을 온종일 다 지나고 석양 쌔나 당도하여, 대문 안에 들어선니, 진야몽야 이 원 일고?

어머니 위급하다는 연락을 받고 급한 마음으로 나섰으나, 온종일 다 지나 석양 무렵에야 도착했으며, 이미 돌아가신 뒤였다. 비행기도 있고, 고속철, 고속버스가 있는 지금과는 달랐던 시절을 절감하게 한다.

28. 아버지 영전에

1968년, 홍윤표 교수 소장

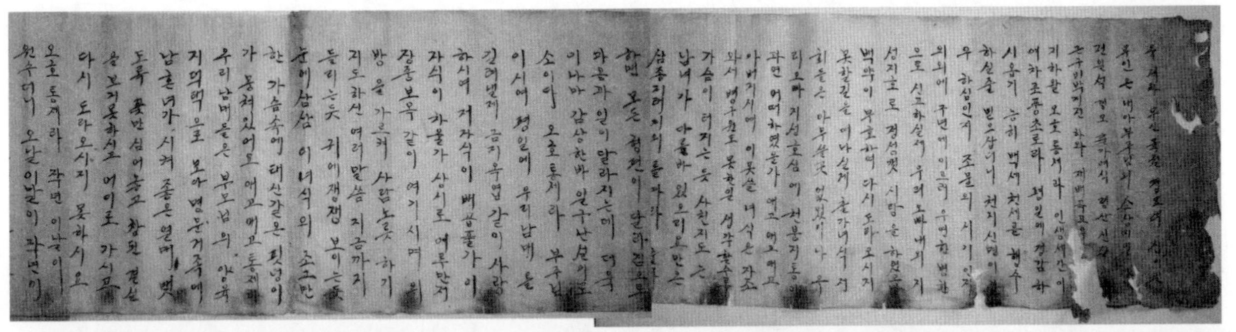

유세차 무신 륙월 정묘삭 십이일
무인은 내아부주님의 소상지일이라
전일석 결오 출가여식 평산 신실은
근구비박지전 하와 재배곡고우
지하왈 오호통재라 인생세간이
여차조풍초로라 평일에 경갈하
시옵기 능히 백세천세를 향수
하실줄 믿으삽더니 천지신명이
우하심인지 조물의 시기인자
외외에 주년에 이르러 우연한 병환
으로 신고하실제 우리오빠내외지
성지효로 정성껏 시탕을 하였으나

백약이 무효하여 다시 도라오시지
못할길을 떠나실제 출가녀식 저
회들은 아무쓸곳 없었이나 우
리오빠 지성효심에 천붕지통이
과연 어떠하였을가 애고 애고 애고
아버지시여 이못쓸 녀식은 자조
와서 병구원도 못한일 생각할수록
가슴이 터지는듯 사친지도는
남녀가 다를바 있으리요만은
삼종지례지의를 따라 출가
하면 모든 형편이 달라짐으로

유세차 무신 륙월 정묘색 십이월 무인은 내 아부주님의 소상지일야라. 전일 석 경오 출가 여식 령산 신실은 근구비박지전 하와 재배곡 고우 □□지하 왈.

오호 통재라. 인생 세간이 여차 포풍 초로라. 평일에 경감하시옵기 능히 백세 천세를 행수하실 줄 믿으삽더니, 천지신명이 불우하심인지, 조물의 시기인지, 의외에 구년에 이르러 우연한 병환으로 신고하실 제, 우리 오빠 내외 지성지효로 정성껏 시탕을 하였으나, 백약이 무효하여, 다시 도라오시지 못할 길을 떠나실 제, 출가 녀식 저희들은 아무 쓸 곳 없었이나, 우리 오빠 지성 효심에 천붕지통이 과연 어떠하였을가 애고 애고 애고 아버지시여.

이 못 쓸 녀식은 자조 와서 병 구원도 못한 일 생각할수록 가슴이 터지는 듯 사친지도는 남녀가 다를 바 있으리요만은, 삼종지래지의를 따라 출가하면 모든 형편이 달라짐으로

아 무신년(1968) 육일 정묘 12월 무인일은 아버님의 소상일입니다. 전날 경오년에 평산 신씨댁으로 출가한 딸은 두 번 절하여 말씀드리고자 합니다.

"아아 슬픕니다. 인생의 굴곡이 이처럼 폭풍처럼 능히 백세 천세 오랫동안 사실 것이라 믿었으니 천지신명이 돕지 않으시며 조물주가 시기하셔서 구년이 지나 우연한 병환으로 고통받으실 때 우리 오빠 부부가 지극한 정성과 효도로 정성껏 탕약을 올렸지만 어떠한 약도 효과가 없어 다시 돌아오시지 못할 길을 떠나실 때 출가한 딸들은 아무런 쓸모가 없었으나 우리 오빠의 지극한 정성과 효심에 하늘과 같은 아버지의 죽음이 과연 어떠하였을까요? 아이고 아이고 아버지.

이 몹쓸 딸년은 자주 와서 병 수발도 못한 일 생각할수록 가슴이 미어지는 듯 합니다. 부모님을 모시는 도리는 남녀가 다를 것이 있겠습니까만 여성이 세 남성을 따르는 예법에 따라 가문을 나서면 모든 사정이 달라짐으로

마음과 일이 달라지는데 더욱
이나마 감상한바 일구난설이로
소이다 오호통제라 부주님
이시여 평일에 우리남매를
길러낼제 금지옥엽같이 사랑
하시여 저자식이 배곱풀가 이
자식이 차울가 상시로 어루만저
장중보옥 같이 여기시며 외
방을 가르켜 사람놓듯 하기
지도하신 여러말씀 지금까지
들리는듯 귀에쟁쟁 보이는듯

눈에삼삼 이녀식의 조고만
한 가슴속에 태산같은 핏덩이
가뭉쳐있어요 애고애고 통제라
우리남매들은 부모님의 양육
지덕택으로 보아 명문거족에
남혼녀가 시켜 좋은 연매 맺
도록 꽃만 심어놓고 참된 결실
을 보지못하시고 어이로 가시요
다시 도라오시지 못하시요
오호통제라 작년 이날이

마음과 일이 달라지는데, 더욱 이 나마 감상한 바 일구난설이로소이다.

오호 통제라. 부주님이시여, 평일에 우리 남매를 길려낼 제, 금지옥엽같이 사랑하시여 저 자식이 배곱풀가, 이 자식이 차울가, 상시로 어루만져, 장중보옥같이 여기시며, 외방을 가르켜 사람 노릇하기 지도하신 여러 말씀, 지금까지 들리는 듯 귀에 쟁쟁, 보이는 듯 눈에 삼삼, 이 녀식의 조그만한 가슴 속에 태산같은 핏덩이가 뭉쳐 있어도, 애고 애고 통제라.

우리 남매들은 부모님의 양육지덕택으로, 모다 명문거족에 남혼녀가시켜 좋은 열매 맺도록 꽃만 심어 놓고, 참된 결실을 보지 못하시고 어디로 가시고 다시 도라오시지 못하시오.

오호 통제라. 작년 이날이

마음과 일이 달라지는데 더욱 이것이나마 감상한 바를 한 입으로 표현하기 어렵습니다.

아 마음이 아픕니다 아버님. 전날에 우리 남매를 길러내실 때 황금꽃가지와 옥으로 만든 나뭇잎처럼 사랑하시어 저 자식이 배고플까? 이 자식이 차가운 곳에 있을까? 항상 보살피셔서 손 안에 보옥처럼 여기시며 바깥 사람이 될 딸들을 가르쳐 사람노릇 하게 지도하신 여러 말씀이 지금까지 들리는 듯 귀에 쟁쟁하고 눈에는 삼삼히 보이는 듯하니 이 딸의 작은 가슴 속에 태산 같은 핏덩이가 뭉쳐 있어도 아이고 아이고 가슴이 아픕니다.

우리 남매들은 부모님이 양육해주신 덕으로 모두 명문거족과 혼사를 치르게 되어 좋은 열마 맺도록 꽃을 심어놓으셨지만. 정작 결실은 보시지 못하고 어디로 가셔서 다시 돌아오시지 못하십니까?

아아 가슴이 아립니다. 작년 이날이

원수더니 오날이날이 작년이
날이 아닌가요 일거월취하여
일자는 아시돌아 왔건만은 우
리 아버지는 어찌 못돌아오
시는고 애고애고 통제라 ―
참 옛글에 말하기를 춘초는
년년록이라 왕손은 귀불귀
라 뒷동산 매화는 매년 일도
다시 피건마는 어찌 우리 아바진는
다시 돌아 오실줄 모르시요 오호

통제라 욕망이 불망이오 불
사이 자사라 유감이요 옛날
삼국시절에 화타의 청랑결
이 다시 이세상에 전하여 오지
못한것이 유감이오 애고 애고
아버지시여 북반산천 검은구름
소녀의 가슴에 싸인 울분이며
태평양 바다에 부당지는 파도바람
소녀의 입에서 토한 휘바람인
듯 우름소리 잠시 진점하고
영상을 우러러보니 홈백상

원수더니 오날 이날이 작년 이날이 아닌가요. 일거월취하여 일자는 다시 돌아왔건만은, 우리 아버지는 어찌 못 돌아오시는고. 애고 에고 통제라.

참. 옛글에 말하기를, 춘초는 년년록이라 왕손은 은 귀불귀라.[140] 뒷동산 매화는 매년 일도 다시 피건마는 어찌 우리 아바지는 다시 돌아오실 줄 모르시요.

오호 통제라. 욕망이 불망이오 불사이 자사라 유감이요. 옛날 삼국시절에 화타의 청랑결이 다시 이 세상에 전하여 오지 못한 것이 유감이오.

애고 애고 아버지시여. 북만산천 검은 구름 소녀의 가슴에 싸인 울분이며 태평양 바다에 부닿지는 파도바람 소녀의 입에서 토한 휘바람인 듯.

우름소리 잠시 진정하고 영상을 우러러보니 혼백상

원수 같더니 오늘 이날이 작년 이날이 아닌가요. 해와 달이 지나 이 날이 다시 돌아왔건만 우리 아버지는 어찌 돌아오시지 못할까요? 아이고 아이고 가슴이 아픕니다. 참 옛 글에서 말하길 '봄 풀 나날이 푸르러지는데 귀한 손님은 돌아오시지 않는구나'라 하였으니 뒷동산의 매화는 매년 다시 피건마는 어찌 우리 아버지는 다시 오실 줄 모르십니까?

아아 가슴이 아픕니다. 보고 싶어도 볼 수 없고, 생각하지 않으려 해도 저절로 생각나니 유감이고, 옛날 삼국시절의 명의였던 화타의 비결이 다시는 이 세상에 전하지 않는 게 유감입니다.

아이고 아이고 아버지, 북망산천 검은 구름은 소녀의 가슴에 싸인 울분같으며, 태평양 바다에 부딪치는 파도바람은 소녀의 입에서 토한 휘파람인 듯합니다. 울음소리 잠시 진정하고 위패가 있는 책상을 우러러 보니, 아버님의 위패가 있는

140 당나라 시인 왕유(王維,)의 시(詩)인 <送別 二>의 구절이다. 春草年年綠, 王孫歸不歸.

만척적하고 피여오르는 향연
만구불구불 난자는 불가부속
이요 사자는 불가부생이라
하더니 과연 허연이 아니외다
오호 애제라 유명이 다러
지만 부녀지간에 이다지
무정하오릿가 저기 저 중천에
떠있는 밝은 저 달은 우리 남매
팔인 가슴에 빛처서 정곡을
가일층 도와주는듯 애고매고

아버지 시여 소녀의 우름 소
리 응당 드러시렷만은 청
이불문 하시니 도노아심 이오
후생기약 다시 굳게 맺어 전
생에 미진한 여식 다시 한변
닦아보기 지원지원 이옵고 남
은 말씀 태산같이 첩첩 부궁
하오나 지필로서 다 기록치
못하옵고 다만 심정에 부닥
치는 말로서 그치는바 올시다
복유존령은 서기거사 상
향

만 적적하고 피여오르는 향연만 구불구불, 단사는 불가부속이요, 사자는 불가부생이라[141] 하더니, 과연 허언이 아니외다.

오호 애제라. 유명이 다러지만 부녀지간에 이다지 무정하오릿가? 저기 저 중천에 떠 있는 밝은 달은 저 달은 우리 남매 팔인 가슴에 빛쳐서 정곡을 가일층 도와주는 듯.

애고 애고 아버지시여. 소녀의 우름소리 응당 드러시럿만은 청이불문[142]하시니, 도노아심[143]이오, 후생기약 다시 굳게 맺어 전생에 미진한 여식 다시 한번 닦아보기 지원지원이옵고, 남은 말씀 태산같이 첩첩 무궁하오나, 지필로서 다 기록치 못하옵고, 다만 심정에 부닥치는 말로서 그치는 바올시다.

복유 존령은 서기거사 상향.

곳만 적적히 있고 피어오르는 향의 연기만 구불구불 피어오르니, 끊어진 실은 다시 이을 수 없고 죽은 자는 다시 살아올 수 없다더니만 과연 헛된 말이 아닙니다.

아아 슬픕니다. 삶과 죽음이 다르지만 부녀지간에 어찌 이리 무정하십니까? 저기 저 중천에 떠 있는 밝은 저 달은 우리 여덟 남매 가슴에 비쳐서 감정을 한층 도와주는 듯합니다.

아이고 아이고 아버지 소녀의 울음소리를 응당 들으셨겠지만 들어도 들을 수 없으니, 한갓 제 마음뿐입니다.

후생에 태어날 약속을 다시 굳게 맺어, 전생에 모녀간의 인연을 닦아 보기를 지극히 원하고 원합니다. 남은 말이 태산처럼 잔뜩 쌓여있지만, 종이와 먹으로 다 기록하지 못하고, 다만 마음에 부딪치는 말로 그치옵니다.

부디 아버지의 혼령께서 제물이 적어도 흠향하시길 빕니다.

141 단사~불가부생 : 단사(斷絲)는 불가부속(不可復續)이요, 사자(死者)는 불가부생(不可復生)이라

142 청이불문(聽而不聞) : 들어도 들리지 않음.

143 도노아심(徒勞我心) : 한갓 내 마음뿐임.

감상 및 해설

이 제문은 1960년대 후반에 씌어진 것이다. 이때까지도 전통사회의 영향이 남아있다는 것을 알 수 있다.

딸은 시집가기 전에는 아버지를, 시집 간 후에는 남편을, 남편이 죽은 후에는 아들을 따라야 한다는, 이른바 삼종지도의 예법에 따라 아버지를 자주 보지 못했다고 하였다. 그 응어리진 한이 제문에 녹아 있다.

29. 오빠 영전에

1968년, 박재연 교수 소장, 세로 32㎝, 가로 60㎝

오호슬프다 세상사허무하다 유정동기 서로만나람
탐이즐기고 반기던 어제같이봄는데 허무 키도가이없다 세차분신
상월 딸의무술삭지십칠일 울모는죽나의 오라바 취사경
주정 공종상의날이다 앞날저녁갑인일에 여동생 합안
조실은 약간의제물로 눈물져워 오라바 영상아래 통곡
하나이다 슬프다 이동생이 이세상 태여날때 남같이 못하였
나 고르지 못한 팔자 청춘시절 언제련고 외로운이한몸 을
의지할곳 어데련고 춘하추동 사시절에 철천지 포원으로
서리(맺힌)간장 호소할곳 어데련고 친정이 유관하다 재넘고물
건너기 지척을 생각하고 얼마나다녔든고 부모님 찾을
길은 통곡 망극 (가히없다) 동기지정 뿐이련데 맏오빠 별세원통어
데다 말하리오 둘째오빠 외내분을 부모같이 믿어섰다 우
리 오빠 두위분은 천성이 인자시라 가이없는 이동생을 어
엽이 여기시사 추우나 배고프나 일ㅇ이 물으신일 친부모계
스신들 더할수 있으리오 오며갑 있은 세월 걱변이 백수로다 백수
의 우리동기 더욱 키포면 어서라 슬프다 오빠시여 순후하고
인자하신 그성품 그마음 어데다 비하리오 생애가 부족으로
평도 많으셨다 질아들 다형제가 저(각기)출생하고 손자손녀
귀한 며면 금지옥엽 그아닌가 동생역시 효자효손 차제로 축원
하나 우리동기 장래행복 고진감래 그세월을 무량이 믿었더니
어찌타 우리오빠 오늘날 무삼일고 별세후 얼마아니 형님
시 구몰하니 천생의 연분으로 동사생 하시련가 이심히 많다
했든 수삼백이 무엇이여 수삼백리 멀다한제 가신곳이 보마
련고 오실줄을 모르신가 봄풀은 푸르기요 밝달은 밝어 있어
무궁한 이희포를 풀어볼곳 어드메냐 슬프다 오라바요 영혼
이 계시거든 부조선령 축원하사 우리들 잘되기를 부중히
빌어주소 이동생 눈물 삼켜 오라바요 살피소서 오호라 통재
이며 오호라 애재상 향

오호슬프다 세상사 허무하다 유정동기 서로만나 담
탐이즐기고 반긴편 어제같이 봄하는데 허무키도 가이없다 세차문산
삼월팔일 무술삭 지십팔일 을모는 즉 나의 오라바 취사경
주정공 종상의 날이다 앞교낳 저녁 갑인일에 여동생 함안
조실은 약간의 제물로 눈물져워 오라바 영상아래 통목
하나이다 슬프다 이동생이 이세상 태여날때 남같이 못하였
나 고르지 못한 팔자 청춘시절 면치편고 외로운 이한몸을
의지할곳 어데편고 춘하추동 사시절에 철천지 포원으로
서러[맺힌]간장 호소할곳 어데편고 친정이 우관하다 재념고물
견디기 지척을 생각하고 얼마나 다녔는고 부모님 찾을
길은 동쪽 낭쪽[가히 없다] 동기지정 뿐이련데 맏오빠 별세 원통어
폐다 맏형하리오 둘째오빠 외내분을 부모같이 믿어섰다 우
리 오빠 두위분은 천성이 인자시라 가이없는 이동생을 어
엽이 여기시사 추우냐 배고프냐 일일이 물으신일 친부모께
스신들 더할수 있으리요 오며가며 있은 세월 거년이 백수 후다 백수

오호 슬프다 세상사 허무하다. 유정 동기 서로 만나, 탐탐이 즐기고 반긴 일 어제같이 보이는데, 허무키로 가이없다. 세차 무신[144] 삼월달의 무술삭지 십팔일 을묘는, 즉 나의 오라바 처사 경주 정 공 종상의 날이다. 앞날 저녁 갑인부일에 여동생 함안 조실은, 약간의 제물로 눈물겨워, 오라바 영상 아래 통곡하나이다.

슬프다 이 동생이 이 세상 태여날 때, 남같이 못하였나 고르지 못한 팔자 청춘 시절 언제련고. 외로운 이 한 몸을 의지할 곳 어데련고. 춘하추동 사시절에 철천지 포원으로 서리 맺힌 간장, 호소할 곳 어데련고. 친정이 유관하다, 재 넘고 물 건너기, 지척을 생각하고 얼마나 다녔든고. 부모님 찾을 길은 통곡 망극 가히 없다. 동기지정뿐이련데, 맛오빠 별세 원통, 어데다 말하리요.

둘째오빠[145] 외내분을 부모같이 믿어섰다. 우리 오빠 두 위 분은 천성이 인자시라, 가이없는 이 동생을 어엽이 여기시사, 추우냐 배고프냐, 일일이 물으신 일, 친부모 계스신들 더할 수 있으리요. 오며 가며 잊은 세월, 거연이 백수로다. 백수

아, 슬픕니다. 세상사 허무합니다. 정다운 우리가 동기간으로 서로 만나, 틈틈이 즐기고 반긴 일 어제같이 보이는데, 허무하기 가이없습니다. 아, 무신년(1968년) 3월 18일은, 곧 우리 오라비 처사 경주 정공의 종상일입니다. 그 전날 저녁에, 여동생 함안 조실은, 약간의 제물을 갖추어, 눈물겨워하며 오라비의 영상 아래에서 통곡합니다.

슬픕니다. 이 동생이 이 세상에 태어날 때, 남같이 못하고, 고르지 못한 팔자, 청춘 시절이 언제 있었나 싶습니다. 외로운 이 한 몸을 의지할 곳 그 어디였나요? 춘하추동 사시절에 철천지 포원으로 서리서리 맺힌 간장, 호소할 곳 어디였나요? 친정밖에는 의지할 곳 없어, 재 넘고 물 건너, 아주 가까운 거리라 생각하고 얼마나 다녔던가요? 부모님 찾을 길은 통곡해도 망극하게도 가이없고, 우리 동기간의 정뿐이건만, 맏오빠마저 별세하여 원통했습니다. 어디에다 말할까요?

그간 둘째오빠 내외분을 부모같이 믿고 살았지요. 우리 오빠 내외분은 천성이 인자해서, 가엾은 이 동생을 어여삐 여기셨지요. “추우냐? 배고프냐?” 일일이 물으신 일, 친부모 계신들 이보다 더할 수 있었을까요? 오며 가며 잊은 세월에 어느새 저도 백발로 변했습니다.

144 무신 : 1968년.
145 둘째오빠 : 고인을 가리키는 듯.

의우리동기더욱기토믿어서라 슬프다 오빠시여 순후하고
인자하신 그성품 그마음 어데다 비하리오 생애가부족을로요
평소 많으셨다 질아들 다형제가저 각기 [illegible]에 충성하고 손자손녀
귀한 면면 금지옥엽 그아닌가 동생역시 효자효손 차례로 충분
하니 우리동기장래행복 고진감래 그세월을 무량이 보랐더니
어찌타 우리 오빠 오늘날 무삼일고 별세후 연마 마리 형님
시구몰하니 천생의 연분으로 동상생하시렴 가 이섭리갈 별다
했든 우삼백이 무엇이여 우삼백리 멀다 한데 가신곳이 본마
련고 오실줄을 모르신가 봄풀은 푸르기도 밤달은 밝어있다
무궁한 이회포를 품어볼곳 어드메냐 슬프다 오라바요 영혼
이계시거든 부조선령 축원하사 우리들 잘되기를 무궁히
빌어주소 이동생 눈물 삼년 오라바요 슬피소리 오호라 통재
이며 오호라 애재상 향

의 우리 동기, 더욱키도 믿어서라.

슬프다 오빠시여, 순후하고 인자하신 그 성품 그 마음, 어데다 비하리요. 생애가 부족으로 고생도 많으셨다. 질아들[146] 다형제가 저 각기 장성하고, 손자손녀 귀한 면면 금지옥엽 그 아닌가.

동생 역시 효자효손 차제로 충윤하니, 우리 동기 장래 행복, 고진감래 그 세월을 무량이 보랴더니, 어찌타 우리 오빠 오늘날 무삼 일고. 별세 후 얼마 아니, 형님 역시 구몰하니, 천생의 연분으로 동사생하시련가.

이십 리 길 멀다 했든, 수삼백이 무엇이며, 수삼백 리 멀다 한데, 가신 길이 얼마련고, 오실 줄을 모르신가. 봄풀은 푸르기도 밤달은 밝어서라. 무궁한 이 회포를 품어볼 곳 어드메냐.

슬프다 오라바요, 영혼이 계시거든 부조 선령 축원하사, 우리들 잘되기를 무궁히 빌어 주소. 이 동생 눈물 사연 오라바요 살피소서. 무궁히 빌어주소. 이 동생 눈물 사연 오라바요 살피소서.

오호라 통제이며 오호라 애제 상 향.

백발의 우리 동기, 더욱 더욱 의지했지요. 슬픕니다 오빠. 순후하고 인자하신 그 성품과 그 마음, 어디에다 비교할 수 있을까요? 평생 살아오실 때, 부족해서 고생도 많으셨지요. 큰오빠의 아들 여러 형제가 제각기 장성하였고, 손자 손녀들 모두가 귀한 얼굴들이니, 바로 금지옥엽이 아니겠습니까?

둘째오빠네도 효자와 효손들이 차례로 가득찼으니, 우리 동기의 장래 행복, 고진감래의 그 세월을 오래오래 보려고 했지요. 그런데 어찌하여 우리 오빠 오늘날 이게 무슨 일인가요? 별세 후에 얼마 아니 가서, 올케도 돌아가셨으니, 천생연분으로 죽음도 함께하시려는 것입니까?

20리 길 멀다 해도, 수삼백 리가 무엇이며, 수삼백 리 멀다 해도, 가신 길이 얼마이기에, 오실 줄을 모르시는가요? 봄풀은 푸르고, 밤달은 밝습니다. 무궁한 이 회포를 풀어볼 곳이 어디입니까?

슬픕니다 오빠요. 영혼이 계시거든, 아버지와 할아버지의 혼령들께 축원해 주세요. 우리 후손들 잘되기를 무궁히 빌어 주세요. 이 동생의 눈물어린 사연을 오빠요 살펴 주세요. 무궁히 빌어주세요. 이 동생 눈물어린 사연 오빠요. 꼭 살펴 주세요.

아, 애통합니다. 아, 애통합니다. 흠향하십시오.

146 질아들 : 큰오빠의 아들.

감상 및 해설

둘째오빠가 죽은 후, 종상을 치르며 쓴 제문이다. 오빠가 죽은 후 곧이어 올케도 사망하였다.

함안 조씨 댁에 시집간 여동생은 친정의 도움을 많이 받았던 모양이다. 일찍 남편을 잃고 첫째오빠에게 의존했다. 그러나 첫째오빠가 일찍 죽자 둘째오빠한테 오래 도움을 받았다고 했다.

지금은 우리나라가 경제 선진국이지만, 과거에는 여성 혼자 지내기가 얼마나 어려웠는지 보여준다. 홀로된 여동생을 연이어 돌봐주던 오빠들에 대한 고마움이 이 제문에 잘 드러나 있다.

30. 언니 영전에

1968년, 박재연 교수 소장, 세로 39㎝, 가로 48.2㎝

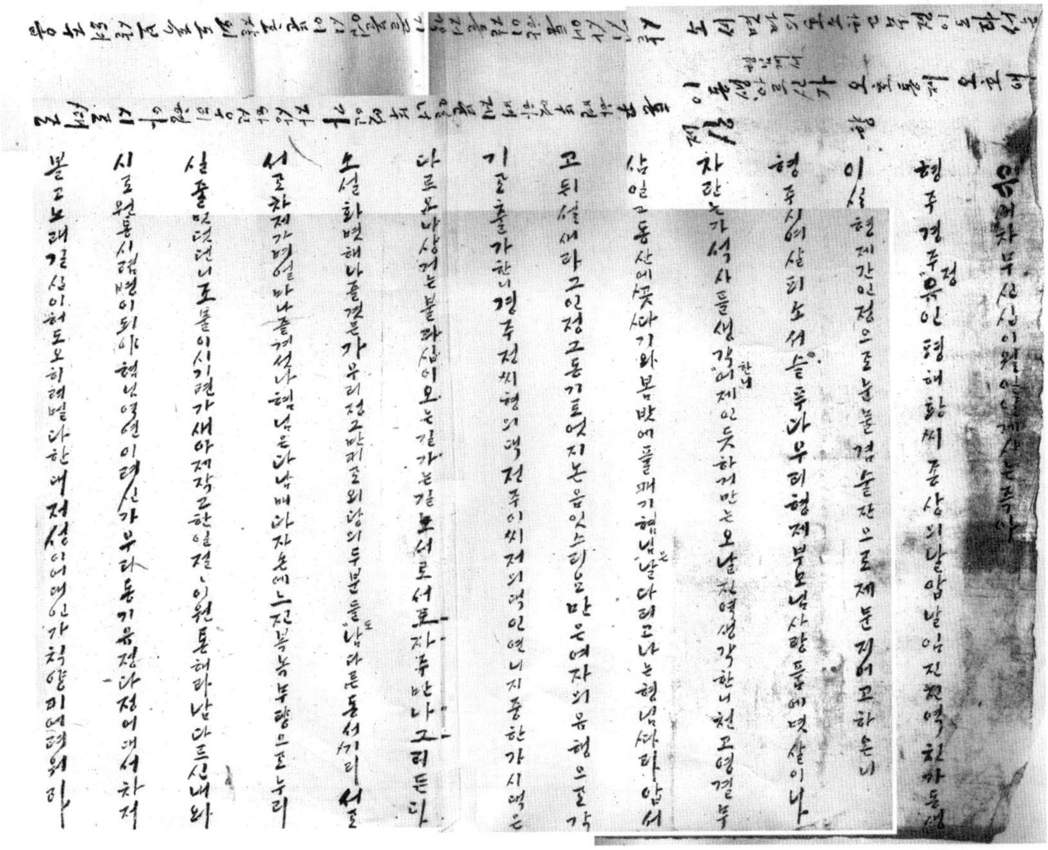

을유여차부산삼이월이일제사는즉아
형주경주정유인평해황씨종상의날압날임진역친가동생
이상형제간인정으로눈물겸술잔으로제문지어고하온니
형주시에살피소서슬푸다우리형제부모님사랑품에몃살이나
자랐는가석사들생각어제인듯하건만는오날천역생각한네천고영결부
삼일그동산에뭇사기와봄밧에풀깨가형님은날다리고나는형님따라압서
고뒤서새라그인정그동기로엇지본음잇스리요만은여자의유행으로각
기출가한니경주정씨형의댁전주이씨저의댁인연니지중한가시댁은
다르오나상거는불과삼이오는길가는길보서로서로자주만나고리든다
오설화명해나즐겻든가우리정그만리줄외당의두분들도남따른동서시리서로
서로차제가별열마나즐겨섯나형님은다남매다자손에느진복녹부향으로누리

유세차 무신[147] 십이월 일일 계사는 즉 아 형주 경주 정 유인 평해 황씨 종상의 날, 압날 임진 진역, 친가 동생 이실, 형제간 인정으로 눈물 겸 술잔으로 제문 지어 고하온니, 형주시여 살피소서.

슬푸다 우리 형제, 부모님 사랑 품에 몃 살이나 자란는가, 석사를 생각한니 어제인 듯 하건만는, 오날 진역 생각한니, 천고 영결 무삼일고.

동산에 솟 짜기와 봄밧에 플 매기, 형님은 날 다리고, 나는 형님 짜라 압서고 뒤 설새라. 그 인정 그 동기로, 엇지 논음 잇스리요만은, 여자의 유행으로 각기로 출가한니, 경주 정씨 형의 댁, 전주 이씨 저의 댁,

인연니 지중한가. 시댁은 다르오나 상거는 불과 십 이, 오는 길 가는 길노 서로 서로 자주 만나, 그리든 다소 설화 몃 해나 즐겻든가. 우리 정 그만키로, 외당의 두 분들도 남다른 동서찌리, 서로서로 차저 가며, 얼마나 즐겨섯나.

형님은 다남매 다자손에, 느진 복녹 무량으로 누리

아, 무신년(1968년) 12월 1일은 곧 우리 언니인 경주 정씨 집안의 며느리 평해 황씨 종상일입니다. 전날 저녁에, 친가의 동생인 이실은, 자매간의 인정으로, 눈물 겸 술잔을 갖추어, 이 제문을 지어 영전에 고하니, 언니, 살펴주세요.

슬픕니다 우리 자매, 부모님 사랑의 품에서 몇 살이나 자랐던가요? 지난 일을 생각하니 어제인 것만 같건만, 오늘 저녁에 생각하니, 영원한 이별이 무슨 말씀인가요?

동산에서 꽃 따기와 봄밭의 풀매기, 언니는 날 데리고, 나는 언니 따라서 앞서고 뒤서고 했었지요. 동기간의 그 인정으로, 어찌 헤어질 수가 있겠습니까만, 여자가 걸어야 할 길이 있어, 각기 출가하였지요. 언니는 경주 정씨 댁으로, 저는 전주 이씨 댁으로 갔지요.

우리 인연이 깊었던 것일까요? 시댁은 다르지만, 거리는 불과 십 리밖에 되지 않아, 오고가는 길에 서로 서로 자주 만나, 그립던 이야기 몇 해나 즐겼던가요? 우리 정은 그만두고, 우리 남편들도 동서끼리 남다르게, 서로서로 찾아 가며, 얼마나 즐겁게 지냈던가요?

언니는 아들딸도 많고 자손도 많아,

147 무신 : 1968년.

의 우리동기 더욱기모 멀어서라 슬프다 오빠시여 순후하고
인자하신 그성품 그마음 어데다 비하리오 생애가 부족을요
광도 많으셨다 질아들 다형제가서 [illegible] (각가) 장성하고 손자손녀
귀한 연연 금지옥엽 그아니가 동생역시 효자효손 차제로 충윤
하니 우리동기 장래행복 고진감래 그세월을 무량이 보랏더니
어쩌타 우리 오빠 오늘날 무삼일고 별세후 얼마아니 형님역
시 구몰하니 천생의 연분으로 동사생 하시련가 이십리길 멀다
했든 우삼백이 무엇이며 우삼백리 멀다 한데 가신곳이 얼마
련고 오실줄을 모르신가 봄풀은 푸르기도 많, 달은 밝어라
무궁한 이회포를 풀어볼곳 어드메냐 슬프다 오라바요 여혼
이 계시거든 부조선령 축원하사 우리들 잘되기를 무궁히
빌어주소 이동생 눈물 사며 오라바요 살피소서 오호라 통재
이며 오호라 애재 상

향

실 줄 밋덧던니, 조물이 시기련가, 새아제[148] 작고한 일 절절이 원통해라. 남다르신 내외시로 원통시렴 병이 되야, 형님 역연[149]이려신가.

우리동기 유정 다정, 어대서 차저 볼고. 노래 길 십이허도 오히려 멀다 한대, 저성이 어대인가, 칙양키 어려워라.

통곡하면 무엇하며, 제문 일너 무엇인가. 자상하신 우리 형아, 시로 쌔로 살피시사 애통한 이질들, 저 각기 골몰 업시, 이 문호 잘 되도록, 보살펴 주옵소서.

몃 마듸 호소하고, 무정이 도라서는 이 동생, 형님계서 아르신가. 오호 통제 오호 애제 상향.

늦게까지 오래 오래 복을 누리실 줄 믿었더니, 조물주가 시기했나요? 형부가 작고한 일 절절이 원통합니다. 남다른 내외간의 금실이 오히려 원통한 병이 된다더니, 언니가 그렇게 되셨지요.

우리 동기의 정답고 다정한 즐거움, 어디서 다시 찾아 볼까요? 노년에는 십 리 길도 오히려 멀다는데, 저승은 어디란 말인가요? 측량하기 어렵네요.

통곡한들 무엇하며, 제문 지어 고한들 무엇할까요? 자상하신 우리 언니, 시시때때 살피셔서, 애통해하는 조카들, 제각기 여유롭게 해 주시고, 이 가문이 잘 되도록, 보살펴 주세요.

몇 마디 호소하고, 무정히 돌아서는 이 동생, 언니께서 아실까요? 아, 애통하고 애통합니다. 흠향하셔요.

148 새아제 : 새로 들어온 아저씨라는 뜻으로, 형부, 고모부, 이모부를 부를 때 쓰는 호칭임.
149 역연(亦然) : 또한 그러함.

감상 및 해설

시집간 언니의 종상일에 동생이 쓴 제문이다. 죽은 언니와는 생활공간이 많이 떨어지지 않아 자주 왕래하였던 모양이다.

자식들을 낳은 이후에 잘 살다가 형부가 먼저 죽고 곧 이어서 언니도 죽었다.

> 노래 길 십이허도 오히려 멀다 한대, 저성이 어대인가, 칙양키 어려워라.

이 구절을 통해 십리 길에 있던 가까운 언니가 생각하기 어려운 곳, 저승으로 갔다고 하였다. 자주 오고가던 사이이기에 사별의 아픔이 더 크다는 것을 표현하고 있다.

31. 아버지 영전에

1969년, 박재연 교수 소장, 세로 32.8㎝, 가로 128.8㎝

유세차 기유 구월 기미삭 십구일 정축은 내아
친쟝
현고 슌천 챵봉 부군 효생자 일례라 현
일남 뻥자 예 차 비 파산 조실은 군주 비빡
지전하옵고 수행븐으로 품질표하나 아다
유로 흔재며 유로 예재라 지친에 무분이
라 하였아온대 빡친차 부자유니 감하
부상빨 삼유로 곰그하오려가 마는 생아 유
아유라 부포구 흉하신 유리 부보 열결조
현하옵신지 주편이도 하와서 중생이 되
오시니 부식에 아옵나 에상에 해싸인 정곡
망극하일이 하도 영결전에 주달하와
여평에 취이 심히 풍 품고하오니다
오호하 현도가 부삼하고 초불유도 애호하다
현피면 가하고 나선 유며 부주 조비 부명
유라 부주 분광 명하 유라 부주 현하며

유세차 기유 구월 기미삭 십구일 정축은 내 아 친당 현고 숭선전[151] 참봉 부군 소상지일예라. 전일 석 병자에, 차녀 파산 조실[152]은 근구비박지전[153]하옵고, 수행[154]문으로 품달코저 하나이다.

오호 통재며 오호 애재라. 지친에 무문[155]이라 하엿아온대, 막친자 부자[156]오니, 감히 무삼 말삼으로 품고하오리가마는, 생아육아[157] 우리 부모, 구로하신 우리 부모, 영결종천하옵신 지 주년이 도라와서 중상이 되오시니, 목석 여아오나 여산여해 싸인 정곡, 만분의 일이라도 영령 전에 주달하와, 여광여취 이 심회를 일문 품고하오이다.

오호라 천도가 무심하고, 조물주도 야속하다. 천지 정기 타고나신 우리 부주, 조세 덕명 우리 부주, 문장 명필 우리 부주, 천하 명

아, 기유년(1969년) 9월 19일은 우리 아버지 숭선전 참봉 부군의 소상일입니다. 그 전날 저녁, 차녀 파산 조실은 삼가 변변찮은 제물을 차려놓고, 몇 줄의 글로 말씀드리고자 합니다.

아, 애통하며 애통합니다. 지친간에는 꾸밀 필요가 없다고 하였는데, 가장 가까운 지친은 부자간이니, 감히 무슨 말씀으로 아뢰겠습니까? 다만 나를 낳으시고 길러주신 우리 아버지, 애쓰신 우리 아버지, 영원히 이별한 지 1주년이 돌아와서 중상일이 되었습니다.

목석같은 이 딸이지만, 산같이 바다같이 쌓인 사연, 만분의 일이라도 영령 앞에 말씀드리고 싶어, 미친 듯 취한 듯한 이 심회를 글에 담아 아뢥니다.

아, 천도가 무심하고, 조물주도 야속합니다. 천지의 정기를 타고나신 우리 아버님, 어린 나이 때부터 덕으로 유명했던 우리 아버님, 문장가요 명필이었던 우리 아버님,

151 숭선전 : 가락국 시조 수로왕과 왕후 허 씨를 모신 전각.
152 조실 : 조 씨 집안에 시집간 딸.
153 근구비박지전(謹具菲薄之奠) : 삼가 변변치 못한 제물을 갖춤.
154 수행(數行) : 몇 줄.
155 무문(無文) : 꾸밀 필요가 없음.
156 막친자(莫親者) 부자(父子) : 친한 관계 가운데 부자간이 가장 친함.
157 생아육아(生我育我) : 나를 낳으시고 길러주심.

사ᄋᆞᆸ、리 부주 조부유 엄께ᄋᆞᆸ신 곡복며
한께ᄋᆞᆸ하니 초퇴비록 흉가외인 ᄃᆡ하하
ᄋᆞᆸ지나 ᄃᆡ샹 고ᄉᆡᆨ면 엿더니 어찌 이리 되
여 셰ᄉᆞᆼ가중 ᄒᆞᆫ 백대 소자를 뉘게 게 민어시
고 어이 이리 되시ᄋᆞᆫ가 귀신이 사기 ᄃᆞᆫ가 욕ᄒᆡᆼ
제중 부룸인가 만수무강 바랏드니 욕순을
일시 하ᄆᆡ 염ᄒᆞᆯ가 쇠 하ᄋᆞᆸ시니 이부 ᄉᆡᆼ별도
리라 ᄋᆞ호라 혈철하신 우리 사백 쟝별션
음자 포념라 ᄑᆞᆯ을고 뎐중 조모님 뫼ᄋᆞᆸ신 심
일 ᄒᆞᆫ가 ᄒᆞᆫ술 ᄒᆡᆼ 쳬 ᄉᆡᆼ시하ᄋᆞᆯ 불셤 불ᄋᆞᆺ
치 ᄉᆡᆼ 멸철 ᄇᆡᆨ옵지 민망ᄒᆞᆯ 미가며 ᄒᆞᆫ다 혈제
를 어찌 감내하오리가 ᄋᆞ호라 아부주 께시
ᄋᆞ면 ᄃᆡ샹 ᄆᆡᆫ쉬 만을 것을 ᄋᆞ셩이구별이오

사 우리 부주, 조부 유업 계승하고, 곡목 명성[158] 계승하니,

소녀 비록 출가 외인이라 하올지나, 태산 교악 밋엇더니, 어찌 이리 되어신고. 가종 향방 대소사를 뉘에게 밑어시고, 어이 이리 되시온가.

귀신이 시기튼가, 옥황제궁 부름인가. 만수무강 바랏드니 육순을 일기하여 엄홀기세하옵시니, 이 무삼 변고리가.

오호라 현철하신 우리 사백[159] 장병 신음 자모님과 팔순 고령 종조모님 뫼옵시고, 십일 동기 통솔할제, 상시하솔 불섬불유 치산범절 베옵기 민망하고, 미가미혼 다형제를 어찌 감내하오리가.

오호라 아부주 계시오면, 태산 반석 믿을 것을, 오장이 구열이요,

천하의 명사이셨던 우리 아버님, 할아버지의 유업을 계승하고, 곡목 명성 즉 화살에 상한 새는 굽은 나무를 보고도 놀란다는 말이 있듯, 매사 신중한 처신으로 이름이 높았던 명성을 계승하였지요.

제가 비록 출가 외인이지만, 태산같이 믿었더니, 어찌 이리 되셨단 말입니까? 집안일이며 동네의 대소사를 뉘한테 맡기시고, 어찌 이리 되셨단 말입니까?

귀신이 시기한 건가요? 옥황상제님의 궁궐에서 부르신 건가요? 만수무강을 바랐더니 육순을 일기로 갑자기 별세하셨으니, 이 무슨 변고입니까?

아, 현철하신 우리 큰오빠, 긴병으로 신음하는 가운데, 어머님과 팔순 고령의 종조모님 뫼시고, 열한 남매 통솔하며, 윗어른 모시고 아랫사람들 거느리고, 넉넉치 않은 살림살이하는 것 뵈옵기 참 민망합니다. 더욱이 아직 혼인하지 않은 여러 남매를 어찌 다 감당한단 말입니까?

아, 우리 아버님이 계시면, 태산 반석같이 믿을 것을, 오장이 아홉 갈래로 찢어질 듯하고,

158 곡목(曲木) 명성(名聲) : 화살에 상한 새는 굽은 나무를 보고도 놀란다는 말이 있듯, 매사 신중한 처신으로 이름이 높음.
159 사백(舍伯) : 큰오빠.

혈지가 망〻이라 지금 섬겹 갈으시면 아버님께
신곳을 인간만사 다 버리고 현지 돈지 따라가시
모시올ᄉᆞ 잇아오면 불쉰 혈(현)떠가오련만 유
명이 다르오나 막〻하기 그지 없ᄉᆞ오이다 오호 통
재라 삼가 독전ᄋᆞ리 부족 실하의 칠행 제
가 기라 쉰 버렸으나〻 부족유 엄은 가릴 제승
되올지며 맥근 죽〻 부족 유근 쉰 배 불근 힘
을 모와 간출도 모하옵시니 쉬(하) 반 질될 것이
요 모도 외불 결비하와 ᄉᆞ매 잔 차린다 하나
듯기에도 흉측하오이다 오호라 애ᄉᆞ 재사.

천지가 망망이라. 지금 심정 같으시면 아부님 계신 곳을 인간 만사 다 버리고 천지돈지 따라가서 모시올 수 잇아오면 불원천리 가오련만, 유명이 다르오니 막막하기 그지없오이다.

오호 통재라. 삼가 독전 우리 부주, 실하의 칠형제가 기라성 버렷으니, 부주 유업은 기필 계승되올지며, 만고 주옥 부주 유고, 선배 붕고 힘을 모아 간출 도모하옵시니, 쉬히 반질 될 것이요, 묘도 외물 정비하와 수비 장차된다 하니, 듯기에도 흠축하오이다.

오호라 내두지사

천지가 막막합니다. 지금 심정 같으면 아버님 계신 곳에, 인간 만사 다 버리고 따라가서 모셔올 수만 있다면, 불원천리 가련만, 이승과 저승이 다르니 막막하기 그지없습니다.

아, 애통합니다. 삼가 우리 아버님께 알려드립니다. 슬하의 7형제가 기라성같이 벌여 있으니, 아버님의 유업은 기필코 계승될 것입니다. 만고의 주옥같은 부주 유고 즉 경전에 주석을 단 원고는 선배와 친구분들의 힘을 모아 인쇄하고자 도모하고 있으니, 곧 출판될 것입니다. 묘소의 석물들도 장차 정비한다 하니, 듣기에도 흐뭇하며 축하할 만합니다.

바라옵는다졍다감 부주께셔 특별하온 엄우
시로 친졍 친손와 손들을 출군션장하와 부
옥에 젼ᄌ 할은 여뎡시 부굳도록 하여주시옵
기쁘옥 빠나이다 ᄋᄋ로 통재애재라 미젼미흡
한부러 졍곡 낫ᄀ 쳐기록하면 쳥헌장지부죽
이나 흉격이 막히 오뿐 오내가 분분이라 욕
한부러 졍곡 낫ᄀ 쳐기록하면 쳥헌장지부죽
이나 흉격이 막히 오뿐 오내가 분분이라 욕
고이 난설이오 욕가이 노오로소이다 재헌하션.
불매 존령이시여 굽어 살피소서 오호애재
상향

바라옵은, 다정다감 부주계서 특별하온 엄우[160]이로, 친자 친손 외손들을 충근 선장[161]하와 복녹이 진진하고, 여경이 무궁토록 하여 주시옵기 축수 비나이다.

오호 통재 애재라. 미진 미흡한 부녀, 정곡 낫낫치 기록하면, 청천 장지 부족이나, 흉격이 막히옵고 오내[162]가 분붕[163]이라. 욕고이 난설[164]이요, 욕기이 난고[165]로소이다.

재천하신 불매 존령이시여, 굽어 삶이소서.

오호 애재 상향.

아, 장래 일을 부탁드립니다. 다정다감하신 아버님게서 특별한 돌보심으로, 친자, 친손, 외손들을 충실히 좋은 것만 골라서, 복록이 넘치는 가운데, 여경 즉 남에게 좋은 일을 많이 한 보답으로 뒷날 그 자손이 받는 경사가 무궁하도록 해 주시옵기 축수하고 빕니다.

아, 애통합니다. 미진하고 미흡한 우리 부녀의 사연을 낱낱이 기록하자면, 하늘을 종이 삼아도 부족합니다. 가슴이 막히고, 오장이 찢어지는 것만 같습니다. 더 아뢰고자 해도 더 이상 말씀드리가 어렵고, 다 기록하려고 해도 더 이상 쓰기가 어렵습니다.

하늘에 있는, 어둡지 않으신 혼령이여, 굽어살펴주세요.

아, 애통합니다. 흠향하십시오.

160 음우(陰佑) : 보이지 않는 곳에서 은밀히 도움.
161 선장(選獎) : 좋은 것을 골라서 장려함.
162 오내(五內) : 오장(五臟).
163 분붕(分崩) : 나뉘고 무너짐.
164 욕고이(欲告而) 난설(難說) : 고하려고 해도 말하기 어려움.
165 욕기이(欲記而) 난고(難告) : 기록하려고 해도 고하기 어려움.

감상 및 해설

딸이 아버지한테 올린 제문이다. 후반부에서, 돌아가신 아버지께 알려드리는 내용이 흐뭇하고 자랑스럽다.

> 삼가 우리 아버님께 알려드립니다. 슬하의 7형제가 기라성같이 벌여 있으니, 아버님의 유업은 기필코 계승될 것입니다. 만고의 주옥같은 부주 유고 즉 경전에 주석을 단 원고는 선배와 친구분들의 힘을 모아 인쇄하고자 도모하고 있으니, 곧 출판될 것입니다. 묘소의 석물들도 장차 정비한다 하니, 듣기에도 흐뭇하며 축하할 만합니다.

아버지 슬하의 7형제가 건재하여 부친의 유업을 계승할 것이라는 위로와 아울러, 유고 출판 계획까지 전하고 있다. 고인에 대한 발화이면서, 그 자리에서 이것을 듣고 있는 조객들에게 은연중 과시하는 효과를 나타냈으리라 여겨진다. 1969년까지도 유고를 출판하는 문화가 존속했다는 걸 알 수 있다.

32. 아버지 영전에

1969년, 황혜영 님 소장, 세로 30㎝, 가로 172㎝

육 쳐 자 기별 잘[illegible] [illegible] 미세[illegible] 사[illegible] [illegible] 권쳑 [illegible]

선인 중생지[illegible] 아 [illegible] 녀 [illegible] 난 [illegible] 능매 [illegible] 화 미 [illegible] 리[illegible]

[illegible] 쳘[illegible] [illegible] 재 유복 무녀 난 민지 상 새난

우녀 무녀 난 전생 [illegible] 애 [illegible] [illegible] 초 [illegible] 베 또[illegible] 새 [illegible] 미 [illegible]

중매 [illegible] 우 [illegible] 더 [illegible] 허 [illegible] 운 [illegible] 대치 [illegible] 운 [illegible] 온 [illegible]

두 [illegible] 선미[illegible] 산 [illegible] 섬 치 [illegible] 미 [illegible] 기 [illegible] 우녀 는 미 [illegible]

평 [illegible] 거녀 [illegible] 미 [illegible] 천 나 회 [illegible] 치 [illegible] 무지

오 쇠 질 [illegible] 당 [illegible] 무 자 부 게 [illegible] 장 [illegible] 된 물 베 [illegible] 레 손 [illegible]

도착 [illegible] 행 [illegible] 이 최 [illegible] 생 미 최 [illegible]

연 [illegible] 오 호 매 재 [illegible] 난 시 [illegible] 미 난 상 [illegible] 시 [illegible] 미 [illegible]

진 [illegible] 주 생 무 차 세 [illegible] 주 [illegible] 평 [illegible] 선 비 [illegible]

유세차 기유[166] 삼월 임슐삭 이십샤일 을유 유아 선인 죵샹지일야. 전석갑신에, 쇼녀 원후난 불승애통하와 이황샤박전으로 통곡 고결우영상지전왈,

오호 통재 유부유녀난 인지상새나, 우리 부녀난 전생 만액 츌세로 곤곤 초액에 또다시 가운이 불이하와, 중액 수운이 덥처, 무오년 왜감한은 대지동영하건만, 오가 유독 편흑하여, 선비 해산하신 삼칠 만에 불행 기세하시고, 우리 남믜 인인 량혼 남가여혼 작작 자황 세인이 흠모터니, 화정츙화 오남믜 렬칠 안 유치, 오세 팔세 강보 유치, 뉘게 전장할고.

원울에 신부례도 못하시고, 선후 도착, 쇼녀 결혼 초행 마즁 못 미처서 운명하신 그 경상이, 첨전고후[167] 막연하다.

오호 애재 쇼녀난 십육세오, 영데난 십삼 세라. 현 시대로 이를진대, 면면이 구생유치, 십구세 유아 백형은 타문탁신 이삼 년의 환부허행, 고법도 엄중하샤,

오호 선인은 막연한 이 가졍에, 선비 삼

기유년(1969년) 3월 24일은 우리 아버지의 종상일입니다. 그 전날 저녁, 딸 원후는 애통함을 이기지 못하며, 변변찮은 글과 잔을, 통곡하면서 영전에 바치며 고합니다.

아 애통합니다. 아버지가 있으면 딸이 있는 것은 인간사에 흔한 일이지만, 우리 부녀는 특별합니다. 전생에 뭇 액운을 겪은 데다, 이승에서 첫 액운을 겪었습니다. 또다시 가운이 불행하여 무거운 액운이 덮쳐왔습니다. 무오년(1918년), 우리집만 유독 불운하여, 어머니께서 해산하신 삼칠일(21일) 만에 별세하셨습니다. 남매는 좋은 짝을 만나 세상사람들이 모두 흠모하였으나, 화정(花庭), 춘화(春花) 등 5남매는 17세 안쪽의 어린이, 5세 또는 8세 정도의 강보에 싸인 아이에 불과했으니, 그 누구한테 맡긴단 말인가요? 원울이의 신부례도 못 보시고, 저승 가는 차례가 뒤바뀌어, 제 혼인의 초행 마중도 못하신 채 운명하신 우리 어머니, 앞을 내다보고 뒤를 돌아보아도 우리를 보살펴줄 사람 막연하였습니다.

아, 애통합니다. 저 원후는 당시 16세, 동생은 13세. 현 시대로 이를진대, 모두가 젖비린내 나는 나이였지요. 19세인 언니는 남의 가문에 들어가서, 친정집에 가는 것을 허용하지 않는 예법을 엄중하게 지키며 살고 있었습니다.

아, 막막해진 우리 가정에서, 어머니 3년상이 마치자,

166 기유 : 1969년.

167 첨전고후(瞻前顧後) : 앞뒤를 살핌.

편의뫼ᄒᆞ고리ᄒᆡᆼᄒᆞ던도ᄂᆡ나궁ᄌᆞ샤모조리만든ᄉᆞ면ᄒᆞ미ᄀᆞᆺ홍ᄭᅦ
천[illegible]가ᄂᆞᆫᄎᆞᄌᆞ드ᄅᆡ자셔ᄌᆞ상가ᄉᆞᆷ을될ᄯᅢ의미ᄉᆡᆨ칠ᄌᆞᆫ모리
ᄌᆡ[illegible]차ᄌᆞᆫᄋᆞᆫ부녀ᄇᆞᆫ어ᄀᆞᄅᆡ모ᄅᆞ셰조도ᄋᆞ생ᄯᅳᆨᄭᅦ연이호블
리ᄋᆡ지ᄋᆞᆼ부셩ᄒᆞᆫᄂᆞᄌᆞᄂᆞᆫ방천ᄭᅦ후무지녀ᄉᆞ셔ᄉᆞᆼ린ᄉᆞᆫ살ᄯᅢ신
쟝ᄎᆡᆨ[illegible]하니ᄉᆞᆼ의온ᄌᆞ리누뉴청산시ᄯᅢ가의미졸구황ᄀᆞᆯᄒᆞᆫ됴ᄯᅢᄉᆞᆯ
누안간쟝ᄌᆞ미ᄭᆡᆨ아가쟝미조ᄉᆞᆼ미졸민ᄉᆞ수네도ᄭᅦ와취된ᄃᆞᆫ쳑당
지단ᄇᆡ천네쌍ᄉᆞᆼ의통ᄌᆞᆼ주ᄐᆞᆯ마진ᄃᆞᆫ미연초ᄌᆞᆫ밀ᄌᆞᄭᅦ호ᄌᆞᆼ도ᄲᅡᆫ
우ᄎᆡᄋᆞ연미ᄯᅢ우ᄒᆡᆨ바ᄂᆞ너ᄂᆞᆫ못지ᄌᆡᄒᆞᆫ견ᄋᆡ초ᄃᆡ신ᄋᆞ주ᄉᆞᄯᅢ통
연차ᄌᆞ창저ᄒᆞᆫᄃᆞ졀ᄉᆡᆼ은ᄒᆡᆼᄂᆞ탄인ᄯᅳᆫᄒᆞᆫ졸홍졍ᄒᆞᆫᄒᆞ졍
ᄌᆡᄌᆡᄂᆞᆼ나서ᄒᆡ옥ᄂᆞ회지ᄃᆡᆫ통산ᄎᆞᆫᄒᆞ혼졸신미ᄌᆞ와올ᄋᆞᄲᅳᆫ
간이탄ᄎᆞ아ᄌᆞ나미ᄋᆡᆫ의ᄌᆞᆯᄉᆡᆼ산ᄎᆡᆫᄃᆞ어고서부ᄒᆡᆫ졍ᄌᆞᆼᄯᅢᄒᆡᆫ

연 초호를 마치자, 설상가상으로, 원울의 이팔 청춘 요절, 차하변, 차하언야. 유아 선인 거룩하신 후품성덕 세인이 층송하나, 지공무사한 유유명쳔에 묵우[168]가 없사신고? 송빅 공산에 심장 체백하니, 꼿다온 자최 녹슈청산 시내가의 일분 황묘 가련하다.

마듸마듸 녹난 간장 구비구비 썩난 간장, 일명을 밧구어도 이가치 원통치 아닐지라. 엄친에 상명비통[169] 종주달야, 파초 입 상하 초촌 밀쥬에, 호흡마다 유혈이라. 비념 목석 아니어든 엇지 차마 견댈 배리오.

규리예 홍안 처자, 참절한 그 경상은 행노 타인도 함루 통절하온 듯, 생사차등 넉시 쇄옥 낙화지원 원통, 산천도 오열하고 일월이 무광이라. 천야지야, 이 왼일고? 생사간 차등업시 목하 정경 여한

설상가상으로 이팔청춘 자식들이 잘못되었으니 어떡하면 좋단 말입니까? 아버지의 거룩하신 인품과 덕망을 세상 사람들이 칭송하나, 지공무사한 하늘이 왜 그 자식들을 도와주지 않으신 걸까요? 소나무 우거진 산에 깊이 시신을 안장하니, 꽃다운 자취가 수청산 시냇가의 무덤으로 남아, 가련하기도 하여라.

마디마디 녹는 간장, 굽이굽이 썩는 간장, 한 목숨만 데려가셨다면 이같이 원통치는 않았으리라. 자식을 여윈 아버지의 슬픔, 밤낮으로 호흡마다 피를 토하는 듯, 생각이 없는 나무와 돌이 아니라면 몰라도, 어찌 차마 견딜까?

규중의 홍안 처자인 내가, 동생들을 여읜 참상은, 길 가는 사람들도 눈물을 머금고 애통하는 듯하였지요. 삶과 죽음은 달라서, 동생들의 넋이 비에 씻겨 떨어지는 꽃과 같이 되었으니, 산천도 오열하고 해와 달도 빛을 잃었습니다. 하늘아, 땅아, 이 웬일이란 말인가? 살았을 때나 죽었을 때나, 여전한 그 모습,

168 묵우(默祐) : 말없이 도움.

169 상명비통(喪明悲痛) : 아들의 죽음을 당한 슬픔.

며시기선며(인)상병지 홍초며며지(반회)동로근참상며아놀비재나 천지간
며청은인간매재천재저의대천이삼삭간정가치편안초훈
정보내분봉가이여드단 놀보홍재로숙혀원실심누서상베풀
리유광명무(지동)리도연한즉누리쉐드뫼(조)리닷화천이해호동명풀
된탁하일주선부패는못하술생나선각으며죄로친죄우내
못내탄문물현초혀한숙아풀샹네헌선당키보와오니광정무
재천당하소억조소리천천지또(네)미르나보비리천죄로그
닥쳐온세상절세천반년듯어지러워시정리익은저절
(백)홍수십등노천왕다흘의시평천하네존근고흥짝
문시천단군부명하느한평창생하니케만년부흥생
쇠상천지며구시말네재천백세천해성다니치내자장즈
띠의훈한울룡천화우네배부주허부주푸도해조혜의론

여색, 선인에 상명지통 쇼녀에 반체지통[170], 고금 참상 비일비재나, 천지간에 처음인 닷, 애재 원재! 저의 대한 이십육 단경 가지런가? 촌촌간장, 오 내 분붕 가이업다.

오호 통재 류슈 세월 십슈 성상에 또다시 상명지통을 거듭하시고, 우거협촌의서 또 차선비 해포 포병즁, 원탁 성취 신부례도 못하시고, 샤남매 강보 유치 고쳠좌우 내무내라. 불행 죠세 하시니, 일생에 한번 당키 어려운 이 광경을 재차 당하신 억울 소처, 하천하지에 또 이스리오? 오 비절 참절 그 역사를 문사 필사 천만인들 엇지 다 기록하리잇가.

정츅 츈 구십 독노, 선왕고 달포 비경 친환에 종쥬달야 약음시탕 단독 싀병 가즌 환경, 창상 겁히 열녁 풍상 세상 천지 업것마난, 여천약지 하해 셩덕인지, 백자 장구 예의 효빈으로 봉선 화우에 백부쥬 히부쥬 불행 죠세하시고.

아버지의 참척의 슬픔, 저의 형제간 사별의 아픔, 고금 역사에 이런 참상이야 비일비재한 일이겠으나, 나로서는 천지간에 처음 일인 것만 같아라. 애통하고 애통하다! 동생에 대한 이 마음, 애간장이 끊어지는 듯, 아, 갈래갈래 찢어지고 무너지는 듯 그지없습니다.

아, 애통합니다. 세월은 흐르는 물과 같아, 어느덧 십수 년 만에 또다시 자식을 앞세우는 슬픔을 거듭 당하셨습니다. 깊은 산골에서 사실 때, 새어머니께서 한 해쯤 병환을 앓으시다가 돌아가셨지요. 원탁이가 신부례를 아직 올리지 않았고, 남은 4남매는 강보에 싸인 애들이라, 의지할 데가 없었습니다. 그런 가운데 새어머니께서 불행히도 별세하셨으니, 일생에 한 번 당하기 어려운 일을, 아버지께서 재차 당하셨으니 억울한 일입니다. 이제 다른 하늘 다른 땅에 이르셨으니, 아, 슬프고 절통한 그 역사를 명문장가 천만 명이 있다 한들 어찌 다 기록할 수 있겠습니까?

정축년 봄, 그 당시 90세였던 시할머님의 가볍지 않은 병환에, 밤낮으로 미음을 드리고 약을 달여 모시기를 단독으로 하시던 환경이었지요. 그런 참상과 풍상은 세상 천지에 다시없을 것이었지만, 하늘같고 땅같고 바다같은 은덕인지, 아들들이 잘살고, 예의와 효성으로 윗어른을 섬기고 형제간에 우애하였습니다. 큰할아버지와 할아버지께서 불행히도 일찍 돌아가시고.

170 반체지통(半體之痛) : 형제간 사별의 슬픔

생명가 매수 천흔 장와 장탄 하니 쥭 룽기 화와 화ᄒᆞ며
잠ᄭᆞ 죠흥 원망 섭ᄒᆞ여 호흥재 천민 ᄀᆞᄐᆞ시 이 업서 셩네 또 미ᄉᆞ고
ᄯᅢ 세셔 ᄯᅢ 엽ᄉᆞ 치와 미ᄉᆞ가 즈셔 셩 ᄯᅥ며 ᄆᆞᆫ 미 ᄆᆡᆫ 쟝 박ᄂᆞ ᄯᅥ
된 합 무시 ᄒᆞᆫ 합ᄂᆞ 뵈ᄅᆞᆯ 민재 ᄀᆞ이 ᄃᆡ 합ᄒᆞ오 ᄉᆞᆷ으로 미ᄎᆞ 너 우ᄒᆞᆫ 젼으
누셔 호ᄉᆞ ᄯᅢ 치ᄒᆞ오ᄂᆞ 러 새오ᄂᆞ 생ᄆᆞᆯ 너 쟝쳥 ᄉᆞᆫ 후 ᄀᆡ 차 블을 셰ᄃᆡ
난 쳥 ᄂᆞᆫ 가쳥 며 흐쳐 신셩을 ᄒᆞᆫ오 우화ᄉᆞ 기 ᄊᆡ며 ᄯᅡ 합 ᄀᆡᆼ요
강 미 ᄂᆞᆫ ᄯᅢ 쉐 령 ᄆᆞᆫ 은 ᄎᆞᆷ 하ᄉᆞ 지 ᄆᆞᆫ 쳥다 ᄂᆞᆫ 미 ᄉᆞᆷ ᄉᆞ 누 ᄆᆞᆫ 더 ᄒᆞᆫ
헛ᄉᆞ 다 ᄆᆞᆫ 동 누셔 ᄂᆞᆫ 조 미 ᄂᆞ 부ᄉᆞ 거 셜이 화외 ᄂᆞᆫ 의 동으 쟉쟉 시 ᄒᆡᆼ
곡 거 삼 ᄂᆞᆼ 무ᄉᆞᆫ 셩 ᄭᅢ 화ᄂᆞ 샹 합 고쟝이 비 연 거 흥 흥을 고 ᄒᆞᆫ
미 산ᄉᆞ 거 만리 쇠 ᄂᆞᆫ 미오 축 쇽 산 ᄉᆞᆫ 미 ᄒᆞᆫ 을 호흥재 무ᄃᆡ 오이 한 ᄂᆞᆨ
헤ᄉᆞ 시ᄅᆞᆯ 이 민 젼ᄉᆞ 대ᄋᆞᆫ 다 된 어 흥 박 ᄎᆞ 라 외 ᄂᆞᆫ 누셔 ᄃᆡ 미

생양가 백부 친부를 자부자담하시고 구족 동기 화목하며

자자츙원하신 셩덕, 오호 통재, 선인갓흐시니, 이 세상에 또 잇스며, 샤긔에 몃몃치리잇가 그 렬셩덕 여음이 민멸치 아녀, 남제 원탁 유시로 탁월 인재 긔대하든 쇼망을 이루어, 유한정정[171] 슉녀호구[172]에 칠남ᄆᆡ 생남생녀 장성 손부까지 보시고, 분문 사대 만졍 든 가졍에 혼졍신셩[173]을 밟으시다가, 기세 이차 하량 무감이나, 백세 향년은 못하실지언정, 다만 이삼삭 슈만 더하셧다 면, 동슈 결혼이나 보실 거살, 미거월의 도요 작작 서 부가 상즙 유길 상쾌하나, 상탁 소장이 의 연 긔용즙물의 슈택이 반반 거안 비졀이요, 촉목상심[174]이라.

오호 통재 유명이 현슈하니, 실이 인졍 쓸대업다. 원억 통박 늣거워온, 슈삼 년 이

아버지께서는 본가와 양자로 들어간 집의 양아버지(큰아버지)와 친아버지를 모두 봉양하시며, 모든 친족의 동기가 화목하셨지요.

사랑이 충만하셨던 아버지의 덕성, 아 애통합니다. 신선과도 같으셨으니, 이 세상에 또 있겠으며, 역사책에도 몇이나 되겠습니까? 여러 조상의 덕망과 여운이 없어지지 않아, 남동생 원탁이가 이 시대의 탁월한 인재로서 기대하던 소망을 이루어, 좋은 짝을 만나 7남매를 낳아 다 장성해 손주며느리까지 보셨지요. 다 분가를 시키고, 4대가 가득, 온 자손들로부터 혼정신성 즉 아침 저녁으로 문안인사를 받으시다가, 세상을 떠나시니 한량없이 유감스럽습니다. 백세는 못 사시더라도, 다만 두세 달만 더 사셨다면, 동주의 결혼이라도 보실 것을 일찍 가셨습니다. 남기고 가신 물건들마다 묻은 아버지의 손때를 보자니, 눈 가는 곳마다 애절하고, 눈 닿는 데마다 마음이 상합니다.

아, 애통합니다. 이승과 저승이 현격히 다르다더니, 어떤 노력도 쓸데없었습니다. 원통하게도 수삼년 간

171 유한정정(幽閒靜貞) : 부녀의 태도나 마음씨가 얌전하고 정조가 바름.
172 슉녀호구(淑女好逑) : 숙녀의 좋은 배필.
173 혼정신성(昏定晨省) : 밤에는 잠자리 보아 드리고 새벽에는 밤새 안부를 물음.
174 촉목상심(觸目傷心) : 눈에 보이는 사물마다 마음을 아프게 함.

홍ᄏᆡ 신은 부ᄒᆞᆫ 망극 졍셩 ᄃᆞᆫ 곳 미ᄎᆞ 뎌ᄒᆞᄂᆞ 뭇ᄌᆞ면 셩인의

ᄌᆞ녀 신ᄅᆞᆯ ᄡᅥ 쳔지간 죵영ᄒᆞ야 ᄡᅳ 시ᄉᆞ 은덕ᄋᆡ 너ᄇᆡ 셜ᄒᆞ여 ᄂᆞ 치ᄒᆞᆫ

엿ᄌᆞ오니 쳔ᄒᆞ 음덕이 ᄡᅥ 실ᄒᆞ 오ᄂᆞᆫ 우거능ᄒᆞ오ᄋᆡ 고 자ᄉᆞ 찬ᄋᆡ 이ᄅᆞ이

시ᄉᆡᆼ 도이ᄂᆞ 황종 혼 ᄌᆞᆫ디 감옥 ᄒᆞ여 ᄌᆞ조 ᄒᆞ니 씨샤 천국ᄋᆡ ᄀᆞ 슈ᄅᆞᆯ 넘셔

ᄡᅡᆯ 님 ᄇᆞ 닐 ᄇᆞᆯ지 ᄉᆞ 도ᄒᆞ야 어ᄒᆞᆯ 나보기ᄅᆞᆯ 은 ᄒᆡ외 ᄌᆞ손 ᄆᆞᆫ 쳔

ᄇᆡ셩의 누쳔 ᄆᆡ치 누ᄌᆞ 쳐ᄒᆞ면 ᄒᆡᄉᆞ ᄒᆞ여 목 ᄉᆞ긴 셰ᄃᆡ ᄋᆡ 샹

젼ᄒᆡ ᄌᆡ물 ᄒᆞᆫ ᄒᆞ여 ᄂᆡ 셩치 ᄒᆞ여 ᄂᆡ 죠ᄒᆞᆫ ᄒᆞ온 명 젼ᄒᆞ여 ᄃᆡ 친

지샹 샹죠 ᄒᆡ ᄇᆞᆫ국 중 쳔 쳐ᄒᆞᆫ 님ᄂᆞᆫ ᄂᆡ 우ᄂᆞ 셩ᄇᆡ ᄂᆡ ᄃᆞ라 ᄂᆞ오 ᄉᆞ ᄂᆡ 신ᄒᆡ

오ᄂᆞᆫ 목ᄉᆞ 영ᄒᆞ 손ᄌᆞ 연 이 ᄉᆞᆼ ᄌᆞ 쇼ᄉᆞ ᄉᆞ 찬지 회 연ᄉᆞ ᄉᆞᆼ 연 ᄒᆞᆫ ᄒᆡ 며

간 신 ᄇᆞᆯ ᄒᆞᆫ 오ᄂᆞ ᄌᆞ거 ᄇᆡ외 의 죵 ᄌᆞ ᄌᆞ 사 홍ᄋᆡ ᄋᆡ 샹 쳐 ᄒᆡ

ᄇᆡ 홍ᄇᆞᆨ 우 ᄌᆞ거 ᄂᆞ ᄉᆞᆷ으 ᄒᆡ 치 ᄒᆞᆫ 징 능 연 ᄎᆞᆫ 샹 지 ᄉᆞᆼ 미 ᄉᆞ ᄒᆞᆫ

샹 ᄃᆞᆨ ᄒᆞᆫ ᄒᆡ의 ᄆᆡ 오 ᄒᆡ ᄉᆞ ᄂᆞ ᄂᆞ 목 ᄉᆞ 기 ᄒᆞ여 ᄌᆡ 쳔 지 이 ᄂᆞ 가 ᄒᆞ

ᄇᆡᆨ시 오ᄅᆞᆯ ᄆᆡ ᄌᆡ ᄒᆞ시고 ᄋᆞ ᄉᆞ 모ᄂᆞᆫ ᄌᆡ 뭇ᄂᆞ 쳔 ᄒᆞ니 옥 ᄉᆞ 변ᄒᆞᆫ

통과신 몸 노환 왕왕 정신도 골몰 미류하시나, 융년 년상이라 그러신 줄 알고, 천지간 동양억산 식은 년년 의안 겨웁시나 하엿더니, 천만 몽미 밧 실음은 기승하오미, 고지규천의

일기 시탕도 임종 못한 여감 부다 여세나, 미샤전 풀일 가망 업삽고, 익일 츌발 직도하니, 세하 납월은 좌석 존안 여젼, 배별의 슈건 밧처 수루 창연하시더니, 불과 사개월의 상전벽해로 변하여, 의상 칠임에 존안하고 영결이라.

천상지상 호천망극 종천 셔름 남열며, 부모 상여 이라리요? 쇼녀 신세 오미불망 하신 자의 매봉 가졀, 사친지회 년년 승안 하처에 가 심방하오릿가?

미긔년의 죵슉쥬 상사 츌어몽상지외에 통박 늣겁삽고, 처지 환경 늬연 참상 자양 인후하신 자품 셩덕 하처의 베오릿가? 염나부로 기약하니, 차천지난 기회 업시, 오호 애재 헛부도다.

오호 통재 유아 선인 옥금 아히

고통받으시던 몸, 노환으로 왕왕 골몰한 채 낫지 않으셨지만, 연세 높아 그러신 줄 알고, 올해에는 편안히 계실까 하였더니 천만 뜻밖에도 돌아가셨습니다. 땅을 구르며 하늘을 보고 울부짖을 일입니다.

한 그릇 탕약도 지어 올리지 못하고, 임종도 못한 이 여한은, 죽기 전에는 풀릴 가망이 없습니다. 돌아가신 다음날 출발하여 바로 도착하니, 지난해 섣달에 얼굴을 뵈었던 자리는 여전하고, 이별할 때 수건을 받쳐 눈물 흘리며 슬퍼하시더니, 불과 4개월 만에 상전벽해처럼 변하여, 초상 치르기로 아버지의 얼굴을 영결하다니요?

하늘과 땅 위에서 망극한 비통이 많지만, 어찌 부모님 상을 당하는 것과 비교할 수 있겠습니까? 이 딸의 신세는 오매불망 그리워하나, 어디 가서 자애로운 음성을 들으며, 어느 곳에 가서 부모님의 얼굴을 찾아뵙는단 말입니까?

1년도 채 지나지 않아, 종숙부님의 상사를 당해, 꿈에도 생각 못한 애통함을 느꼈으니, 인자하고 후덕하신 성품과 덕성을 어느 곳에서 다시 뵈올까요? 염라국을 기약할 수가 없으니, 이 천지에서는 다시 기회가 없습니다. 아, 애통하고 허망합니다.

아 애통합니다. 우리 아버지께서는, 아들에 대해

비사ᄅᆞᆷ이 [illegible] 저러ᄒᆞ여 더니 지ᄂᆞᆫ 자ᄂᆞᆫ 지 ᄃᆞᆨ 녀 재목 아 ᄒᆞ로
천선 ᄒᆞᆫ 모 황 [illegible] ᄭᅳᆺ 부 [illegible] 황 [illegible] 사 ᄂᆞ 천 미 ᄒᆞ [illegible] 황 [illegible] 면 [illegible] 홍
후유어 천 민 차 천 지 비 ᄅᆞ 수 봉 ᄒᆞ [illegible] 명 ᄂᆞ 무 어 [illegible]
쉬 ᄯᅢ 개 의 독 ᄃᆞ려 진 쉬 ᄯᅢ 이 진 지 [illegible] ᄯᅢ 조 옥 ᄂᆞ 철
천 지 홍 에 조 회 ᄒᆞ 홍 천 지 ᄆᆞ 가 ᄉᆞ 후 이 ᄎᆞ ᄒᆞ 사
ᄅᆞ ᄆᆡ 지 ᄉᆞᆫ 이 ᄎᆞ 조 [illegible] 전 ᄒᆞ 수 ᄆᆞ 중 천 비 홍 ᄆᆞ 재 [illegible]
발 생 ᄒᆞ 다 ᄒᆞᆫ 다 방 재 수 지 면 ᄭᅵ 모 [illegible] 저 ᄂᆞ 전 ᄒᆞᆫ 서 ᄆᆞ 좌 ᄒᆞᆫ 방
옥 ᄆᆞᆯ 재 ᄒᆞᆨ 천 관 홍 재 ᄌᆞ 옥 ᄃᆞ 재 [illegible] 홍 [illegible] 옥 ᄃᆞ 재 [illegible]
조 당 ᄆᆞᆨ 홍 옥 ᄃᆞ 재 [illegible] ᄒᆞᆨ 재 ᄒᆞᆨ 옥 ᄃᆞ 재 [illegible] 회 행 회 옥 ᄃᆞ 재 [illegible]
홍 회 재 ᄒᆞᆨ 옥 ᄃᆞ 재 [illegible] 청 ᄒᆞ 가 자 옥 ᄃᆞ 재 [illegible] 조 정 옥 ᄃᆞ 재 [illegible] 례 이
정 옥 ᄃᆞ 재 [illegible] 옥 ᄆᆞᆫ 강 생 옥 ᄃᆞ 재 [illegible] 명 ᄆᆞᆫ [illegible] 옥 ᄆᆞᆫ 간 에 ᄆᆞᆯ 병
[illegible]

비샤고어 째져려 하시더니, 진진군자 슌혼 지덕 남제 욱아 통일 전선 금의환향 못 보시고, 황산 심처 일분 황원, 원억 통곡. 유아 선인 차천지에 다시 봉승 하직이라. 유언 후세에 갱의 부녀 되여, 진세에 미진지한을 베푸올가?

철천지통 이 쇼회를 통천지에 가득하니, 가득한 비샤 고어 십일조로 전하시오. 종천 비통 유아 재슈, 허다 말삼 다 바리고, 망칠지연 피모 정경 전하시오.

호천망극 유아 재슈, 선관풍채 우리 재슈, 홍도 벽도 우리 재슈, 금당 부용 우리 재슈, 선학백학 우리 재슈, 이화 행화 우리 재후, 홍화 백화 우리 재후, 청슈 개자 우리 재후, 슈슈요 정정 우리 재후, 제일 정정 우리 재후, 옥음낭성 우리 재후, 영농한 오운간에 분명

끔찍하게 여기셨지요. 진정한 군자인 남동생 욱이가 통일전선에서 금의환향하는 것을 못 보신 채 돌아가셨으니, 원통하고 억울해하며 통곡합니다. 우리 아버지, 이 천지에서 다시 받들어 모시며 하직입니다. 유언하시기를, '후세에 다시 부녀가 되어, 이 세상의 미진한 여한을 펼 수 있을까?' 하셨지요.

하늘에 사무지는 애통함이 천지에 가득하니, 가득한 이 슬픈 사연, 꼭 전해 주세요. 우리 아들 재수한테, 허다한 말씀 다 그만두고, 이제 70을 바라보는 나이인 이 어미의 정경을 전해 주세요.

아, 우리 아들 재수, 선관의 풍채를 지닌 우리 재수, 붉은 복숭아와 푸른 복숭아 같은 우리 재수, 아름다운 연못의 연꽃 같은 우리 재수, 선학과 백학 같은 우리 재수, 배꽃과 살구꽃 같은 우리 딸 재후, 홍화와 백화 같은 우리 재후, 빼어나고 단아했던 우리 재후, 맑고 바른 우리 재후, 제일 정정했던 우리 재후, 구슬 구르는 소리를 지녔던 우리 재후, 저 영롱한 오색 구름 사이

비 능ᄒᆞ니 모착고 ᄋᆞᆫ지ᄉᆞ 건너 ᄆᆡᆨ 무록 ᄋᆞᆯ는 가서 자새 ᄉᆞ롤 네
ᄒᆞᄂᆞ 그 ᄆᆞᄋᆞᆷ 생경 한 ᄃᆡ 청운 광 ᄒᆞᆫ 천 ᄃᆞᆯ나서 저ᄊᆞ ᄒᆞ은 선천 베흥
북 홍화 홍백 ᄃᆞᆯ의 홍 ᄆᆡ 불 간 ᄒᆞᆫ 다시 전쇄 ᄉᆞᆯ에 차세 상
단천 내 밋 싸다투 ᄂᆞᆫ 장을 미련 ᄇᆞᆯ상 이 어해 드러 밧인 ᄉᆞ 중ᄒᆞᆫ
네 ᄯᅥᆫ 한 ᄇᆞᆯ상 서으 기ᄲᅳᆷ 등에 ᄯᅡ른 ᄉᆞᆼ홍 ᄒᆞ 최 ᄉᆞ 촌 ᄃᆡ 드ᄒᆞᆫ 장당
빈 ᄒᆞᆼ 안에 창해 이를 ᄉᆞ 변으 미흡 ᄒᆞᆫ 조우 ᄉᆡᆼ 정 쉬 ᄆᆡᆼ ᄉᆞᆯ의 의
회 ᄒᆞᆫ 어 반 ᄒᆞᆫ ᄉᆞ 나 층 규 ᄃᆞᆯ 아 ᄒᆞᆫ 나 오 이 ᄅᆞᆯ 영 ᄒᆞᆫ 나
중천 아 ᄒᆞᆫ 치 밀 의 정 천 ᄒᆞᆯ의 ᄒᆞᄃᆞ나 너 쉬 ᄌᆞ 곤 ᄒᆞ다 나 서
각 ᄇᆞᆯ 나다 ᄒᆞᆫ 너 서ᄉᆞ 환 ᄉᆡ 각자 현 듣 조 ᄋᆞᆼ 즐 옹은 ᄌᆞᆼ 거나 ᄆᆡᆼ ᄌᆞᄉᆞ 비
고회 치인 병든 가산 후단 고나 고나 ᄲᅡ른 ᄉᆡᆼ든 찬 ᄌᆞ니 보 ᄉᆞᆫ ᄃᆡ ᄉᆞᆯ 전 ᄒᆞᆫ 십오
혼ᄌᆞ 평 현 ᄌᆞᆫ ᄒᆞᆫ ᄉᆞ은 ᄒᆞᆫ ᄒᆞᆫ 주ᄂᆞᆫ 정 ᄒᆞᆫ ᄉᆞ은 ᄇᆡ ᄉᆞ 칭 변 ᄃᆞᆯ ᄒᆞᆫ 소

이 노으리라.

오작교 넌짓 건너 백옥루 올나가셔 자셰 살펴 못 보던 구의 신령 압세우고, 광한젼 드러가셔, 자약하온 신션 중에, 부용화 홍벽도로 의용에 분간하와, 다시 자시 살피시면 선관선녀 잇사리라.

손잡고 이란 말삼 이 아해 드러 바라. 쑤즁하여 전한 말삼, 녀모 기별 드러바라. 사동 따 적막촌의 두 칸 장방 빈 방안에 창해일속, 여모일신, 추우삽삽 석양날의 의희하여 바라나니, 종쥬달야 바라나니, 오미불망 바라나니, 동지야 하지일의 전전불미 바라나니, 어서직금 바라나니, 시각을 머다 하고 어셔 어셔 함씌 가자.

병든 흉금 오만 창검, 창자 구비 끄처지고, 병든 가삼 푸린 그림, 그림마다 멍든 자리, 보신대로 전하시오. 초초 형언언 전하시오. 녁녁히도 전하시오. 유유창천 아득하고 모르

어딘가에 분명히 있을 것입니다.

오작교 넌짓 건너 백옥루 올라가서 자세히 살펴볼 수 없거들랑, 구의 신령을 앞세우고, 광한전에 들어가세요. 거기서 가냘프고 아리따운 신선 중에, 부용화와 홍벽도 모습으로 분간하여, 다시 자세히 살피시면 그런 선관, 선녀가 있을 것입니다. 그러면 그 신선의 손을 잡고 이렇게 말씀해 주세요.

"아이야 들어 봐라. 꾸중하여 전한 말씀, 너는 이 기별 들어 봐라. 사동 땅 적막촌의 두 칸 장방 빈 방안에 창해일속같은 너의 어머니, 추운 날 석양에 어렴풋이 바라고 계시다. 밤낮으로 바라고 계시다. 오매불망 바라고 계시다. 동짓달 밤에도, 하짓날에도 전전반측하며 바라고 계신다. 어서 지금 바라고 있으니, 시각을 지체하지 말고 어서어서 함께 가자꾸나."

아버지, 저의 이 병든 흉금, 오만 창검으로 창자가 구비구비 끊어지고, 병든 가슴의 푸르게 멍든 그림, 그림마다 멍든 자리를, 보신 대로 우리 아이들한테 전해 주세요. 혼령께서 전해 주세요. 넉넉히도 전해 주세요.

유유한 하늘은 아득하기만 하고, 잊히지 않는 슬픈 회포,

시녀 늘은니 회 오로 칭 천 늘은 네 회 속 가여 회 늘은 배
회 천 타 양 나 생 천 니 회 오 칭 무 부 부 난 네 회 사 회ᄉᆞ 난 네 회
구 번ᄉᆞ 박 할 네 회 니 회 니 회 지 질 면 소 가 엄 치 은 통 구 화
천 재 회 명 사 메 산 처 늘 에 보 지혀 장 시 타 미 오 회 소 양 라 오 보 유 마 천 인
명 회 할 와 단 한 빛 산 그 회 오 여 새 와 여 온 누 목 리 목 메 오 목
지 늘ᄀ 래 분 따 서 노 타 술 된 정 소 신 을 은 ᄆ 산 형 통 할 아 오 브
바 정 통 통 서 통 소 할 인 보 황 무 동 늘 언 문 이 만 할 세 생
호 네 이 어 브 산 소 더 은 미 산 강 올 한 너 브 한 빛 그 리 생 용 시 환
누 씨 회 니 풍 박 최 목 채 ᄇ 큰 화 랑 존 청 씨 ᄃ 성 ᄆ 베
추 쿡 누 범 무 산 아 책 아 할 창 변 회 ᄂ 대 생 천 지 지 브
미 며 보 ᄂ 옥 누 장 보 만 면 서 산 생 메 거 은 회 은 생 목

시리 슬푼 비회, 오호 창천 슬푼 비회, 무가내하? 슬푼 비회, 천리 만리 쌔친 비회, 오장 육부 녹난 비회, 마듸마듸 씃난 비회, 구비구비 막힌 비회, 비회! 비회! 지향 업소. 가슴 치고 통곡하니 천지 회명 석에 신세 숩이 막혀 잠가지니 일월무광이라.

오호! 유아 선인 영좌하에 또 한 말삼 고하나니, 내외 여손 수복 귀부에 오복지수를 채움 업시 누리시고, 원정 소신 발근 만사 형통하고, 아우님내 제죵 동서 동심합역 화우돈목 선음이 면면하시민 닷.

오호! 어이업산 소녀몸이 삼강오륜 업단 말가? 취생몽사[175] 원슈 세월 비풍낙월 부처놋코, 화란 츈성[176] 세우성에, 츄츄 루슈 벗을 삼아, 적막한창 천 천회포, 대명천지 집이 업고, 우쥬 팔방 쥬인 업셔, 삼생에 저즌 죄로 금생 복

아, 하늘에 사무치는 슬픈 회포, 어찌한단 말입니까? 슬픈 회포, 천리 만리 뻗친 회포, 오장 육부 녹는 회포, 마디마디 끊는 회포, 굽이굽이 막힌 비회, 비회! 비회! 갈 바를 모르겠습니다. 가슴 치고 통곡하니, 천지가 어두컴컴하며, 숨이 막혀 잠가지니 해와 달이 빛을 잃었습니다.

아! 우리 아버지 영전 앞에 또 한 말씀 고합니다. 안팎의 자손들이 장수와 부귀의 오복을 충만하게 누리게 해 주세요. 간절히 원하옵기는, 만사 형통하게 해 주시고, 아우님네 모든 동서들이 한마음으로 합력하여 우애하며 돈독하게 지내게 해 주세요.

아! 어이없는 이 딸의 몸인들 삼강오륜이 없겠습니까? 취생몽사 즉 술에 취해 잠든 꿈속에서 살고 죽는 것처럼, 하는 일 없이 한평생을 흐리멍텅하게 지내는 원수같은 세월입니다. 슬픈 바람과 지는 달, 꽃이 흐드러지게 피는 봄의 가느다란 빗소리에, 쓸쓸한 눈물을 벗을 삼아 지냅니다. 대명 천지에 집이 없고, 우주 팔방에 주인이 없어, 전생에 지은 죄로 이승에서

175 취생몽사(醉生夢死) : 술에 취해 잠든 꿈속에서 살고 죽음. 하는 일 없이 한평생을 흐리멍텅하게 지냄.

176 화란 츈성(花爛春盛) :꽃이 흐드러지게 피는 봄.

늬지안돼온 셔수이는 외방챵님날다시 츤잔일을 못사셜

긋놀목고 쟉셔ᄋᆞ여 흐이를 할여 ᄯᅩ 조흥흔 뇨등셰ᄒᆞᆫ 녹지ᄆᆞᆺ츤

보샹ᄒᆞᆫ 샹일찬 고리되어 ᄒᆞᆫ숑 ᄒᆞ여 젹을 미ᄂᆞᆯ 이옵ᄂᆞᆫ 셔신찬

호ᄉᆞ샹 미리 ᄉᆞᆯᄂᆞᆫ 쾌ᄎᆞᆫ ᄒᆞᆫ 이생활 용이 ᄯᅥᆫ 듯 ᄒᆡᆺ 듯 거

ᄯᅥᄉᆞ샹ᄉᆞᆯ 밋ᄂᆞᆫ 진대 강동미 참복되 이ᄉᆞᄉᆞᆫ 뫼거셩ᄒᆞ여 ᄌᆞᆯ 츈졍

리나되ᄂᆞᆫ 쇼용 무 건ᄒᆞᄉᆞ되 ᄃᆞᆼ시ᄂᆞᆫ 국쳐목 허졍치 못 동상 셰시ᄂᆞᆫ

ᄂᆞᆫ고로 쾌ᄎᆞ 참ᄒᆞᆫ 쥭 녹한 리ᄂᆞᆫ 듯 ᄌᆞ 다ᄒᆞᆫ 쟝 됴 되ᄂᆞᆫ 무 건너

가셔 미ᄉᆞ사ᄭᅴ 가ᄂᆞᆫ 요ᄂᆞᆷ을 폐ᄉᆞᆯ 대셔 명무 거ᄂᆞᆫ 것ᄂᆞᆫ 거 ᄒᆞᆼ 미츤

슈지원해요. 석일 만화 방창 뉠다려 뭇잔 말고.

오오 삼팔 금윤 옥교 자격이 초일하여, 만구 층송 우등 상박 수장은 간곳마다 사양찬코 기대가 과중터니, 팔이로, 육이오가 아사 가고, 참혹 말살이 왠일고? 처참한 이 생활 몽이런들 뜻햇슬가.

역사로 이를진대 강동에 항우가 이십사 세 긔병하여 팔천 정기 거나리고 오강을 건넛다더니, 십육 세부터 정치 운동 삼사년 가즌 고문 철창 고초 무슈한 고초를 격다가, 현해탄을 건너가셔, 이십샤 세 가즌 포부를 품고 대셔양을 건넛는가? 통일 전선 우승기 놉히 들고, 어미 차자 올나는가요.즌 고문 철창 고초 무슈한 고초를 격다가, 현해탄을 건너가셔, 이십샤 세 가즌 포부를 품고 대셔양을 건넛는가? 통일 전

이렇게 지내는 듯하니, 만화방창 즉 따뜻한 봄날이 되어 온갖 생물이 나서 자라는 계절에 대해, 누구더러 묻는단 말입니까?

아, 재주가 월등하여, 모든 사람이 칭송하고, 우등상에다 박수는 간 곳마다 사양하지 않아, 기대가 과중하던 아이였지요. 그러나 8·15와 6·25가 앗아가고, 참혹한 말살이 웬일이란 말입니까? 처참한 이 생활을 꿈엔들 생각했을까요?

역사로 설명할 것 같으면, 강동 출신의 항우가 24세에 군사를 일으켜 8천 정예병을 거느리고 그 강을 건넜던 것과 같지요. 16세부터 정치 운동하기를 9년간, 갖은 고문과 무수한 고초를 겪다가, 현해탄을 건너가서, 24세 큰 포부를 품고 대서양을 건넌 것이겠지요? 통일 전선의

천우능기 쉽히 올그머시 잔잔 옷을 난는 누운 옷을 매재에 올 셔 재 때
는 마 께(시) 만 훌 마 타 쌍 나 산 상 대는 천 차 옷 올 롱 청 향 지 향 하 산
시ㄱ 께 퇴도 주수 친 장 미 친 희 준 주만 장 천 빈 찬 희 고 지 편홍이
흐만 전 민 들 너 노 차 필 러 희 헌 나 모 옷 올 흘 흐 는 만수 늦 이 대
왕 흐 문 러 부 홍 러 산 주 쇠 미 (하) 희 완 대 미 롱 서 부 주 했 부 서 이 홀
졍 밀 만 훌 과 홍 허 소 장 비 (청) 다 ㄱ 미 실 홀 미 홍 묘 미 라 는 마 라 마 쪄 시
거 든 곡 훌 능 애 홍 쇠 홍 무 울 (산) 채 쿡 시 냡 소 쳐 옷 을 흥 재 옷 을 애
재 셩 졍

선 우승기 놉히 들고, 어미 차자 올나는가요.

오호 애재 애호 셕재. 때는 이미 만츈이라. 삼나만상은 때를 차자 울밀청창하니, 지향 업산 식에 회포, 구곡간장 미친 회포, 구만장천 뻣친 회포, 지필이 슈만 권인들 어나 지필 허회하리오.

오호 오호! 츈초는 연연녹이대, 왕손은 귀불귀라. 구원이 하처완대, 일거불환 무사 일고? 평일 인후 거록하신 자의 셩덕 이시로 일분이라도 아람이 계시거든, 불승애통 서름을 살펴쥬시압쇼셔.

오호 통재 오호 애재 상향.

우승기를 높이 들고 어미를 찾아오려고 했겠지요?

아, 애통합니다. 아, 애석합니다. 지금 때는 이미 늦은 봄입니다. 삼라만상은 때를 만나 울울창창합니다. 갈 바를 모르는 이 딸의 회포, 구곡간장 즉 굽이굽이 시름이 쌓인 마음속의 회포, 구만장천 즉 아득히 높고 먼 하늘에 뻗친 회포, 종이가 수만 권인들 어떤 붓으로 이 회포를 다 표현할 수 있겠습니까?

아, 봄풀은 해마다 푸르나, 왕손은 한번 가면 돌아오지 못한다죠? 저승이 어느 곳에 있기에, 한번 가면 돌아오지 못하니, 이 무슨 일인가요? 평소의 인후하시고 거룩하신 자애와 성덕을 지니셨던 아버지, 조금이라고 알 수 있으시면, 애통함을 이기지 못하는 저의 서러움을 살펴 주십시오.

아, 애통합니다. 아 슬픕니다. 이 제물과 제문을 받아 주십시오.

감상 및 해설

아들과 딸을 먼저 보낸 어머니의 슬픔을 담은 제문이다. 이 작품에 등장하는 재수와 재후는 작자인 이원후 여사의 아들과 딸이다. 그 사촌인 황혜영님에 따르면, 두 분 모두 대학생 신분으로 일찍 사망했고, 모친은 평생 슬픔 가운데 지냈다고 한다.

돌아가신 친정아버지를 추모하면서, 동시에 먼저 세상을 떠난 아들과 딸에 대한 슬픔도 함께 토로하고 있어 애처롭다. 아버지가 선계에 가시면, 아이들을 만나서, 지상에 남아 그리워하는 자신의 말도 전해 주고, 자신의 모습도 알려 달라고 당부한다. 인생에서 가장 큰 아픔은 사람들로부터 망각되는 것이라고 한다. 세상을 떠난 아들과 딸을 지상의 어머니가 잊지 않고 있다는 사실을 전달하는 것이야말로, 죽은 자에 대한 가장 좋은 위로라고 생각해서 그리 부탁했으리라.

필체가 매우 개성적이서 온전히 해독하기 어렵다. 눈 밝은 분이 또렷하게 풀이할 날이 어서 오기를 기대한다.

33. 고모부 영전에

1976년, 황명희 님 소장

祭文

維歲次丙辰十月戊寅朔十八日은 나의
姑母夫漢陽趙公께서 他界하신 날
이라 그 一週忌되는 前夕에 婦姪 安
陵李株浩는 簡素한 酒果로 삼가
靈前에 드리며 痛哭告訣하나이다
嗚呼라 人間한 世의 無常함이여 公께옵
서는 一八八九年 己丑年에 胎生하신 後 우리
姑母님과 같이 勤耐하신 八十七歲의 한
平生은 忍苦와 波乱도 너무 많음으로

祭文

維歲次 丙辰 十月 戊寅朔 十八日은 나의 姑母夫 漢陽 趙公께서 他界하신 날이라. 그 一週忌 되는 前夕에, 婦姪 安陵 李株浩는 簡素한 酒果로, 삼가 靈前에 드리고 痛哭 告訣하나이다.

嗚乎라 人間 한 世의 無常함이여, 公께옵서는 一八八九年 己丑年에 胎生하신 後, 우리 姑母님과 같이 堪耐하신 八十七歲의 한 平生은, 忍苦와 波亂도 너무 많으셨으무로,

아, 병진년(1976년) 12월 18일은 우리 고모부 한양 조 공께서 타계하신 날입니다. 그 1주기 되는 날의 전날 저녁에, 처조카 안릉 이주호는 간소한 술과 과일을 갖추어, 삼가 영전에 드리고 통곡하며 이별을 고합니다.

아, 인간 한 세상의 무상함이여, 고모부님께서 1889년에 출생하신 후, 우리 고모님과 함께 감당하신 87세의 한 평생은, 인고와 파란도 너무 많으셨지요.

그 가이 없은 內外分의 一代를 圓極하는 마음

끝없아 옵고 그러나 溫柔剛直하신 性品

으로 一貫하여 온 九十一歷程라 하늘보다도

넓고 큰 慈愛와 德行으로 人生의 眞理와

前生戒律을 가르쳐 주셨우나 이제 다시는 뵈올

길없이 멀리 가신 선계신 두 분을 그리는 情은

더욱 懇切하옵고 늦이 갈수록 그 仁慈하신

모습은 더욱 歷歷하와 잊을래야 잊을 수

없이 생각하올 뿐이옵니다 하늘도 無心하셔라

무척이 같은 內外분에게 悲運의 身數는

왜 唯獨 쌍으로 겹쳤던지 가슴을 려주신 련한 世의

歷程을 回想하여 보면 집번 身元保證關係

로 禍根을 當하야 家産을 蕩盡하고 壬戌年의

公께옵서 四十四才가 되시든 한창 나이 때에 石保

洪溪洞으로 山田을 찾아 移徙하시와 갖은

逆境을 맛보셨을 첫 識練을 비롯해서

그 가의없으신 內外 分의 一代를 罔極하는 마음 끝없아옵고, 그러나 溫柔 剛直하신 性品으로, 一貫하여 오신 九十 歷程과 하늘보다도 넓고 크신 慈愛와 德行으로, 人生의 眞理와 前生戒律을 가르쳐 주셨으니, 이제 다시는 뵈올 길 없이 멀이 가시고 안 계신 두 분을 그리는 情은, 더욱 懇切하옵고, 날이 갈수록 그 仁慈하신 모습은 더욱 歷歷하와, 잊을래야 잊을 수 없이 생생하올 뿐이옵니다.

하늘도 無心할세라. 부처님같으신 內外分에게 悲運의 身數는 왜 唯獨 많으셨던지, 가끔 들려 주시던 한 世의 曆正을 回想하여 보면, 집안 身元保證 官契로 禍根을 當하야, 家産을 蕩盡하고, 壬戌年의 公께옵서 四十四歲가 되시든 한창 나이 때에, 石保 洪溪洞으로 山田을 찾아 移徙하시와, 갖은 域境을 맛보앗슬 첫 試練을 비롯해서,

내외분의 그 가이없는 일생을 생각하니 망극한 마음 끝이 없습니다. 그러나 온유 강직하신 성품으로 일관하신 90년 세월을 지내오셨으며, 하늘보다 넓고 큰 자애와 덕행으로, 인생의 진리와 세상 사는 계율을 저한테 가르쳐 주셨습니다. 이제 다시는 뵈올 길 없이 멀리 가시고 안 계신 두 분을 그리는 정은, 더욱 간절하고, 날이 갈수록 그 인자하신 모습은 더욱 역력하여, 잊을래야 잊을 수 없이 생생할 뿐입니다.

하늘도 무심하여라. 부처님같으신 내외분에게 비극적인 일들은 왜 유독 많았는지 모르겠습니다. 가끔 들려 주시던 한 평생의 역정을 회상해 보면, 집안 신원보증 때문에 화를 입어, 가산을 탕진하고, 임술년 고모부님께서 44세가 되시던 한창 나이 때에, 석보 홍계동 지역으로 산밭을 찾아 이사하셔서, 갖은 역경을 맛보신 첫 시련을 비롯해,

그 後(후) 다시 眞(진)寶(보)로서、삶을 찾아 옮기는 일 등
男(남)負(부)女(녀)戴(재)의 人(인)生(생)辛(신)苦(고)를 겪으실때 苦(고)生(생)이들을
오혹하였으며 濕(습)氣(기) 찬 溪(계)谷(곡)을 幕(막)에서
露(로)宿(숙)을 멧돼지를 쫓우며 火(화)田(전)農(농)事(사)에
勤(근)業(업)하셨을때 입을것 餘(여)毒(독)을 마치시는
手(수)轉(전)症(증)까지 罹(나)患(환)하시게 되었으나 實(실)로 그 苦(고)
生(생)혹하였을까 싶는 天(천)運(운)은 또 다시 無(무)心(심)의
極(극)을 더하사 一九三七年 丁丑年 四月에、親(친)喪(상)
까지 當(당)하시고 그해 十二月에 집의 新(신)舊(구)로 移(이)
舍(사)하시와 낮이면 晝(주)耕(경)을 하신 밤이면 가마니
를 짜서 勤(근)儉(검)有(유)畜(축)을 하시니 經(경)濟(제)的(적)을
基(기)盤(반)이 다져지어 가하였는대 一九四三年 癸(계)未(미)섣달
어느추운날 무는 怨(원)鬼(귀)의 작난을 만나시인게
火(화)災(재)를 當(당)하시와 僅(근)僅(근)이 모은 家(가)財(재)와 눈물
몇間 집까지 몽땅 灰(회)盡(진)시켜 一(일)朝(조)에 빈몸만된
處(처)地(지)가 되었을때 두분은 孝(효)心(심)으로 나의 당숙

그 後 다시 眞寶로 새 삶을 찾아 옴기는 일등 男負女戴의 人生 辛苦를 격으실 때 苦生인들 오죽하셨아오며, 濕氣찬 溪谷 움幕에서 露宿으로 멧돼지를 쫒으시며, 火田 農事에 勤業하셨을 쌔 입으신 餘毒으로, 마침내는 手轉症까지 罹患하시게 되엿으니,

實로 그 苦生 오죽하셨을까마는, 天運은 또다시 無心의 極을 더하사, 一九三七年 丁丑年 四月에 親喪까지 當하실 그해 十二月에, 지금의 新邱로 移舍하시와, 낮이면 晝耕을 하시고, 밤이면 가마니를 짜서 勤儉有畜을 하시니, 經濟的으로 基盤이 닦이는가 하였는대,

一九四三年 癸未 섯달 어느 추운 날, 무슨 怨鬼의 작난을 만남인지, 火災를 當하시와 僅僅히 모운 家財와 따스로운 몇 間 집까지 몽땅 灰盡시켜, 一朝에 빈 몸만 된 處地가 되였을 때, 두 분은 孝心도 남달이

그후 다시 진보 땅으로 새 삶을 찾아 옮기는 일 등 남부여대의 인생 신고를 겪으실 때, 고생인들 오죽하셨겠습니까? 습기찬 계곡의 움막에서 노숙하느라 멧돼지를 쫓으시며, 화전 농사에 몰두하셨을 때 입은 여독으로, 마침내는 수전증까지 앓으셨지요.

실로 그 고생 오죽하셨을까마는, 천운은 또다시 무심의 극을 더하셔서, 1937년 4월에 친상까지 당하신 그해 12월에, 지금의 신구 땅으로 이사하셨지요. 낮이면 밭을 갈고, 밤이면 가마니를 짜서 부지런히 저축도 하셨으니, 경제적으로 기반이 닦이는가 하였지요.

하지만 1943년 섣달 어느 추운 날, 무슨 원귀의 장난인지, 화재를 당해 근근히 모운 재산과 따스한 몇 칸의 집까지 몽땅 불타 버리고 말았지요. 하루 아침에 빈 몸이 된 처지에서도, 두 분은 효심이 남달리

至極(지극)하신 터라 當喪(당상)의 傷處(상처)가 아직 채 가시기 전

前(전)에 이우는 기구한 神(신)의 弄絡(농락)이 였아오매

眞正(직정)코 불의한 世는 波亂(파란)과 辛苦(신고)의 点綴(점철)로

얼룩져 있는 것 같습니다 血(혈)과 裸身(나신)을 써 삶의

길은 때마쳐 臨時(임시)로 定着(정착)한 곳이 그 이듬해인

甲申年(갑신년) 이른 봄은 가까스로 이루어 이때의 우울 心思(심사)가

오죽하였으랴마는 天性(천성)이 重厚(중후)하시와 恒常(항상)

危難(위난)을 當(당)하여도 낭패의 外色(외색)이 없으시나

오직 傳來(전래)의 性品(성품)이 시인하였은 어찌 缺腸(결장)의

損磨(손마)가 없었겠습니까 子女 膝下(슬하) 血肉(혈육)이

라도 이었더면 傷心(상심)의 內外分에 따라는 慰安(위안)의

孝道(효도)나 받으셨을 뿐 그 間(간)의 千辛(천신) 刻苦(각고)로는

勤耐(근내)하시는 동안 食飮(식음)의 缺食(결식)인들 그 얼마

쌓였으리까 生也(생야) 一片(일편)의 浮雲(부운)이 삶이 아지이라

하였는데 이제 가시면 본 계신 虛全(허전)한 靈床(영상) 아래

서 그윽한 極盡(극진)히 상향하여 주시는 公을

至極하신 터라, 當喪의 傷處가 아직 채 가시기도 前에, 이 무슨 기구한 神의 弄絡이였아오며, 眞正 두 분의 한 世는 波亂과 辛苦의 點綴로 얼룩저 있는 것 같습니다.

血血 裸身으로 새 삶의 길은 떠나서, 臨時로 定着한 곳이 그 이듬해인 甲申年이고, 곳은 가짓들이라. 이쎄의 두 분 心思가 오죽하였을가만은, 天性이 重厚하시와 恒常 危難을 當하여도, 낭패의 外色이 없으시니, 오직 傳來의 性品이시긴 하여도 어찌 缺腸의 損磨가 없었겠습니까.

그나마 膝下 血肉이라도 이셨더면 傷心의 內外分에께 따순 慰安의 孝道나 받으셨으리만, 그間의 千辛 刻苦를 堪耐하시는 동안, 食飮의 缺食인들 그 얼마나 많으셨으리까. 生也 一片의 浮雲이 살아짐이라 하였는대, 이제 가시고 안 계신 虛全한 靈床 아래서, 그 옛날 極盡히 사랑하여 주시든 公을

지극했으니, 친상의 상처가 아직 가시기도 전에, 이 무슨 기구한 신의 농락이란 말인가요? 진정 두 분의 한 평생은 파란과 신고로 점철되어 있는 듯합니다.

혈혈단신으로 새 삶의 길을 떠나, 임시로 정착한 곳이 가짓들이었으며, 이듬해인 갑신년이었지요. 이때 두 분의 심사가 오죽하였을까만, 천성이 중후하셔서 항상 위기를 당해도, 낭패한 빛이 없으셨으니, 물려받은 성품이라 해도 어찌 애간장이 끊어지는 아픔이 없었겠습니까?

그나마 슬하의 혈육이라도 있었더라면 상심한 내외분께 따뜻한 위안의 효도나 받으셨겠지만, 그간의 천신만고를 감당하시는 동안, 먹고 마시기를 거르는 일은 그 얼마나 많으셨겠습니까? 인생이란 한 조각의 뜬 구름이 사라져가는 것과 같다고 하였는데, 이제 가시고 안 계신 허전한 영전에서, 그 옛날 극진히 사랑하여 주시던 공을 생각합니다.

生(생)覺(각)하며고 가르치시옴을 고맙와하며 公께 봅사
가이없이 살라온 한生을 辛苦려 慰(위)安(안)을 드리옵고
고옵히 눈깜하구 숙녀 또 澤(택)泳(영)이라 孝(효)心(심)이 지극
한 公(공)永(영)世(세)시어 後(후)와 諸(제)節(절)까지 罔(망)極(극)하고 있으나
러옵고 고맙고 公의 一(일)片(편)丹(단)心(심) 保(보)佑(우)를 받아 經(경)營(영)
하는 事(사)業(업)도 日(일)益(익)繁(번)昌(창)하고 있읍에 오리
姑(고)母(모)家(가)의 자랑인지라 고맙고 더없으며 子(자)女(녀)姪(질)
며려 男(남)妹(매)가 하나같이 예쁘고 才(재)操(조)로 出(출)衆(중)
聰(총)明(명)하나 그렇이러옵기 한없이라 姑(고)母(모)家(가)의 긍궁이
確(확)實(실)하여 能(능)히 慰(위)安(안)되실 것이옵니라
森(삼)羅(라)萬(만)象(상)은 무엇이나 壽(수)命(명)이 있는 法(법)이라
럽니다 강나무는 강을 맞나무는 맞을
모되 우는 벗주벌을 그리고 人生도 聖(성)人(인)은 德(덕)을
賢(현)者(자)는 智(지)慧(혜)를 너리 착은 자는 權(권)勢(세)를 랑에
딱를 말은 쉬부리면 亦(역)是(시) 주어 찬라합니다

生覺하며, 그 가르치심을 고마워하며, 公께옵서 가이없이 살다 가신 한 生을 추려 慰安을 드리오니, 고요히 눈 깜아 주소서.

또 澤泳이가 孝心이 지극하고, 公 永世 以後의 諸節까지 罔極하고 있으니, 더욱 고맙고 公의 一片丹心 保佑를 받아, 經營하는 事業도 日益 繁昌하고 있슴에, 우리 姑母家의 자랑인지라 고마움 더 없으며, 子女姪 여러 男妹가 하나같이 옛부고, 才操도 出衆 聰明하니, 그 빛이 더욱 함이라, 姑母家의 기둥이 確實하여, 能히 慰安되실 것이옵니다.

森羅萬象은 무엇이나 壽命이 있는 法이라 합니다. 감나무는 감을, 밤나무는 밤을, 보리수는 염주알을, 그리고 人生도 聖人은 德을, 賢者는 智慧를, 어리석은 자는 權勢를, 땅에 뿌릴 만큼 뿌리면, 亦是 죽어간다 합니다.

그 가르치심을 고마워하며, 공께서 가이없이 살다 가신 한 평생을 간추려 위안을 드리오니, 고요히 눈 감으소서.

또 택영이가 효심이 지극하고, 공 돌아가신 이후의 제반 절차를 극진히 모시고 있으니, 더욱 고맙답니다. 공의 일편단심 도와주심을 받아, 경영하는 사업도 날로 번창하고 있으니, 우리 고모 집안의 자랑인지라 더 없이 고맙답니다. 자녀와 조카들, 여러 남매가 하나같이 예쁘고, 재주도 출중하고 총명하니, 그 빛이 더욱 찬란합니다. 고모 집안의 기둥이 확실하여, 충분히 위안이 되실 것입니다.

삼라만상은 무엇이나 사명이 있다 합니다. 감나무는 감을, 밤나무는 밤을, 보리수는 염주알을, 인생도 성인은 덕을, 현자는 지혜를, 어리석은 자는 권세를, 땅에 뿌릴 만큼 뿌리면 죽어간다 합니다.

帝王도 政丞도 美姬도 가려지는 모두 빈손을
쥐고가 제 나름에 足跡을 남기며 空手去
하누 森羅의 理致를 깰 본 法인데
별이 지는 太陽처럼 빛나는 하까이서는
온처를 무릅고 慈愛로 혹베 현계시나
정々 思慕의 情이 懇切한 公과 우리
姑母님 內外分의 君子有三摸하신 모습
을 그리며 告訣하우 內外分 生前의
온 눈을 億萬永劫의 歲月속의서
함께 하시며 고이 잠드시옵소서
嗚呼 ~~曲~~ 平痛哉 尙
饗

이제문은 나의 제낭이 우리 고모부께 올린것임다
어린 나이로 쓴 글이라 관용하여 편역하였음

帝王도 政丞도 美姬도 거러지도 모두, 빈 손으로 왓다가 제 나름에 足跡을 남기며, 空手去하느니 森羅의 理致를 쌀은 法인대, 멀이서는 太陽처름 빛나고, 가까이서는 솜처름 부드럽고 慈愛로우며, 안 계시니 점점 思莫[177]의 情이 懇切한 公과 우리 姑母님 內外分의 君子 有三摸하신 모습을 그리며 고訣하오니, 內外分 生前의 금슬을 億萬 永劫의 歲月 속의서 함께하시며, 고요이 잠드시옵소서.

嗚乎 痛哉 尙饗.

이 제문은 나의 제남이 우리 고모부께 올인 것인대, 어린 나이로 쓴 글이라, 관중하여 번역해 보았읍.

제왕도 정승도 미녀도 거지도 모두, 빈 손으로 왔다가 제 나름의 족적을 남기며, 빈손으로 간다고 합니다. 모두 삼라만상의 이치를 따르는 법인데, 멀리서는 태양처럼 빛나고, 가까이서는 솜처럼 부드럽고 자애로우십니다. 이제 안 계시니 점점 사모하는 정이 간절하기만 합니다. 공과 우리 고모님 내외분이 지니셨던 군자의 세 가지 모범적인 모습을 그리며 이별을 고하오니, 내외분 생전의 금실을, 억만 영겁의 세월 속에서 함께하시며, 고요이 잠드시옵소서.

아, 애통합니다. 흠향하소서.

이 제문은 나의 남동생이 우리 고모부께 올린 것인데 어린 나이로 쓴 글이라, 중요하여 필사해 보았다.

177 '思慕'의 오기.

감상 및 해설

처조카가 고모부 영전에 바친 제문이다. 핵가족화한 지금에는 느끼기 어려운, 고모부와 처조카 간의 애틋한 정을 표현하고 있다. 인생의 진리와 세상 사는 법에 대해, 고모 내외분한테 가르침받았던 사실을 회상하며 고마워한다.

그처럼 착했던 두 분에게 일어났던 비극적인 일들을 일일이 떠올리며 추억하고 있다. 너무도 자세하여, 이 조카가 두 분에 대해서 가졌던 정이 특별하였음을 느끼게 한다.

> "제왕도 정승도 미희도 거러지도 모두 빈 손으로 왓다가 제 나름에 족적을 남기며, 공수거하느니 삼라의 이치를 딸은 법인대"

한 번 죽는 것은 정해진 법칙이니, 어쩔 수 없다는 사실을 이렇게 서술하고 있다. 고인을 위로하는 말이면서 동시에 자신을 달래는 말이기도 하다.

34. 죽은 남편 회갑날에 드리는 글

1971년, 황명희 님 소장

제운

미련은 희망은 다 잊어
버린채 이제는 갈 사
한. 황에 그
구없을 만한 칠흐리셔
오로주 발이 창으로 에
찬 달구 구름을 잡는
매정한 사연을 전한
외로움은 슬픈 병을
물어 달릴 쉬운 한
면서. 우리 여기 가
우서 꽃피우가 이런 둘
술한 세대 저런 둘
기 어려워 인생 정을
한 허 ~ 부질 없 기 주 한
운명 그누구 그릴 수 없

누구의 손바 우리한데
인연을 한할 쟁이 되
결혼 허면 이 새로이
설연 부탁한 한해
이설움 어원 부질 없
눈 연습. 생이 사랑
이어지 술우리 한소
리자 수의 회차에 외
꽃는 청춘을 한 없이
가 부르세 나 어가세
부름 만한 화려한 혼을 한세
든. 그대여. 보내주소

미련도 희망도 다 일어버린 치 이저는 광막한 황야에 그 무었을 바라고 차즈릿가. 오즉 말 이 창공에 한 쪼각 구름을 잡고 애절한 사연을 전하여, 외롭고 슬픈 영혼을 불어 달릐고 위로하면서 울어 보릿가 우서 보릿가.

이런들 슬퍼하며, 저런들 깃버하릿가. 인생 경로란 허허무적이니, 기구한 운명 그 누구를 수원수구리요. 막비 우리에 인연을 한할 쁜이라. 결혼 이십 년 이별 이십 연, 보람 업는 한 세상, 이걸로 영원 불망 였으니, 생이사별이 엇지 슬푸지 않으릿가.

소위 처자에 익끗는 심정을 아시나잇가 모르시나잇가. 봄바람처럼 훈훈하시든 그대여, 보내 주신

미련도 희망도 다 잃어버린 채, 이제는 광막한 황야에서 그 무엇을 바라고 찾겠습니까? 오직 만 리 창공의 한 조각 구름을 잡고 애절한 사연을 전하여, 외롭고 슬픈 영혼을 불러서 달래고 위로하면서 울어나 볼까요, 웃어나 볼까요?

이런들 슬퍼하겠으며, 저런들 기뻐하겠습니까? 인생길은 허무하기만 하니, 기구한 운명을 그 누구한테 수원수구 즉 누구를 원망하고 누구를 탓하겠습니까? 모두 다 우리의 인연이 그래서 그런 것이지요. 결혼하여 20년, 이별한 지 20년, 보람 없는 한 세상, 이렇게 영원히 잊지 못하고 살았으니, 생이사별 즉 살아 있을 때는 멀리 떨어져 있고 죽어서는 영원히 헤어졌으니,어찌 슬프지 않겠습니까?

아, 저의 애끊는 이 심정을 아십니까, 모르십니까? 봄바람처럼 훈훈하시던 그대,

그 빛 찬란한 · 때 한가로이 가깔리 창공에 펼선을
깊어한 어려운 찬라 가우리가 지구를 사랑
하는 자녀들을 영원히 이길 청솔을 가슴 속 은
이웃 여인을 하루 같이 사랑한 기다리던 이 사랑을
외로움에서 잡혀진 같이 어떤 회복한 · 만단 · 중궁
군을 향해 늘 곤 우리들은 우리라는 이상을 이뤄
는 어려운 민족 · 사랑과 베풀던 깨달았음 하나님
당신에 명수품부터 · 가져갔던 쓸 생산는
일장춘몽 히 된 헛된 과상히 리경 그 몸을 망쳐온
그 어모을 따라 · 형 ? 히 잇었으며 이젖 모주가
뇌성벽에 쓰러진 후로 엄청 기운을 회복
했으나 어지러셔 갱신을 바라리셔 비친 한
사연한 · 한 많은 여경 가슴 깊히 한신 그애들을
때라서 · 잊으려셔 허락한 인생 사세에 수우 착보

그 바람 타고, 따라가오릿가. 만 리 창공에 빅운을 잡아타고, 어대라도 차저가오릿가. 지극히 사랑하든 자여들을 영원히 잇고, 정말로 가셨나요.

이십여 년을 하로같이 바라고 기다리든 이 마음을 외 모르시나요. 잔설같이 얼킨 회포와 만단 흉금을 털어놓코 울고 웃고 하랴는 이 마음, 이저는 어대로인지 사라저 버리고 말았으니, 아마도 당신에 영으로부터 가저갓군요.

세상 만사는 일장춘몽이요 헛된 망상이라. 경경불망하든 그대 모습마저 영영 잊었으니, 이겄 모두가 뇌성벽역에 쓰러진 풀입처럼 기운을 일었으니, 엇지 다시 갱싱을 바라릿가. 비참한 사연과 한 만은 역경, 가슴 속 깁히 안고, 그대를 따라가 잊으릿가. 허다한 인싱 사세에 스무 착오

그 바람 타고 따라갈까요? 만 리 창공의 백운을 잡아타고, 어디라도 찾아갈까요? 지극히 사랑하던 자녀들을 영원히 잊고, 정말로 가셨나요?

20여 년을 하루같이 바라고 기다리던 이 마음을 왜 모르시나요? 잔설같이 얽힌 회포와 만가지 흉금을 다 털어놓코 울고 웃고 싶은 이 마음, 이제는 어디로인지 사라져 버리고 말았으니, 아마도 당신의 혼령한테 가져갔나 보군요.

세상 만사는 일장춘몽이요 헛된 망상입니다. 잠 못 이룬 채 잊지 못하던 그대의 모습마저 영영 잊었습니다. 이 모두가 뇌성벽력에 쓰러진 풀잎처럼 기운을 잃었으니, 어찌 다시 살아나기를 바라겠습니까? 비참한 사연과 한 많은 역경, 가슴 속 깊이 안고, 그대를 따라가 잊어 버릴까요?

탈도 많은 인생에서 스무 살에

는산 일여러 중한 말이 어둥이 어지 번다는줄 후에
비화의연 박ㄱ 천매에 그쇄 간혼을 그누가 갈나이며
원통하의사 칠장을 되처한 회포운 근눈물
히란 잠ㄱ한 누신여연을 최초 만첨 정ㄱ세 상생
조국하는 느희홍치 못한 여찬 힐지는 기라
장여 원한을 어지하리요 만사 여여중 강승은
책즉 지친 늘어 들인 들들기 만하사 때라서 한상에
간는 기절로 미연 미웠으 저우러가사 중화역로
부모 듯한나 다 지난 옛날을 회상할 5대 이후
신화을 어린 시외로 도라 앵결는 누의 홍상에 당설
울받는 힐성회을 울애 누하는 구늘은 저만
최두고라는 생히 사연에 그5외로 벌서 누신여연
히란 만근 중상에 청춘을 곳햇서 늘근 슬퍼만

고만 일별 종천 말 이 여통이, 엇지 범타 슬품에 비하리요. 막막천애에 고객 단혼을 그 누가 달내이며 위로하릿가. 첨망불급 이절한 회포, 분골 난망이라.

창창한 수십여 연을 피차 만첩 정곡에 사생 존무라도 능히 통치 못한 여감 일필난기라. 장벽 원한을 엇지하리요. 만사 역여 중 광음은 챗죽질 여 돌고 돌기만 하니, 따라서 인싱에 가는 길로 미연 미월 저무러가니, 종착역도 보일 듯함니다.

지나간 옛날을 회상할 째 이구 십팔 어린 시절, 도화 앵렵 녹의홍상에 당신을 만나, 일싱 힝복을 약속하든 그날은, 저만치 두고라도, 생이사별에 그쌔도 벌서 수십여 연이라. 만고풍상에 청춘은 끗업시 늘고, 슬퍼만

그만 한 번 작별한 것이 영원한 이별이었지요. 그 애통함을 어찌 남의 슬픔과 비교할 수 있겠습니까? 막막한 하늘 끝에 서 있는 것만 같이 외로운 그 혼령을 그 누가 달래며 위로해 주겠습니까? 쳐다보아도 미치지 못할 만큼 애절한 그 회포, 분골 난망 즉 뼈를 가루로 만들 만큼 노력해도 잊을 수 없습니다.

창창한 수십여 년을 피차에 첩첩이 쌓인 사연을 통하지 못하고, 생사 여부도 알지 못한 채 살아왔으니, 그 한은 다 기록할 수가 없습니다. 우리를 가로막은 장벽에 대한 원한은 어찌한단 말입니까? 만사는 나그네와 같은 중, 그중에서도 세월은 채찍질하듯 돌고 돌기만 합니다. 따라서 인생의 가는 길로 해마다 다달이 저물어가니, 종착역도 보일 듯합니다.

지나간 옛날을 회상하니, 이구 십팔 어린 시절, 복숭아꽃과 앵두잎같은 얼굴에 녹의홍상 즉 푸른 저고리와 붉은 치마 차림의 당신을 만났지요. 일생의 행복을 약속하던 그날은 그만 두고라도, 생이사별 즉 살아서는 떨어져 있고 죽어서는 영원히 이별하였으니, 그때도 벌써 수십여 년이 흘렀습니다.

만고풍상 즉 오랜 세월 동안 갖은 고생을 겪느라, 청춘은 끝없이 늙고,

가는 봄 날을 붙일새 없이 백년 화창하리라니 인생
고독한 허무한 것이며 그우서운 죄한 국적 읍슬
구사일생 살아난 것만 그대 덕지 해 처절한
숙명을 낭비한 까치 기슬 가야만 할 인생 두사
이것 모두가 인류 역사에 남겨둔 숙제가 하옹이올 숙
맑은 산천이 삼팔 장벽에 원한이라. 그대여서 이
가슴에 영상을 잊지 못한 채 쓰라린 상처를 한층
슬픈 눈물을 어찌 이기신가 서리운 근심한. 그대
홀로선 어느 흔에 온거 넣신 생각만 눈에 드는 하편. 장
흉히 빽빽이 허공을 과롭던 기와 한숨 희롱을
슬우 나야 한. 빌길 주비 옥연 잘 원한 심오여
그대를 찾아 방황하는 그대를 회상하며 여생에
지어린 세월 영원히 이저버린 그대 그리는
울부짖어 우짖 그날이 마지막 종천 영겨를

가는 오늘날, 벌서 육십일 년 회갑이라니, 인생 공도란 허무한 겂이며, 그 무서운 파란 곡절을 구사일싱으로 살아난 것만, 그대 엇지 애절한 숙명을 남기고, 마지막 길을 가야만 하였든가.

이것 모두가 인류 역사에 남겨둔 숙제가 않일 슈 업난 사실이요, 삼팔 장벽에 원한이라. 그대 역시 이 가족에 영상을 잊이 못한 치, 쓰라린 상처를 않고, 슬푼 눈물로 엇지 잇고 가셨으리요. 고딕한 그대 혼신, 어느 손에 옴기신고.

생각만 ᄒᆞ여도 아련 장통이 멀이 허공을 바라보고, 기리 탄식 왈, 오호 슬푸나이다. 일천구백 오십 연 팔월 십오일, 그대를 차저 방황하든 그쩨를 회상하며, 역사에 피어린 심곡, 영원히 이저 버린 그대, 그림자도 볼 수 업시, 허허무적 그날이 마지막 종천 영결,

슬퍼만 가는 오늘, 벌써 61년 회갑이라니 인생은 허무하네요. 그 무서운 파란 곡절을 나는 구사일생으로 살아났건만, 그대는 어찌 애절한 숙명을 남기고, 마지막 길을 가야만 하셨던가요?

이 모두가 인류 역사에 남겨둔 숙제가 아닐 수 없는 사실이요, 삼팔선 장벽의 원한 때문입니다. 그대도 이 가족의 모습을 잊지 못한 채, 쓰라린 상처를 안고, 슬픈 눈물로 어찌 잊고 가셨을까요? 간절히 기다린 그대의 몸, 어느 손에 옮겨지셨나요?

생각만 해도 아리는 마음, 멀리 허공을 바라보고, 길게 탄식합니다. 아, 슬픕니다. 1950년 8월 15일, 그대를 찾아 방황하던 그때를 회상합니다. 역사의 피어린 마음, 영원히 잊어 버린 그대, 그림자도 볼 수 없이, 허무하게 종적을 알 수 없게 된 그날이 마지막 영원한 이별이었네요.

죄짓지 을뿐 없ᄂᆞᆫ 상처허올 원한이라 어이 만 천주

헤어린 자ᄉᆞᆨ들 라리고 눈물을 ᄲᅮ리며 목울원

혼이 그애를 찾지 못한쳐 연〻 불쌍한ᄂᆞᆫ 이 깨운

억지하외셔 그러던 산사람은 쌔월 때라 지나는 순각

강간 뵈화을 빼앗긴 당천에 후은 청하여 은ᄋᆞᆯ

장시후 전여운 버러 지죽의 사랑하사 하해 모가

만유 좌에 들보나니 면〻 장생하여 수어한 화 까

을 꾸ᄂᆞ꾸긴 쌍〻 부황에 꽃좌현 무를 갖죽어 장소

만당에 근유 성화 만춘 을의 흥하신 만은 해 화합

그애는 사랑에 호길을 내화 보시나인가 원흥한

기어을 쥬도하면 께 죄 자식 들에 간절한 일 빈

쥬골 글게 위 홍합한 께신 생시 갈이 권연세

사랑을 쥬부신 모께 등후ㅇ 박보 절을 연〻히 보존까운

피ᄎᆞ 지을 수 업ᄂᆞᆫ 상처이요 원한이라.

억만 진중에 어린 자식들 다리고 눈물을 뿌리며, 불원철이 그대를 찾지 못한 ᄎᆡ, 염염불망하든 이 마음 엇지하릿가. 그려도 산 사람은 세월 따라 지나는 순간, 감고ᄋᆡ락을 맛보고, 당신에 후은 성덕 여음으로, 장ᄂᆡ 후진 여음 버러, 지극히 사랑하신 덕택인가.

만복 저에들 오남ᄆᆡ, 면면 장성하여 유일한 희망을 꿈꾸고, 쌍쌍봉황에 효자 현부를 갖추어, 자손 만당에 고목 ᄉᆡᆼ화 만춘을 희롱하건만은, 애닯은 그대는 사랑에 손길을 쌔처 보시나있가.

원통한 기일을 추도하면서, 저 자식들에 간절한 일ᄇᆡ주를 즐거히 흠향하시고, 생시같이 귀엽게 사랑을 주옵소서. 동풍 ᄇᆡᆨ오절[178]은 연연히 오군만은,

피차 지을 수 없는 상처요 원한입니다.

수많은 부대 속으로, 어린 자식들을 데리고 눈물을 뿌리며 다녔어요. 불원천리 즉 천 리를 멀다 하지 않고 다녔으나, 그대를 찾지 못한 채, 오매불망하던 이 마음 어찌하였을까요? 그래도 산 사람은 세월 따라 지나는 동안, 달고 쓰고 슬프고 즐거운 것을 맛보았어요. 당신의 후덕한 성품의 나머지에, 장래의 후손들이 번성했으니, 지극히 사랑하신 덕택인가 봐요.

만복만 같은 저 아이들 5남매 모두 잘 장성하여 유일한 희망을 꿈꾸고 있어요. 쌍쌍의 봉황같이, 효자와 며느리를 갖추어, 자손이 집안에 가득해요. 고목에 꽃이 피어, 한창인 봄을 노래하고 있건만, 애닯은 그대는 사랑의 손길을 뻗쳐 보시겠습니까?

오늘, 당신의 원통한 기일을 추도합니다. 저 자식들의 간절한 한 잔 술을 즐거이 흠향하셔요. 생시와 같이 귀엽게 사랑해 주세요. 동풍이 불어 한식날은 해마다 오건만,

178 백오절(百五節) : 한식날.

일로부터 후로ᄂᆞᆫ 할거시니 졍화 일얼 주ᄂᆞᆫ 어대 잇ᄂᆞᆫ가
오ᄅᆡ 사ᄅᆞᆷ 쓰화 연후ᄒᆞ여 ᄒᆞᆫ지 ᄒᆞᆫ사 ᄒᆞ오리라 연ᄒᆞ나
이ᄅᆞᆯ 생각ᄒᆞ니 사ᄅᆞᆷ 졍ᄒᆞᆫ 법측ᄒᆞ여 ᄭᆞᆯ지 ᄒᆞᆼ은 후ᄋᆞ헤
라서 한 연을 모ᄋᆞ 후ᄀᆞ지 서ᄅᆞᆫ 졍화 ᄎᆞᆫ화ᄂᆞᆫ 조연서
이여ᄂᆞᆫ 연은 구나 생화ᄅᆞᆯ 천세에 ᄀᆡ천ᄒᆞᆫ 연을 다셔
이여 후세 철목ᄒᆞ옵기 ᄒᆞᆼ족ᄒᆞ면서 이글을
젹 사ᄅᆞᆷ ᄀᆞ주 나씨게 연화봉에 무ᄉᆞ 과게 ᄒᆞ리
늘호ᄅᆞᆫ 연ᄋᆞ 오쇄 무ᄂᆞᆫ 쟁ᄒᆞᆫ 이 잔드 조세 ᄀᆞ라
못ᄒᆞᆫ 라 어ᄂᆞᆫ 후친에 천장ᄒᆞ시ᄂᆞᆫ 신화세 ᄀᆞ글
여여 지시ᄂᆞᆫ 으ᄆᆞᄒᆞᆫ 천주 영생을 비나ᄋᆞ다 이ᄒᆞᆼ
세상 꼿ᄀᆞᆺᄂᆞᆫ 으ᄅᆞᆷ간 생사 그ᄅᆞᆫ 상ᄀᆞᆫᄒᆞᄂᆞᆫ
한줄에 술호ᄅᆞᆫ ᄭᆞᆼ은 도ᄅᆞᆫ 할 것이니 무지
ᄒᆞ여 와 이서사 이 졍상 한ᄆᆞᆫ 간즉헤 눈물
이올 여한이 ᄅᆞᆫ 어ᄂᆞ 하시에 능통ᄒᆞ여 상최ᄅᆞᆫ 이

일봉 후토를 알 길 없사니, 향화 일뷔주는 어대로 가오릿가.

세화연풍하며 흡흡히 반겨하오리라. 연이나 일생 일사난 정한 법측인대, 멀지 않은 후일에, 다시 인연을 믜저 폭폭히 서린 정회 논흐면서, 이별 업는 극낙생활, 전세에 미진 인연을다시 이어, 후세 설복하옵기 앙축하면서, 이 글을 적사오니, 극낙세게 연화봉에, 부모님 뫼시읍고, 슬푼 영영 오형제분 평안히 잠드소서.

그대 못다한 과업은 후진에 전장하시고, 사파 세세를 염여 마시고, 고요한 천국 영싱을 비나이다. 인싱 세파 끗업고, 고통과 생사로 그리고 상심하는 안히에 슬푼 마음은 풀고 갈 겄이니, 부지하세월 이겄이 정말 한반도 민족에 눈물이요 여한이라.

어느 하시에 승평하여 삼철

한 봉분의 당신 무덤이 어딘지 알 길이 없으니, 이 향불과 한 잔 술은 어디로 간단 말입니까?

나라가 태평하고 풍년이 들어, 흡족히 반기실 날이 있을 것입니다. 한 번 태어나서 한 번 죽는 것은 정한 법칙이지만, 멀지 않은 훗날, 다시 인연을 맺어, 서리서리 쌓인 사연을 나누면서, 이별 없는 극락생활, 이승에서 미진했던 인연을 다시 이어, 다음 세상에서는 맘껏 누리시길 축원하며 이 글을 적습니다. 극락세계의 연화봉에서, 부모님 모시고, 슬픈 5형제 분, 평안히 잠드세요.

그대가 못다 한 과업은 후손에게 맡기시고, 사파 세계일랑 염려 마시고, 고요한 천국의 영생을 빕니다. 인생 세파가 끝이 없어, 고통과 생사로 그리워하고 상심해하는 아내의 슬픈 마음은 풀고 가겠습니다. 부지하세월 즉 언제 이뤄질지 그 기한을 알 수 없으니, 이것이 정말 한반도 민족의 눈물이요 여한입니다.

어느 때에나 나라가 태평하여,

강산에 흘러 무궁화 솟구쳐 원통한 혁명
후 사천 혼들에 빛은 술 달래던 삼천리
가 혈전 단결 죽어 간 그날 살아난 그날 언제
라는 구슬이 울 때 가서 사라는 께은에 새 철 후
손 변한 여서 오늘 가서 눈물 흔 회오는 방울
헐는 이 왔 황국가 철이 나 산물 래흔 낫져
한 한 말 인생에 눈물 흔은 칠세 고환에 흥출
한 법인가 누묵한 천에 구근 버릇 부리며 그대
에 눈물 흔 눈물으가 철상한 무궁에 와 그렸어
아 원히 울리가서 그어에 눈물 흔 세웃 울 천한
눈가 월명 사창에 한여한 누여 들다 지새
는 칼빛을 사라묻은 착까이 한차여 사슬을
되돌린 생쭈할 때 울린 울어도 끝여은 눈물

이 강산에 불근 무궁화 차즈릿가. 원통한 혁명 투사, 선혈들에 영혼을 달리고 위로하릿가. 일편단심 죽어도 그날 살어도 그날, 언제라도 그날이 올 째까지, 바라는 마음에 사시 절후난 변함업시 오고가나니, 슬품 회포난 방초일난이라.

황국가절이나 남몰래 흐늣겨 한탄 왈, 인생에 슬품은 절세 교환에 층출한 법인가. 낙목한천에 구즌 비 휘뿌리며, 그대에 슬픈 눈물인가.

설상 한풍에 외긔력이 아련히 울고 가며, 그대에 슬픈 심곡을 전하는가. 월명사창에 찬바람 숨여들 대, 지새는 달빛을 바라보고, 적막히 안자 역사를 뒤도라 생각할 째, 울고 울어도 끗업는 눈물

삼천리 강산에 붉은 무궁화를 찾을까요? 원통한 혁명 투사, 선열들의 영혼을 달래고 위로할 수 있을까요? 일편단심, 죽어도 그날, 살아도 그날, 언제라도 그날이 올 때를 바라는 마음에, 사시 절기는 변함 없이 오고 가고 있습니다. 슬픈 회포에 아랑곳없이 향기롭고 꽃다운 풀에 햇빛은 따사롭기만 합니다.

노란 국화가 피는 가을이지만, 남몰래 흐느껴 한탄하며 고합니다. 인생의 슬픔은 한번으로 끝나지 않고 계속되는 것인가요? 낙목한천 즉 나뭇잎이 다 떨어지고 춥고 쓸쓸한 겨울에 궂은 비 흩뿌리니, 그대의 슬픈 눈물인가요?

눈 위에 부는 찬바람에 외기러기가 아련히 울고 가니, 그대의 슬픈 심정을 전하는 것인가요? 달빛 밝은 창에 찬바람 스며들 때, 지새는 달빛을 바라보고, 적막히 앉아 지난 역사를 뒤돌아 생각해 보노라니, 울고 울어도 끝없는 눈물이요 슬픔입니다.

이혼. 슬퍼하다. 설은 곤궁에 살다보니. 이제사 오늘

까지 쫓아 영상을 찾는 길이 가. 허황 된 욕심이란

허무한 역사. 생존경쟁에 뒤처진 눈물로. 쌓은 긴

지켜진 마음. 그후 끝없을 기대하며 잘난 맥 긴

장화는. 한 생각 없는 참 되기 즐거운 그 글 해 영

광하던 기억나 하라. 못했을 그때를 뒤틀어 버린

한 삶을 엮어 만본지 일이 나서. 뿌리로 한 것에

그 어제 겐에 낙후하면 영이 가서 하며 한 것이

삶에 우선 한 편한 하며 한 하보자

희전구 빛처럼 희빛이면 싶었다면 화자어 서로는

미래 온는 녹생중 속으로 지든 모래. 녹쉬을 흙가서

상쇄허 상생된 되목중해는 물은 새상들

떠나살이 확실히 해온 술져 어제 상실을

지내 오늘이 쉬는 땅을 돈 작고 허우러

누렸소은 쉬고 이길 수확을 못한 목이다.

이요 슬품이라.

설음 중에 살다보니, 이것으로 마지막 영싱을 찾는 길인가. 인싱 일싱이란 허무한 역사, 생존 경징에 피와 눈물로 싸우고 지처, 전여싱 그 무었을 기대하릿가. 밥 먹고 잠자는 인싱과업은 차라리 죽고 모르미 영광이요 깃뿜이라.

못잊을 그대를 불어 비통한 사연을 역이 만분지 일이나마 하소하고저 그대 제전에 낭독하오니, 영이 계시다며, 반가히 살펴주시고, 평안히 안면하소서.

일천구백칠십일년 십월팔일 처자에 서름

이 제문도 싀재종숙모님 지음인대, 싀칠촌게서 사변에 삼십 년이 되도록 종적을 몰아, 세상을 써나심이 확실 　여, 이 제문을 저어 제사를 지내시고, 이저는 당신도 작고하시니, 허우럭 늣겁사온 비감, 일구형언 못 ᄒᆞ오이다.

설움 가운데 살다 보니, 이 갑사(회갑 제사)가 마지막 영생을 찾는 길인가요? 인생 일생이라는 허무한 역사, 생존 경쟁에서 피와 눈물로 싸우다 지쳤으니, 한평생 그 무엇을 기대하겠습니까? 밥 먹고 잠자는 인생 과업은 차라리 죽고 모르는 게 영광이요 기쁨입니다.

못 잊을 그대를 불러, 비통한 사연을 이 글로 만분의 일이나마 하소연하고 싶어, 그대 영전에서 낭독합니다. 혼령이 계시다면, 반가이 살펴주시고, 평안히 영면하세요.

1971년 10월 8일 처자의 설움

이 제문은 우리 시종숙모님이 지은 것인데, 그 부군께서 육이오 사변 때 실종되어 30년이 넘도록 그 행방을 몰랐다. 세상을 떠난 게 확실하다고 보아, 그분의 회갑일에 이 제문을 지어 제사를 지냈다. 이제는 당신도 작고하셨으니, 허전하고 슬픈 마음을 이루 형언할 수 없다.

감상 및 해설

죽은 남편의 회갑날, 고인을 추모하며 지어 바친 제문이다. 일찍이 세상을 떠난 남편이지만, 평생 수절하면서 남편의 회갑까지 챙기는 정성이 애틋하다.

> 일봉 후토를 알 길 없사니, 향화 일비주는 어대로 가오릿가.

후기에도 나오듯, 고인은 육이오 전쟁 때 행방불명되었다. 30년간 장례도 치르지 못하고 기다리다가, 고인의 회갑이 되자, 이 제문을 지어 제사했다고 한다.

20년간 살다가 헤어져, 30년 간의 기다리다 포기하고 제사하면서 이 제문을 낭송하는 아내의 마음이 전해지는 듯하다. 다시는 없어야 할 우리 현대사의 비극이다.

35. 남동생의 영전에

1973년, 홍윤표 교수 소장

유세차 계축 정월 경오삭 삼십일 기해 치가
영양천공소상지이야라. 전일 석무 순해
불우이, 누이는 비백지리 전으로 재곡오곡. 우ㅡ
명연지하왈. 오호 동재여 오호 애재라 인후한
우리 남동생 안부 묻자, 부고라가 웬일인고.
이런 변이 있다 말가. 것가 있는 누이는 동생 문병
간간히 못해보고. 유언 한 말 못드러 일천고구
유한이면. 육십찰세 정명턴가, 왜 그리 바쁘ㅡ
시며, 슬프다. 창천아. 이 광경이 웬 말이인고 창천
창천이 무너지고. 백일이 무광이라. 이런 변이
있다 말가. 오장이 재가 되고. 흉장이 막막하네.
애통할사 우리 형제 대락 정곡할이오며 차버녀.

유세차 계축 정월 경오삭 삼십일 기해 친가 영양 천공 소상지일야라. 전일 석 무술해, 불우이 누이는 비백지전으로 재곡 오곡우 영연지하 왈.

오호 통재며 오호 애재라. 인후한 우리 남동생 안부 묻자, 부고지가 웬일인고? 이런 변이 있다 말가. 건가 있는 누이는 동생 문병 간간히 못해 보고, 유언 한 말 못 드러, 일천루 유한이면, 육십칠 세 정명턴가. 웨 그리 바쁘시며, 슬푸다 창천아, 이 광경이 웬말이인고. 창천 창천이 문어지고 백일이 무광이라. 이런 변이 있다 말가? 오장이 재가 되고 훙장이 막막하네.

애통할사 우리 헹제, 대락 정곡 알이오며, 차녀

아 계축년(1973) 정월 30일은 친가 영양 천공의 소상일이다. 전날, 불우한 이 누나는 혼백을 모시는 곳에서 다시 곡하여 말한다.

아 마음이 아프고 슬프다. 인자하고 후덕한 우리 남동생, 안부를 묻자 부고장이 날아오는 것은 무슨 일인가? 이런 변이 있단 말인가? 가까운 가문에서 살고 있는 누나가 되어, 동생을 간간히 문병하는 것도 못해보고 유언 한마디 못 들어, 천 줄 눈물로 한이 되니, 60~70세가 정해진 수명인가? 왜 그렇게 바쁘게 갔는가? 슬프다 창천아! 이 모습이 왠 말인가? 하늘, 하늘이 무너지고 햇빛도 빛을 잃었다. 이런 변고가 있는가 말인가? 오장이 재가 되고 가슴이 막막하다.

애통하다 우리 형제여, 대강의 사연이나마 아뢰오며, 차녀는

남편문씨가문으로 성혼데여 이남이녀 사남매 가각
성혼식켜 다남다녀 생육할제. 친가우리 남동
생은 이씨가문 성혼데여. 사남이녀 육남매을
애지중지 떠기시다. 육십연하 못다보고 옥경
성정 데오시니. 통생사작 길오 못면하야. 삼일후
순장이라 고대광실 떠저두고. 말연유택 도라들제.
엇지갈고 엇지갈고. 심심산곡. 드러가면. 명산대지
자리자바. 평토분행지은후에. 수백빈객 허터진다.
우리여터 족가 애통소리. 산천이 용열이고. 초목이
함누로다. 청산석백이 일부로에. 찾는 사람 어너
누며. 세우비세우비. 천날일제. 어느 칭구 차자오리.
청산야월 달발글제. 두경성만 처량호다. 오호

남편 문씨 가문으로 성혼데여 이남 이녀 사남매 각각 성혼식커 다남다녀 생유할 제, 친가 우리 남동생은 이씨 가문 성혼 데여 사남이녀 육남매을 애지중지 여기시다 육십연하 못 다 보고 옥경 성경 데오시니, 동생 사직 길오 못 면하야 삼일 후 순장이라.

고대광실 떤저 두고 말연 유택 도라들 제, 엇지 갈고 엇지 갈고. 심심산곡 드러가면 명산대지 자리 자바, 평토 분행 지은 후에, 수백 빈객 허터진다.

우리 여러 족카 애통 소리 산천이 용열이고, 초목이 함누로다. 청산 석백이 일부로에 찾는 사람 어너 누며, 세우비 세우비 헌날일 제, 어느 칭구 차자 오리? 청산 야월 달 발글 제, 두경성만 처랑토다.

오호

남평 문씨 가문에 성혼하여 2남 2녀, 4남매 각각 결혼시켜, 많은 아이들을 낳았네. 친가의 우리 남동생은 이씨 가문의 여성과 결혼하여 4남 2녀, 6남매를 낳아 애지중지 여기시다가, 육십 세를 넘지 않고 저승으로 가니, 동생이 죽음을 면하지 못하여 삼일 후 매장이네.

좋은 집은 버려두고 산소로 돌아갈 때, 어떻게 갈까 어떻게 갈까? 깊고 깊은 산곡 들어가면, 명산대지에 자리 잡아 산소를 지은 후, 수 백 명의 손님들이 흩어진다.

우리 어린 조카의 애통한 울음소리에 산천이 우짖고, 초목도 눈물을 짓는다. 푸른 산 속에 일부러 찾아올 사람이 어느 누구며, 가는 비가 흩날릴 때 어떤 친구가 찾아오겠는가? 푸른 산의 밤, 달이 밝을 때 두견새 울음소리만 처량하다.

애재 우리 동생, 구천행자 전송하고, 애 안에 회
눈물을 앞치마에다 마안고, 친택으로 도라가나.
이 누나는 무용이라 슬푸다 우리 동생. 일월이
불거하야 이날이 기년 기일 금일이라. 일잔는
도라왓거만은 동생은 한번가면 도라올줄 모로
는고. 지리산 회춘 개도, 춘색 대라. 오실런가 오는
날이 어는 땐고. 내연 혜춘 삼월 데면, 꽃피올때에
춘풍따라. 오실랑가. 진양강. 달떠거는 월색
때라 오실낭가. 오는 날이 어는 땐고. 수옥정이.
풍지하고, 자욱하야이. 친부채라. 어는 때에다 시
불고, 춘원에 만발 화초 봄소식에 동생생각
하절 염천 더운날에. 세우비에. 동생생각.

애재 우리 동생 구천 행자 전송하고, 야안에 피눈물를 압치마에 다마 안고 친택으로 도라가니, 이 누나는 무용이라. 슬푸다 우리 동생 일월이 불거하야 이 날이 기년 기일 금일이라.

일자는 도라왓건만은 동생은 한변 가면 도라올 줄 모르는고. 지리산 회춘커든 춘색 따라 오실넌가. 오는 날이 어느 땐고. 내연헤 춘삼월 데면 꽃필 때에 춘풍 따라 오실랑가. 오는 날이 어는 땐고.

수욕정이풍지하고, 자욕양이친부채라. 어는 때에 다시 볼고. 춘원에 만발 화초 봄소식에 동생 생각, 하절 염천 더운 날에 세우비에 동생 생각,

---

아아 슬프다. 우리 동생 저승 가는 것을 전송하고, 두 눈에 피눈물을 앞치마에 담아 안고 친가로 돌아가니 이 누나는 쓸모가 없노라. 슬프다. 우리 동생 세월이 항상 머물지 않아 이날이 딱 1년 지난 날이다.

날짜는 돌아왔지만 동생은 한번 가서 돌아올 줄 모르는구나. 지리산이 다시 봄이 되면 봄빛 따라 오실 건가. 오는 날이 어느 때인가? 내년에 삼월 봄이 되면 꽃필 때에 봄바람 따라 오실 건가 오는 날이 어느 때인가?

나무는 고요하고자 하나 바람이 불고, 자신은 부모를 모시려 하나 어느 때에 다시 볼 수 있을까? 봄 정원에 만발하는 꽃에 봄소식에 동생 생각, 여름 뜨거운 날 내리는 가는 비에 동생을 생각하고

구주단풍 ~~[struck]~~ 날일때 낙엽생도 동생생각.
엽동설한 찬바람에 백설비에 생각이랴 어너
하시다시 볼고. 영상에. 1술을 부어 훈늘
위로할가. 애재라. 오늘밤 영자하에. 우리여러.
족까 애곡성하고만은. 대답한말 전헌없네
들는 잇까. 보는 잇가. 한잔술을 부어. 보아도
구나 줄 모르오니. 자시는 줄어이 알고 회포를
다 하자면. 창해수가 연수라도. 먹물말아 못하
견에 야색은. 희미하고. 상경은 재촉하니.
상에 우려려보니. 월색은 희미하고 행운.
은. 구불구불 굽불굴지영이며. 분불진연
히라. 불매한 존영은 아시는가 모르신가
동생비비애재 격사
상향.

구주 단풍 휘날일 때 낙업성도 동생 생각, 염동설한 찬바람에 백설비에 생각이라. 어너 하시 다시 볼고.

영상에 술을 부어 호늘 위로할가. 애재라 오늘 밤 영자 하에 우리 여러 족카 애곡성하그만은, 대답한 말 전헌 업네. 듣는잇까, 보는잇가. 한 잔 술을 부어 보아도, 구나줄 줄 모르오니, 자시는 줄 어이 알고. 회포를 다하자면 창해수가 연수라도 먹물 말아 못하견에. 야색은 히미하고 상경은 재촉하니 □상에 우러러보니 월색은 히미하고 행운은 구불구불 곡불진영이며, 문불진언이라. 불매한 존영은 아시는가 모르신가.

동생 비비 애재 격사

상향.

온 나라에 단풍이 휘날릴 때, 낙엽 떨어지는 소리에도 동생 생각, 엄동설한 찬바람에, 흰눈 내릴 때도 생각하니 어떠할 때에 다시 볼 수 있을까?

영상에 술을 부어 동생의 혼을 위로할까? 슬프다. 오늘 밤 영좌 아래 우리 여러 조카 애곡성이 높지만 대답하는 말이 전혀 없네. 듣는가, 보는가. 한잔 술을 부어 보아도 받을 줄 모르니 마시는지 어찌 알까. 회포를 다하자면 푸른 바닷물이 연적의 물이라도 먹물을 삼아 써도 부족할 것인데 밤빛은 희미하고 서로 떨어지기를 재촉하네. 영상을 우러러보니 달빛은 희미하고 구름은 구불구불 흘러가네. 곡으로도 소리를 다 낼 수 없으며, 글로도 말을 다 표현할 수 없노라. 깨어있는 우리 동생의 혼령은 이를 아는가 모르는가?

동생이여, 비통하고 슬프다.

여기 임하여 이 제물을 받게나.

감상 및 해설

이 제문에 있는 '수욕정이풍지하고, 자욕양이친부채라.'라는 구절은 '수욕정이풍부지(樹欲靜而風不止), 자욕양이친부대(子欲養而親不待)'의 오기이다. 나무에 비유하여 효도에도 시기가 있다는 것을 알리는 구절이지만, 흥미롭게도 동생의 죽음에 이 구절을 인용하고 있다.

이는 동생의 죽음이 자신에게는 부모의 죽음처럼 크게 다가왔다는 표현이겠다. 가까운 집안에서 살던 남동생의 죽음에 절절한 슬픔을 곡진하게 표현한 제문이다.

36. 어머니 영전에

1973년, 박재연 교수 소장, 세로 40.7㎝, 가로 55.8㎝

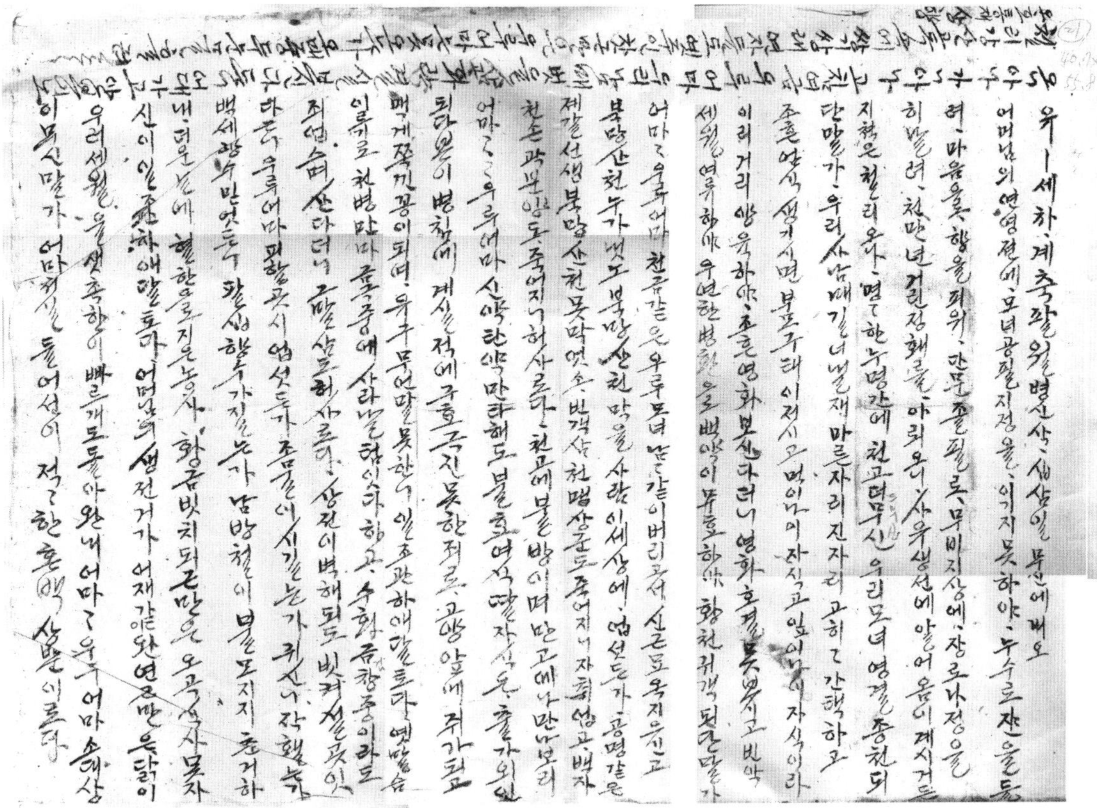

유ㅣ세차、계축팔월 병신삭、십삼일 무신에 뼈오
어머님의 연영전에、모녀공질지정을、이기지 못하야、누수로 잔을 들
여、마음으로 향을 피워、만무졸필로、무비지상에、장로나 정을
히 발려、천만년 거린정회를、아뢰오니、사유생전에 알어옵이 계시거든
지척은 천리오나、명〻한 누명간에 천고여무신 우리모녀 영결종천되
단 말가、우리 사남매 길너낼재 마른자리 진자리 고히〻 간택하고
조흔 음식 생기시면 불고구태 시저시고 먹이나 이 자식이고 입이나 이 자식이라
이리 거리 생육하야、조흔 영화 보신다더니 영화 호결 못 보시고 빈 약
세월 연유하야 우연한 병환으로 백약이 무효하야 황천귀객 되단 말가
어마〻 울유어마 천금같은 우리모녀 남〻같이 버리옵서 신은모옥 지을 신고
북망산천 누가 냇노 북망산천 막을 사람 이 세상에、업섯든가 공명같은
제갈선생 북망산천 못 막엇소、빈객삼천 맹상군도 죽어지니 자취 업고、백자
천손 곽분양도 죽어지니 허사로다、천고에 붓흔 방이며 만고에 나 만나보리
어마〻〻 우류어마 신약단약 만타해도 불효여식 때자식은、출가외인

유 - 세차 계축[179] 팔월 병신삭 십삼일 무신에 내 오 어머님의 연영 전에 모녀 공필지정을 이기지 못하야, 누수로 잔을 들려, 마음으로 향을 피워, 단문 졸필로 무비지상에 장로나정 히날려, 천만 년 거린 정홰를 아뢰오니,

사유[180] 생전에 알어옴이 계시거든, 지척은 철리오나, 명명한 누명간에 천고 더무신 우리 모녀, 영결 종천 되단 말가.

우리 사남매 길너낼 재 마른 자리 진 자리 고히 고히 간택하고, 조흔 엄식 생기시면, 부모 구태 이저시고, 먹이나이 자식고, 잎이나이 자식이라. 이리거리 양육하야 조흔 영화 보신다더니, 영화 호결 못 보시고, 빈악 세월 여류하야 우연한 병환으로 백약이 무효하야, 황천귀객 된단 말가.

어마 어마 우루 어마, 천금같은 우루 모녀 남남같이 버리고서, 신근 묘옥 지으신고. 북망산천 누가 냇노, 북망산천 막을 사람 이 세상에 업섯든가. 공명같은 제갈 선생 북망산천 못 막엇소. 빈객삼천 맹상군도 죽어지니 자취 업고, 백자천손 곽분양도 죽어지니 허사로다. 천고에 불방이며 만고에나 만나 보리.

아, 계축년(1973년) 8월 13일에, 우리 어머님 영전에서 모녀간의 정을 이기지 못하여 이 글을 올립니다. 눈물로 잔을 드리고, 마음으로 향을 피워, 이 짤막한 졸필로 어디 비교할 수 없는 정을 표현해, 쌓이고 쌓인 사연을 아룁니다.

어머니, 아시겠습니까? 지척이 천 리라지만, 어둡고 어두운 저승으로 가셔서, 천고에 드문 우리 모녀가, 영원히 이별하였단 말인가요?

우리 4남매를 길러내실 때, 마른 자리와 진 자리를 고이고이 가리시고, 좋은 음식이 생기면, 당신들은 구태여 잊고, 먹이느니 자식이고, 입히느니 자식이었습니다. 이리저리 양육하여 좋은 영화 보신다더니, 영화로운 마무리를 못 보신 채, 가난한 세월만 흘러갔지요.

우연한 병환으로 백약이 무효하여, 마침내 황천객이 되었단 말인가요? 어머니, 어머니, 우리 어머니, 천금같은 우리 모녀 사이건만, 남남같이 버리신 채, 산속에 무덤을 지으셨단 말인가요?

아, 북망산천을 누가 냈을까요? 북망산천 막을 사람, 이 세상에 없었던가요? 공명같은 선생도 북망산천은 못 막았단 말인가요? 문간의 손님이 3천이었다는 맹상군도 한 번 죽고 나니 자취가없고, 수많은 자손을 둔 분양왕 곽자의라는 사람도 한 번 죽으니 허사입니다.

천고에 만나볼 방법이 없으니, 만고 뒤에나 만나볼까요

179 계축 : 1973년.

180 사유(四有) : 사람이 죽고 나서 다시 태어날 때까지의 네 기간.

어마〃〃 우루어마 신약단약 만타해도 불효여식 때문에 출가외인
되단 몸이 병침에 계실 적에 구호 극진 못한 죄로 공양 알에 죄가 컬고
맥게 쭈긴 꿈이 되여 유구무언 말 못한다 애조관하애 달흐다 옛말슴
이룩키로 천병만마 출중에 사라날 협이 샀다 한고 수활중 창중이라도
죄 업슴며 산다더니 고팔 상몰하사 흔역 상천이 벽해되도 빗겨설 곳 있
다는 우루어마 피할 곳시 업섯든가 조물에 시기는가 귀신에 작해는가
백세장수 민었드니 팔삼 향수 가질는가 남방 철이 불모지지 춘거하
내던운 눈에 혈한을 지은 농사 황금빗치 되근만은 오곡 수사 못자
신이 일조하애 말흐다 어머님에 생전거가 어재같이 완연흔만은 닭이
우리 세월을 재촉항이 빠르개도 돌아왓내 어마〃 우루 어마 송대상
히모신 말가 어마 찾실 들어섬이 적〃한 혼백 살불이르다
온다 가나 아나 고친여금 우루 어마 우리날 때 벗을 삼고 화락결실 보신다든 어대가고 안 올라노
철리 강산 곡속에 쌍기 상래 연자들도 옛주인 찾는 때는 우루 어마는 못오는가 오매중두 눈물 흘려 [illegible]
온호통재 상향

어마 어마 우루 어마, 신약 탄약 만타 해도, 불효 여식 딸자식은 출가외인 되다 본이, 병침에 계실 적에, 구효 극진 못한 죄로, 고양 앞에 쥐가 되고, 맥게 쪽낀 꽁이 되여, 유구무언 말 못한니, 일조 관하 애달토다. 옛 말슴 이르기로, 천병만마 금극 중에 사라날 텀 잇다 하고, 수화 금창 중이라도 죄 업스며 산다더니, 그 말삼도 허사로다. 상전이 벽해 되도, 빗켜 설 곳 잇다든니, 우루 어마 피할 곳시 업섯든가. 조물이 시길는가 귀신니 작핻는가, 백세 향수 믿엇든니, 팔십 향수 가질는가. 남방 철이 불모지지 춘거하내 더운 날에, 혈한으로 지은 농사, 황금 빗치 되근만은, 오곡 식사 못 자신이 일조 관하 애달토다. 어머님의 생전 거가, 어재같이 완연큰만은, 닭이 우러 세월을 잿촉한이 빠르개도 돌아완내. 어마 어마 우루 어마, 소대상이 무신 말가. 어마 거실 들어선이 적적한 혼백 상뿐이로다. 오니 아나 가니 아나 고침여금 우루 어마, 우리 남매 벗을 삼고, 화락 결실 보신다드니, 어대 가고 안 보이노. 천리 강산 고독 속에, 쌍기쌍래 연자[181] 들도 옛 주인 찻근만은, 우루 어마는 못 오는가. 오매 중 두 눈물 흘렷도다. 오호 통재 상향.

어머니, 어머니, 우리 어머니, 새로 나온 약과 탕약이 많다고 해도, 불효 여식 이 딸자식은 출가외인이 되다 보니, 병석에 계실 적에, 병구완 극진히 못한 죄를 지었습니다. 고양이 앞에 쥐가 되고, 매한테 쫓긴 꿩 신세가 되어, 유구무언 드릴 말씀이 없습니다. 아, 어머니, 하루아침에 관속에 누워 계시니, 애통합니다. 옛 말씀에 이르기를, 수 많은 군사와 군마의 삼엄한 포위망 속에서도 살아날 틈이 있다 하였고, 물과 불에 포위된 중 수많은 창검 속에서도 죄 없으면 산다고 했습니다만, 그 말씀도 허사입니다.

뽕나무밭이 푸른 바다로 바뀌어도, 비켜 설 곳이 있다더니, 우리 어머니 피할 곳이 없었던가요? 조물주가 시기했나요, 귀신이 장난을 쳤나요? 백년 장수 누리리라 믿었더니만, 80 향수뿐이라니요? 남쪽 천 리에 있는 불모지에다, 한여름 더운 날, 피땀흘려 지은 농사, 황금 빛으로 결실했건만, 오곡 식사 못 자신 채, 하루아침에 관속에 계시니, 아 애통합니다. 어머님 생전에 집에 계실 때가 바로 어제같이 완연하건만, 닭이 울어 세월을 재촉하니 빨리도 그날이 돌아왔네요.

어머니, 어머니, 우리 어머니, 소상에 이어 대상이 무슨 말씀인가요? 어머니의 거실에 들어서니, 적적한 혼백 상뿐입니다. 온들 아시나요, 간들 아시나요? 높이 누워계시는 우리 어머니, 우리 남매를 벗 삼고, 화락한 결실을 보신다더니, 어디 가고 안 보이시나요?

천 리 강산 고독 속에, 쌍쌍이 오고가는 제비들도 옛 주인 찾아오건만, 우리 어머니는 왜 못 오시는가요? 오매불망하며 두 눈물을 흘렸습니다. 아, 애통합니다. 흠향하셔요.

181 연자(燕子) : 제비.

감상 및 해설

70년대에 쓰였다고 추정되는 이 제문에는 '새로 나온 약'이 언급된다. 그럼에도 죽음은 막지 못한다. 아무리 시대가 바뀌고 위생과 약품이 좋아져도 인간의 죽음은 필연적이라는 사실을 일깨워 준다. 아울러 죽음에 대한 감정도 크게 다르지 않다는 것을 상기시켜 준다.

원문의 경우 세로로 쓰다가 종이가 모자라자 여백에다 가로로 썼다. 이는 전통 편지에서 익히 볼 수 있는 관습이다. 종이를 절약하는 정신이 느껴진다.

37. 오빠 영전에

1974년, 황명희 님 소장

제문

세차 갑인 정축삭 십이월 이십이일 고령 박남
종상지여손 하관석을 미에 목로의 장씨부는 근우
의약우 지천으로 유월등우 병상지하살 자생
민이래로 지드유시에 우락과 생사회에 천리
정칙을 변할재 법도 만은에 휴멸한건
현선우에 지정을 일조에 불시로 여죄은
오영에 천지망ㄱ한 반체 지통은 한우로
자원하나 관여할길 범하와 초ㄱ간 제로
만분일을 묵고 하엿난나 오회라 우리 오와
출중은 상한선 호독이래 산공야 길주선고
효우화선에 인자관후한은 성덕학행이

제문

세차 갑인 정축삭 십이월 이십이일 고 형백남 종상지일야 전석 을미에, 불초미 장씨부는 근구비박지전으로 육혈통곡 영상지하왈

자생민 이래로 필유시에 우락과 생사희비에 천리정칙을 면한 재 없으나, 만고에 특별하신 현심 우애지정을 일조에 불시로 여해온 소미에 천지 망망한 반체지통은 아무리 자위하나 관억할 길 없아와, 초초 단필로 만분 일을 곡고하압나니,

오희라, 우리 오빠 출궁 고상하신 품격이 태산교악 같흐시고, 효우 처신에 인자 관후하신 성덕 학행이

아, 갑인년(1974년) 12월 22일은 우리 오빠의 종상일입니다. 그 전날 저녁에, 못난 누이 장실은 변변찮은 제물을 갖추어 피눈물로 영전에서 통곡하며 아뢰니다.

인류가 생긴 이후, 근심과 즐거움, 삶과 죽음, 기쁨과 슬픔의 이치와 법칙을 면한 사람은 아직 없습니다. 그렇지만, 만고에 특별하신 지혜와 우애의 정을 가졌던 우리 오빠를 하루아침에 불시로 여윈 이 누이의 천지 아득한 애통함은 아무리 달래보나 어쩔 수가 없습니다. 간략한 글로 만분의 일이나마 그 마음을 고합니다.

아, 우리 오빠의 빼어나게 고상하신 품격이 태산같으셨지요. 효도와 우애와 처신에서 인자하고 관대한 덕성과 행실은

자약한 참세에 주리 졀인 군사 되 셜움을 참앙
치 발일지라 황ᄉᆞ 만년 병나 히 ᄉᆞ행하실 줄
밀고 만 번 삷드ᄅᆡ 친히 간행한 조용히 시ᄒᆡ
하며 조흘지간 친히 구원기 바 없는 멀고 먼
길 굽이로 발병 떠나셔ᄂᆞ 신수 마르 쓸 달
조용 시혀 조차 천하에 동ᄒᆞ 한 지조 구완 도
미쉬ᄲᅡ다 분취 못한 ᄒᆞ는 한 말 느ᄂᆞ 슈모 밟에
종친 유한을 가치시나 친만 공상 지와 중ᄒᆞ음
을 ᄡᅡᆯ화와 그시 힐 왼 열히 리 ᄯᅧᆼ한 듯 절치 도ᄒᆡ
시친 친구 부 달 떠 가ᄉᆞ 벌셔 유명을 격 한 온
ᄯᅧᆼ장히 가히 되 좀 한 ᄇᆡ 병졀히 논 존음 ᄇᆡ 부ᄻᆞᆼ
이ᄉᆞ 히온 쳥 장흉 부 근 치 ᄒᆡ 구원을 딸 으 ᄆᆞ ᄒᆡ
빗 ᄇᆡ 못할 ᄆᆞ 의 쳥 ᄂᆞ ᄂᆞ 셜 존 ᄉᆞᆯ ᄡᅡ 주 ᄉᆞ 만 부 쳥
지통 가히 없ᄂᆞᆫ 음 라 지 ᄒᆞ ᄂᆞᆫ 이 나 와 졀 ᄉᆞ 조 친
방 주 셜 ᄂᆞᆫ 모 지 국 졀 이 나 졍 히 ᄂᆞᆫ 한 ᄆᆞᆫ 장 ᄒᆡ 조
ᄀᆞᆫ 드 우 로 셔 ᄆᆡ 지 중 한 온 고 ᄒᆡ 로 ᄇᆡ ᄉᆞ 지 못 ᄒᆞ 중
행 주 ᄅᆞᆯ 어 업 ᄂᆞᆫ ᄉᆞ ᄲᅡᆨ 장 ᄂᆞᆫ 정 ᄒᆞ ᄭᅦ 천 을 철 회 ᄒᆡ
ᄭᅡ ᄉᆞ ᄀᆞ ᄂᆞ 수 한 동 ᄒᆞ 영 천 ᄒᆡ ᄂᆞ 구 지 도 와 ᄂᆞ ᄯᅢᆼ
조 ᄒᆡ 라 못 한 온 슈 한 을 당 면 한 ᄯᅩ 회 ᄯᅥᆺ ᄉᆞ 한다

각박한 차세에 족히 현인 군자 되심을 사양치 안일지라. 향수향수 만년 영낙이 무량하실 줄 믿고 믿엇삽드니, 천되 무심하고 조물이 시기하여, 호흘지간 천대 구원 기약 없는, 멀고 먼 길 급급히도 아조 영영 떠나시니,

신구 의로 발달 좋은 시대, 효자 현부에 동동촉촉한 지효 구와나도 밋처 바다 보지 못하시고, 한 말슴 유교 없이 종천 유한을 기치시니, 천만 몽상지외 흉음을 밧자와, 그시 일월이 회명한 듯, 전지도지 십전구부 달여가니,

벌서 유명을 격하온 병장이 가리워 존안이 영절이오, 존음이 묘망이니, 일성 장통 부르지저 구원을 딸으고저, 밎이 못할 우리 형님, 노리 선후를 밧구우신 붕성지통 가이없아옴과,

질아 남미 내외 혈읍 호천망극 설음 고지 규천이나, 평일 남다르신 자애 조금도 모르시며, 지중하온 고례를 어기지 못 초종 양우를 얼푸시 밧잡고, 향탁 제전을 천리에 뫼서 가니, 수하 도리 생전에 식측 지도와, 싀병 효에 다 못하온 유한으로 당연한 도리 떳떳하나

각박한 이 세상에서 군자 되기에 누구한테도 양보할 필요가 없었지요. 장수하여 오래오래 즐겁기 한량 없으실 줄만 믿고 믿었더니만, 천도가 무심하고 조물주가 시기하여, 갑자기 하늘나라로 기약 없이 멀고 먼 길 급히 급히 아주 영영 떠나셨습니다.

신식과 구식의 의료 기술이 발달하여 좋은 이 시대에, 효자와 며느리들의 지극 정성스런 효도와 병구완도 미처 받아 보지 못하셨습니다. 한 말씀 유언도 없이 세상을 뜨셔서 여한을 남기셨습니다. 천만 뜻밖에 흉한 소식을 들어, 해와 달이 캄캄한 듯하여, 엎어지고 넘어지면서 달려갔지요.

벌써 이승과 저승을 나누는 휘장이 가리워, 오빠의 얼굴은 볼 수 없고, 음성도 아득합니다. 소리를 내어 길게 부르짖으며 오빠를 따르고 싶으나 미치지 못할 우리 올케는, 선후를 바꾸신 애통함이 가이없습니다.

조카 남매의 내외가 피눈물을 흘리며 하늘을 우러러 망극한 설움으로 울부짖으나, 평소 남다른 사랑임에도 조금도 모르십니다. 저는 막중한 옛 예절을 어기지 못해, 초상 때의 예절은 얼핏 받들었지요. 향로상 모신 제사 의식을 천리에 뫼셔 갔으니, 생전에 옆에서 모시기와, 병간호하기의 효도를 다 못한 여한으로 당연한 도리이지만,

불효ᄌᆞ의 홍은 빼별 두리셔는 까은이 ᄒᆞᆫ 쳔번
을 벗어 ᄒᆞ오리ᄭᅡ 금ᄒᆞ예 원슈 여동한 주예로
회소ᄒᆞᆫ낙 지주무의 근로 ᄲᅮ잔다가 ᄯᅢ나올ᄯᅢ
연ᄒᆞ여 시ᄉᆞ청으로 자ᄆᆞᆯ으로 핫셔 망연히셔ᄀ
불평ᄒᆞᆫ 한색으로 브니시여니 천고영거로
뒤츠존 벗치 상하나 ᄒᆞ몃스물은 오로 동국 ᄉᆞ혈
번성ᄒᆞᆫ 늑냥이 부모ᄂᆞ 수로 친에셔 ᄎᆡ의로
주글시든 어일 어쎄 갈로ᄉᆞ 죽어은 외로은 나ᄭᅴ
불은 어니 수한 불 벗어 길게 ᄒᆞᆫ치못ᄒᆞᆫ 셔신 복노
술 원만 허 누리젓 못ᄒᆞᆯ 쉬니 어이 ᄒᆞᆯ 옥리가 오희로
업셔 누삿 어쎄 은혜로ᄂᆞᆫ 쌍ᄉᆞᆫ 병셩히 자니
재화 힌적 어낭에게 ᄯᅢ의 점어 넘어 흑을 세ᄒᆞᆯ여
지주로도 ᄒᆞᆫ 지진한 이 변생ᄒᆞ여 끼쌍여생어나
이 실어 현제 강을 부로ᄂᆞᆫ 가청 지ᄒᆞ어 좋은 변
ᄒᆞ련 ᄆᆞᆫ 우의 오ᄅᆡ 첫은 드무섯 우되 지청, 칠로
어없는 어린 누 빠 ᄯᅢ화 불ᄇᆞᆫ드 ᄉᆡ 후 흑사 청로경ᄀ
불의 못어 즛 어ᄒᆞᆫ 흔 청히 흔택 어ᄯᆡ가 다시
부자 울은 갈 ᄉᆞᆲ은 망한 구근 며 나의는 새벽
예 불면 시간 어면 ᄒᆞᆨ벌 후모 ᄒᆞ여 죄은

불초 소미 통곡 배별 도라서는 마음이야 현언을 엇이하오릿가.

금하에 월여 동안 주야로 희소 담낙 지극 우의를 밧잡다가 떠나올 때, 연연하신 심정으로 작별을 앗겨 망연히 서서, 불평하신 안색으로 보내시더니, 천고 영결 될 줄 엇지 상상이나 하엿슬고.

오호 통곡 통곡. 평일 번성한 뉵남믜, 부모님 슬전에서 채의로 즐기든 일 어제같흐나, 금일은 외로운 남믜뿐이니, 수한을 엇이 길게 타지 못하시고, 복녹을 원만히 누리지 못하심이 이러하오릿가.

소믜로 벌서 뉵십여 세 고희를 바래고, 영성일 자나 재학 인격이 남에게 떠러짐이 없이 출세하여 지극 효도하고, 질안이 연생하여 미망여생이나, 이실이 언제 감을 모르고, 가정지락이 흡연하건만, 우리 오빠 천고 드무신 우의지정, 철없는 어린 누의 떠처 보낸 드시, 춘추 사절 경경불믜 못잊어하든 성덕 은택, 어대 가 다시 밧자올고.

달 밝은 밤과 구즌 비 나리는 새벽에, 불면 시간이면 석일 추모하여, 해음

이 못난 누이가 통곡하며 돌아서는 마음이야 어찌 다 형언할 수 있겠습니까?

이번 여름에 한 달 정도, 밤낮으로 담소하며 지극한 우애를 나누다가 떠나왔지요. 아쉬운 심정으로 작별이 서운하여, 망연히 서서, 불평한 안색으로 나를 보내시더니, 영원히 작별할 줄 어찌 상상이나 하였을까요?

아, 통곡하고 통곡합니다. 평소에 우리 6남매, 부모님 슬하에서 색동옷 입고 즐기던 일이 어제 같으나, 오늘은 외로운 남매뿐이네요. 수명을 어찌 길게 타지 못하시고, 복록을 원만히 누리지 못하셔서 이러신 것입니까?

이 누이가 벌써 60여 세 나이로 고희를 바라보고 있습니다. 조카 재학이의 인격이 남한테 뒤지지 않고 출세하여 지극히 효도하고 있으며, 가정의 즐거움이 흡족하기만 합니다. 우리 오빠의 천고에 드문 우애로, 이 철없는 어린 누이를 시집 보내고 나서, 봄가을 사계절마다 오매불망 못 잊어 하시던 은택, 이제 어디 가서 다시 뵈올까요?

달 밝은 밤과 궂은 비 내리는 새벽에, 잠이 오지는 않는 시간이면,

번는 누누 칭하여 적지 못하나이다
매철 사랑 구배로 한번 만나는 대접 못하는 세와
후고 골 딸와 고체 됨면 제물을 관리치 못한
곳이얼 사랑을 맞고 외수 최고 정치지 조오면
더욱 친분 신의 외 넉지 한 환경을 한 편면을
뵙오면 영문으로 두고 다시 만 한 더 장정을
닮아 빛날 후 종종이 두고 외 냉 호 영이 소용한. 영
전에 정문 홍수 끝난 다 나만 하여 법 화수
제철도 급 맑은 소로 자주 제 못을 두 물어 셔는. 어
멋과 부주 현실에 타원 한 번 바 직후나 힌; 에 정
실 정 엇지 넓은 종 주 하 환경 절벽, 평 안 절 실길
향 는 바 호 생사 부모 에게, 호로 두 진 한 좌 세 지 평
히. 우리 최신 간 년 중 사 창흥 하기를 비나 생 천 에
영 원 토 다 못 보서로 구 현 정 병이 서수 리 아 지 공
헤쳐로 근 정치 한히 시리 사 선 장 운 수 누 에서
부모님 술잔을 차자 부 허 동 자 마는 만세 선조
유좌라 소며에 천간 시된 번신 부응이 호노
수물 진 빼라 물미 고 영은 하서 호 [illegible]

崔.

없는 누수 침석이 젖으나, 낙낙 도로 매월 삭망 곡배도 한번 마음대로 못 가고, 세태 풍조를 딸아, 고례 법제를 차리지 못하고, 금일 삭망을 맛초오니, 철빙까지 하오면 더욱 헛분 심회 엇지 안접하올고.

안면을 뵈오면 성음을 드를 다시, 반천 리 장정을 달여왔으나, 소장이 드리워 냉풍이 소소할 영전에 헛분 통곡뿐 한 말슴 반겨함이 없으니, 제전도 금일쁜으로 각각 제곳으로 돌아가서는, 이 심정 엇지 알으실가. 한 겁 원억 원억 형언할 길 없아오나, 현질에 탁월한 인격 직품, 인인에 경앙하는 바로, 생사 부모에게 효도 극진한 처세, 지행이 우리집 만년 종사 창흥할 기틀이니, 생전에 영화를 다 못 보서도 구원 정영 이시나 명명지중에서도 즐겁지 안이시리가. 선경 옥누에서 부모님 슬전을 차자 여러 동긔 만나 반기신가.

오회라 소미에 천단비원 언지무궁이오, 곡불진애라. 불미 존영은 서기 흠셕하압소서.

지난 날을 추모하여, 하염없는 눈물이 베개를 적십니다. 매월의 삭망에 참석해 곡 한번도 마음대로 못했습니다. 세태 풍조를 따르다 보니, 옛 예절과 법도를 지키지 못한 채, 오늘 삭망을 마치니, 이제 궤연까지 치우면 더욱 허전한 심회를 어디에 의지할까요?

얼굴을 보고 음성을 들을 것만 같아, 반천 리 길을 달려왔으나, 하얀 휘장이 드리우고 냉풍이 불어오는 영전입니다. 허전한 통곡뿐 한 말씀도 반기는 말씀이 없으니, 제사도 오늘뿐으로 각각 제 곳으로 돌아가 버리면, 이 심정 어찌 아실까요?

영원히 원통하고 원통한 이 심정, 형언할 길 없습니다만, 조카의 탁월한 인격과 인품, 사람들이 추앙하고 있습니다. 부모님께 효도하며 극진한 처세, 지조와 행실이 우리 집안을 다시 일으킬 기틀입니다. 생전에 영화를 다 못 보셨어도, 저 하늘나라에서도 즐겁지 않으실까요? 그곳 선경의 옥루에서 부모님의 슬하를 찾아 여러 동기들 만나서 반기셨는지요?

아, 이 누이의 천 갈래 슬픈 소원은, 말하자면 끝이 없고, 곡을 해도 그 슬픔을 다할 수가 없습니다. 어둡지 않으신 영령께서 부디 흠향하십시오.

감상 및 해설

누이동생이 오빠한테 올린 제문이다. 자신을 시집보내고 나서, "봄가을 사계절마다 못 잊어 하시던 은택"이라고 회고하는 것을 보면, 우애가 남달랐던 오빠였다는 걸 알 수 있다. 아마도 계절이 바뀔 때면 편지를 보내거나 안부하며 챙겼던 듯하다. 요즘같은 SNS시대와 달라서 남매간의 소통이 원활하지 못했는데도 누이동생에 대한 애정을 표현했으니 각별하다 하겠다.

오빠의 영혼을 안심시키려는 누이동생의 말도 사랑이 넘친다.

> 조카의 탁월한 인격과 인품, 사람들이 추앙하고 있습니다. 부모님께 효도하며 극진한 처세, 지조와 행실이 우리 집안을 다시 일으키기 빕니다.

오빠가 갔어도 그 뒤를 조카가 잘 잇고 있으니 염려 말라는 메시지다. 맞다. 부모가 못다 한 사명은 자식이 계승하여 이룬다.

38. 자부 제문

1975년, 황혜영 님 소장, 세로 19.7㎝, 가로 200.5㎝

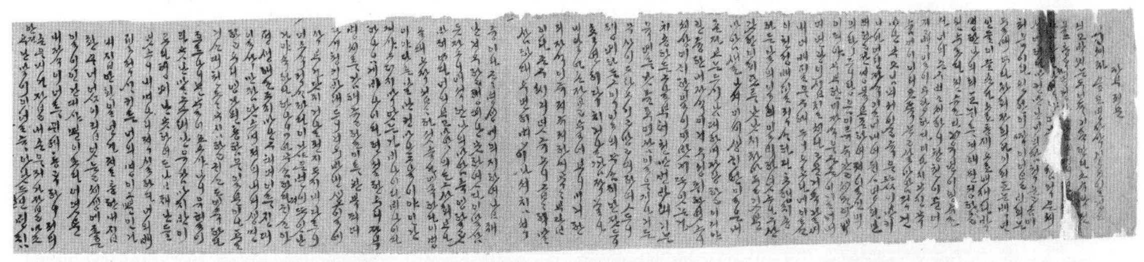

자식 졍을

이졔 자ᄂᆞᆫ 졍은 ᄇᆡᆨ ᄒᆞᆫ ᄉᆞ이 오ᄂᆞᆫ 이ᄅᆞᆯ 가오

너모 ᄇᆞᆨ 씨ᄂᆞᆫ 두ᄇᆞ 즈기 ᄌᆞᄉᆞᆨ ᄒᆞᆫ 즈ᄉᆞᆨ ᄒᆞᆫ

모ᄅᆞᆯ ᄒᆞᆯ ᄃᆞᆼ 경 ᄉᆞ 모ᄅᆞᆯ ᄒᆞᆯ 아ᄂᆡ [illegible]

[illegible] 졔 [illegible]

셔 ᄆᆡ 졈 ᄒᆞᆫ ᄯᅡᆫ 컨 ᄯᅡᆫ 난 ᄇᆞ ᄃᆡ 죄 ᄎᆡᆨ은 죽ᄂᆡ / 죄 젹ᄋᆞᆫ 죄

최 ᄂᆞᆫ 이 ᄒᆞᆫ 외 ᄒᆞᆫ 이 쟉ᄉᆡ ᄇᆡᆫ ᄃᆡ 죄 ᄂᆞᆫ

죡셰 ᄒᆞᆫ 죄 좌 죄 ᄒᆞᆫ 이 죄 ᄌᆞᄂᆞᆫ ᄇᆡ ᄀᆞ 면

ᄇᆡᆫ 들 이 ᄃᆞᆯ ᄉᆞᆫ 욕ᄒᆞᆫ 재 욕 ᄆᆡ 재 ᄒᆞᆫ ᄇᆞᆨ

병ᄒᆞᆫ ᄂᆞ 외 죄 즈ᄂᆞᆫ 슬 ᄃᆡ 죄 ᄒᆞᆫ 경 ᄒᆞᆯ

죄ᄂᆞᆫ 슈졀 ᄒᆞᆫ 죄ᄂᆞᆫ 슈졀 ᄒᆞᆫ 졈ᄋᆞᆫ 이 ᄆᆞᆫ ᄒᆞᆫ ᄂᆡ

자부 제문

유세차 을묘[182] 병자삭 십오일 경오 식모 박씨는 두어 쥴 기록한다. 소슈박전으로 통곡 영전 왈,

오호 통재며, □□□□□□□□□□□□□ 참척은 세상에 허다 만컨만, 너의 참척은 고금에 처음이라. 원한이 짝이 업고, 비회는 둘 쌔 업다. 차회 차회라. 이 회포는 백년인들 이즐손가.

오호 통재 오호 애재라. 박명한 나의 회포 뉘를 딕해 원정할고.

원슈로다 원슈로다, 계유년이 원슈로

며느리에게 보내는 제문

아, 을묘년(1975년) 초하루가 병자인 달 15일, 시어미 박씨는 두어 줄 기록한다. 변변찮은 음식과 술을 영전 앞에 차려놓고, 통곡하며 말한다.

아, 애통하다. 자식을 먼저 보내는 참척의 슬픔은 세상에 아주 많지만, 네 참척은 고금에 처음이다. 그 원한은 짝이 없고, 슬픔은 둘 데 없다. 아 슬프고 슬프다. 이 회포는 백 년인들 잊겠는가? 아, 애통하고 애통하다. 기구한 내 회포를 누구한테 하소연할꼬?

원수로다 원수로다, 계유년(1933년)이 원수로다.

182 을묘 : 1975년.

리 너의 초ᄌᆞ 번드시 ᄭᅢ니 ᄎᆞᆷ혹ᄒᆞ미 올너
지ᄂᆞᆫ ᄇᆡ가 이술이 각졍ᄒᆞᆸᄂᆡ 미오시 고신쟉
늣ᄃᆡ이 미티 못ᄒᆞᆸ고 쓸ᄃᆡ업ᄉᆞ건
바논 혹오나 ᄂᆡ셔 이실 후은 곳곳이 업거
나ᄅᆞᆯ 버텰 쟉ᄉᆡᆨ기ᄉᆞᆫ 너내 너ᄒᆡᆺ ᄉᆞ셩ᄒᆞᆫ 일
ᄲᅧ권 잔ᄉᆡᆼ 물요조ᄒᆞᆫ 셔ᄯᅢ 이실신 ᄂᆡ
의뢰ᄒᆞ드니 랑은 미ᄎᆞᆫ 혹ᄂᆞᆫ 엇ᄉᆞᆺ 며 ᄲᅢ
미리아 ᄀᆞᆨ뵈ᄒᆞᆫ 미쟉ᄉᆡᆨ은 조흔 이그 너
며션 관이 시션 ᄎᆡᄂᆞᆫ 업ᄉᆞᆫ 듯거 ᄉᆞᆯ ᄒᆞᆯ새
내안 ᄇᆡ지은 무ᄉᆞ 쇄 두나 오ᄂᆞᆫ 데미 ᄉᆞᆫ

다. 너의 존구[183] 별세하니 창천이 문어지고, 백일이 무광하다. 이다시 모진 목슘 어이 이리 못 죽는고? 살 마암 적건마난, 부모님 뫼서 잇고, 쥭을 뜻이 만커니와, 어린 자식 길너내여 뒷 영화만 의탁드니, 광음이 류슈갓고, 세월이 약이 되야, 무부한 이 자식을 근근이 길너내며, 연광이 십칠 셰라.

고문거족 갈여내여 배필을 구해드니, 오호라 네 일신

네 시아버지께서 별세하니 하늘이 무너지고, 해가 빛을 잃었다. 이다지도 모진 목숨, 어이하여 이리도 못 죽는고? 살고 싶은 마음 적건만은 부모님을 모시고 있으며, 죽고 싶은 뜻이 많지만 어린 자식 길러내어 뒷날의 영화를 기대했다.

시간이 흐르는 물과 같고, 세월이 약이 되어, 남편 없는 가운데 자식을 근근이 길러내어, 나이가 17세였다.

명문 가정을 가려서 아들의 배필을 구했더니, 아, 정녕 네가

183 존구(尊舅) : 시아버지.

의 쳔쳔 ᄂᆡ셔ᄂᆞᆫ 리ᄉᆞ 션리 ᄒᆞᄋᆞᆸ시ᄉᆞ
편든 ᄇᆞᆯ셔 보니 ᄆᆞᄋᆞᆷ이 ᄆᆞᄋᆞᆷ의 ᄒᆞ엿시ᄂᆞᆫ 주샹
가ᄂᆞᆫ 미쇠 ᄒᆞ듯 노ᄂᆞ 치 ᄒᆞᄂᆞᆫ 듯 기구ᄒᆞ
니 ᄋᆞ니 셔ᄅᆞ 뉵ᄆᆡ이 ᄉᆡᆼ치 ᄒᆞᆫ ᄆᆞᄋᆞᆷ은 ᄂᆡ
ᄒᆞ저 ᄒᆞᆫ든 ᄒᆞ시나 대ᄒᆞᆫ에 자ᄒᆞᆫ ᄒᆞᆫ 미져 ᄒᆞ
ᄃᆡᄅᆞᆯ ᄒᆞᆫ 내 자ᄒᆞ여 미 ᄂᆡ 허 헌 ᄒᆞᆫ 듯
쇠상 미 거 ᄒᆞᆫ ᄆᆞᄋᆞᆷ이 ᄆᆡᆺ ᄒᆞᆫ 께 ᄃᆞ 못ᄒᆞᄂᆞᆫ 거
치온 ᄒᆞᆫ 둔 ᄉᆞ 몹 허 ᄒᆞᆫ 번 ᄒᆞᆫ 기ᄂᆞᆫ
무 ᄆᆡᆼ손 못 ᄒᆞᆫ 호 ᄆᆡ ᄊᆞ니 ᄆᆞᄋᆞᆷ 기ᄂᆞ러ᄂᆞᆫ

이 천정배필 적실하다. 초행 치송하든 날의 일희일비하엿스나, 구산갓한 이 회포를 낫낫치 차마도 깃분 마암 새로 나셔 이 세상 귀한 일은 내 혼자 보는 드시 남 대하며 자랑하고, 이저야 관즁한 내 자식이 겨우 성취하엿스니, 셰상에 귀한 일이 이 밧게 또 잇는가.

치송하든 그날부터 천만 번 바래기는, 육녜를 갓츈 후에 삼일을 지나거든

천정 배필이 확실하였다. 신랑이 신부집으로 초례를 치르러 가던 날, 태산같은 내 회포, 그 기쁜 마음, 이 세상의 귀한 일을 나 혼자 보는 듯이 남한테 자랑하였다. 이제야 성년이 된 내 자식이 겨우 아내를 맞이하게 되었으니, 세상에 귀한 일이 이 밖에 또 있었겠느냐?

신부집으로 초례(신부집에서 치르는 전안례) 치르고 오라고 보내던 그날부터 천만 번 바라기는, 혼례를 치르고 3일을 지나거든

一

부샹이 드리오시오리 대감하시니 스ᄋᆞ니
젼긔 뵈읍든 그미ᄋᆞ의 부숑케 한 작ᄉᆞ을
혹변쳐다 치러는 갓작 ᄒᆞ나
내담은 소재변은 소술어 불미니 한
되져야 미흐져흐져하여 부ᄉᆞ 부다던
이런 즐거 쉬리너ᄉᆞ 흐올 흐올 ᄒᆞ여 ᄋᆞᆸ
씀다 대수변하며 ᄉᆞ이나 엇치나 ᄉᆡᆼᄉᆞ

무사이 도라오기, 고망고대하엿드니, 행여 하든 그 익일의 무숨히 안잣드니, 홀연히 닥치거날, 깜작놀나 내달아, 손잡고 물어보니,

미거한 저 자식이 쥬져쥬져하며, 묵묵부답이라. 존구씨긔 엿쥬오니, 급급히 말삼하대, 우연히 병이 나셔 침셕

무사히 돌아오기만 고대하였다. 혼례 치른 그 다음날, 무심히 앉아 있었더니, 아들 혼자 갑자기 들어닥치기에, 깜짝놀라 내달아 손잡고 물어보았다.

어둑한 내 자식이 주저주저 묵묵부답이라, 사돈어른께 여쭸더니 다급히 말씀하였다. "우연히 병이 나서 병석에

공이란 중병을 배의지 하여 나던 재
산 처녀 할 채하는 것 하여서라 미안하오
듯 하오니 내 생각한 나의 생활 흐릿 할 글로
나 진정 어이 부르잖으이 무슨 세월 부르
볼 때 오 참 사오 한 섯 놓친 비추 하던 이별
미야다는 골 산 천 생각을 이 마 민 간
쳐사 주리 쓰 앉은 가 세 노이 시 세 노이 신
하노나 게 빼 노 이 신 편 술 할 동 이 잘 못
병 씨 도 갓 해 줄 할 술 미 독 한 부 치 며
그 이 청 키 새 드 니 다 옥 반 대 신 공 이 오

즁이라 하고, 병상에 의지하여 납채난 겨우 하고, 행례난 못하엿다.

이 말삼 듯자오니, 애석한 나의 마암 측양할 곳 바히 업다. 너의 부모 마암의도, 그 사회 보나올대 오작 섭섭하셧슬가. 야속하다, 이 병이야. 다른 날 만컨마은 그날이야. 인간 딕샤 그더지 막앗는가.

비나이다 비나이다, 하나님게 비나이다. 현철한 우리 자부, 병세를 감해 쥬교, 하로 이틀 완복되여, 다시 청키 바래드니, 겨우 바랜 사오일에

누워 있어, 병상에 의지하여 납채만 겨우 하고, 초례 즉 혼례는 못 치렀소이다."

이 말씀 들으니, 애석한 내 마음 측량할 길 전혀 없다. 네 부모의 마음에도, 그 사위를 혼자 보낼 때 오죽 섭섭하셨겠는가? 야속하다, 이 병마야, 다른 날 많건만은, 하필 그날에, 인간의 대사를 그처럼 막았단 말인가?

비나이다 비나이다, 하나님께 비나이다. 어진 우리 자부의 병세를 덜어 주고, 하루 이틀 만에 회복되어, 다시 데려오기 바랬더니만, 겨우 4~5일 만에

샹복ᄒᆞᄂᆞᆫ지 거ᄉᆞᆯ 쳔지도 무지 니라ᄂᆞᆫ고
너ᄋᆞᆯᄉᆞᆯ 적거ᄒᆞ던 이 ᄀᆞᆺᄐᆞᆫ 변이 또 잇ᄂᆞᆫ
가야 속ᄒᆞᆫ ᄒᆞᆫ나 ᄇᆞᆫ 주검ᄒᆞ니 ᄀᆡ 친손이가
평생해 온 조치 ᄋᆞᆫ고 ᄒᆡ져 이ᄉᆞᆨ 진대
이ᄉᆞᆨ 상이 만 참안ᄉᆞ 셰 져의 내외 생변
ᄒᆞᆫ 부뫼 병 가련 홍ᄒᆞᆫ 문 이 블 ᄆᆡᆫ 노 ᄑᆞᆯ
거ᄉᆞᆫ 대쳐ᄒᆞ옵시ᄂᆞᆫ ᄒᆞᆫ 친손도 며ᄂᆞ리 ᄒᆞᆫ
조흘 ᄂᆞᆯ 본 ᄇᆞ이 업ᄉᆞᆸ거 나니 무ᄉᆞᆷ 일이
라 업시 나ᄂᆞᆫ 밧ᄉᆞ 죠ᄒᆡ 나ᄂᆞᆫ 무ᄉᆞᆷ 찬ᄉᆞ치 ᄒᆞᆫ미
모로ᄒᆡᆼ 씨 나 못ᄒᆞ여도 나니 ᄌᆡ 나ᄂᆞᆯ

악부가 닷치거날, 젼지도지 내다르니, 너 소식 적실하다. 이갋은 변이 또 잇난가.

야속하다 하나님, 아 무심하다. 져 귀신아, 평생 해로 조치마난, 구태여 이를진대, 일삭만 참앗스며, 져의 내외 상면하고 우리 양가 원통함을 일분이나 풀 거신대, 천도도 무심하고, 귀신도 야속하다. 흐르나니 눈물이요, 소샤나니 유혈이라. 못난 말노, □□□□□

행예난 못하여도, 납채난 들

흉보가 닥치었다. 엎어지고 넘어지며 내다르니, 네 소식 확실하다. 세상에, 이같은 변이 또 있단 말인가?

야속하다 하나님, 아 무심하다. 저 귀신아. 평생 부부 해로가 가장 좋지만 그렇지 않더라도, 한 달만 참아주었으면, 아들 내외 상면하고 우리 양가 원통함을 조금이나마 풀 것인데, 천도도 무심하고, 귀신도 야속하다. 흐르느니 눈물이요, 솟아나느니 피로다.

초례(신행 후 신랑집에서 치르는 교배례와 합근례를 의미함)는 못 치렀어도, 납채는

밧ᄌᆞ나 내여보시 잣ᄉᆞ시올 ᄒᆞᆫ다 너의 매
히올셔 ᄏᆞᆫ 너의 병이 즌ᄲᅮᆫ 민가
내 지븨 한 되ᄉᆞ일 설워 졋ᄉᆞᆫ 홍ᄌᆡ 내 지븨
환국 너어 너어시 이러ᄒᆞᆫ 엇ᄂᆞᆫ 세상에 ᄌᆞ흔
미ᄋᆞᆷ이 민 한대사 ᄲᅮᆫ이 ᄋᆞ닌 너어ᄉᆞ올
내 저ᄌᆞ이 너ᄒᆞᆫ 의ᄒᆡ 홍ᄌᆡ ᄒᆡ 셔 저의
혼ᄋᆞ 되션 저ᄋᆞᆯ 내 소ᄋᆞᆫ 저ᄉᆞᆫ 잔ᄋᆞᆯ 엇ᄃᆞ
한 옥개 난 ᄆᆞᆯ이 ᄂᆡ 너ᄋᆞ ᄒᆞᆫ 바 ᄒᆞ스든 번 텬 최엿스니, 내 며나리 젹실하다. 너의 배필 젹실커든, 너의 명이 그뿐인가? 내 집안 환일넌가? 결통한 내 집 환을 너 엇이 립엇는고. 세상에 죠흔 일이 인간 대사뿐이로다.

어엿분 내 자식이 너를 위해 통곡하니, 저의 손은 내가 잡고, 내 손은 저가 잡고, 마조 안저 우난 말이, 이럴 쥴 아랏드면, 병침

들였으니, 내 며느리 확실하다. 배필이 확실하건만, 네 명이 그뿐이냐, 내 집안의 우환이냐? 절통한 내 집 우환을 네가 어찌 입었단 말이냐? 세상에서 좋은 일이 인륜지대사인 혼례뿐이다.

불쌍한 내 자식이 너를 위해 통곡하니, 저의 손은 내가 잡고, 내 손은 저가 잡고, 마주 앉아 우는 말이, "이럴 줄 알았더라면, 병석에

二

병셰 ᄂᆞᆫ 드러 ᄌᆞ셔 ᄒᆞᆫ 번 싱ᄒᆡᆼ ᄒᆞ엿ᄉᆞᆸ
지안ᄂᆞ 어보ᄂᆞᆫ ᄃᆞᆯ ᄉᆞ올 다 ᄒᆞᆫ ᄒᆡ 흐ᄂᆡ 되니
철옥 쳔ᄒᆞ 약야 ᄇᆞᆨ 측ᄒᆞᆫ 뎌 ᄇᆞᆫ 闕
다 ᄒᆞᆫ 환 내 ᄋᆞᆷ ᄇᆞᆫ 모ᄅᆞ 미 오ᄅᆞᆫ ᄉᆞᆫ ᄉᆞᆯ ᄋᆞᆯ ᄃᆞ 텨
문 ᄇᆞᆫ 쳐 의 ᄯᆞ 아니 ᄒᆞ ᄒᆞᆫᄉᆞ ᄒᆞᄂᆞᆫ ᄌᆞ 오ᄅᆞᆫ 믄
쟝 ᄋᆞᆫ 보 ᄒᆞ ᄉᆞ 죡ᄒᆞᆯ ᄲᅵ라 ᄒᆞᆫ 날의 되
기년이 ᄯᆞᆨ ᄯᅳ 미 줄 오 ᄂᆞᆫ 다 ᄒᆞ 이거셔
비 ᄒᆞᆺ 진 대 너 ᄒᆞ 믄 ᄒᆞᆫ 련 인ᄃᆞᆺ ᄒᆞᄋᆡ

병침에 드러가셔, 한번 상면하엿지만, 나 어린 타시로다. 통애 통애라. 현부 현부야, 박쥬한 저문 비난 아황 여영 눈물이오, 고문 밝은 달은 낭자의 눈물이라.

통곡하는 그 모양은 참아 보지 못할내라. 운간의 외기력이, 짝을 일코 우난고야. 이거시 이를진대 너 죽은 혼령인 듯, 오작

들어가서, 한번 상면할 것을, 나이 어린 탓이로다. 애통하다, 애통하다. 어진 부인아 어진 부인아, 터져 나오는 눈물같은 저문 비는 아황과 여영의 눈물이고, 문 높이 뜬 저 밝은 달은 낭자의 눈물이네."

통곡하는 그 모양은 차마 볼 수 없구나. 구름 사이의 외기러기, 짝을 잃고 우는구나. 이것은 아마도 너 죽은 혼령인 듯하니

란마 새해 만나기 다리옵더니 쳐 온리
그치 올대 가연 한 너의 뵈셩 면
낟론 기 씁어 보지 바라면 망 ᄆᆞᆯ
그 섭이 면ᄂᆞ 한ᄒᆞᆯ 느이ᄒᆞ신 ᄃᆞ료와
이셔 상면ᄒᆞᆫ 한ᄂᆞᆫ 나시 흉비 한 이 새ᄋᆞ이
세월 쓸ᄒᆞ 근ᄒᆞ니 빅ᄃᆞ 무ᄉᆞ 그ᄃᆞ 자
는 문ᄇᆞ 셔ᄉᆞ 자마 한ᄉᆞ 근니 저야 ᄒᆞ서
보니 미쁜 쳔ᄉᆞ 쟈 ᄇᆞ ᄇᆞᆼᄒᆞᆫ대 뎌리 동
보ᄒᆞ ᄒᆞᆫ 노흘 내쇄 나의 신혀 새ᄒᆞ
쓰ᄌᆞ 간편 ᄒᆞ던 뵌 동ᄒᆞᆫ 뵌 흘 ᄒᆞ다

하랴. 새배 바람 기리 불고, 져문 븨 구취올 때, 가련한 너의 원정 염나왕끼 살여보지. 아모리 염왕인들 그 엱이 영낙할고? 슈일만 도라와셔 상면이나 하고 가지.

통ᄋᆡ라, 인생이 생젼 사후 다르니, 부부유별, 그 별자는 분별 별자 아랏드니, 이저야 다시 보니, 이별 별짜 분명하다. 져 거동 보자 하면, 오호 애재, 너의 신세 생각사록 가련하다. 원통하고 ᄋᆡ통하다.

그 심정 오죽하랴? 새벽 바람은 길이 불고, 저문 배는 돌아올 때, 가련한 네 사정, 염라대왕께 아뢰어 보아라. 아무리 염라대왕이라 하더라도 그 어찌 외면할꼬? 며칠 동안만 돌아와서 상면이나 하고 가라.

애통하구나. 인생이 생전과 사후가 다르니, 부부유별의 '별'자가 '분별 별'자인 줄만 알았더니만, 이제야 다시 보니, '이별 별'자 분명하다. 저 거동 보자 하면, 아 애통하다. 네 신세, 생각할수록 가련하다. 원통하고 애통하다.

ᄉᆞᄉᆞ 여니와 ᄭᅴ 여니 쇼 쳐ᄉᆞ믄 ᄉᆞᄉᆞ
비흘 ᄂᆞᆯ 소디 ᄋᆞ디 ᄊᆞ는 ᄲᆡᄉᆞ ᄂᆞ홍
ᄌᆞ가연 ᄒᆞᆫ디 ᄒᆞ시ᄉᆞ믄 되엿ᄂᆞ며 디ᄂᆞᆫ
ᄒᆞᄂᆞᆫ 졍 ᄒᆡ ᄋᆞᄂᆞ 큰 ᄌᆞ손 ᄒᆞᆫ 뎌 ᄌᆞ녀 블
ᄆᆞᄋᆞᆷ 시ᄇᆞᆯ ᄒᆞᄂᆞᆯ 외 ᄯᆞᄅᆞᄂᆞ 되ᄂᆞᆫ ᄃᆞᆫ 곤 ᄒᆞ 된
겨오 ᄇᆞ셔 이디 ᄒᆞᆫ 종 ᄋᆞᆯ 지ᄇᆞᆯ ᄒᆞᆫ 너
의 ᄒᆞᆫ ᄃᆞᆫ 킬ᄅᆞᆯ 이 ᄭᅦ 놔 이슬 ᄇᆞᆯ ᄒᆞᆫ 번 외
ᄂᆞᆫ ᄉᆞᆯ 홀ᄂᆞ 이 ᄋᆞ ᄃᆞᆺᄂᆞᆫ ᄃᆞᆺ 홍애 홍애
킈ᄂᆞ 블 ᄒᆞᆫ ᄂᆞ 녹 ᄃᆞ 주 된 이 ᄂᆞᆺ ᄆᆞᆺ 이ᄂᆞᆫ

십수세 너의 신세, 이 참척은 무삼일고? 슬푸다 우리 사돈, 백슈 통곡 가련하다.

여식은 외인이라, 남다른 참척 당코, 자손 하나 자녀분은, 도차지변 당사오니, 원통한 그 원정은 엇이 다 하올숀고? 절통한 너의 한은 절절이 매저 잇고, 방방한 내의 눈물 푹푹이 무덧는 듯, 통애 통애

현부 현부야, 구원이 몃 말 인고.

열 몇 살 네 신세, 이 참척의 슬픔은 무슨 일인가? 슬프다 우리 사돈, 백발로 통곡하는 모습 가련하다.

딸은 출가외인이나 남다른 참척의 슬픔을 당하고, 하나 있는 자손인 자녀도 차량이 뒤집히는 사고를 당했으니, 그 원통한 그 심정은 어찌 다 표현할꼬? 절통한 너의 한은 절절이 맺혀 있고, 비오듯 쏟아지는 내 눈물은 옷의 폭마다 묻었는 듯, 애통하구나, 애통하구나.

어진 며느리야, 어진 며느리야, 구천이 몇 만 리냐?

영웅이 어대잇나 너의 [illegible]

눈너 누시의 울노 [illegible] 강 새 참

참혹한 [illegible] 년 왕 일 [illegible]

편 [illegible] 의 사욕 [illegible] 소서 된

천생 [illegible] 천한 [illegible] 현 [illegible] 백학

잔인한 북 죽 [illegible] 내 [illegible] 소 [illegible]

비옥 [illegible] 인 혼의 여 [illegible] 영 의 [illegible]

남자 [illegible] 야 너 [illegible] 너의 지신

의 내 자식 미 지 [illegible] 한 뜻 [illegible] 서 받 [illegible]

염나왕이 어대 잇나. 너의 몸은 못 보는고. 어느 시의 올나 하노. 청청 유월의 □□□달을 딸아 올나 하나. 통이 통이 양갓 경새 참 참혹함은 념왕인들 모를소냐.

현철한 나의 자부, 고이 고이 소서다가 천상 용녀 전하여라. 현학 백학 자바 타고, 북국 선녀 되여다가, 소상야우 쥭임촌의, 아황 여영 뫼셧난가.

통이라, 현부야. 너 업난 너의 집의 내 자식이 재행 간들, 뉘라서 반겨할

염라대왕이 어디 있을까? 네 몸은 다시 못 보는 것이냐? 어느 때에 오려고 하느냐? 청청한 유월에 달을 따라 오려고 하느냐? 애통하다, 애통하다. 양가의 경사가 이렇게 참혹하게 바뀐 것, 염라대왕인들 모르겠는가?

어진 내 며느리야, 이 억울한 사연, 고이 고이 간직하였다가 천상의 용녀한테 전하여라. 검은 학과 흰 학을 잡아 타고 북국의 선녀가 되었다가, 지금 소상강 비내리는 밤에 대나무 무성한 마을에서, 아황과 여영이란 선녀를 모시고 있는 것이냐?

애통하다, 어진 며느리야. 너 없는 네 집에 내 자식이 재행(신랑이 신부집에 감)을 간들, 그 누가 반겨줄까?

가재행상해한인후에너의소행대로
정해나듣은해한너의소행대로정
되한주이는젼우선이는에서주젼
다내쌍주어되는본쌍이모신행
이번주는되쌍은네지은쌍나죽
여는세치신쌍은죽은三너태자
죄수박한(너의)의을해산에기드는차반
三주는세의정난세오년으로다를마

가. 재행 삼행 단인 후에, 너의 신행 택정하니, 통분하다 너의 신행, 택정회반 구일장 무삼일고? 애석하다 내 자식아, 외료운 무쌍이오, 신행이 반구료다.

사라도 내 집 사람, 죽어도 내 집 사람, 죽은들 어대 가랴. 적막한 너의 고혼 태산에 깃드니, 그 찬 바람 구즌 비의 잔나비 우름 울고, 달밤

재행과 삼행 다닌 후 네 신행(신랑집에 와서 치르는 교배례와 합근례)도 택일하였건만, 원통하다 네 신행일이 9일장 장례 일정으로 바뀌어 버렸으니 이 무슨 일이란 말이냐? 애석하다 내 자식아, 짝을 잃어 외롭게 되고, 신행길이 운구 행렬로 변했구나.

살아도 내 집 사람, 죽어도 내 집 사람, 죽은들 어디 가랴? 적막한 너의 혼령, 태산에 깃드니, 그 찬 바람 궂은 비에 잔나비 울음 울고, 달밤의

ᄂᆞᆫ ᄃᆡᆺ 사지의 도젼새수 ᄭᅵ 온다. 보고 십ᄉᆞᆫ
너의 ᄃᆞᄅᆞᆫ 주너와 되치 ᄒᆞᆯ 혼ᄋᆡ 혼ᄋᆡ다
뎡ᄋᆞᆨ 뎍ᄋᆞ 야 미타지 된 동ᄒᆞᆫ 지언졍 련
죄ᄉᆞᄒᆞᆫ 너의 ᄃᆞᄅᆞᆫ ᄃᆞᄅᆞᆫ 이 인ᄃᆞ 번ᄃᆞᆺ 소나 신
날ᄉᆞ녀 내여 ᄌᆞᄅᆞᆫ 셔치 ᄋᆞᆫ 징ᄒᆞᆯ ᄂᆞᆫ 욕ᄃᆞᆯ 뎐
다 ᄉᆡᆼ젼 쓸 ᄃᆡ 탄ᄒᆞᆫ 디 ᄒᆞᆺ 져ᄉᆞ 시사 화ᄋᆞᆷ
ᄒᆞᆫ 너의 ᄃᆞᄅᆞᆫ ᄭᅵ 셩 도 ᄉᆞᆸ 시ᄉᆞ 너 ᄃᆞᄅᆞᆫ
ᄋᆞᆫ ᄌᆞᆷ ᄃᆞᆫ 갈ᄉᆞ 치 ᄉᆞᄒᆞᆯ ᄡᆞᆯ 신 졍 인ᄂᆞᆫ
ᄉᆞ잭 된 ᄃᆞᆫ 쳐ᄋᆞ 어 ᄒᆞᆯᄉᆞ치. ᄃᆞᆯ ᄉᆞᄒᆞᆫ 서미
ᄒᆞᆫ ᄉᆞᆯ 이 션 쟈ᄉᆞ 실ᄒᆡᆼ 갈ᄉᆞ 치 ᄋᆞ ᄂᆞᆫ ᄉᆞᆯ

은 꽃가지의 두견새 슬피운다.

부량한 너의 고혼 그 어대 의지할고? 통애 통애라, 현부 현부야, 이다지 원통할지언정, 현철한 너의 고혼인들 엇들소냐. 어진 날 가려내여, 죠흔 산지 안장하고, 눈물 바다 명정 쓸 비단 바다, 홧절시여 처량한 너의 고혼, 마상두 놉히 실어구나.

안장으 나갈시 우리 사돈 심경인들 오작 원통 셥셥할가. 통곡하며 이란 말이,

"산 자식 신행 갈 제, 우는 사람

꽃가지에서 두견새가 슬피 우는구나.

떠도는 너의 외로운 넋. 그 어디 의지할꼬? 애통하다 애통하다, 어진 며느리야 어진 며느리야, 내가 이토록 원통한데, 어진 네 혼령인들 오죽하겠느냐? 좋은 날 잡아서, 좋은 산지에 안장하려, 눈물을 먹물 삼아 명정에 쓸 비단을 받았는데, 처량한 너의 외로운 넋, 말잔등 위에 높이 실렸구나.

안장하러 나갈 때, 우리 사돈의 심경인들 오죽 원통하고 섭섭하겠는가? 통곡하면서 하신 말씀이,

"산 자식이 신행 갈 때 우는 사람은

四

오ᄂᆞᆯ 하ᄂᆞᆫ 셰샹의 부ᄌᆞᄒᆞᆫ 도인 ᄀᆞ든 하ᄂᆞᆫ
한ᄂᆞᆫ 즁의은 자손 시행 ᄒᆞᆯ 제 ᄯᆞ라 즛시
못 ᄒᆞᆫ ᄇᆡᆨ셩 ᄒᆞᆫ 내 자손 은 황산 초목
ᄒᆞᆫ [illegible] 물 [illegible] 작 도 [illegible] 이 산
의 [illegible] ᄒᆞ면 [illegible] 거 [illegible]
ᄒᆞᆸ 샹 ᄒᆞᆸ 샹 너의 뫼시 [illegible] 이 [illegible]
섭섭 도라오ᄂᆞᆫ 하시 [illegible] 젼 지 [illegible]
보 조이ᄂᆞᆫ 칠 천 한 너의 [illegible] 시시
[illegible] 하 [illegible] 오호 ᄒᆞᆷ 뫼 [illegible] 샹평

무식하다. 세상에 무자함도 만코도 허다하나, 쥭은 자식 신행갈 졔, 따라 쥭지 못하고, 불상한 내 자식은 청산초목 바라보며, 봄은 작작 도라오고, 인간 이별 그 별자는 너무나 가이업다.

통악 통악, 너의 원졍 이즐소냐. 세세곡졀 다하자며, 만권지도 부족이나, 쳥쳥한 너의 고혼, 시시간화올가.

오호 통재라. 상향.

무식하다. 세상에 자식 없는 일 허다하나, 죽은 자식 신행 갈 때, 따라 죽지 못하고, 불쌍한 내 자식은 청산과 초목 바라보며, 봄은 다시 돌아오건만, 인간 이별의 '별'자는 너무나 가엾다."

애통하다 애통하다, 너의 원통함을 잊을 수 있겠느냐? 세세한 사연 다 쓰자면, 만 두루마리의 종이도 부족하지만. 청청한 너의 외로운 넋, 시시때때로 읽어보려나?

아 애통하다. 흠향하렴.

감상 및 해설

> 사라도 내 집 사람, 죽어도 내 집 사람, 죽은들 어대 가랴?

이 제문은 특별하다. 시어머니가 며느리를 추도한 제문이다. 내가 확인하기로는 이것이 유일한 듯하다. 아들이 신부집으로 가서 전안례를 치르고 나서 신부가 병이 나는 바람에, 신랑집으로 오지 못한 채 사망해 시신으로 오자, 시어머니가 며느리를 애도한 글이니 기막힌 제문이다. 신랑집으로 신행(우귀)할 날까지 잡은 상태에서 며느리가 죽었으나, 전안례를 올렸으니 법적으로 며느리라며 애도하는 대목이 인상적이다.

> 살아서도 내 집 사람, 죽어서도 내 집 사람, 그러니, 네가 이제 죽었으나 어느 집으로 가랴?

이렇게 말하면서, 불쌍한 며느리의 혼령에게 바친 이 제문은, 혼령에게 위로가 되었으리라. 며느리의 죽음을 자기네 집 탓으로 돌리며 미안해하는 대목도 있어, 더욱 애틋하다.

39. 장모님 영전에

1978년, 황명희 님 소장

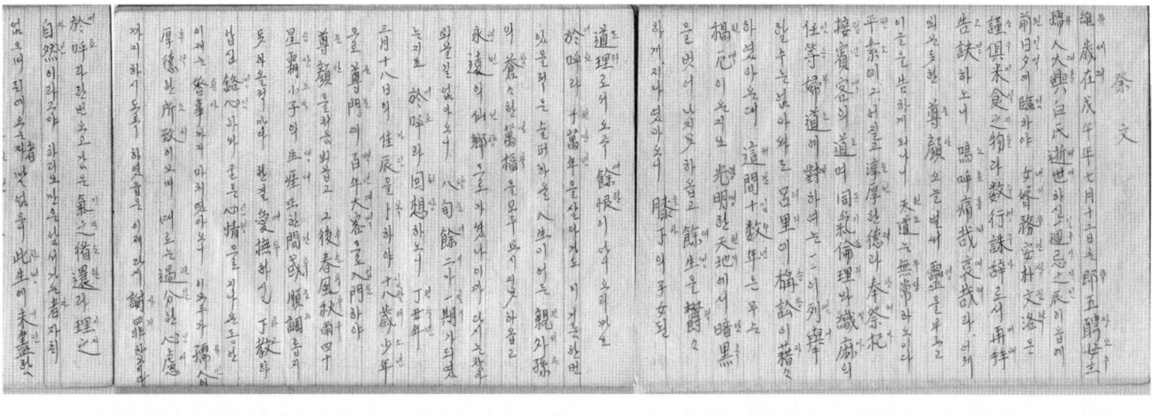

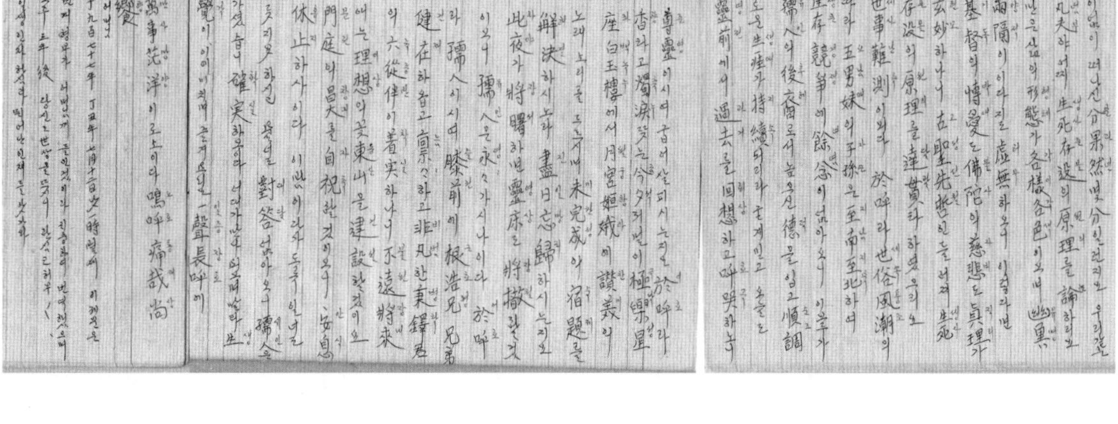

祭文

維歲在戊午年七月十二日은 郞五 聘母主

孺人大興白氏逝世하신 一週忌之辰이옵에

前日夕에 臨하야 女婿務安朴文洛은

謹俱米食之物과 數行誄辭로서 再拜

告訣하노니 嗚呼痛哉 哀哉라、어찌

뫼오든 尊顔 오늘 벌써 靈을 부르곤

이 글을 告하게 되나니 天道는 無常하오이다

平素에 그、어질고 淳厚한 德과 奉祭祀

接賓客의 道며 同氣倫理와 織麻의

任等婦道에 對하여는 一二이 列擧

할 수는 없아와도 閭里에 稱誦이 藉々

하였아온대 這間 十數年은 무는

禍厄이온지로 光明한 天地에서 暗黑

을 벗어 나지못하옵고 餘生을 鬱々

하게、지나셨아오니 膝下의 子女된

祭文

維歲在 戊午年 七月 十二日은 卽 五聘母主 孺人 大興 白氏 逝世하신 一週忌之辰이옵에, 前日夕에 臨하야, 女婿 務安 朴文洛은 謹俱米食之物과 數行 誅辭[184]로서 再拜 告訣하노니,

嗚呼 痛哉 哀哉라. 어제 뵈온 듯한 尊顔, 오늘 벌써 靈을 부르고 이 글을 告하게 되나니, 天道는 無常하오이다.

平素에 그 어질고 淳厚한 德과 奉祭祀 接賓客의 道며, 同氣 倫理와 織麻의 任等 婦道에 對하여는, 一一이 列擧할 수는 없아와도, 呂里[185]에 稱訟이 藉藉하였아온대, 這間 十數年은 무슨 禍厄이온지요. 光明한 天地에서 暗黑을 벗어나지 못하옵고, 餘生을 鬱鬱하게 지나였아오니, 膝下의 子女된

제문

아, 무오년(1978년) 7월 12일은 곧 우리 빙모님인 유인 대흥 백씨께서 돌아가신 1주기입니다. 그 전날 저녁에, 사위 무안 박문락은 변변찮은 제물과 몇 줄의 글을 마련해 재배하며 영결을 고합니다.

아 애통하고 애통합니다. 어제 뵈온 듯한 그 얼굴, 오늘 벌써 혼령을 부르며 이 글을 고하노라니, 하늘의 법칙이 무상하기만 합니다.

평소에 보여주신 그 어질고 두터운 덕, 제사 모시기와 손님 영접하기의 도리며, 동기간의 윤리와 길쌈 등 부녀자의 도리에 대해서는, 일일이 다 열거할 수는 없어도, 동네에 칭송이 자자하였습니다. 그럼에도 불구하고, 그간 십수년은 대체 무슨 재앙이었는지 모르겠습니다. 광명한 천지에서 암흑을 벗어나지 못하듯, 여생을 우울하게 지내셨으니, 슬하의 자녀된 도리로서,

184 '誄詞'의 오기.
185 '閭里'의 오기.

道理로서 소주 餘恨이 없사오리까오
於呼라 千萬年을 살다가도 이 세상 한번
있을 죽음은 숙명하올 人生이어든 親外孫
의 蒼蒼한 萬福을 모두 모지 못하옵고
永遠의 仙鄕으로 가셨나이까 다시는 찾아
뵈올길 없아오니 八旬餘二가 一期가 되였
는지요 於呼라 回想하노니 丁丑年
三月十八日의 佳辰을 卜하야 十八歲少年
으로 尊門에 百年大客으로 入門하야
尊顔을 처음 뵈옵고 그 後 春風秋雨 四十
星霜 小子의 生涯 또한 間或 順調롭지
못하올적마다 한결 愛撫하신 下敎라
납실 銘心하와 굳은 心情을 지니온 동안
이제는 婚事까지 마치였아오나 비로소가 孺人의
厚德한 所致이오나 때로는 過分한 心慮
까지 하시도록 하였음은 이제 다시 謝罪하옵나

道理로서, 오즉 餘恨이 아니오리까요.

於呼라. 千萬年을 살다 가도, 이 거름 한번 있을 적은 슬퍼하올 人生이어든, 親外孫이 蒼蒼한 萬福을 모두 보시지 못하옵고, 永遠의 仙鄕으로 가셨나이까. 다시는 찾아 뵈올 길 없아노니, 八旬餘二가 一期가 되였는지요.

於呼라. 回想하노니, 丁丑年 三月 十八日의 佳辰을 卜하야 十八歲 少年으로 尊門에 百年大客으로 入門하야, 尊顔을 처음 뵈옵고, 그後 春風秋雨 四十 星霜, 小子의 生涯 또한 間或 順調롭지 못하올 적마다, 한결 愛撫하시고, 下敎하압심 銘心하와 굳은 心情으로 지나온 동안, 이제는 婚事까지 마치였아오니, 이 모두가 孺人의 厚德한 所致이오며, 때로는 過分한 心慮까지 하시도록 하였읍은 이제 다시 謝罪하오이다.

어찌 여한이 아니겠습니까?

아, 천만년을 살다가 가도, 이 걸음 한번 옮길 적마다 슬퍼할 인생인데, 친외손이 창창한 만복을 모두 보시지 못한 채, 영원한 신선계로 가셨단 말입니까? 다시는 찾아 뵈올 길 없사오니, 82세 1주기가 되었는지요?

아, 회상해 봅니다. 정축년 3월 18일 좋은 날을 잡아서, 18세 소년으로 귀 가문에 백년대객으로 들어와, 처음 뵈옵고, 그후 봄에 바람 불고 가을에 비 내리듯한 40년 세월, 제 인생도 더러 순조롭지 못했지요. 그때마다 한결같이 어루만져 주시고, 가르쳐 주신 것 명심하여 굳은 마음으로 지나왔습니다. 이제는 자식들 혼사까지 다 마쳤으니, 이 모두가 장모님 덕택입니다. 때로는 지나치게 심려를 끼치기도 했으니, 이제 사죄드립니다.

於呼라 한번 오고 감은 氣之循還라 理之
自然이라고야 하리오 만은 살아가는 者의
없으며 뒤에 오는 者 날 없음으로 此生에 未盡한
이없이 떠나신 分 果然 맺分일런지요 우리같은
凡夫야 어찌 生死存沒의 原理를 論하리오
만은 삶의 形態가 各樣各色이오나 幽冥
兩隔이 이다 질은 虛無하오나 이렇다면
基督의 博愛도 佛陀의 慈悲도 眞理가
玄妙하나니 古聖先哲인들 어찌 生死
存沒의 原理를 達觀하였으리오
世事難測이외다 於呼라 世俗風潮의
따라 五男妹의 子孫은 至南至北하며
生存競爭에 餘念이 없아오나 이분가
孺人의 後裔로서 높은 德을 입고 順調
로운 生涯가 持續되리라 굳게 믿고 오늘도
靈前에서 過去를 回想하고 呼哭하노라

於呼라 한 번 오고 감은 氣之循還과 理之 自然이라고야 하리요만은, 앞서가는 者 자취 없으며, 뒤에 오는 자 말 없으니, 此生에 未盡함이 없이 떠나신 分, 果然 몇 分일런지요. 우리같은 凡夫야 어찌 生死 *存沒*[186]의 原理를 論하리요만은, 삶의 形態가 各樣 各色이오며, 幽冥 兩隔이 이다지도 虛無하오니, 이렇다면 基督의 博愛도 佛陀의 慈悲도 眞理가 玄妙하나니, 古聖先哲인들 어찌 生死 *存沒*의 原理를 達貫타 하였으리요. 世事難測이외다.

於呼라 世俗 風潮의 따라 五男妹의 子孫은 至南至北하여, 生存競爭에 餘念이 없아오니, 이 모두가 婦人의 後裔로서, 높으신 德을 입고 順調로운 生涯가 持續되리라 굳게 믿고, 오늘도 靈前에서 過去를 回想하고 呼哭하노니,

아, 한 번 오고 감은 기운의 순환과 이치의 자연스러움이라 하겠습니다만, 앞서가는 자 자취가 없으며, 뒤에 오는 자 말이 없습니다. 이승에서 미진함이 없이 떠나신 분, 과연 몇 분일는지요? 우리같이 평범한 사람이야 어찌 삶과 죽음의 원리에 대해 논하겠습니까만, 삶의 형태가 각양 각색이며, 이승과 저승의 벽이 이다지도 허무하단 말입니까? 그리스도의 박애도 석가모니의 자비도 그 진리가 신비하기만 하니, 옛 성현인들 어찌 삶과 죽음의 원리를 달관하였다 하였겠습니까? 세상 일은 예측 불가능합니다.

아, 세속의 풍조를 따라 우리 5남매의 자손은 남쪽으로 북쪽으로, 생존경쟁에 여념이 없습니다. 이 모두가 부인의 후예입니다. 높으신 덕을 힘입어 순조로운 생애가 지속되리라 굳게 믿고, 오늘 영전에서 과거를 회상하며 애곡하오니,

186 원문은 잘못된 글자로 되어 있음.

尊靈이시여 굽어 살피시는지요 於乎라
香라고 燭淚 맺는 今夕의 별이 極樂星이라
座白玉樓에서 月宮姮娥에 讚美이
노래 노래로 드는지며 未完成의 宿題를
解決하시노라 盡日忘歸하시는지요
此夜가 將曙하면 靈床도 將撤될것
이옵나 孺人은 永々가시나이다 於乎
라 孺人이시여 膝前에 根浩兄 兄弟
健在하옵고 凜々하고 非凡한 東鐸君
의 六從伴이 着實하나 不遠將來
에는 理想의 꽃東山을 建設할것이요
門庭이 昌大를 自祝할것이옵나 安息
休止하사이다 이없이 리자도록 힐너로
못지못하셨을 몸너로 對答없아옵나 孺人은
가셨습니 確實하옵니다 너대가 빨우되옵니다 生
覺이 이에 이치며 울자 목된 一聲長呼에

尊靈이시여 굽어살피시는지요.

於呼라 香 타고 燭淚 뜻는[187] 今夕, 저 멀이 極樂星座 白玉樓에서 月宮 姮娥에 讚美의 노래소리를 드르시며, 未完成의 宿題를 解決하시노라, 盡日 忘歸하시는지요. 此夜가 將曙하면, 靈床도 將撤할 것이오니, 孺人은 永永 가시나이다.

於呼라 孺人이시여, 膝前에 根浩 兄 兄弟 健在하옵고, 凜凜하고 非凡한 秉鐸 君의 六從伴이 着實하나니, 不遠 將來애는 理想의 꽃 東山을 建設할 것이요, 門庭의 昌大를 自祝할 것이오니, 安息 休止하사이다. 이 밤이 다 가도록 일너도 듯지 못하시고, 불너도 對答 없아오니, 孺人은 가셨습니 確實하오이다. 어대 가 만나 뵈오며, 말과 生覺이, 이에 미치며 즐겨요리오. 一聲 長呼에

영령이시여 굽어살피시는지요?

아, 향불이 타고 촛농이 떨어지는 오늘 저녁, 저 멀리 극락 성좌의 백옥루에서 월궁 항아의 찬미 노래 소리를 들으시며, 미완성의 숙제를 해결하시느라, 돌아오기를 잊으신 것인지요? 이 밤이 장차 새면, 영좌도 거둘 것이니, 유인께서는 영영 가십니다.

아, 유인이시여, 슬하의 근호 형의 형제가 건재하고, 늠름하고 비범한 병탁 군의 일가붙이가 다 착실합니다. 머지않아 이상의 꽃동산을 건설할 것이고, 가문의 창대함을 자축할 것이니, 안식하소서. 이 밤이 다 가도록 일러도 듣지 못하시고, 불러도 대답 없으니, 아, 유인은 가신 게 확실합니다. 어디 가서 만나 뵈오며, 말과 생각이 서로 통해 즐거워할까요? 소리 내어 길게 호곡하노라니,

187 뜻는 : 듣는. '떨어지는'의 고어.

萬만事사茫망洋양이로소이다 嗚오呼호痛통哉재尙상

饗향

어머님

千九百七十七年 丁丑年 七月十二日 夜一時 경에 이제원은

번재 형부가 어머님께 들인 것이라 귀중하여 번역했으나

그후 三年 後 당신은 世상을 떠났으니 한심코 허무、、

일생 인자 하셨다 떠어난 인재를 찾사라

萬事 茫洋이로소이다. 嗚呼 痛哉 尙饗.

어머님 千九百七十七年 丁丑年 七月 十二日 낮 一時 별세.
이 제문은 번재 형부가 어머님께 들인 겄이라, 귀중하여 번역했으며, 그후 三年 後, 당신도 世상을 뜨시니, 한심코 허무 허무. 일생 인자하심과 뛰어난 인재들 앗가와.

모든 일이 망망하기만 합니다. 아, 애통합니다. 흠향하소서.

어머님은 1977년 7월 12일 낮 1시에 별세.
이 제문은 번재의 형부가 어머님께 드린 것을 내가 필사해 두었는데, 3년 후, 형부도 세상을 뜨셨으니 한심하며, 허무하고 허무하도다. 평생 인자하셨던 인격과 뛰어난 재능들 아까워라.

감상 및 해설

사위가 장모의 영전에 바친 제문이다. 살아생전에 제사 모시기를 비롯하여 온갖 도리를 다하신 고인이었건만, 여생을 우울하게 지낸 데 대하여 유감을 표현하고 있다.

> 친외손이 창창한 만복을 모두 보시지 못한 채, 영원한 신선계로 가셨단 말입니까?

이렇게 애통해한다. '적선지가(積善之家)에 필유여경(必有餘慶)' 즉 선을 쌓은 집안에는 반드시 경사스러운 일이 있다고들 하지만, 그렇지만은 않은 데 대해 아쉬워하는 대목이라 하겠다. 그래서 '진인사대천명(盡人事待天命)'이라는 말이 있는지도 모른다. 사람이 마땅히 해야 할 일을 다하되, 그 결과에 대해서는 하늘에 맡기고 순응하며 살 뿐인 게 우리 인생인지도 모른다.

40. 고희를 맞은 아내가 남편의 영전에

1981년, 황명희 님 소장

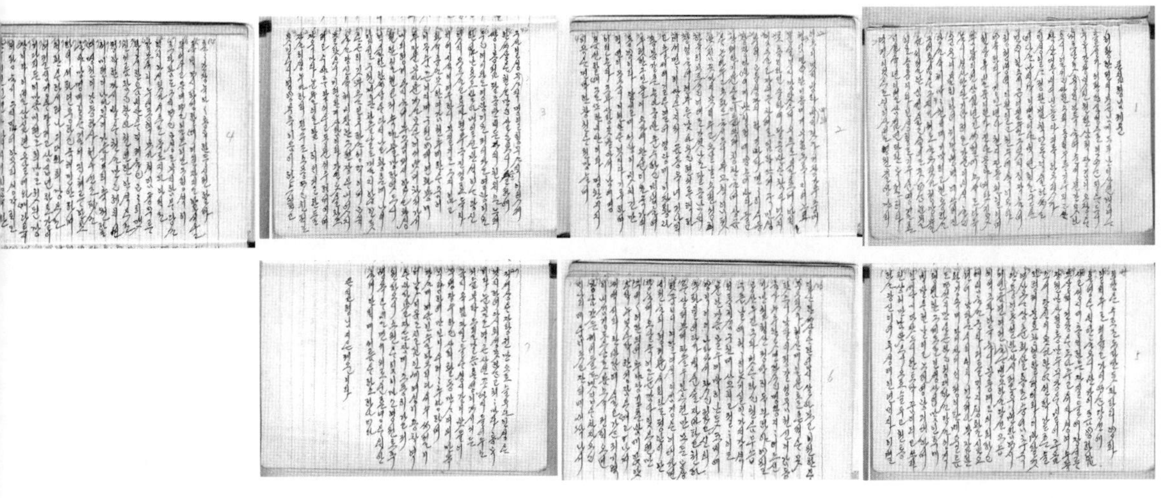

큰집안 형님께 제문

허황한 별지 부중에 나게 두고 난이 상면 해엿나
출생하여 허황한 생장 소설 허남 엄연 필은 또는구나
출가 장도 최한 상사 최 잔가니 응접손
내종 혼 숙봉 한 혼늑 숙 출 네 범 간 못한
훗 너 엄리 귀 쓰한 우회 동 회 녀 후 고기 두 외 근
왕 상 대무 시어 생 들 라 리 동 한 우 회 여 가
형 살 혈 정한 빈 첨 연도 허술한 소
내 나 는 가 여 이 해는 이 바 신 면 호 후 구는
문여 흘 주하고 어식 줄로 구어 진 과 놓여
황 최잔 여 한 일 근 원 누어 의 어 오 하
허 후 하 나 자 이 연 년 하 첨 지 진 동 된 일 어 여
쳔 중 후 삼 중 어 연 가 진 아 응 아 대 회 옷
무 이 방 이 연 상 쳔 년 간 서 월 에 수 숙 도 하 슈
불 나 봉 사 세 준 가 작 운 가 운 이 서 숙 소
삼 운 어 불 회 아 니 누 가 생 벼 에 삼 해 진
망 나 숙 재 아 누 런 회 에 가 작 긴 될 로 활 한
국 하 로 봉 스 그 곳 체 로 능 우 관 처 장 울
연 의 쳔 한 서 정 술 는 술 어 도 곳 화 선 논 문
희 오 출 을 어 리 한 실 한 경 로 기 수 은 펑 김 를
허 혼 수 년 이 떼 로 상 쳔 연 재 론 부 좋 궁 부
벽 정 이 웃 소 로 상 어 사 서 로 병 된 불 쌍 가 희

큰집 형님 제문

허황한 편지 부군님게 드리난 이 사연 행여ᄂᆞ 드르실가. 허황한 심정으로 심써 난필을 드니, 구곡간장 맺친 원한 삼척장검이 오장을 써흐난 듯 흉ᄋᆡ 아득ᄒᆞ여 순서 분간 못하오니, 얼키고 싸힌 소회 동ᄒᆡ수를 기우리고 남산 대를 비여낸들 다 긔록하오릿가.

인ᄉᆡᆼ 일ᄉᆞ 정한 법칙인들 억울하셔도 쎠나신 마지막 이별이야 ᄇᆡᆨ년ᄒᆡ로 굳은 언약 일조에 끈어질 줄 그 엇지 짐작ᄒᆞ며, 청청병역이 왼 일고. 원수에 육이오야, 야속하다 경인년아. 처천지 진동 왼 일이며, 천앙 혹벌 꿈이던가. 진야 몽야 쌔닷지 못 꿈 알이면, 삼십 년 긴 세월에 소식도 아득ᄒᆞ니, ᄉᆡᆼ사 판단 기막혀요. 가운이 비ᄉᆡᆨᄒᆞ고 문운이 불ᄒᆡᆼ하여 뉘성병역에 쓰러진 당신 육체, 막막 천외에 기막히고 원통하신 그대 혼영은 그 누귀가 위로ᄒᆞ오릿가.

첨망불급 ᄋᆡ절한 심경 울고 울어도 끗업ᄂᆞᆫ 눈물리요 슬훔이라. 인ᄉᆡᆼ ᄒᆡᆼ로 기구 운명 결혼 이십육년 이별 삼십 연, 파란 곡절 허다 역경 이것으로 ᄉᆡᆼ이사별 영원 불망만리

큰집 형님 제문

허무하고 황탄하나마 이 편지를 당신께 드립니다. 이 사연을 행여나 들으실까요? 허황한 심정으로 붓을 드니, 구곡간장 즉 마음속 깊이 맺힌 원한이, 삼척 장검으로 오장을 써는 듯 가슴이 아득합니다. 순서를 분간 못하겠으니, 얽히고 쌓인 소회는, 동해물을 기울여 먹물 삼고 남산(앞산)의 대나무를 베어 붓을 만든들, 어찌 다 기록하겠습니까?

인생이 한 번 죽는 것은 정해진 법칙이니, 떠나신 마지막 이별이야 억울해도 어쩔 수 없는 일이겠지요. 하지만 백년해로하기로 굳게 맺은 우리 언약이 하루아침에 끊어질 줄 그 어찌 짐작하며, 청천벽력같은 소식이 웬일인가요? 원수의 육이오야, 야속하다 경인년(庚寅年)아. 천지가 진동하다니 웬일이며, 하늘이 재앙을 내려 징벌한 꿈이었나? (서울에 있다 1·4후퇴 때 납북되어) 꿈인지 생시인지 알 수 없는 채로, 30년 긴 세월에 소식도 아득하니, 살았는지 죽었는지 판단하기 어려워요. 가운이 막히고 가운이 불행하여 뇌성벽력에 쓰러진 당신 육체, 막막한 타향 객지에서 기막히고 원통하신 그대 혼령은 그 누구가 위로한단 말입니까?

북녘을 아무리 바라봐도 미칠 수 없어 애절한 이 심정, 울고 울어도 끝없는 눈물이요 슬픔입니다. 우리 부부의 인생 행로는 기구한 운명이었지요, 결혼 26년에 이별은 30년, 파란만장한 곡절에 허다한 역경을 겪었어요. 그런 데다 생이별하여 영원히 잊지 못하며 고통을 받고 있으니,

여둥이 넉넉 쌍탄 시절의 즉가 거창가무 구우어
최여 연에 한 미움 미게 부최 독두 지 님 놓고
분을 여것 가앞서 오로 결로서 어릴
그중 히연 술한에 잘중 반은 찬이 버스지
허것 수술은 자그운 차해술 어린 화산차구 민상
보술이 은중 그중까지 중가 버타 깬 중 수풍
창장하신에게 쌓칠최에 쌍흔에 싸투 들은
상쾌한 기분은 스르 어른 선 상쾌 칭찬하여 상주
은 눈이 후은 중화는 나서 두부 모축 하나 되것
쌍친나 꼿게지 부효 후은 오늘날 오월하중
합두러 부는 어해로 가것나 오잘중 나와
창빙남여 편부른 쌍허 오른 편서 론과한
혜서면 최쌍스지와 곤동우녀 그날
연후세에 기은 별이 병강에 하창황리
춘풍같은 우이 충만 후누 위리 신날여
우렷한 구현물이 오가에 완운이 운주가의
몽쟁이라 안새로에 하강이 시시건만
최연이 물무이 외한은 하 라기준한때
어린은 차공부 사랑보살피서 낭에정
봉스선한대 그은 한시안이 회평된 부자
희유스편 한창친은 외할날때

여통이 엇지 범타 비ᄋᆡ릿가.

거창 가무 중대 책임 연약한 이몸에게 무겁도록 지여 노코, 눈을 엇지 깜았으며 우흐로 불효며 아릐로 층ᄋᆡ하던 슬하에 팔종반을 참아 엇지 잊으시고, 자녀들 차례로 입학쓰겨 국민ᄉᆡᆼ부터 고등ᄉᆡᆼ까지 학기마다 면면히 우등상장 아빠에게 밧칠 적에 양손에 바다들고 상쾌한 기분으로 어릅쓰려 칭찬ᄒᆞ며 상금을 논아주고 조화도 ᄒᆞ시드니, 부모 ᄎᆡᆨ임 뒷받침 끗까지 못ᄒᆡ 주고 오날날 소원 성최 아득히 모르시고 어대로 가셧나요.

팔종 남ᄆᆡ 장성ᄒᆞ여 현부를 맞아오고, 현서를 택하여서 면면히 쌍을 지워 금동 옥녀 거나리고 출세에 길을 열어 두렷한 그 인물이 오가게 왕운이요 국가의 동양이라. 압길에 서광이 빗치건만 적연이 모르시니, 이 원한은 엇지 다 기록하며, 어린 손자 조부 사랑 못 받아서 남에 경 흠선할 쌔 그도 쏘한 비관이라. 명완 무지 이 몸은 면막한 창천을 원망울며

어찌 평범하다고 하겠습니까?

거창한 집안의 임무와 중대한 책임을, 연약한 이 몸한테 무겁게 지워 놓고, 어찌 눈을 감았나요? 위로는 불효이며 아래로는 총애하던 슬하의 일가붙이들을 차마 어찌 잊으시고 가셨는가요? 자녀들을 차례로 입학시켜 초등학생부터 고등학생까지, 학기마다 면면히 우등상장을 아빠에게 바칠 적이면, 양손에 받아들고는 상쾌한 기분으로 어렵사리 칭찬하며, 상금을 나눠주고 좋아라 하셨지요. 부모 책임과 뒷받침, 끝까지 못 해주고, 오늘날 소원 성취한 것 아득히 모르신 채 어디로 가셨나요?

2남 4녀 남매들 모두 장성하여 어진 며느리를 맞아오고, 어진 사위를 택해서 면면히 쌍을 지어, 금이야 옥이야 손주들을 거느려 출세 길이 열렸으니, 뚜렷한 그 인물이 국가의 대들보감입니다. 앞길에 서광이 비치건만 전혀 모르시니, 이 원한을 어찌 다 기록하며, 어린 손자는 조부 사랑을 못 받아서, 다른 아이들을 부러워할 때면, 이것도 슬픕니다.

무지한 이 몸은 아득한 하늘을 원망하며,

국가 불힝 부ᄌᆞ 쳐명 ᄒᆞ신 회봉 부ᄌᆞ 슐 ᄒᆞ엿졔
한ᄉᆞ 상은 혼신 가지 상은 오나 ᄉᆞ술 ᄒᆞᆫ에
쌍ᄒᆞ오 최상 호종 사자는 자시 친원으로 누셰
우리 어리와든 영광이 온리이 하든 영광이 온
한일 난홍도 샤는 시이물 선사실이는 강신
아시 우글은 홍자 편우 우진 영홍도 두자
지에 시석이 어수한니 부죄이도 구치어고
외야 흉은 뜻한 바가나 최후에 한수도 주어
이우후의는 어지께 구원이 외연화평에
후자은 보사은에 은도은 어서어마 차지가서
내외평제 오시눈에 부모님 모시 방은 화궁
한한 신월 원군과 흥하물 강한듯 드시
허술한 한상은 다시나 한화 훙은에 나의
한신실 구최께 오간 차출 날로 깨치 하흉한듯
근근리 깃부오는 헌중후 한신 성하여 오유
늙은 당신 옥체 시작한 그현장은 나여서치
불효 뭇구 미현한게 사라나하와 가전오 설차츠
괘는 수하로 한서우는 동문서후 회께여서
진옥이 서나는 무를어온 빈치 외리군한들
진은 리성 누가한리 전주로 오종마 친회로
못 믿소사 영영 부족이온이 한그친다

구사일싱 무ᄉᆞ직명 일힝 무ᄉᆞ직 이럿케 한 세상은 천신만고 보니, 슬하에 쌍쌍봉접 팔종반 버든 가지, 친외손 느려두고, 여기 와도 영광이요 저기 가도 영광이요, 한없난 효도 받아 내 일신 반석이나, 당신 엇지 모르신고.

효자 현부 극진 성효 독차지에 시식이 여수하니, 모길기도 그지없고, 와석 종신 못한 여감 천추에 한을 품어, 이 목숨 끈어지며 구원 야대 연화봉에 부자분 모자분 계신 곳을 어서 밧비 차저 가서, 내외 형제 으지ᄒᆞ며, 부모님 뫼시압고 차싱 원한 설원코저 숙야불망하엿드니,

억울한 한 세상을 다 지나고 황혼에 나의 압길 구천 명당 차즐 날도 멀지 않인 듯 은근히 깃부오나, 인후하신 성덕이며 고귀ᄒᆞ신 당신 옥체 비참한 그 현장은 내 엇지 몰랏으니 미련한 게 사람이라.

가신 곳을 차즈려고 수야를 앞서우고 동분서주 헤매이며, 자욱마다 눈물이요 압압히 ᄋᆡ걸한들 자신 희싱 누가 하리. 친구도 소용 업고 친척도 못 믿으니, 영양 부족 이 몸이 한스럽고,

구사일생으로 이렇게 한 세상을 천신만고 살아보니, 슬하의 쌍쌍이 짝을 맺은 자녀와 일가붙이, 친손주와 외손주 즐비하여, 여기 와도 영광이요 저기 가도 영광입니다. 한없는 효도를 받아서 내 한 몸은 반석 같건만, 당신은 어찌 모르십니까?

효자와 어진 며느리의 극진한 효도를 나 혼자 독차지하고 있습니다. 모질기 그지없는 이 목숨, 당신의 임종을 지키지 못한 천추의 한을 품어, 어서 이 목숨 끊어져서, 부자분과 모자분이 있는 구천과 극락에 어서 바삐 찾아가서, 내외분과 형제를 의지하며 부모님 모시고, 이승의 원한을 풀고자, 새벽부터 깊은 밤까지 오매불망하였지요.

억울한 한 세상을 다 지나고, 황혼의 내 앞길인 구천 명당에 찾아갈 날도 멀지 않은 듯하여 은근히 기쁩니다. 하지만 인후하신 성품에 고귀하신 당신 옥체의 비참한 그 현장은 내가 아직 모르고 있으니, 미련한 게 사람입니다.

가신 곳을 찾으려고 수야를 앞세우고 동분서주 헤매며, 발자국마다 눈물이요 앞앞이 애걸한들, 누가 자신을 희생하리요? 친구도 소용 없고 친척도 못 믿으니, 영양이 부족한 이 몸이 한스럽습니다.

14

초ᄂᆞᆫ 가장 누히 흉독ᄒᆞᆫ 도시원ᄒᆞᆯ하
후ᄇᆡ 박시 ᄌᆞ셩ᄒᆞᆯ셰 ᄇᆡ쳔치 ᄎᆞᆫᄇᆞᆫ 셔로
ᄃᆡ가우든 동ᄇᆡ ᄆᆞᆫᄒᆞ결ᄒᆞ션 구ᄎᆡᄋᆞᆯ ᄒᆡ
좃ᄎᆡᄒᆞᆫ 다ᄂᆞᆫ 구ᄉᆡᄇᆞᆫ 흉ᄋᆞᆫ 부ᄉᆞᆯᄇᆞᆫ 당ᄒᆡ
박ᄎᆡ ᄒᆡ셔 ᄒᆞ엿ᄉᆞ 흉독ᄒᆞ고지ᄒᆞᆫ ᄒᆡᄎᆡᄒᆞᆯ
항ᄉᆞ ᄉᆡ 누ᄒᆡ흉ᄒᆡ 부ᄎᆡ ᄒᆡ니 흉ᄋᆡ구ᄅᆞᆫ
화ᄒᆞ 흉ᄋᆞᆫ ᄉᆡ관ᄉᆞ 여 ᄎᆡᄋᆞᆫ ᄒᆞ혀ᄀᆡ
원ᄎᆡ 그ᄃᆞᆫ ᄒᆞᆫ 흉ᄎᆞᆫ ᄒᆞ 쳔ᄂᆞᆫ 련ᄒᆞᆫ 부ᄉᆞ로
쳔ᄒᆞ 흉ᄎᆡᄉᆡ ᄇᆞᆯᄉᆞ 쳔ᄂᆞᆫ ᄀᆡᄉᆞᆫ ᄎᆡᄒᆞᆫ
ᄒᆡ 쳔ᄒᆡ 나 ᄒᆡᆺ 어 가 ᄂᆞᆫ 가 ᄒᆞ 흉 ᄒᆞᆫ 흉
여 ᄆᆡᆼ 쳔ᄒᆡ ᄀᆞᆫ 동ᄒᆞ ᄉᆞ 쳔 우 션 ᄎᆞᆫ ᄌᆡ ᄂᆞᆫ
ᄂᆞᆯ 아 ᄀᆞᆼ ᄆᆡᆼ ᄆᆡ 길 ᄂᆞᆫ 거 ᄉᆞ 어 권 쳬 로 ᄒᆞᆫ ᄒᆞ
흉 어 셰 ᄒᆞ 연 흉 ᄒᆞᆫ 죽 ᄒᆡ ᄀᆡ 한 ᄒᆞᆫ ᄇᆡ
쳔 화 ᄂᆞᆫ ᄒᆞᆫ 셰 ᄒᆡ ᄂᆞ 리 ᄃᆡ 화 흉 ᄀᆞᆼ ᄉᆞ ᄎᆞᆫ
여 졀 ᄉᆡ ᄀᆡ ᄋᆞᆫ ᄃᆞᆯ ᄒᆡ 고 ᄉᆡ 십 년 ᄒᆞᆫ ᄅᆞ 가 ᄉᆡ
귀 라 ᄒᆡ 든 ᄇᆡ ᄆᆡ 유 ᄀᆡ 쳔 로 ᄒᆡ ᄀᆡ ᄋᆞ 로 ᄒᆞᆫ ᄉᆞ 된 ᄀᆞᆼ
ᄉᆡᆼ ᄇᆡ 라 ᄒᆡ 션 ᄉᆡ 나 ᄉᆡ 연 ᄋᆞᆯ ᄒᆡ ᄒᆞᆫ ᄒᆡ 다 ᄅᆞ ᄉᆞ
ᄒᆡ ᄒᆞ ᄋᆞ ᄂᆞᆫ ᄉᆡ 구 ᄉᆡ ᄃᆞᆯ 어 ᄒᆞ 우 ᄒᆡ ᄉᆡ ᄋᆞ 각 ᄌᆡ 로
흔 ᄉᆡ ᄒᆡ ᄒᆞᆫ ᄒᆞᆫ 연 ᄉᆞ 관 ᄉᆡ ᄇᆡ ᄒᆡ 화 ᄋᆞ ᄉᆞ 흉 ᄒᆞᆫ
가 침 ᄉᆞ ᄇᆡ ᄂᆞᆫ 수 고 ᄒᆞᆯ ᄒᆡ 고 무 ᄋᆞ 친 ᄉᆞ 화
흔 ᄒᆡ 늘 ᄒᆡ 혜 ᄌᆞᆫ ᄀᆞᆫ ᄉᆞᆯ ᄋᆞᆫ 라 원 ᄒᆞᆫ ᄃᆡ

촌촌간장 녹아 녹아 통곡한들 시원할까.

혼빅 업시 하경할 쌔 어린 자질 압세우고 뒤세우고 등에 업고 일보 이보 그 힝식기이 초라함도 그지업고, 고싱도 무지함을 당신 엇지 아시릿가. 우흐로 독로지하 아릐로 강보 유치, 참고 참아 천연한 안식으로 엄악한 까시밭을 천신만고 헤치면서, 미련이 나마 망명에 길을 걸어 귀체를 안보하여 세연연풍하고 국태민안하며 구환은 하시려나. 긔대와 희망으로 여절 심경을 달래고 삼십 년 하로같이 기다리든 이 마음, 미련도 희망도 헛된 망상이라.

이별 삼십 년 오날에 와 쌔다르니 허황ᄒᆞ기 그지없어, 아무리 싱각히도 끈어 버린 인연을 다시 어이 힝복한 가정을 일우고, 얼키고 뭉친 소회 터파ᄒᆞ며, 옛말 ᄒᆞ고 살고저 원하던

내 간장이 모조리 녹도록 통곡한들 시원할까요?

당신의 혼백도 못 모신 채 서울에서 내려올 때, 어린 자녀 앞세우고 뒤세우고 등에 업고 1보 2보, 그 행색이 초라하기 그지없고, 고생도 무지하였다는 것을, 당신이 어찌 아시겠습니까? 위로는 연로하신 시부모님, 아래로는 강보에 싸인 어린아이, 참고 참으며 아무렇지 않은 듯한 안색으로 험악한 가시밭길을 천신만고 헤쳐왔지요. 미련이나마, 당신이 망명의 길을 걸어 몸을 보존하여 태평시절을 맞아 돌아오시려나, 기대와 희망으로 마음 달래며 30년을 하루같이 기다리던 이 마음, 이제 그 미련도 희망도 헛된 망상인가 봅니다.

이별한 지 30년, 오늘에 와서 깨달으니 허황하기 그지없어, 아무리 생각해도 끊어진 인연을 다시 이어, 행복한 가정을 이루고, 얽히고 설킨 사연 풀면서, 지난 이야기 하며 살기를 원하던

희상은 누호을 드리산 듯 치리의 졍화
아리원 ᄌᆞ로 씌로인 가히 여산 랑녀에
홍년당 인ᄂᆞᆫ 한 ᄯᆞ와 ᄉᆞᆯ이 쥬단 방ᄒᆞ얏ᄂᆞᆫ
시근 ᄉᆡᆼ시에 초인ᄒᆞᄂᆞᆫ 자셜 용ᄉᆡ에 장션 ᄀᆞ른
무ᄉᆞᆯ 화려장은 도련주은 우ᄉᆡᆼ ᄒᆡ 누우부
쟝원 ᄌᆞᆫ 쥬상금 뫼 주쟝 ᄉᆞᆼ히 구음
주어 잠ᄀᆡ이 모ᄃᆡ ᄒᆞᆫ 여셧 가을 부을 술
회경 쎄 분홍 차양 방 ᄒᆞᆫ 여러 데을 ᄒᆞᆫ 돌 ᄉᆡ
보ᄂᆡ오 상품 ᄒᆞᆫ 산 을 호로 누대 하주 국
한 호 종버 등 ᄉᆡᆯᄒᆞᆫ 시 좌 졀 졍 ᄒᆞᆫ 나 ᄡᆞ 시
라 연 듀 면 에 처 음 인 곤 ᄃᆡ ᄒᆡ 오 ᄒᆞᆫ 당 ᄀᆡ 오 ᄂᆞᆼ
되어 조화 한 ᄂᆞᆫ 동 부 ᄒᆡ 동 에 로 희 희 ᄒᆞᆫ 인
ᄃᆡ 신 ᄂᆞᆫ 궁 는 자 류 을 께 지 궁 ᄒᆡ 실 오
년 에 낙 라 은 스 의 은 지 어 ᄯᅦ 붓 자 ᄒᆞᆫ
희 경 수 에 ᄒᆞ 게 ᄂᆡ 의 청 히 한 ᄉᆡ 소 을 든
든 ᄯᅥᆺ 지 ᄭᆡᆫ 순 ᄀᆞ 은 ᄒᆞᆫ 광 ᄃᆡ ᄒᆞ ᄂᆡ 당 ᄂᆡ 싱 귀
평 ᄒᆞᆫ 그 죄 동 을 한 형 ᄉᆞ 이 ᄲᆞᆺ 빈 훗 에
ᄒᆡ 말 숀 곤 ᄂᆞᆯ 이 신 ᄂᆞ 쥬 ᄃᆡ ᄋᆡ 은 ᄃᆡ 희
인 ᄌᆡ 께 ᄂᆞᆫ 자 우 ᄒᆞᆫ 돈 섭 구 ᄂᆡ 되 신 쓰 ᄃᆡ
린 상 죄 ᄭᆡᆫ 붓 ᄯᅥᆺ ᄉᆞ 우 으 로 ᄉᆞᆯ 후 ᄀᆞᆫ ᄒᆞᆫ 당
ᄒᆞᆫ ᄂᆡ 랑 신 이 여 호 상 에 힌 변 ᄆᆡ 착 ᄒᆡ 별

희망은 수포로 도라간 듯, 차라리 양화 일ᄇᆡ주로 외롭고 가이업ᄂᆞᆫ 당신에 혼영을 위안ᄒᆞ오니, 반가니 흠양하압시고,

생시에 층ᄋᆡ하든 자질들에 장ᄂᆡ를 보살펴 건강을 도아주고 유자ᄉᆡᆼ여 수복장원 만사형통 만수무강을 빌어 주옵소서.

당신이 못다 한 일, 선학같흔 슬하 형제 문호창성 할 터이라, 더 바랄 것 업사오나, 삼춘화발 홍초승염 추국단풍 엄동설한 사시절후 변함업시 거연 금연 여전ᄒᆞᄂᆞ 변모하신 당신 모습 기역조차 아득ᄒᆞ니, 몽중에도 의희하고

대범ᄒᆞ신 군자 기틀 ᄀᆡᆨ지 ᄉᆡᆼ활 십오년에 남다른 우리 위치, 언제나 복잡한 환경 속에 아기자기 인생사업 맞인 후에, ᄇᆡᆨ발을 헌날이고 노래 영광 ᄀᆡ대하며, 인세 낙미하잣드니, 한토막 꿈이 되고, 쓰라린 상처만 남앗스니 오호 슬푸고 원통하신 당신이여 후ᄉᆡᆼ에 인연 ᄆᆡ자 이별

희망은 수포로 돌아간 듯합니다. 차라리 한 잔 술로, 외롭고 가여운 당신의 혼령을 위로하고자 하니, 반가이 흠향하셔요.

생시에 총애하던 자녀와 조카들의 장래를 보살펴 건강을 도와주세요. 자녀를 낳고 장수와 복과 성공을 누리고, 만사형통 만수무강하게 빌어 주세요.

당신이 못다 한 일, 학처럼 빼어난 슬하의 형제들이 문호를 창성하게 할 것입니다. 더 바랄 것은 없으나, 꽃 피는 봄날, 한여름의 더위, 국화와 단풍이 고운 가을, 엄동설한 겨울철, 이 사시사철을 작년이나 금년이나 여전하건만, 변모하셨을 당신의 모습은 기억조차 아득, 꿈속에서도 희미하기만 합니다.

대범한 군자였던 당신, 객지 생활 15년 동안 남달랐던 우리 위치, 언제나 복잡한 환경 속이었지만, 아기자기한 인생사업을 다 마친 후에, 백발을 흩날리며 노후의 영광을 기대하며, 즐겁게 인생을 마치자고 했었지요. 하지만 한토막 꿈이 되어 버리고, 쓰라린 상처만 남았습니다. 아 슬프고 원통한 당신이여, 다음 생에서 다시 인연을 맺어,

엄난 한세상은 한업시 살아보니 희월한 수
우리 오가 회산 메 빈운 흔흔 출수 못
첫소구 날줄이 괴정 갈 싱호니 철선이 간 등
놀사 누추한 세상 평강지 이 두신
기간 회원 창산 괴파 괴 두과 한 베 월로
운산 두견 로와 박순 한 인 철승 무음
구로는 날에 최히 늣기실히 가자 각부
외로온 자가 구친 미 살오 괴고 처절히 호
분한 마음 흔 후에 싸중 난두 그때에
방이 어더 나라 사자와 그친 신비
궁화 밀여 라가 생순 술자 마한 손 칠한
연생 일부며 치출 우보스 현만 부는 봉송
화주니니 서한 수여 러이 지경은 너태 지편
세월는 흘러 평제 흥수 흐르는 평한이 한
청눈 내오올 후 어르는 꽃다핫 부현만
익에 여한 되여 후하 장교 흥은 쌍에 할앗
수학 누붓 수학 한저 장나 분데 고꽃 나과
새색시의 찬시 나에 슬은 가선 리기록
히나 거경 동수은 호용 우숙 전회 오면
황금갓은 궤어 도물든 옛지 10수 최최 오리
지수리에 우나하 드는 잔되에 시작 나서

업난 한 세상을 한업시 살아보고 이 원한을 푸오릿가.

청산에 일분토도 흔적을 못 찾즈니, 남달이 정갈 성품 천신이 감동ᄒᆞ사 누추한 곳 면하시고 명당지지 어드신가. 만첩청산 정막히 독좌하야 야월공산 두견조와 벗을 하고 천음우습 구즌 날에 척척히 늣기실 일 가지각식 ᄋᆡ통지심 구천에 사모치고, 절절이도 분한 마음 골수에 박히난 듯, 조비에 양익 어더 나라가서 찻고 접고, 신의 조화 빌여다가 ᄇᆡᆨ운을 자바 타고 천하를 살펴보며 차즐 수 있으련만, 모든 공상 헛꿈이니 여할여식 이 심경은 어대 가면 시원ᄒᆞ리.

형제분 유ᄒᆡ라도 평안이 안장ᄒᆞ며 오날 죽어도 눈 깜아 잊으련만, 구비구비 여한 되여 추야장 깊흔 밤에 앉앗으락 누엇으락 한경 잠을 쌔고 나며, 새벽 서리 찬바람에 울고 가는 거 기럭이, 내 심경 도우느난 듯 봄소식 전ᄒᆡ 오면, 강남 갓든 제비들도 옛집을 차자오고, ᄀᆡ나리에 움이 돗고 잔듸에 새싹 나서

이별 없는 한 세상을 한없이 살아 보아, 이 원한을 풀 수 있을까요?

청산에서 흙 한 줌도 당신의 흔적을 찾을 수 없으니, 남달리 정갈하신 당신의 성품을 천신이 감동하사, 누추한 곳 면하게 하시어 명당을 얻으신 건가요? 만첩청산 즉 겹겹이 둘러싸인 푸른 산에 적막히 홀로 계셔서, 달밤에 두견새와 벗을 하고, 비내리는 궂은 날이면 촉촉이 젖은 가운데 무엇을 느끼실는지요? 가지가지 애통해하는 이 마음 구천에 사무치고, 절절히 분한 마음 골수에 박힌 듯하여, 새의 두 날개를 얻어서 날아가 찾아보고 싶어요. 신의 조화 빌어다가 흰구름 잡아 타고 천하를 살펴보면 찾을 수 있으련만, 모든 공상이 그저 헛꿈이니, 칼로 베어내는 것만 같은 이 심경은 어디 가면 시원할까요?

형제분의 유해라도 평안히 안장하면 오늘 죽어도 눈 감을 수 있으련만, 구비구비 한이 되어, 긴 가을밤에 앉았으락 누웠으락 하다, 한번 잠을 깨고 나면, 새벽 서리 찬바람에 울고 가는 저 기러기, 내 심경 돕는 듯 봄소식 전해 오면, 강남 갔던 제비들도 옛집을 찾아오고, 개나리에 움이 돋고 잔디에 새싹 나서,

리세상은 장황한 말솜으로 능후한 인성은
현시ᄒᆞ여 다시 회생ᄒᆞᆺᄒᆞ신ᄃᆞ 최ᄭᅡ지 흥ᄎᆞ혹
히라 ᄂᆞᆫ 부로 여는 사연 ᄭᅮᆷ이라 들어주ᄂᆞᆫ
귀ᄃᆞᆫ 부ᄒᆞᄃᆞ 회ᄒᆞᆯ ᄭᅵᆯ 눈으로 병히ᄎᆞ시 그ᄃᆞᆫ
루ᄌᆞ은 여ᄂᆞᆫ 자취를 ᄃᆞᆼ생시 가르쳐 ᄉᆞ부ᄅᆞ어
부ᄒᆡᆼ장수ᄒᆞ고 사회ᄒᆞᆯ 동ᄭᅡᆫ 며ᄆᆡ ᄭᅡᆫ묘
부라ᄋᆞ ᄒᆞ여 ᄭᅡᆫ 비우러 ᄂᆞ후ᄒᆞᄋᆞ ᄒᆞ여
ᄒᆡᆼ소헤 ᄒᆞ여유한 주를 ᄒᆞ오되 다슈우 ᄉᆡᆼ힌히
히나ᄂᆞᆫ 비우른 치를 신인세 여성히 충찬ᄒᆞ여
우사라 보ᄂᆞᆫ 자는 자세 즈ᄉᆞᆼ히 가는 줘
원ᄒᆞᆫ 오ᄉᆞ 원ᄉᆞ ᄒᆞ지ᄭᆞ 즈병 원ᄒᆞᆫ쥬
병소우ᄉᆞ 새ᄃᆞᆫ 면ᄭᅡ 외로스 ᄯᅥᆫ호며ᄋᆞ ᄉᆞ인ᄒᆞ한
쉬ᄉᆡ 한ᄒᆞᆯ 매ᄭᅦ 르는우 ᄒᆞ오ᄒᆞ니 이ᄃᆞ
큰 시신령 남지은 제운하라

저 세상을 자랑컨만 오호 슬푸다.

인싱은 엇지ᄒᆞ여 다시 회생 못하는고. 처처마다 통곡이라. 눈물로 역근 사연 끗짜지 들어 주소. 거득 부탁드릴 말슴, 혼영이 게시거든 금지옥엽 자질즐을 싱시간이 밧들어 무병장수하고 사회활동 만ᄉᆞ여의 만복무량하여 만인이 우러러 추앙하며, 당신에 여음일 줄 아오리다.

유수 세월이 어나듯 이 몸도 칠십일세. 여싱이 종착역을 바라보고 자든 잠에 조용히 가고저 원하오니, 소원을 잊이 마소. 영원토록 명복을 빌면서 외로운 혼영을 위안ᄒᆞ며 안히에 서름을 하소하나이다.

큰집 형님 지은 제문이라.[188]

저 세상을 자랑하건만, 아 슬픕니다.

인생은 어찌하여 다시 회생 못하는 걸까요? 곳곳마다 통곡입니다. 눈물로 엮은 사연, 끝까지 들어 주세요. 거듭 부탁드릴 말씀은, 혼령이 계시거든 금지옥엽 자질들을 항상 보살펴서 무병장수하고 사회활동에서 만사 형통하며, 만복을 누려 만인이 우러러 추앙하게 해 주세요. 모두 당신의 덕분인 줄 알게요.

유수같은 세월이 어느덧 이 몸도 칠십입니다. 여생이 종착역을 바라보고 있어, 잠을 자다가 조용히 가고자 원하오니, 내 소원을 잊지 마세요. 당신의 영원한 명복을 빌면서 외로운 혼령을 위안하며, 아내의 설움을 하소연합니다.

큰집 형님이 지은 제문이다.

188 "큰집 형님 지은 제문이라." : 이차야 여사의 제문을 이원경 여사가 필사하면서 적은 기록임.

감상 및 해설

한글제문은 보통 중상이나 대상 때 영전에서 바치는 글이다. 하지만 이 제문은 세월이 흐른 후 작자의 나이 70이 되어서, 과거를 회고하면서, 편지 형식으로 고인에게 하고 싶은 사연을 바친 제문이라 특이하다. 고인의 회갑 때 묘소 앞에서 바친 어느 제문과 더불어, 기본형으로부터 변형이 일어난 사례라 하겠다.

하기야, 고인에 대한 그리움이 어디 장례 기간뿐이랴! 평생 추억하면서 살 수 있다. 그러다 고희같은 인생의 특별한 매듭을 맞아, 먼저 떠난 분한테 마음을 표현한 것이니 지극히 자연스러운 일이라 하겠다.

한글 제문에 대하여

Ⅰ. 한글 제문이란?

한글 제문은 한글로 지어진 제문이다. 주로 영남 북부 지역에서, 소상(중상)과 대상(종상·탈상)의 전날 저녁, 고인의 영전에서 낭독했던 추도문이다. 처음에는 한문 제문만 있다가, 한글이 창제된 이후에 한글 제문이 등장했는데, 현전 자료를 보면 20세기 것이 가장 많다. 18세기와 19세기의 것도 있으나 아주 소수라서, 한글 제문이 널리 퍼진 것은 20세기에 들어서라고 보인다. 집에서 장례를 치른 1970년대까지만 존속하다가, 아파트, 장례식장이 등장하면서 사라졌다.

한문 제문과 한글 제문의 차이는 무엇일까? 내용 면에서는 유사하다. 하지만 한글 제문만이 가지는 두 가지 강점이 있다.

첫째, 한글 제문은 우리말을 적은 것이므로, 읽으면 모두가 듣고 반응할 수 있다. 우리말이 아닌 한문 제문은 그렇지 않다. 어디까지나 어순이 다른 외국어요 문어이기 때문이다. 경북 의성 출신이자 어릴 때부터 종손으로서 상제례 체험이 많은 신해진 교수의 구술에 따르면, 초상과 기제사 때 남성들이 한문 제문을 낭송하였으나, 이해 불가능하였다고 한다. 당연한 일이다.

하지만 우리말이기도 한 한글 제문은 달랐다. 영전 아래 꿇어앉아 한글 제문을 읽으면, 빈소에 있던 사람이 모두 눈물바다가 되곤 했다는 게 체험자들의 일치된 기억이다. 한글 제문에 와서 비로소 제문의 대중화가 이루어졌다고 하겠다.

이는 마치 한문 소설만 있던 조선에, 훈민정음 창제 이후 비로소 한글 소설이 등장해, 상하층 모두가 소설을 읽고 공감할 수 있는 소설 대중화가 가능해진 사건과 비슷한 사례다. 한문 제문도 중요하지만, 한글 제문도 아주 중요한 구실을 한 갈래라는 사실을 강조하고 싶다.

둘째, 한글 제문의 표현은 한문 제문에 비해 생활 감정이 더 잘 드러나 있다. 이는 조선시대 사대부 김진형이란 분이, 함경도 명천에 유배 갔다 와서 쓴 국문가사 〈북천가〉와 한문기행문 〈북천록〉을 비교하면 확연하다. 고향집의 편지가 도착했을 때의 감격을, 국문가사에서는 "미친 놈 되얏구나"로, 한문기행문에서는 "似夢而非夢(사몽이비몽 : 꿈인 듯, 꿈 아닌 듯)"

으로 표현하고 있다. 말할 것도 없이, "미친 놈 되얏구나"야말로 우리 생활 감정이 여과 없이 노출되어 있어 인간미를 느끼게 한다.

평소에 고인을 제대로 모시지 못해 자책하면서, "우풍우풍 마귀년"이라고 표현한 한글 제문도 있는바, 이런 표현은 한문 제문에서는 찾아보기 힘들다. "야속하다 하나님, 아 무심하다. 져 귀신아", "'완나 완나' 하시며 반기시고, 기유(겨우) 하로밤 자고, 갈나(가려고) 하이(하니), 빙즁(병중) 하신 말삼, '닉 괜찬다' 하시든이, 긋딕(그때) 그시가 영걸(영결)시 될 줄 닉 알이요?" 등등의 표현이 그렇다. 물론 한글 제문도 한문 제문의 전통을 잇고 있으므로, "유세차", "상향" 등의 문어체적 표현이 남아 있는 게 사실이다. 하지만 생활의 정감을 느낄 수 있는 구어체적인 표현을 본문에서 많이 확인할 수 있는 것도 사실이다.

관혼상제 전공자인 김시덕 교수에 따르면, 현지에서 이 한글 제문을 일컬어 "기정(寄情)"이라고 한다는데 맞는 말이다. 실제로 한글 제문 본문에서도 이 말이 나온다. 다음이 그 예이다.

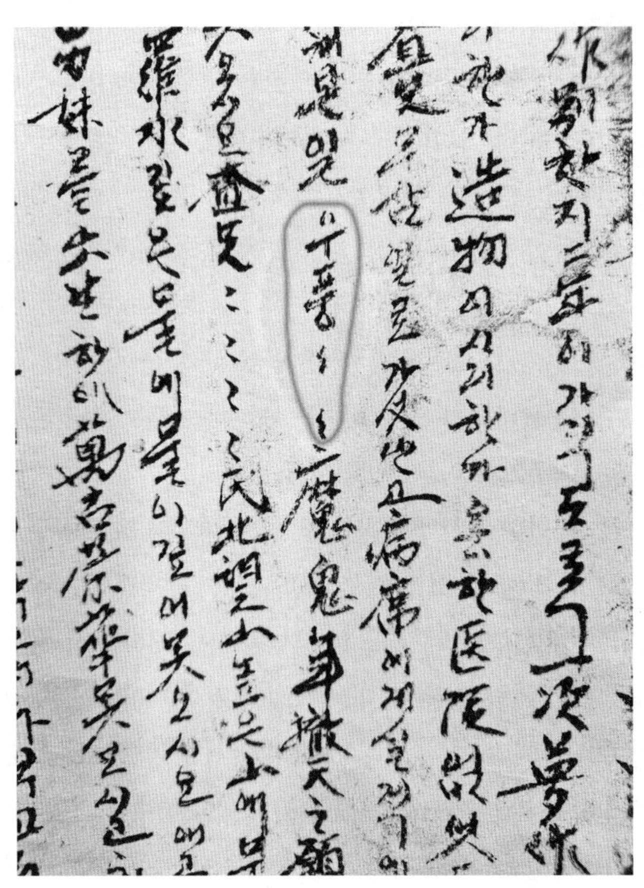

전닐 석 간지에 불초여 적모는 ᄋᆡ통 비회 간절하여 수항 문을 그정ᄒᆞ와 주과포혜 닐ᄇᆡ 주을 영상에 차려 놋코, 통곡 ᄌᆡᄇᆡ 실피 운이, 가련ᄒᆞᆫ 어마 영혼이 양양 여ᄌᆡ 게시그든, 나의 서련 원정 드러 주ᄀᆡ.

한문 제문이 뜻을 기록하는 갈래였다면, 국문 제문은 정(정감)까지 표현한 갈래라 하겠다. 청중을 울리는 감응력도 이같은 특성에서 발휘된 것이 아닌가 여겨진다. 특히 여성이 낭독할 때 감동적이었다고 한다.

우리가 흔히 어문일치가 근대문학에 와서 이루어진 것으로 보는데, 그렇지 않다. 이광수의 〈무정〉이 나오기 전에, 한글 제문을 비롯해, 훈민정음 창제 이후 꾸준히 어문일치를 위한 자연발생적인 노력이 기울여졌다고 생각한다. 특히, 애도문학에 속하는 한글 제문의 경우, 고인에게 진정을 담아 말하듯이 지어지고 그대로 읽는 글이었기에, 어떤 한글문학보다도 어문일치에 근접한 갈래일 수밖에 없었다고 보인다.

Ⅱ. 지방문학으로서의 한글 제문

문학에는 일정한 지역에서만 발달한 문학이 있다. 이를 지방문학이라 한다. 예컨대 판소리 같은 경우는 호남 지역의 지방문학이다. 다른 지역에는 없거나 미약하다.

한글 제문도 지방문학이다. 현재까지 확인된 바로는 주로 영남 지방 그중에서도 경북의 안동, 예천 지역에서 가장 활발하게 창작되고 향유되었던 것으로 보인다. 호남 지역(18세기 기태동의 한글 제문), 강원도에서 발견된 사례도 있으나 아주 예외적이다. 한문 제문이 전국 어디에서나 발견되는 것과는 확연히 다른 양상이다.

왜 유독 경북의 안동, 예천 지역에서 한글 제문이 활발하게 창작되었을까? 주지하다시피 이 지역은 이른바 '영남 대가 내방가사' 지역이기도 하다. 이곳은 영남 사림파의 중심지로서 유교적 교양과 가풍을 자랑하는 집안이 많은 곳이다. 예안(진성) 이씨, 재령 이씨, 안동 권씨, 의성 김씨, 하회 류씨, 평해 황씨 등등이 집안끼리의 혼맥을 통해 긴밀하게 연결되어 있다. 안동 지역에는 사대부 집안은 물론이고 일반 평민들의 장롱 속에 아직도 한글로 쓴 가사작품이나 한글 편지 또는 한글 제문이 들어 있다. 한글로 글쓰기가 생활화되었다고 할 수 있다. 다른 지역과는 다른 양상이라 하겠다.

이 지역의 남성들도 한글 제문을 지었지만, 여성들이 거의 같은 비중으로 한글 제문을 지어, 고인의 영전에서 공개적으로 낭독하였다. 남성들이 한시와 한문으로 표현 욕구를 충족하듯, 이 지역 여성들은 내방가사(규방가사)와 함께 한글 제문을 통해, 자신들의 존재를 증명하며, 표현 본능도 발휘한 셈이다. 내방가사로는 삶을 노래했다면, 한글 제문으로는 죽음과 영생을 기록하며 성찰했다 하겠다.

한글 제문을 여성문학이라 부를 수는 없지만, 전 세계적으로 보았을 때, 같은 시기(18~20세기)에, 여성이 남성과 대등하게, 고인을 추도하는 자국어 기록문학을 창작해 낭독한 현상은 매우 이례적이다. 세계 각 지역 문학 전공자들한테 두루 탐문했으나, 아직 어디에서도 이와 같은 사례는 없다고 하니 말이다. 우리나라 안동을 중심으로 한 이 지역만의 특수성에서 이루어진 열매라 하겠다.

제사는 주로 남성들만의 문화이지만(종부만 아헌관으로 참여), 소상과 대상 때는 여성 모두가 한글 제문을 낭독할 수 있었던 이 지역의 문화를 엿보게도 한다. 마치 가신신앙만은 여성이 주체가 되어 전승해 온 것처럼, 크게 보아 남성과 여성의 역할 분담이 이루어진 사례라고도 하겠다. 남녀 차별이 심했던 전통사회에서, 이 정도라도 여성의 참여가 보장되었다는 사실은 기존의 통념을 깨는 현상이기도 하다.

한글 제문이 경북 북부 지역의 문학, 그중에서도 주로 여성들이 많이 참여한 문학이라는 사실은 시사하는 바가 크다. 세계화와 함께 지방화가 강조되는 이 시대에, 이미 지방문학의 한 전범으로 구실을 한 한글 제문은, 오늘날 각 지역에서도 이 같은 시도가 필요하고 가능하다는 사실을 보여준다. 모든 것이 수도권 중심이라 여러 문제가 파생되고 있는 우리나라 현실에서, 지방화는 유일한 해결책이라 할 수 있는바, 한글 제문의 선례를 이어, 지역마다의 문화를 활성화할 필요가 있다. 그렇게 하는 데, 경북 북부 지역의 한글 제문이야말로 롤 모델이라고 생각한다.

Ⅲ. 한글 제문의 역사

한글 제문을 다른 말로 표현하면 우리말 제문이다. 한국문학의 역사에서, 우리말로 죽은 사람을 추도하는 최초 사례는 향가 <제망매가(祭亡妹歌)>이다.

生死路隱 此矣 有阿米 次肸伊遣
吾隱去內如辭叱都 毛如云遣去內尼叱古
於內秋察早隱風未 此矣彼矣浮良落尸葉如
一等隱枝良出古 去如隱處毛冬乎丁
阿也 彌陀刹良逢乎吾 道修良待是古如
(죽고 사는 길 예 있으매 저히고
나는 간다 말도 못다 하고 가는가
어느 가을 이른 바람에 이에 저에
떨어질 잎다이 한가지에 나고 가는 곳 모르누나
아으 미타찰(彌陀刹)에서 만날 내 도닦아 기다리리다)

-양주동 풀이-

주지하듯, 이 향가는 한문이 아니다. 우리말 어순으로 되어 있다. 제목 그대로, 죽은 누이의 명복을 빌기 위해 재(齋)를 올리면서, 오빠인 스님 월명사가 부른 노래다. 넓은 의미의 제문이라 할 수 있다. 그 뒤를 이은 고려시대의 <도이장가(悼二將歌)>도 마찬가지다.

님을 온전케 하온
마음은 하늘 끝까지 미치니
넋이 가셨으되
몸 세우시고 하신 말씀
직분(職分) 맡으려 활 잡는 이 마음 새로워지기를
좋다, 두 공신이여
오래 오래 곧은 자취는 나타내신져.

-김완진 풀이-

신숭겸과 김락(金樂) 두 장수를 추도한 노래다. 태조 왕건(王建)이 견훤(甄萱)과 싸우다가 궁지에 몰렸을 때 왕건을 대신해서 죽은 공신들이다. 그래서 그 공을 높이고자 태조 때부터 팔관회에서 추모하는 행사를 벌였고, 태조는 그 자리에 두 공신이 없는 것을 애석하게 여겨, 풀로 두 공신의 허수아비를 만들어 복식을 갖추고 자리에 앉게 하였다. 그랬더니 두 공신은 술을 받아 마시기도 하고 생시와 같이 일어나서 춤을 추었다고 한다. 이러한 설명을 듣고 예종이 감격해서 한시와 함께 이 작품을 지었다고 한다. 넓은 의미의 제문이 틀림없다.

좁은 의미의 한글 제문은, 성리학의 가례 즉 관혼상제 예법이 도입된 이후에 등장한다. 〈제망매가〉, 〈도이장가〉에서 시작한 우리말 추도의 표현 본능이, 향가의 쇠퇴와 함께 수면 아래로 내려가 있다가, 훈민정음 창제 이후, 좁은 의미의 제문 즉 유교식 제문의 형식을 갖추어 다시 등장했다고 여겨진다. 첫 사례는 무엇일까?

처음에는 한문 제문을 한글로 번역한 형태의 것이 아니었나 한다. 예컨대 '숙종대왕 민비 제문', '회재 선생 제문'(이언적의 제문) 등의 한글번역본이 그것이다.

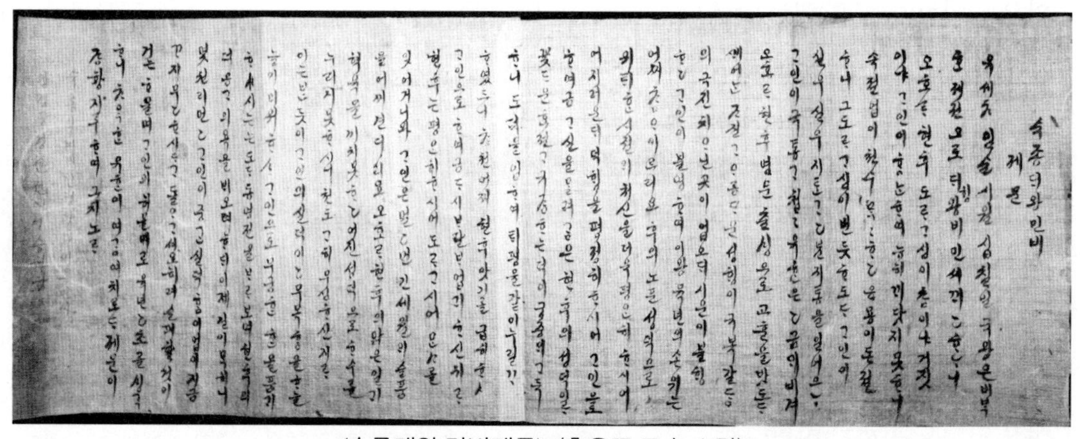
숙종대왕 민비 제문

〈숙종대왕 민비제문〉 (홍윤표 교수 소장)

〈숙종대왕 민비 제문〉은 크기가 세로 27.0 cm, 가로 73.0 cm이다. 민비는 여흥 민씨로 숙종의 1대 계비(繼妃)인 인현왕후(仁顯王后, 1667년-1701년)가 되었는데, 장희빈 때문에 폐위되어 궁에서 쫓겨났다가 갑술환국으로 다시 복위되어 궁중으로 되돌아왔으나 얼마 되지 않아 창경궁 경춘전에서 죽음을 맞이하였다. 숙종이 이를 안타까이 여겨 민비의 제문을 한문으로 지었다. 이것의 한글 번역본이 위 사진이다.

〈회재 선생 제문 1〉 (홍윤표 교수 소장)

〈회재 선생 제문 2〉

〈회재 선생 제문 3〉

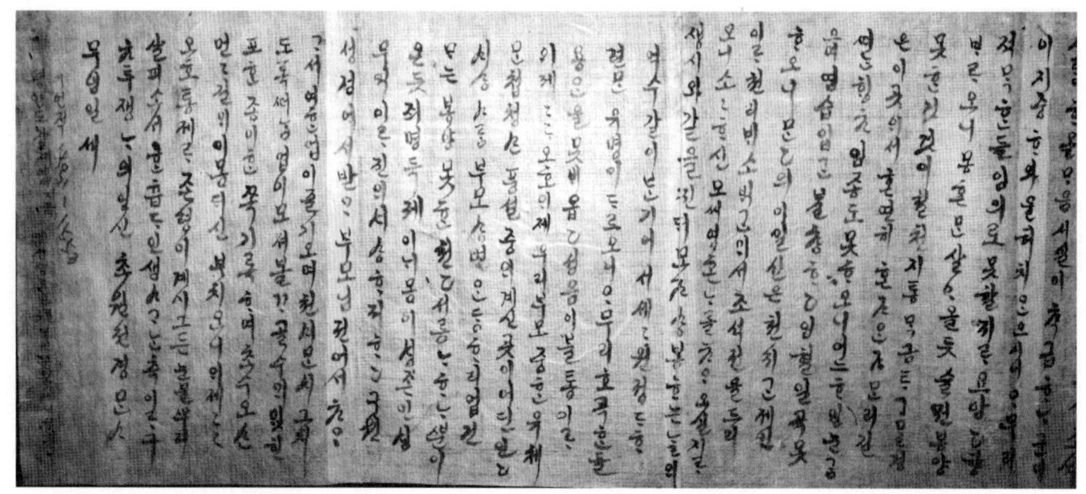

〈회재 선생 제문 4〉

회재(晦齋) 선생 제문은 크기가 세로 27.0cm, 가로 206.5cm인 장문의 제문이다. 회재 이언적(李彦迪, 1491년-1553년)이 평안북도 강계(江界)로 유배된 1548년에 어머님 손씨가 별세하자, 생질인 이순임(李純任)으로 하여금 고향에 계시는 영위 앞에 제사케 하고 한문 제문을 올렸다고 한다. 이 제문의 한글 번역본이 위 사진이다. 한문을 구사하는 사대부 남성들의 한문을, 부인이나 아이들을 위해 한글로 번역하는 일은 일반적인 현상이었다. 한문을 모르거나 익숙하지 않은 어머니, 아내, 누이를 제사하면서, 한문 제문을 올린 것이 못내 어색한 나머지, 한글 번역본이 나왔던 것이 아닐까 추정된다. 번역의 주체는 작자 자신일 수도 있고, 독자 중 하나일 수도 있다.

창작 한글 제문은, 한문 제문을 한글로 번역하는 단계, 즉 번역 한글 제문 단계를 거친 후 등장한 것으로 보인다. 그 첫 사례가 현재까지로는 1746년 기태동이 죽은 누이를 위해서 쓴 한글 제문이다. 한문본의 번역인가 의심할 수도 있으나, 어미 형태가 "-로다"로 되어 있는 것으로 미루어, 한글본을 나중에 한문으로 옮겼다고 보는 게 자연스럽다(국어학자 홍윤표 선생님의 의견). 이 제문의 서두와 결말 부분만 보이면 다음과 같다.

유셰ᄎᆞ 병□□□□ 태동은 망ᄆᆡ 유인 힝쥬 긔시 녕연의 젼ᄒᆞ여 우러 ᄀᆞ로ᄃᆡ, 오호 통ᄌᆡ라 잔으로 울미, 엇지 가히 내 ᄋᆡ통을 샤ᄒᆞ여, 두어 줄 글이 엇지 다 ᄆᆡ시의 덕힝을 기록ᄒᆞ리오. 오호 통ᄌᆡ라. ᄆᆡ시의 나히 애호로지 삼십이 셰라.(중략)

오호 황쳔아, 엇지 그 극홈이 이시리오. 일월이 죠환 긔샹이 격님ᄒᆞ니, 이 밤을 지나면 궤연을 쟝ᄎᆞᆺ 쳘ᄒᆞᆯ지라. ᄯᅩ 시러곰 방불[181]도 보지 못ᄒᆞ리라. 이 ᄆᆞᄋᆞᆷ 결울ᄒᆞᆷ을 ᄆᆡ시 그 아ᄂᆞ냐 아지 못ᄒᆞᄂᆞ냐. 오호 통ᄌᆡ라. 거의 격홈을 ᄇᆞ라노라.

위에서 보는 바와 같이, "유세차"로 시작하여 "거의 격홈을 ᄇᆞ라노라"라고 되어 있어, 한문 제문의 형식(유세차-상향)과 동일한 형식이다. 이듬해인 1747년에 전의 이씨가 남편을 위해 지은 제문이 홍재휴 교수에 의해 학계에 보고되어 있다. 영남 지역 여성이 작자이므로 이것이야말로 이후 영남 한글제문과 더욱 긴밀하게 연결된다고 여겨져 주목된다. 하지만 아쉽게도 사진이 전하지 않고, 실물도 현재 행방을 알 수 없는 상태라서 더 이상 거론하지 않는다.

기태동의 제문보다 20여 년 후인 1770년대 초, 충숙공 윤숙이 그 부인을 위해 지은 〈정경부인 이씨 제문〉도 있다. 제주 유배 중 아내가 죽었으나 모르다가, 5월에 풀려나 그 분통한 심정을 1주기때, 아내 영전에 고한 제문이다. 이것도 한문본과 공존하고 있으나, 한글본이 먼저였다는 게 전문가인 홍윤표 교수의 의견이다.

이 두 작품으로 미루어, 초기 한글 제문은 남성이 주도한 것으로 보인다. 한문 소설을 지은 남성 작가들이, 한문을 모르고 한글만 아는 부녀자들을 위해 따로 한글로 번역해 유통시킨 것처럼, 제문도 그랬던 것으로 보인다. 죽은 누이나 아내를 추도하는 글을 한문으로 짓는 것보다, 고인이 알았던 한글로 지어 고하는 것이, 죽은 사람과 산 사람 간의 소통을 위해 훨씬 효과적이라 판단한 결과라고 여겨진다. 한문만으로는 자신의 생각과 감정을 온전히 표현하기 어렵다고 느꼈던 것이리라.

〈기태동의 누이 제문〉

184 방불(彷佛): 흐릿하거나 어렴풋함.

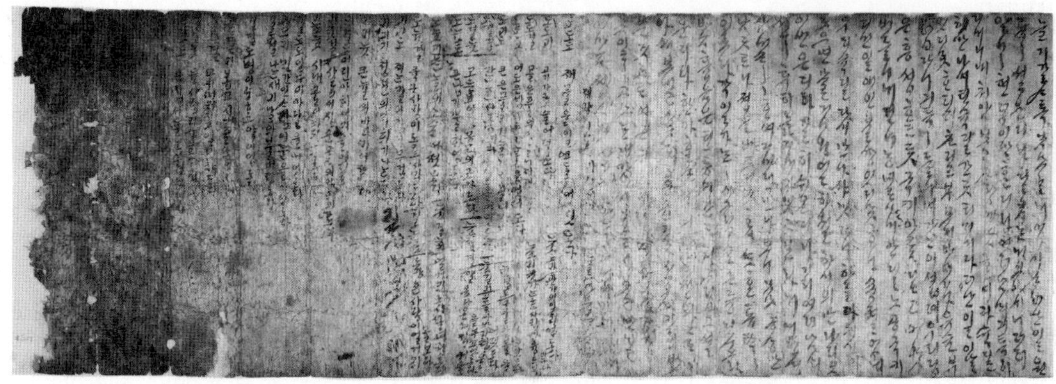

〈기태동의 누이제문〉

하지만 18세기의 한글 제문은 이 세 편 외에, 필자는 본 일이 없다. 그만큼 귀하다. 19세기의 것도 마찬가지다. 이 책에 수록한 40편의 한글 제문의 경우, 18세기 1편, 19세기 3편, 이 두 편을 제외하고, 나머지 36편은 모두 20세기의 것으로 보인다. 연도 표시가 없는 것도 표기법, 여타 정보를 종합해 그렇게 추정한다.

Ⅳ. 한글 제문의 형식, 세계관

1. 한글 제문의 형식

한글 제문의 형식을 알아보기 위해, 실제 사례를 제시하면 다음과 같다.

(1) 유세차 임신 구월 갑오삭 십이일 갑신은, (2) 즉 오 친모 남원 양씨 종상지일이라. (3) 전일석 (4) 불효녀 은진 림실은 (5) 통곡 재배로 비박지전물을 영좌지전에 올리나이다…(본문 생략)…(6) 상향

한글 제문의 형식은, 축문(祝文)의 형식을 이어받은 것이다. 주지하다시피 축문의 형식은 다음과 같다.

維 歲次干支 O月干支朔 O日干支 孝子OO 敢昭告于 顯考學生府君 歲序遷易 諱日復臨 追遠感時 昊天罔極 謹以淸酌庶羞 恭伸奠獻 尙饗

(이제 생각하건대, 이 해의 차례는 OO년 O월 O일이 되어, 맏아들 OO는, 돌아가신 아버님께 감히 고합니다. 해가 바뀌어(세월이 흘러) 돌아가신 날이 돌아오니, 지난 날의 감회가 깊고 깊으며, 그 은혜가 넓고 큰 하늘과 같이 다함이 없습니다. 이에 맑은 술과 여러 가지 음식을 삼가 갖추어서, 정성을 다해 제사를 올립니다. 부디 흠향해 주시기를 바랍니다.)

앞에서 언급했듯, 축문의 형식은 매우 정형적이다. 개인적인 정감이나 사연은 없이, 누구나 언제든 똑같은 말로 제사드리는 이유를 짤막하게 보고하는 갈래다. 한글 제문도 이 관용적인 틀은 그대로 유지하고 있다. 다만 '유세차'와 '상향' 사이 즉 위에서 '(본문 생략)'이라고 표시한 부분에, 특정 고인에 대한 칭송과 애도의 사연을 추가하였다(한문 제문도 마찬가지임).

그런데, 한글 제문을 실제로 살펴보면 형태가 다양하다. 한문 제문의 기본 형식을 충실히 따르는 경우가 많지만, 변형이 일어난 경우도 있다. 위의 필수적인 사항마저 탈피한 경우도 더러 있어, 한문 제문에 비해, 한글 제문은 형식적인 구속에서 좀 더 자유로웠던 것으로 보인다.

표기 문자도 순한글로 된 것이 많지만, 국한문 혼용문도 있다. 국한문 혼용 제문 가운데 어떤 것은, 한문 제문과 한글 제문의 중간 형태라고 할 수 있을 정도로, 일부 문장이, 우리말 어순이 아닌, 완전한 한문 문장인 것도 있다. 작자가 남성인 제문에 그런 게 많아, 한문 제문에 익숙한 영향이라 보인다..

길이도 다양하다. 한글 편지의 경우에는 대부분 한 장으로 처리하기 일쑤이며, 그 크기도 대개 큰 차이가 없지만 한글 제문은 그렇지 않다. 한 장짜리 종이에 쓰더라도 그 크기가 일정하지 않을뿐더러, 한글 편지에 비해 아주 큰 게 일반적이다. 아주 길어서 두루마리 형태로 전하는 것도 많다. 여러 미터짜리도 있다. 두루마리의 경우, 말아서 가지고 있다가, 영전에 꿇어앉아, 펼쳐 가면서 낭독했던 것이다. 이스라엘에서 과거에 두루마리 성경을 그렇게 읽었다는데 이에 비견할 만하다.

제문과 유사한 갈래들이 있어 혼동하기 쉽다. 축문, 만장, 편지, 규방가사(내방가사)가 그것이다. 축문은 제사를 지내는 연유를 고하는 틀에 박힌 보고서다. 예시한 바와 같이, 고인의 행적, 고인과의 추억 등 개인적인 사연은 들어가지 않는다는 점에서 한글 제문과는 구별된다.

만장(만사)은 초상 때 고인을 애도하는 마음을 시적으로 표현해 기(旗)처럼 만들어 상여 뒤를 따라간 글이다. 예를 들어보면 이렇다.

"大福下降一世間 願君行樂自安閒 都抛六十年前事 去作神仙天上官(큰 복이 한 세상에 하강하셨었도다. 그대에게 원하노니, 즐겁게 지내면서 부디 안락하고 한가롭기를 바라노라. 이 세상에서의 60년 과거사는 모두 다 던지듯 잊어버리시라. 이제 신선이 되어, 천상의 선관이 되시라.)"

7언절구 한시 형식임을 알 수 있다. 산문인 한글 제문과는 구분된다 하겠다.

1586년에 씌어진 〈원이 아버님께〉는 죽은 남편한테 아내가 쓴 글이지만, 추도문이 아니라 편지 형식으로 되어 있어, 한글 제문이 아니다.

워늬아바님씌 샹빅

자내 샹해 날ᄃᆞ려 닐오듸 둘히 머리 셰도

록 사다가 ᄒᆞᆷᄭᅴ 죽쟈 ᄒᆞ시더니 엇디ᄒᆞ
야 나ᄅᆞᆯ 두고 자내 몬져 가시ᄂᆞᆫ 날ᄒᆞ고
ᄌᆞ식ᄒᆞ며 뉘 긔걸ᄒᆞ야 엇디 ᄒᆞ야 살라
ᄒᆞ야 다 더디고 자내 몬져 가시ᄂᆞᆫ고 자내
날 향ᄒᆡ ᄆᆞ ᄋᆞ믈 엇디 가지며 나ᄂᆞᆫ 자내 향
ᄒᆡ ᄆᆞ ᄋᆞ믈 엇디 가지던고 ᄆᆡ양 자내ᄃᆞ려 내
닐오ᄃᆡ ᄒᆞᆫᄃᆡ 누어셔 이 보소 ᄂᆞᆷ도 우리
ᄀᆞ티 서ᄅᆞ 에엿ᄡᅵ 녀겨 ᄉᆞ랑ᄒᆞ리 ᄂᆞᆷ도
우리 ᄀᆞᄐᆞᆫ가 ᄒᆞ야 자내ᄃᆞ려 니ᄅᆞ더니 엇디
그런 이ᄅᆞᆯ ᄉᆡᆼ각디 아녀 나ᄅᆞᆯ ᄇᆞ리고 몬져
가시ᄂᆞᆫ고 자내 여ᄒᆡ고 아ᄆᆞ려 내 살 셰 업
ᄉᆞ니 수이 자내 ᄒᆞᆫᄃᆡ 가교져 ᄒᆞ니 날 ᄃᆞ
려 가소 자내 향ᄒᆡ ᄆᆞ ᄋᆞ믈 ᄎᆞ싱 니ᄌᆞᆯ 줄
리 업ᄉᆞ니 아ᄆᆞ려 셜운 ᄠᅳ디 ᄀᆞ이 업
ᄉᆞ니 이 내 안ᄒᆞᆫ 어ᄃᆡ다가 두고 ᄌᆞ식
ᄃᆞ리고 자내ᄅᆞᆯ 그려 살려뇨 ᄒᆞ노이
다 이 내 유무 보시고 내 ᄭᅮ메 ᄌᆞ셰 와 니
ᄅᆞ소 내 ᄭᅮ메 이 보신 말 ᄌᆞ셰 듣고져 ᄒᆞ야
이리 서 년뇌 ᄌᆞ셰 보시고 날ᄃᆞ려 니
ᄅᆞ소 자내 내 빈 ᄌᆞ식 나거든 누ᄅᆞᆯ
아바 ᄒᆞ라 ᄒᆞ시ᄂᆞᆫ고 아ᄆᆞ려 ᄒᆞᆫᄃᆞᆯ
내 안 ᄀᆞᄐᆞᆯ가 이런 텬디 ᄌᆞ온ᄒᆞᆫ 이리
하ᄂᆞᆯ 아래 ᄯᅩ 이실가 자내ᄂᆞᆫ ᄒᆞᆫ갓 그리 가 겨실 ᄲᅮ거니와 아ᄆᆞ려 ᄒᆞᆫᄃᆞᆯ 내 안
ᄀᆞ티 셜울가 그지그지 ᄀᆞ이 업서 다 몯 서 대강만 뎍뇌 이 유무 ᄌᆞ셰 보
시고 내 ᄭᅮ메 ᄌᆞ셰 와 뵈고 ᄌᆞ셰 니ᄅᆞ소 나ᄂᆞᆫ 자내 보려 믿고 인뇌이다 몰태[래] 뵈쇼셔
하 그지그지 업서 이만 뎍뇌이다.

병슐 뉴월 초ᄒᆞᄅᆞᆫ날 지븨셔

더러, 이 한글 제문을 가사 특히 규방가사의 하위 유형으로 처리하고 있어 따질 필요가 있

다. 주지하듯, 가사는 4음보격 연속체 율문 갈래다. 한 줄이 네 토막씩의 호흡 단위로 이루어져, 아주 규칙적인 리듬으로 된 갈래다. 경상도 안동지방 〈계녀가〉 한 편의 서두를 보자.

문밖에서 절을 하고 가까이 나와 앉아
방이나 덥사온가 잠이나 편하신가
살뜰히 물을 적엥 저근듯 앉았다가
그만 해 돌아나와 진지를 차릴 적에
식성을 물어가며 반찬을 맞게 하고
꿇어앉아 진지하고 식상을 물린 후에
할 일을 사뢰어보아 다른 일 없다 하면
내 방에 돌아와서 일손을 바삐 들어
흥돈흥돈 하지 말고 자주자주 하여라.

위에서 보는 바와 같이, 한 줄이 네 토막으로 되어 있다. 철저하게 그 형식을 지키고 있는 것이 가사요, 규방가사다. 하지만 한글 제문에는 그런 율격(리듬)이 없다. 질서 정연한 규칙을 발견할 수 없다는 말이다. 따라서, 한글 제문을 가사의 일종으로 처리한 것은 재고해야 마땅하다. 한문 제문이 산문이듯, 한글 제문도 산문의 하나로 다루어야 맞다.

유세차 병오 구월 병오삭 십삼일 무오는 직 나의 모주 대흥 백씨 칠십칠세를 일기로 사바세계를 떠나신 후 일주기를 맞는 전날 저녁 정사에, 불초 소녀 박실은 한 잔 술 두어 줄 글월을 올이며, 통곡 영결하나이다.

슬푸다 서천에 지는 저 달 내일을 기약하고
북원에 만산 홍렵 명춘 가절 질기는대
만물의 영장으로 우리 인생 무삼 일로 한번 가면 못 오는가
영웅 호걸 가인 재자 조물주의 창조 법칙 저항하 리 누기든고

2. 한글 제문의 세계관

한글 제문에 나타난 세계관적 특징 몇 가지를 적어 보기로 한다. 내가 읽은 제문만을 대상

으로 한 것이지만, 대체적인 특성은 엿볼 수 있지 않나 생각한다.

첫째, 죽음을 관장하는 초월적인 존재에 대한 생각이다. 하늘(하날), 조물, 하나님, 천도, 귀신, 옥황 등등 아주 다양하다. 범박하게 말해 다신론적이다. 서구의 유일신 관념과는 분명하게 구분되는 인식이다. 아주 흥미로운 사례는 같은 작품 안에서, 고인의 죽음에 관여한 초월적인 존재들을 다음과 같이 열거하고 있는 점이다.

오호라 천도가 무심하고, 조물주도 야속하다. 천지 정기 타고나신 우리 부주, 조세 덕명 우리 부주, 문장 명필 우리 부주, 천하 명사 우리 부주, 조부 유업 계승하고, 곡목 명성 계승하니, 소녀 비록 출가 외인이라 하올지나, 태산 교악 밋엇더니, 어찌 이리 되어신고. 가종 향방 대소사를 뉘에게 밑어시고, 어이 이리 되시온가. 귀신이 시기튼가, 옥황제궁 부름인가.

아버지의 죽음 앞에서, 천도, 조물주, 귀신, 옥황, 이 네 초월적인 존재 탓으로 돌리며 원망하고 있다. 어느 하나만 관여한 것으로 여기지 않고, 이 넷을 모두 호명하고 있는바, 일견 다신론적이라고 말할 수 있다. 기존의 종교를 대입해서 설명하자면, 천도는 유교적, 조물주와 귀신은 민간신앙적, 옥황은 도교적인 용어를 차용한 것이라 하겠다. 어느 한 신앙만이 아니라 여러 신앙의 신격을 모두 수용한 셈이라 흥미롭다.

어떤 제문에서는 고인이 병환중일 때, 치유를 위해, 가신에 기도하고 칠성에 축수했다고 하면서, 천신도 언급하고 있어, 마찬가지 양상을 보여준다. 가신신앙과 함께 천신신앙을 동시에 유지하고 있는바, 다신론적인 성격을 재차 확인하게 한다.

염왕 즉 염라대왕에 대한 생각도 내비친다, 일단 죽은 고인의 혼령을 다시 세상에 돌아오게 할 수 있는 권능을 지닌 존재로 나타난다.

새배 바람 기리 불고, 져문 뷔 구취올 때, 가련한 너의 원졍 염나왕끼 살여보지. 아모리 염왕인들 그 엾이 영낙할고? 슈일만 도라와셔 상면이나 하고 가지.

딱한 사정을 염라왕에게 아뢰어서, 수일만이라도 돌아와 상면했으면 하는 바람이다. 죽고 사는 것은 신(귀신)이, 죽은 영혼을 잠시 이승에 돌아오게 하는 일은 염라왕이 관장한다고 믿는 생각이 드러나 있다. 초월적 존재간에 역할 분담이 이루어져 있다고 믿었던 우리 선조들의 인식을 엿볼 수 있는 대목이다.

둘째, 죽어서 가는 곳에 대한 생각이다. 저승(저싱), 황천, 구천, 구원(九原), 천하(泉下), 선계, 선경, 옥경, 요대, 극락 등 다양하다. 초월적 존재에 대한 표현이 다양하듯, 죽어서 가는 곳에 대한 명칭도 다채롭다. 저승, 구천, 구원은 민간신앙적인 것이라면, 선계·선경·옥경·요대는 도교, 극락은 불교에서 말하는 내세이다. 죽어서 어디로 갈 것인지에 대해, 어느 한 곳으로 통일되어 있지 않다. 한 작품 안에서도 다양하게 표현하고 있다.

셋째, 이승과 저승의 관계에 대한 생각이다. 이승에서의 인간관계가 저승으로 이월되는 것이란 생각이 드러나 있다. 다음 대목이 그것을 말해 준다.

아, 슬프다. 누이가 황천으로 돌아가면 반드시 부모님을 뵙겠지. 밤낮 곁에서 모시고, 움직이나 멈추나 함께 따르겠지. 부모님을 모신 즐거움이 이곳이나 그곳이나 아무런 차이가 없겠지. 평소의 그 효심으로 즐거움을 삼고 있으려니와, 가만히 생각하니, 부모님께서, 오직 자식이 병날까 걱정하는 그 마음으로, 반드시 이렇게 나무라며 말씀하실 것만 같다. "늙지도 않은 몸으로, 어찌 외롭고 의지할 데 없는 네 오빠를 두고, 또 네 강보의 젖먹이 아이를 버려두고 문득 먼 밤길을 떠나왔단 말이냐?" 이러실 테니, 어찌 그 마음을 위로할 말씀으로 대답할 것이냐?

죽은 누이가, 저승에 가서, 먼저 별세하신 부모님을 만나, 이승에서처럼 여전히 봉양하며 지낼 것으로 믿고 있다. 그러면서도, 저승에 있는 부모가, 지상에 남겨놓고 온 외손주를 걱정해 누이를 나무랄 것이라는 상상도 펼치고 있어 애틋하다.

넷째, 고인의 사망 원인에 대한 생각이다. 자식들의 죄악이 많아서 고인이 작고했다며 자책하기도 한다.

다섯째, 고인을 신격화하는 생각이 드러나 있다. 많은 경우, 제문의 종결부에서, 고인의 혼령이, 생시에 사랑하신 것처럼, 남겨진 자손들을 돌보아달라는 부탁을 한다. 아들과 손자를 점지해 달라는 요청, 친외손이 번성하게 해 달라는 요구가 그것이다.

여섯째, 다산을 미덕으로 여겼다는 것이 드러나 있다. 고인이 남긴 자녀의 수가 오늘날과 비교해 현격하게 많은 데서 확인할 수 있다. 형제(1), 남매(1), 3남매(4), 3형제(1), 3자매(1), 4

남매(2), 5남매(2), 6남매(1), 7남매(2), 8남매(2), 10남매(1), 다남매(2) 등으로 되어 있다. 무자녀는 없으며, 딸만 낳았을 경우에는 조카를 양자로 들였다는 것을 알 수 있다.

일곱째, 친정 부모님이 병환 중일 때, 시댁 일 돌보느라, 부모의 간병을 못한 데 대한 통한이 드러나 있다. 출가외인이라는 말처럼, 한 번 혼인하면, 시댁에 충실해야만 했던 과거의 여성생활을 엿볼 수 있다.

여덟째, 무엇을 행복으로 여겼는지 나타나 있다. 남성은 요조숙녀인 아내와 짝을 맺고, 여성은 군자같은 남편을 맞이하는 것, 이렇게 혼인한 후에는 친외손을 많이 보고 무병장수하는 것이었음을 알 수 있다. 결혼과 자녀 낳기를 선택 사항으로 여기는 오늘날과는 확연히 구분되는 양상이다. 아울러, 개인의 욕망보다는 한 가문의 일원으로서, 남성은 남성대로, 여성은 여성대로, 가정 안에서 주어진 역할을 충실히 수행하는 것을 당연시했던 가치관을 엿볼 수 있다. 특히 여성의 경우, 출가외인이라는 말을 자주 쓰듯, 한번 혼인하면 시댁에 전적으로 헌신한 결과, 친정 부모가 병이 들어도 제대로 간호해 드릴 여유를 가질 수 없어, 별세할 경우 심히 애통해하기 일쑤다. 결혼 후에도 자유스럽게 친정을 오가는 오늘날과는 판이하다 하겠다.

Ⅴ. 이 책 수록 40편 한글 제문의 이모저모

이 책에 수록한 40편 한글 제문의 이모저모를 살피기 위해, 우선 표로 정리하면 다음과 같다. 이 표에서 확인할 수 있는 사항들은 무엇일까?

	연도	언제	누구에게	누가	혼인 나이	사망 나이	자녀	본관·성씨	소장자(출처)
1	1746	소상	누이	오빠		32	1남2녀		국립광주박물관
2	1877		삼종시누이					광산 김씨	홍윤표
3	1894	대상	어머니	딸(박실)				안동 권씨	박재연
4	1897	소상	아버지	딸(손실)					홍윤표
5	1900	대상	어머니	딸(신실)		70	3남매	진양 정씨	임기중
6	1901	대상	누나	남동생			3녀	풍산 류씨	임기중
7	1917	소상	아버지						도재욱
8	1936	대상	어머니	딸				모봉 노씨	임기중
9	1938	대상	오빠	여동생(양실)	81				도재욱
10	1948	소상	할머니	손녀			3형제	월성 이씨	박재연
11	1951	대상	어머니						도재욱
12	1952	소상	어머니	딸(양실)			5남매	파평 윤실	홍윤표
13	1953	종상	아버지	딸(남실)					홍윤표
14	1953	소상	형수	시동생	16	57	3남1녀	한양 조씨	황명희
15	1957	대상	아버지	딸(손실)			8남매		홍윤표
16	1957	대상	누나	남동생			3남매		홍윤표
17	1958		어머니	아들			8남매	김녕 김씨	홍윤표
18	1963	대상	올케	시누이			3자매 (양자)		도재욱
19	1963	소상	올케	시누이			4남매	영일 정씨	황명희
20	1964	소상	아버지	딸(하실)		70	7남매		홍윤표
21	1964	대상	어머니	딸(박실)			10남매	함안 조씨	황명희
22	1966	소상	어머니	딸(박실)	18	77		대흥 백씨	황혜영
23	1966	대상	외조부	외손자				김녕 김씨	홍윤표
24	1967	대상	누나	동생					박재연
25	1967	대상	종형수	종시동생				대흥 백씨	황혜영
26	1967	소상	오빠	누이(조실)		41	7남매	진양 하씨	박재연
27	1967	대상	어머니	딸(신실)		70	3남매	진양 정씨	임기중
28	1968	소상	아버지	딸(신실)					홍윤표
29	1968	대상	오빠	누이(조실)				경주 정씨	박재연
30	1968	대상	언니	여동생(이실)		다남매	평해 황씨		박재연
31	1969	소상	아버지	딸(조실)		60	7형제		박재연
32	1969	대상	아버지	딸					황혜영
33	1970	소상	고모부	조카		87	다남매	한양 조씨	황명희
34	1971	회갑	남편	아내			5남매	평해 황씨	황명희
35	1973	소상	남동생	누나					홍윤표
36	1973	대상	어머니	딸		80	남매		박재연
37	1974	대상	오빠	누이(장실)					황명희
38	1975	며느리	시어머니						황혜영
39	1978	소상	장모	사위		82	형제	대흥 백씨	황명희
40	1981	고희(작자)	남편	아내			2남4녀	평해 황씨	황명희

첫째, 부모님께 올린 한글 제문이 가장 많다. 40편 중에서 18편이다. 부모를 대상으로 한 제문이 많은 사실은, 94편을 수록한 《안동의 한글 제문》의 경우도 마찬가지다. 어머니가 압도적으로 많고 그다음이 아버지다.

둘째, 여타 남편, 아내, 형수, 조부모, 외조부, 며느리, 자형, 언니, 올케, 누나, 누이, 고모부, 등 아주 다양한 대상에 제문을 올리고 있다. 특정한 대상에게만 올린 게 아니라는 것을 알 수 있다. 그럼에도 한 가지 주목할 게 있다. 장모에 대한 제문은 있으나, 시어머니에 대한 제문은 찾아보기 어려운 점이다(《안동의 한글 제문》에 실린 94편 중에서도 오직 1편뿐임). 아마도 시집살이라는 용어가 존재하는 과거 한국의 상황을 반영한 결과가 아닌가 한다.

셋째, 작자의 성별에서, 여성만이 아니라 남성의 비중도 적지 않다. 한글 제문을 여성문학으로 규정할 수 없는 이유가 여기 있다. 다만 남성보다 비중이 높은 것은 사실이며, 여성은 한글 제문밖에는 자신을 표현할 수단이 없었다는 점에서, 여성친화적 갈래라고는 할 수 있으리라고 본다. 특히 다른 나라에서는, 여성이 자국어로 이런 추도문의 주도적인 창작층으로 참여한 사례가 거의 없다는 면에서 주목할 필요가 있다.

넷째, 작자 면에서, 딸의 경우, 혼인한 딸만 제문을 지어 낭독할 수 있었던 듯하다. 거의 모두가 '박실', '이실' 등으로 표현하고 있는 것으로 미루어 그렇다. 주지하듯, 경상도 지역에서 '박실', '이실' 등의 호칭은 여성이 시집간 집의 성씨를 반영하여 자신을 지칭하는 호칭이다. 본래의 성씨 대신 그렇게 부른다. 마치 영국이 미국에서 부인의 성을 남편 성을 따라 표기하는 것과 똑같다. 다른 지역과 구분되는 독특한 문화다.

다섯째, 여성의 혼인 연령이 16세, 18세여서, 모두 10대이다. 30세가 넘어도 서둘지 않는 요즘의 청년들과는 대조되는 양상이다.

여섯째, 사망 연령에서 80대도 있지만, 30대도 있고, 이 책에서는 제외했으나 어떤 경우는 10대에 사망한 경우도 있다. 의료 사정이 열악했다는 것을 짐작할 수 있다 하겠다.

일곱째, 자녀 생산 면에서, 형제와 남매만 둔 경우도 있으나, 8남매, 10남매를 둔 경우도 있다. 다남매일 경우, 배가 다른 남매일 가능성도 있겠으나, 하나나 둘만 낳다가 심지어는 아예 출산을 기피하기도 하는 요즘과는 많이 달랐다는 것을 확인할 수 있다. 아들을 선호하는 문화도 다산에 영향을 미쳤을 것이다. 재혼한 부인이 낳은 아들을 무덤에 데리고 가서 '당신의 아들'이라 소개하는 경우, 아들 없이 죽은 부인들이 '내가 어서 죽어야 재혼해서 아들을 낳을 수 있다'는 말을 공통적으로 남긴 경우가 명백한 증거다.

여덟째, 고인의 본관과 성씨들을 살펴보면, 안동 소재의 안동 권씨, 풍산 류씨, 전통적으로 명문으로 알려진 집안만이 아니라, 그렇지 않은 집안도 많이 등장하고 있다. 10개 안팎의 가문들끼리의 혼맥을 중심으로, 한글 제문 문화도 전승되었다는 것이 그간의 통념이었으나, 위 도표는 다른 설명이 필요하다는 것을 보여준다. 초기에는 소수의 집안만의 문화였으나, 한글 보급과 교육 수준이 높아지는 데다 이른바 신분 차별 의식이 약화하면서(전 국민의 양반화), 다른 집안 사람, 다른 지역 사람들도 이 문화의 담당층으로 참여했던 게 아닌가 해석한다. 마치 일부 양반만 3대 제사를 모실 수 있었으나, 조선후기부터는 하층민도 3대 제사를 지내 오늘에 이르는 것과 비슷한 양상으로 보고 싶다. 물론 경제력 면에서 여유가 있는 사람들 중심으로 그랬을 것으로 추정한다.

아홉째, 앞에서도 언급했듯, 18세기와 19세기 작품도 있으나 아주 소수이고, 주로 20세기에 집중적으로 창작되었음을 알 수 있다. 저자가 다룬 자료 가운데 1981년도 제문이 가장 나중에 지어진 것이다. 단독주택에서 아파트로 주택 문화가 바뀌면서, 가정 대신 장례식장에서 장례를 치르면서, 전통 방식의 한글 제문이 소멸했다고 보인다.

VI. 맺음말

한글 제문을 해독하고 내용을 음미하면서 알아낸 사실들을 앞에서 소개하였다. 여기에서는 그밖에 하고 싶은 말들을 열거하고자 한다. 사실에 관련된 것도 있고, 내 생각이나 주장도 섞여 있다.

첫째, 한글 제문도 필사 유통되었다. 소설이나 가사만 그런 게 아니었다. 어떤 한글 제문이 명문으로 소문나면 돌려가면서 베꼈다.

둘째, 곡을 잘하는 사람이 있으면 대곡이라 하여 불려가서 품삯을 받고 대신 울어주듯, 한글 제문도 그랬다. 제문 잘 쓴다고 소문이 나면, 사람들이 부탁해서 대필해 주었다.

셋째, 한글 제문의 중심 담당층은 여성이다. 남성이 독점한 한문 제문을 빌어다가 자신들의 문학으로 삼은 경우라 할 수 있다. 마치 사대부의 시조를 기녀들이 가져다 독자적인 작품 세계를 이루었듯이, 한글 제문도 그렇다. 낭송할 때 여성들의 한글 제문의 감응력이 더 컸다고들 하는데, 눈으로 읽는 문학이 아니라, 우리말로 구연(연행)된 문학이었기 때문이다.

넷째, 한글 제문을 읽으면서 가장 크게 감동하는 점은 아주 평범한 진리의 재확인이다. '있을 때 잘해'라는 말처럼, 살아 있을 때, 만날 수 있을 때 만나고, 할 말 있으면 하고 지내야 한다는 사실이다.

다섯째, 한글 제문을 읽다 보면 드는 생각이 또 하나 있다. '내가 죽었을 때, 나를 애도할 사람이 있는 삶을 살아야 하지 않을까?' 하는 생각이다. 많이 베풀어야만 가능할 일이다. 무엇인가 사연이 있어야 애도하는 글이 나올 테니 말이다.

여섯째, 한글 제문의 판독을 위해서는 방언사전(특히 경북방언사전)도 활용해야 하고, 지역의 어르신들의 도움을 받아야 한다. 한문 지식도 있어야 한다. 한문을 한글로 적은 표현도 많이 나오기 때문이다.

일곱째, 안동을 비롯한 경북 북부 지역 출신이 연구자로 나서야 한다. 그런 연구자는 방언도 알고, 그 지역 문화와 지리에도 밝아 한결 쉽게 해독할 수 있을 것이다. 특히 여성 연구자가 나서야 더 좋다. 여성 생활을 알아야 하는 대목이 많다.

여덟째, 만세력을 동원해야 하고. 절대 연도를 추정하기 위해서는 국어학자의 도움도 받아야 한다.

아홉째, 다른 나라의 애도문학, 예컨대 롤랑 바르트의 〈애도일기〉, 프로스트의 〈잃어버린 시간을 찾아서〉와의 비교 연구도 앞으로 필요하다.

끝으로, 한글 제문의 가치와 재활용에 대해서 한마디 하고 싶다. 2022년에 안동 지역 내방가사가 유네스코 세계기록유산 아시아태평양지역목록에 등재되었다. 18~20세기 초, 조선시대 여성들이 주도적으로 창작한 집단문학 작품을 필사한 기록물로서, 당시 여성들의 사회적 인식을 담은 기록이자 한글이 사회의 공식 문자로 발전하는 과정을 보여주는 기록물이라는 가치를 인정받았다고 한다.

한글 제문도 그럴 만한 가치가 충분하다. 여성들이 주도적인 점도 그렇거니와, 다른 나라 문학에서는 아직 발견할 수 없는 애도기록문학이기 때문이다.

전통적인 의미의 한글 제문 창작이나 낭송은 더 이상 이루어지지 않고 있다. 하지만 고인을 칭송·애도하는 마음까지 우리에게서 사라진 것은 아니다. 명사들이 사망할 경우, 신문지상에 보도되는 추도사가 그것을 말해 준다. 안동 지역 한글 제문의 전통을 이어받아, 모든 지역에서, 발인 의식 시간에라도, 유족과 조문객의 대표가, 고인을 추도하는 글을 써서 낭송하면 어떨까 한다. 고인이 어떻게 살았나 되새기다 보면, 우리는 어떻게 살아야 할지 자연스럽게 가다듬을 수 있으리라고 본다.

참고문헌

김시업, 《북천가 연구 : 북천록과의 비교 고찰을 통하여》, 성균관대학교 석사논문, 1976.
신해진, 《떠난 사람에 대한 그리움의 미학, 애제문 : 옛 선비들의 애틋한 글》, 보고사, 2012.
심노숭 지음, 김영진 옮김, 《눈물이란 무엇인가》, 태학사, 2013.
안동민속박물관, 《안동의 한글 제문》, 안동민속박물관, 1998.
이상규, 《경북방언사전》, 태학사, 2000.
이은영, 《제문, 양식적 슬픔의 미학》, 태학사, 2004.
임기중, 《역대가사문학전집》, 아세아문화사, 1998.
정승혜, 〈유학 기태동이 죽은 누이를 위해 쓴 한글제문에 대하여〉, 『국어사연구』 17집, 2017.
홍윤표, 《한글 이야기 2》. 태학사, 2013.

이승과 저승을 소통하는 한글 제문

초판 1쇄 발행 2024년 2월 29일
초판 2쇄 발행 2025년 1월 10일

역주자 • 이복규·정재윤
발행인 • 한은희
편　집 • 조혜련

펴낸곳 • 책봄출판사
주　소 • 경기도 고양시 덕양구 통일로 1276-8 (킹스빌타운 208동 301호)
서울 중구 새문안로 32 동양빌딩 5층 (디자인 사무실)
전　화 • (010) 6353-0224
블로그 • https://blog.naver.com/anjh1123
이메일 • anjh1123@nate.com
등　록 • 2019년 10월 7일 제2019-0000156호
ISBN ISBN 979-11-980493-6-0 03090

• 책값은 뒤표지에 있습니다.